# HYPNOTISÖREN

Lars Kepler

# HYPNOTISÖREN

Kriminalroman

ALBERT BONNIERS FÖRLAG

www.albertbonniersforlag.se

ISBN 978-91-0-012404-5
Fjärde tryckningen

WS Bookwell, Finland 2009

SOM ELD, PRECIS SOM ELD. Det var de första orden den hypnotiserade pojken uttalade. Trots att han hade livshotande skador – hundratals knivsår i ansiktet, på benen, bålen, i ryggen, under fötterna, i nacken och bakhuvudet – hade man försatt honom i djup hypnos med hopp om att genom hans ögon få se vad som hänt.S– Jag försöker blinka, mumlade han. Jag går in i köket, men det stämmer inte, det knastrar mellan stolarna och en alldeles röd eld sprider sig över golvet.

Polisassistenten som hittade honom bland de andra kropparna i radhuset trodde att han var död. Pojken hade förlorat stora mängder blod, gått in i medicinsk chock och inte återfått medvetandet förrän sju timmar senare.

Han var det enda överlevande vittnet och kriminalkommissarie Joona Linna ansåg att det var troligt att han kunde ge ett bra signalement. Förövaren hade haft för avsikt att döda alla och det var därför sannolikt att han inte hade brytt sig om att dölja sitt ansikte under förloppet.

Men om de övriga omständigheterna inte hade varit så exceptionella hade man aldrig ens kommit på tanken att vända sig till en hypnotisör.

*I den grekiska mytologin är guden Hypnos en bevingad pojke som bär vallmokapslar i handen. Hans namn betyder sömn. Han är tvillingbror med döden och son till natten och mörkret.*

*Termen hypnos användes för första gången i sin moderna betydelse 1843 av den skotske kirurgen James Braid. Med denna term beskrev han ett sömnliknande tillstånd av både skarp uppmärksamhet och stor mottaglighet.*

*Idag är det vetenskapligt säkerställt att nästan alla människor kan bli hypnotiserade, men fortfarande varierar åsikterna om hypnosens användbarhet, tillförlitlighet och farlighet. Antagligen beror denna ambivalens på att hypnos har missbrukats av bedragare, estradörer och underrättelsetjänster världen över.*

*Rent tekniskt är det lätt att försätta en människa i ett hypnotiskt medvetandetillstånd, det svåra är att kontrollera förloppet, ledsaga patienten, analysera och hantera resultaten. Bara genom stor erfarenhet och fallenhet är det möjligt att verkligen behärska djuphypnos. I hela världen finns det inte mer än en handfull fullödiga experter på hypnos med läkarkompetens.*

# 1

*Natten till den åttonde december*

ERIK MARIA BARK rycks hastigt ur sin dröm när telefonen ringer. Innan han vaknar helt hör han sig själv säga med ett leende:

– Ballonger och serpentiner.

Hjärtat bultar av det plötsliga uppvaknandet. Erik vet inte vad han menade med sina ord, har ingen aning om vad drömmen innehöll.

För att inte väcka Simone smyger han ut ur sovrummet och stänger dörren innan han svarar.

– Ja, det är Erik Maria Bark.

En kriminalkommissarie vid namn Joona Linna frågar om han är tillräckligt vaken för att ta till sig viktig information. Tankarna faller fortfarande ned i det mörka tomrummet efter drömmen när han lyssnar på kommissarien.

– Jag har hört att du är skicklig på behandling av akut trauma, säger Joona Linna.

– Ja, svarar Erik helt kort.

Han tar en värktablett medan han lyssnar på redogörelsen. Kommissarien förklarar att han behöver förhöra ett vittne. En pojke på femton år har bevittnat ett dubbelmord. Problemet är att pojken är allvarligt skadad. Hans tillstånd är instabilt, han har hamnat i medicinsk chock och är medvetslös. Han flyttades under natten från neurologen i Huddinge till neurokirurgen på Karolinska universitetssjukhuset i Solna.

– Vem är ansvarig läkare? frågar Erik.

– Daniella Richards.

– Hon är mycket kompetent och jag är säker på att hon klarar ...

– Det var hon som ville att jag skulle ringa, avbryter kommissarien. Hon behöver din hjälp och det är nog ganska bråttom.

Erik återvänder till sovrummet för att hämta sina kläder. En strimma ljus från en gatlykta faller in mellan de båda rullgardinerna. Simone ligger på rygg och tittar på honom med en underlig, tom blick.

– Det var inte meningen att väcka dig, säger han dämpat.

– Vem var det? frågar hon.

– En polis ... en poliskommissarie, jag hörde inte vad han hette.

– Vad handlar det om?

– Jag måste åka in till Karolinska, svarar han. De behöver hjälp med en pojke.

– Hur mycket är klockan egentligen?

Hon tittar på väckarklockan och sluter ögonen. Han ser att hennes fräkniga axlar har blivit strimmiga av lakanets veck.

– Sov nu, Sixan, viskar han.

Erik bär ut sina kläder till hallen, tänder taklampan och klär sig hastigt. En blank stålklinga blixtrar till bakom honom. Erik vänder sig om och ser att hans son har hängt upp sina skridskor på handtaget till ytterdörren för att inte glömma dem. Trots att Erik har bråttom går han till garderoben, drar ut trunken och letar fram skridskoskydden. Han fäster dem på de vassa bladen, lägger sedan skridskorna på hallmattan och lämnar lägenheten.

Klockan är tre på natten till tisdagen den 8 december när Erik Maria Bark sätter sig i bilen. Snö faller långsamt från den svarta himlen. Det är fullständigt vindstilla och de tunga flingorna lägger sig sömnigt på den tomma gatan. Han vrider nyckeln i tändningslåset och musiken rullar in som mjuka vågor: Miles Davis *Kind of Blue*.

Han kör den korta sträckan genom den sovande staden, ut från Luntmakargatan, längs Sveavägen till Norrtull. Brunnsviken anas som en stor, mörk öppning bakom snöfallet. Med låg hastighet rullar han in på sjukhusområdet, mellan Astrid Lindgrens underbemannade sjukhus och förlossningen, förbi radiumhemmet och psykiatrin, parkerar på sin vanliga plats utanför neurokirurgiska kliniken och lämnar bilen. Lyktstolparnas sken återspeglas i fönstren till det höga komplexet. Bara några enstaka bilar står på besöksparkeringen. Koltrastar rör sig i dunklet kring träden med frasande vingar. Erik noterar att bruset från motorvägen inte hörs vid denna tid.

Han sticker in passerkortet, anger den sexsiffriga koden och går in i foajén, tar hissen upp till femte våningen och går genom korridoren. Lysrören i taket blänker i den blå plastmattan som isen i ett dike. Först nu upplever han tröttheten efter den plötsliga adrenalintillströmningen. Sömnen hade varit så bra, den efterlämnade fortfarande en lycklig smak. Han passerar en operationssal, fortsätter förbi dörrarna till den enorma tryckkammaren, hälsar på en sköterska och tänker ännu en gång igenom det kriminalkommissarien berättade för honom i telefon: en pojke blöder, är skuren över hela kroppen, svettas, vill inte ligga ner, är rastlös och mycket törstig. Man gör ett försök att tala med honom, men tillståndet förvärras hastigt. Hans medvetande sjunker undan samtidigt som hjärtat skenar och den ansvariga läkaren Daniella Richards fattar det riktiga beslutet att inte släppa in kriminalpolisen till patienten.

Två uniformerade poliser står utanför dörren till avdelning N18. Erik tycker sig ana att en oro drar över deras ansikten när han närmar sig. Kanske är de bara trötta, tänker han när han stannar framför dem och identifierar sig. De tittar hastigt på legitimationen och trycker sedan på knappen så att dörren surrande svänger upp.

Erik går in, skakar hand med Daniella Richards och noterar

det spända draget över hennes mun, den dämpade stressen i hennes rörelser.

– Ta lite kaffe, säger hon.

– Hinner vi det? frågar Erik.

– Jag har blödningen i levern under kontroll, svarar hon.

En man i fyrtiofemårsåldern, klädd i jeans och svart kavaj står och knackar på höljet till kaffeautomaten. Han har alldeles rufsigt, blont hår och läpparna är allvarliga, sammanpressade. Erik tänker att det kanske är Daniellas man, Magnus. Han har aldrig träffat honom, bara sett fotografiet på hennes kontor.

– Är det din man? frågar Erik med en riktad gest.

– Va?

Hon ser både road och häpen ut.

– Jag tänkte att Magnus kanske följde med.

– Nej, skrattar hon.

– Är du säker? Jag kan fråga honom, skojar Erik och börjar gå mot mannen.

Daniellas mobiltelefon ringer och hon öppnar den skrattande.

– Erik, låt bli, säger hon innan hon lägger telefonen mot örat och svarar. Ja, Daniella.

Hon lyssnar, men hör ingenting.

– Hallå?

Hon väntar några sekunder, avslutar sedan ironiskt med den hawaiianska hälsningen ”aloha” innan hon stänger telefonen igen och följer efter Erik.

Han har gått fram till den blonde mannen. Kaffeautomaten surrar och pyser.

– Drick lite kaffe, säger mannen och försöker placera kaffemuggen i Eriks hand.

– Nej, tack.

Mannen smakar på kaffet och ler med små skrattgropar i kinderna.

– Gott, säger han och försöker ge Erik muggen igen.

– Jag vill inte ha.

Mannen dricker lite till, medan han tittar på Erik.

– Skulle jag kunna få låna din telefon? frågar han plötsligt. Om det är okej. Jag glömde min i bilen.

– Och nu vill du låna min telefon? frågar Erik stramt.

Den blonde mannen nickar och ser på honom med ljusa ögon, grå som polerad granit.

– Du kan låna min igen, säger Daniella.

– Tack.

– Ingen orsak.

Den blonde mannen tar emot telefonen, tittar på den och möter sedan hennes blick.

– Jag lovar att du får tillbaka den, säger han.

– Det är ändå bara du som använder den, skojar hon.

Han skrattar och drar sig undan.

– Det måste vara din man, säger Erik.

Hon skakar leende på huvudet och ser sedan mycket trött ut. Hon har gnuggat sig i ögonen och dragit ut silvergrå kajal på kinden.

– Ska jag titta på patienten? frågar Erik.

– Gärna, nickar hon.

– När jag ändå är här, skyndar han sig att säga.

– Erik, jag vill mycket gärna höra din åsikt, jag känner mig osäker.

Hon öppnar den tunga, tysta dörren och han följer henne in i det varma rummet i anslutning till operationssalen. En smal pojke ligger på sängen. Två sjuksköterskor lägger om hans sår. Det rör sig om hundratals snitt och sticksår, precis överallt på kroppen. Under fötterna, på bröst och mage, i nacken, mitt på hjässan, i ansiktet, på händerna.

Pulsen är svag, men mycket snabb. Läpparna är grå som aluminium, han svettas och ögonen är hårt slutna. Näsan ser ut att vara bruten. En blödning sprider sig som ett dunkelt moln under huden, från halsen ned över bröstet.

Erik noterar att pojkens ansikte, trots skadorna, är vackert.

Daniella redogör lågmält för utvecklingen, hur pojkens värden varierat, när hon plötsligt tystnar av en knackning. Det är den blonde mannen igen. Han vinkar till dem genom glasrutan i dörren.

Erik och Daniella tittar på varandra och lämnar undersökningsrummet. Den blonde mannen står åter vid den pysande kaffeautomaten.

– En stor cappuccino, säger han till Erik. Det kan du behöva innan du träffar polisen som hittade pojken.

Först nu förstår Erik att den blonde mannen är kriminalkommissarien som väckte honom för mindre än en timme sedan. Hans finlandssvenska hade inte varit lika påtaglig i telefon eller så hade Erik bara varit för trött för att registrera den.

– Varför skulle jag vilja träffa polisen som hittade pojken? frågar Erik.

– För att förstå varför jag behöver förhöra ...

Joona tystnar när Daniellas telefon ringer. Han tar upp den ur sin kavajficka, ignorerar hennes framsträckta hand och tittar hastigt på displayen.

– Det är nog till mig, säger Joona och svarar. Ja ... Nej, jag vill ha honom här. Okej, men det skiter jag i.

Kommissarien ler när han lyssnar i telefonen på kollegans invändningar.

– Fast jag har fått syn på en sak, svarar Joona.

Den andre skriker något.

– Jag gör det på mitt sätt, säger Joona med lugn röst och avslutar sedan samtalet.

Han lämnar tillbaka telefonen till Daniella och tackar tyst.

– Jag måste förhöra patienten, förklarar han allvarligt.

– Tyvärr, säger Erik. Jag gör samma bedömning som doktor Richards.

– När kommer han kunna tala med mig? frågar Joona.

– Inte så länge han befinner sig i chock.

– Jag visste att du skulle svara så, säger Joona lågt.

– Läget är fortfarande mycket kritiskt, förklarar Daniella. Lungsäcken är skadad, tunntarmen och levern och …

En man med smutsig polisuniform kommer in. Blicken är orolig. Joona vinkar och går fram och skakar hans hand. Han säger något med dämpad röst och polisen stryker sig över munnen och tittar på läkarna. Kriminalkommissarien upprepar för polismannen att det är i sin ordning, de behöver få veta omständigheterna, det kan vara till stor hjälp för dem.

– Ja, alltså, säger polisen och harklar sig svagt. Vi får veta på radion att en städare har hittat en död karl på toaletten på idrottsplatsen i Tumba. Och vi sitter redan i bilen på Huddingevägen och behöver bara svänga in på Dalvägen och upp mot sjön. Janne, min kollega, han går in medan jag pratar med städaren. Först trodde vi att det handlade om en överdos, men jag får snart klart för mig att det rör sig om andra saker. Janne kommer ut från omklädningsrummet, han är helt vit i ansiktet och vill liksom inte släppa fram mig. Bara en jävla massa blod, säger han tre gånger och så sätter han sig rakt ner på trappan och …

Polismannen tystnar, sätter sig på en stol och stirrar framför sig med halvöppen mun.

– Vill du fortsätta? frågar Joona.

– Ja … ambulansen kommer till platsen, den döde blir identifierad och jag får i uppdrag att tala med de anhöriga. Vi är lite kort om folk, så jag får åka ensam. För min chef, hon säger ungefär att hon inte vill släppa i väg Janne i det här skicket och det kan man ju förstå.

Erik tittar på klockan.

– Du har tid att lyssna på det här, säger Joona till honom på sin lugna finlandssvenska.

– Den avlidne, fortsätter polismannen med sänkt blick. Han är lärare på Tumba gymnasium och bor i det nya radhusområdet uppe vid åsen. Ingen öppnar dörren. Jag ringer på flera gånger.

Alltså, jag vet faktiskt inte vad som får mig att gå runt hela längan och lysa med ficklampan genom ett fönster på baksidan.

Polisen tystnar, munnen darrar och han börjar skrapa med nageln på armstödet till stolen.

– Fortsätt snälla, ber Joona.

– Måste jag det, för jag ... jag ...

– Du hittade pojken, mamman och en liten flicka på fem år. Pojken var den enda som fortfarande levde.

– Fast jag trodde ... jag ...

Han tystnar, är alldeles blek i ansiktet.

– Tack för du kom, Erland, säger Joona.

Polisen nickar snabbt och reser sig, drar förvirrat med handen över den smutsiga jackan och lämnar rummet.

– Alla var skurna, fortsätter Joona. Rent vansinne, svårt tilltygade, de var sparkade, slagna, huggna och den lilla flickan ... hon var delad i två delar. Underkropp och ben låg i fåtöljen framför teven och ...

Han tystnar och iakttar Erik innan han fortsätter:

– Det verkar som om förövaren visste att pappan i familjen befann sig på idrottsplatsen, förklarar Joona. Det hade varit fotboll, han var domare. Gärningsmannen väntade på att han skulle bli ensam innan han mördade honom, påbörjade en styckning, en aggressiv styckning, och åkte sedan till radhuset för att döda de andra.

– Skedde det i den ordningen? frågar Erik.

– Det är min uppfattning, svarar kommissarien.

Erik känner att handen skakar när han stryker sig över munnen. Pappa, mamma, son, dotter, tänker han mycket långsamt och möter sedan Joona Linnas blick.

– Förövaren ville utplåna en hel familj, konstaterar Erik med svag röst.

Joona gör en tvekande gest.

– Det är just det som är ... Ett barn fattas fortfarande, storasystern. En flicka på tjugotre år. Vi kan inte hitta henne. Hon befinner sig inte i sin lägenhet i Sundbyberg, inte hemma hos pojkvännen. Vi tar det för möjligt att gärningsmannen också är ute efter henne. Det är därför vi vill förhöra vittnet så fort det bara går.

– Jag ska gå in och göra en noggrann undersökning, säger Erik.

– Tack, nickar Joona.

– Men vi kan inte riskera patientens liv med att ...

– Jag förstår det, avbryter Joona. Det är bara det att ju längre tid det tar innan vi får något att gå på, desto längre tid får gärningsmannen på sig att leta efter storasystern.

– Ni borde kanske göra en brottsplatsundersökning, säger Daniella.

– Den är i full gång, svarar han.

– Åk dit och skynda på dem istället, säger hon.

– Den kommer ändå inte att ge någonting, säger kommissarien.

– Vad menar du?

– Vi kommer att hitta hopblandad DNA från hundratals, kanske tusen personer på de här platserna.

Erik återvänder in till patienten. Han står framför britsen, betraktar det bleka, såriga ansiktet. Den tunna andningen. Läpparnas frusenhet. Erik uttalar hans namn och något stramar till över ansiktet, smärtsamt.

– Josef, upprepar han lågt. Jag heter Erik Maria Bark, jag är läkare och jag ska undersöka dig. Du får gärna nicka om du förstår vad jag säger.

Pojken ligger helt stilla, magen rör sig med den korta andhämtningen, ändå är Erik helt övertygad om att pojken förstod hans ord, men att medvetandenivån sedan sjönk och att kontakten bröts.

När Erik en halvtimme senare lämnar rummet tittar både Daniella och kriminalkommissarien på honom.

– Kommer han att klara sig? frågar Joona.

– Det är för tidigt att svara på det, men han …

– Pojken är vårt enda vittne, avbryter han. Någon har dödat hans far, mor, lillasyster och samma person är med viss sannolikhet just nu på väg till hans storasyster.

– Vi vet det, säger Daniella. Men vi tycker kanske att polisen borde ägna sin tid åt att leta efter henne istället för att störa oss.

– Letar gör vi, men det går för långsamt. Vi behöver tala med pojken, för han har antagligen sett förövarens ansikte.

– Det kan ta veckor innan det går att förhöra pojken, säger Erik. Jag menar, vi kan ju inte bara skaka liv i honom och berätta att hela hans familj är död.

– Men under hypnos, säger Joona.

Det blir tyst i rummet. Erik tänker på snön som föll över Brunnsviken när han åkte hit. Hur den singlade ner mellan träden över det mörka vattnet.

– Nej, viskar han för sig själv.

– Skulle inte hypnos fungera?

– Jag kan ingenting om det, svarar Erik.

– Fast jag har mycket bra minne för ansikten, säger Joona med ett stort leende. Du är en berömd hypnotisör, du skulle …

– Jag var en bluff, avbryter Erik.

– Det är inte vad jag tror, säger Joona. Och det här är en nödsituation.

Daniella rodnar om kinderna och ler mot golvet.

– Jag kan inte, säger Erik.

– Nu är det faktiskt jag som ansvarar för patienten, säger Daniella med höjd röst. Och jag är inte speciellt lockad av att tillåta någon hypnos.

– Men om du skulle bedöma att det inte vore farligt för patienten? frågar Joona.

Erik inser att kriminalkommissarien redan från början hade tänkt sig hypnos som en möjlig genväg. Han förstår att det inte alls rör sig om ett infall. Joona Linna har bett honom komma till sjukhuset bara för att försöka övertyga honom om att hypnotisera patienten och inte för att han är expert på behandling av akut chock och trauma.

– Jag har lovat mig själv att aldrig hålla på med hypnos igen, säger Erik.

– Okej, jag förstår, säger Joona. Jag har hört att du var bäst, men vad fan, jag är tvungen att respektera ditt val.

– Jag är ledsen, säger Erik.

Han tittar på patienten genom fönstret och vänder sig sedan till Daniella.

– Har han fått desmopressin?

– Nej, jag har faktiskt väntat med det, svarar hon.

– Varför?

– Risken för tromboemboliska komplikationer.

– Jag har följt diskussionen, men jag tror inte att det stämmer, jag ger desmopressin till min son hela tiden, säger Erik.

Joona reser sig tungt från stolen.

– Jag vore tacksam om du kunde rekommendera en annan hypnotisör, säger han.

– Vi vet inte ens om patienten kommer att återfå sitt medvetande, svarar Daniella.

– Men jag räknar med ...

– Och han måste väl ändå vara vid medvetande för att kunna hypnotiseras, avslutar hon och drar lite på munnen.

– Han lyssnade när Erik talade med honom, säger Joona.

– Det tror jag inte, mumlar hon.

– Jo, han hörde mig faktiskt, säger Erik.

– Vi skulle kunna rädda hans syster, fortsätter Joona.

– Jag åker hem nu, säger Erik lågt. Ge patienten desmopressin och överväg tryckkammare.

Han lämnar rummet och tar av sig läkarrocken medan han går genom korridoren och ställer sig i hissen. Flera människor rör sig i foajén. Dörrarna är upplåsta och himlen har ljusnat en aning. Redan när bilen rullar ut från parkeringsplatsen sträcker han sig efter den lilla träasken som han har liggande i handskfacket. Utan att ta blicken från vägen petar han upp locket med den färggranna papegojan och infödingen, fångar tre tabletter och sväljer dem hastigt. Han måste få ett par timmars sömn nu på morgonen, innan Benjamin ska väckas och få sin spruta.

# 2

*Tisdag morgon den åttonde december*

KRIMINALKOMMISSARIE Joona Linna beställer en stor smörgås med parmesan, bresaola och soltorkade tomater på det lilla frukostställlet Il caffè på Bergsgatan. Det är tidig morgon och kaféet har precis öppnat: flickan som tar emot hans beställning har inte hunnit packa upp bröden ur påsarna ännu.

Efter att sent igår kväll ha inspekterat brottsplatserna i Tumba, besökt det överlevande offret på Karolinska sjukhuset i Solna och mitt i natten talat med de båda läkarna Daniella Richards och Erik Maria Bark, åkte han hem till lägenheten i Fredhäll och sov i tre timmar.

Nu väntar Joona på sin frukost, blickar ut på rådhuset genom det immiga fönstret och tänker på kulverten, den underjordiska gången som går under parken mellan polisens enorma byggnad och rådhuset. Han får tillbaka sitt bankkort, lånar en jättelik penna från glasdisken, skriver sin namnteckning på kvittot och lämnar kaféet.

Regnblandad snö faller med hög hastighet från himlen när han skyndar sig uppför Bergsgatan med sitt varma smörgåspaket i handen och sportväskan med innebandyklubban i den andra.

Vi möter span i kväll – och det blir synd om oss, tänker Joona. Vi kommer att få pisk, precis som de har lovat.

Rikskriminalens innebandylag förlorar mot närpolisen, trafikpolisen, sjöpolisen, nationella insatsstyrkan, piketpolisen och säkerhetspolisen. Men det ger dem ett giltigt skäl att träffas och trösta sig på puben efteråt.

De enda vi har vunnit över är gubbarna på labbet, tänker Joona.

Han har ingen aning om att han varken kommer att spela bandy eller gå på puben denna tisdag när han går utmed polishusets långsida, förbi den stora entrén. Han ser att någon har ritat ett hakkors på skylten till tingsrättens förhandlingssal. Med stora steg fortsätter han upp mot Kronobergshäktet och ser den höga grinden sluta sig ljudlöst efter en bil. Snöflingor smälter på den stora rutan till vaktkuren. Joona går förbi polisens simhall, sneddar över gräset mot gaveln till det jättelika komplexet. Fasaden liknar mörk koppar, polerad, men under vatten, tänker han. Inga cyklar står i det långa stället intill salen för häktningsförhandlingar, flaggorna hänger blöta utmed de båda stängerna. Joona småspringer mellan två metallplintar och in under det höga frostade glastaket, stampar av skorna och går sedan in genom entrédörrarna till Rikspolisstyrelsen.

I Sverige ansvarar justitiedepartementet för polisväsendet, men departementet saknar befogenhet att bestämma hur lagen ska tillämpas. Det är Rikspolisstyrelsen som är den centrala förvaltningsmyndigheten. Till Rikspolisstyrelsen hör Rikskriminalpolisen, Säkerhetspolisen, Polishögskolan och Statens kriminaltekniska laboratorium.

Rikskriminalpolisen är Sveriges enda centrala operativa polis med ansvar för att bekämpa den grova brottsligheten på nationell och internationell nivå. Här jobbar Joona Linna som kriminalkommissarie sedan nio år.

Joona går genom sin korridor, tar av sig mössan vid anslagstavlan, flyger med blicken över lapparna om yoga, någon som vill sälja en husbil, information från fackförbundet OFR/P och ändrade tider på skytteklubben.

Golvet som våttorkades i fredags är redan mycket smutsigt. Dörren till Benny Rubin står på glänt. Den sextioårige mannen med grå mustasch och rynkig, söndersolad hy, hörde till

Palmegruppen under några år, men är nu knuten till arbetet kring kommunikationscentralen och övergången till det nya radiosystemet Rakel. Han sitter framför datorn med en cigarett bakom örat och skriver med en skrämmande långsamhet.

– Jag har ögon i nacken, säger han plötsligt.

– Det förklarar kanske varför du skriver så dåligt, skojar Joona.

Han noterar att Bennys senaste fynd är en affisch med reklam för flygbolaget SAS: en ung, lagom exotisk kvinna i minimal bikini står och dricker en fruktdrink med sugrör. Benny blev så provocerad av förbudet mot almanackor med utvikningstjejer att de flesta trodde att han skulle säga upp sig. Istället har han i många år ägnat sig åt en tyst och envis protest. Den första varje månad byter han väggdekoration. Ingen har sagt att det är förbjudet med reklam för flygbolag, bilder på isprinsessor med benen brett isär, yogainstruktioner eller underklädesreklam från Hennes & Mauritz. Joona minns en plansch på kortdistanslöparen Gail Devers i tighta shorts och en vågad litografi av konstnären Egon Schiele som föreställde en rödhårig kvinna som satt och skrevade i ett par fluffiga mamelucker.

Joona stannar till för att hälsa på sin assistent och kollega Anja Larsson. Hon sitter med halvöppen mun framför datorn och hennes klotrunda ansikte är så koncentrerat att han väljer att inte störa henne. Istället fortsätter han till sitt rum, hänger av sig den blöta rocken innanför dörren, tänder adventsstjärnan i fönstret och tittar snabbt igenom sitt fack: en skrivelse om arbetsmiljön, ett förslag om lågenergilampor, en förfrågan från åklagarmyndigheten och personalinbjudan till julbord på Skansen.

Joona lämnar sitt kontor, går in i sammanträdesrummet, sätter sig på sin vanliga plats, vecklar upp smörgåspaketet och börjar äta.

På den stora whiteboardtavlan som hänger på långväggen står det skrivet: klädsel, kroppsskyddsutrustning, vapen, tårgas, sambandsmedel, fordon, övriga tekniska hjälpmedel, kanaler, stationssignaler, passningsalternativ, radiotystnad, koder, förbindelseprov.

Petter Näslund stannar till i korridoren, skrattar belåtet och hänger på dörrkarmen med ryggen mot mötesrummet. Petter är en muskulös och skallig man i trettiofemårsåldern, kommissarie med särskild tjänsteställning, vilket gör honom till Joonas närmaste chef. I flera år har han flirtat med Magdalena Ronander utan att notera hennes besvärade blick och ständiga försök att styra över till en mer kollegial ton. Magdalena är inspektör på spaningssektionen sedan fyra år och har för avsikt att avsluta sin juristutbildning innan hon fyller trettio.

Nu sänker Petter rösten och frågar ut Magdalena om valet av tjänstevapen och hur ofta hon byter pipa för att räfflorna tagit slut. Utan att låtsas om hans plumpa tvetydigheter berättar hon att hon för noggrann statistik över avlossade skott.

– Men du gillar grova grejer – eller hur? säger Petter.

– Nej, alltså, jag kör på Glock 17, svarar hon. För att den pallar med en hel del av försvarets 9 millimeter ammunition.

– Använder du inte tjeckiska ...

– Jo, fast ... fast hellre m39B, säger hon.

De båda går in i sammanträdesrummet, sätter sig på sina platser och hälsar på Joona.

– Och Glocken finns ju med krutgasejektorer, vid sidan av kornet, fortsätter hon. Rekylen minskar som fan och man kommer snabbare till nästa skott.

– Vad tycker mumintrollet? frågar Petter.

Joona ler mjukt och hans ljusgråa ögon blir alldeles isigt klara när han svarar på sin sjungande finlandssvenska:

– Att det inte spelar någon roll, att det är helt andra saker som avgör.

– Så du behöver inte kunna skjuta, flinar Petter.

– Joona är en bra skytt, säger Magdalena Ronander.

– Bra på allt, suckar Petter.

Magdalena ignorerar Petter och vänder sig istället till Joona.

– Den största fördelen med den kompenserade Glocken är att krutgasen inte syns från mynningen när det är mörkt.

– Helt rätt, säger Joona lågt.

Hon ser glad ut när hon öppnar sin svarta skinnmapp och börjar bläddra bland sina papper. Benny kommer in, sätter sig, tittar på alla, slår handflatan hårt mot bordskivan och ler sedan stort när Magdalena Ronander ger honom en irriterad blick.

– Jag tog fallet ute i Tumba, säger Joona.

– Vilket fall är det? frågar Petter.

– En hel familj är knivmördad, svarar han.

– Det har ingenting med oss att göra, säger Petter.

– Jag tror att det kan röra sig om en seriemördare eller åtminstone ...

– Men lägg av någon gång, avbryter Benny, ser Joona i ögonen och slår handflatan i bordet igen.

– Det var bara en uppgörelse, fortsätter Petter. Lån, skulder, spel ... Han var ju känd på Solvalla.

– Spelberoende, bekräftar Benny.

– Han lånade pengar från lokala, kriminella kretsar och fick betala för det, säger Petter avslutande.

Det blir tyst. Joona dricker lite vatten, plockar upp några smulor från smörgåsen och stoppar dem i munnen.

– Jag har en känsla för det här fallet, säger han dämpat.

– Då får du begära förflyttning, säger Petter leende. Det här är ingenting för rikskrim.

– Jag tror att det är det.

– Du får bli närpolis i Tumba om du vill ha fallet, säger Petter.

– Jag tänker undersöka morden, envisas Joona.

– Det är jag som bestämmer en sådan sak, svarar Petter.

Yngve Svensson kommer in och sätter sig. Han har bakåtkammat hår med frisyrgelé, blågrå ringar under ögonen, rödaktig skäggstubb och bär alltid en skrynklig svart kostym.

– *Yngwie*, säger Benny nöjt.

Yngve Svensson är en av de främsta experterna på organiserad brottslighet i landet, ansvarar för analyssektionen och ingår i enheten för internationellt polissamarbete.

– Yngve, vad säger du om Tumba? frågar Petter. Visst satt du och kollade på det precis?

– Ja, det ser ut att vara en lokal grej, säger han. Indrivaren åker till huset. Pappan borde ju ha varit hemma vid den här tiden, men han hade hoppat in som domare i en fotbollsmatch. Indrivaren går antagligen på både speed och rohypnol, är obalanserad och stressad och blir provocerad av någonting, ger sig på familjen med en swat-kniv för att hitta mannen, de berättar säkert som det är, men han får totalt spel och dödar allihop innan han drar iväg till idrottsplatsen.

Petter ler försmädligt, dricker ett par stora klunkar vatten, rapar i handen, tittar på Joona och frågar:

– Vad säger du om den förklaringen?

– Om den inte var helt fel så vore den kanske bra, svarar Joona.

– Vad är det som är fel? frågar Yngve stridslystet.

– Mördaren dödade mannen vid fotbollsplanen först, svarar Joona lugnt. Sedan åkte han ut till huset och dödade resten.

– Och då är det knappast någon indrivning, säger Magdalena Ronander.

– Vi får väl se vad obduktionen säger, mumlar Yngve.

– Den kommer att säga att jag har rätt, svarar Joona.

– Idiot, suckar Yngve och stoppar in två påsar portionssnus under läppen.

– Joona, du kommer inte att få det här fallet av mig, säger Petter.

– Jag förstår det, suckar han och reser sig från bordet.

– Vart ska du – vi har ett sammanträde, säger Petter.

– Jag måste prata med Carlos.

– Inte om det här.

– Jo, svarar Joona och lämnar rummet.

– Stanna, ropar Petter. Annars måste jag ...

Joona hör inte vad han hotar med, han stänger bara dörren lugnt efter sig, fortsätter genom korridoren, säger hej till Anja som med en frågande min möter hans blick över datorskärmen.

– Sitter inte du i möte? frågar hon.

– Jo, svarar han och fortsätter fram till hissen.

På femte våningen finns Rikspolisstyrelsens mötesrum och kansli och där sitter också Carlos Eliasson, chefen för Rikskriminalpolisen. Dörren står på glänt, men är som vanligt mer stängd än öppen.

– Kom in, kom in, kom in, säger Carlos.

När Joona kliver in far ett blandat uttryck av lika delar bekymmer som glädje över Carlos ansikte.

– Jag ska bara mata mina små, säger han och knackar på kanten till akvariet.

Han tittar leende på fiskarna som simmar mot ytan och smular sedan ner fiskmat i vattnet.

– Där har du lite, viskar han.

Carlos pekar ut riktningen för den minsta paradisfisken, Nikita, och vänder sig sedan om och säger vänligt:

– Mordkommissionen frågade om du kunde titta på mordet i Dalarna.

– Det löser de själva, säger Joona.

– De verkar inte riktigt tro det – Tommy Kofoed var här och uppvaktade ...

– Fast jag har ändå inte tid, avbryter Joona.

Han sätter sig mitt emot Carlos. Det luktar gott i rummet av skinn och trä. Solen faller lekande in via akvariet.

– Jag vill ha hand om fallet i Tumba, säger Joona utan omsvep.

Det bekymrade uttrycket tar för ett kort ögonblick över i Carlos rynkiga, varma ansikte.

– Petter Näslund ringde mig för en sekund sedan, han har

rätt, det här är inte ett ärende för rikskrim, säger han försiktigt.

– Jag tror att det är det, envisas Joona.

– Bara om indrivningen är kopplad till större organiserad brottslighet, Joona.

– Det var ingen indrivning.

– Inte?

– Mördaren gav sig på mannen först, slår Joona fast. Därefter åkte han till radhuset för att fortsätta med familjen. Han ville mörda hela familjen, han kommer att hitta den vuxna dottern och han kommer att hitta pojken om han nu överlever.

Carlos kastar en kort blick på sitt akvarium som om han vore rädd att fiskarna skulle råka höra något otäckt.

– Jaha, säger han skeptiskt. Hur vet du det?

– För att stegen i blodet var kortare i huset.

– Vad menar du?

Joona lutar sig fram och säger:

– Det var förstås fotavtryck överallt, jag har inte mätt någonting, men jag uppfattade stegen i omklädningsrummet som ... ja, piggare, och stegen i huset som tröttare.

– Nu kommer det, säger Carlos matt. Nu börjar du krångla till det igen.

– Fast jag har rätt, svarar Joona.

Carlos skakar på huvudet:

– Jag tror inte att du har det den här gången.

– Jo, det har jag.

Carlos vänder sig till fiskarna och säger:

– Den där Joona Linna, han är den envisaste människa jag någonsin har stött på.

– Fast vad händer om man backar när man vet att man har rätt?

– Jag kan inte gå över Petters huvud och ge dig fallet på basis av en känsla, förklarar Carlos.

– Jo.

– Alla tror att det här var en indrivning av spelskulder.

– Du också? frågar Joona.

– Ja, det gör jag faktiskt.

– Spåren var piggare i omklädningsrummet för att mannen mördades först, framhärdar Joona.

– Du ger dig aldrig, frågar Carlos. Eller hur?

Joona rycker på axlarna och ler.

– Det är lika bra jag ringer och hör med Rättsmedicinska direkt, muttrar Carlos och tar telefonen.

– De kommer att säga att jag har rätt, svarar Joona med nedslagen blick.

Joona Linna vet att han är en envis människa och han vet att han behöver sin envishet för att fortsätta framåt. Kanske började det med Joonas far, Yrjö Linna, som var patrullerande polis i Märsta polisdistrikt. Han befann sig på gamla Uppsalavägen en bit norr om Löwenströmska sjukhuset när ledningscentralen fick ett larm och skickade honom till Hammarbyvägen i Upplands Väsby. En granne hade ringt polisen. Sa att Olssons ungar fick stryk igen. 1979 var Sverige det första landet i världen som förbjöd barnaga och polisen hade fått direktioner från Rikspolisstyrelsen att ta allvarligt på den nya lagen. Yrjö Linna körde in på gården med polisbilen och stannade utanför porten. Han väntade på sin kollega Jonny Andersen. Efter några minuter anropade han kollegan. Jonny stod i en kö utanför korvkiosken Mammas och sa att han nog tyckte att en karl måste få lov att visa vem som bestämmer ibland. Yrjö Linna var en tystlåten man. Han visste att reglementet krävde att de skulle vara två vid ett ingripande av det här slaget, men envisades inte. Han sa ingenting trots att han var medveten om att han hade rätt till understöd. Han ville inte tjata, ville inte verka feg och kunde inte vänta. Yrjö Linna tog trapporna till tredje våningen och ringde på dörren. En flicka öppnade med rädda ögon. Han bad henne stanna i trappuppgången, men hon skakade på huvudet och sprang in i lägenheten. Yrjö Linna följde efter och kom in i vardagsrummet. Flickan bankade på dörren till balkongen. Yrjö upptäckte att det stod en liten pojke därute, enbart klädd i sin blöja. Han såg ut att vara två år gammal. Yrjö skyndade sig tvärs över rummet för att släppa in barnet och upptäckte därför den berusade mannen för sent. Han satt helt stilla i soffan innanför dörren, med ansiktet vänt mot balkongen. Yrjö var tvungen att använda båda händerna för att lossa spärren och vrida handtaget. Det var först när han hörde det klickande ljudet från hagelbössan som han stannade till. Skottet brann av, en samlad klunga av trettiosex små blykulor gick rakt in i hans ryggrad och dödade honom nästan omedelbart.

Den elvaåriga Joona flyttade tillsammans med sin mor Ritva från den ljusa lägenheten i Märsta centrum till mosterns trerumslägenhet i Fredhäll i Stockholm. Efter avslutad grundskola och tre år på Kungsholmens gymnasium sökte han till Polishögskolan. Han tänker fortfarande ganska ofta på vännerna i sin grupp, promenaderna över de stora gräsytorna, lugnet som föregick aspiranttiden och de första åren som polisassistent. Joona Linna har fått sin beskärda del av skrivbordsarbete, bidragit till jämställdhetsplaner och fackligt arbete, han har dirigerat om trafik vid Stockholm Marathon och vid hundratals bilolyckor, blivit generad när fotbollshuliganer trakasserat kvinnliga kollegor med dånade sånger i tunnelbanevagnen: ”Vad gör du med batongen kärringsnut – in och ut!”, han har hittat döda heroinister med ruttnade sår, har talat allvar med snattare, hjälpt ambulanspersonal med spyende fyllerister, han har pratat med prostituerade kvinnor, skakande av abstinens, aidssjuka och rädda, han har mött hundratals män som misshandlat fruar och barn, alltid med samma mönster, berusade men kontrollerade, med radion på hög volym och persiennerna nerdragna, han har stoppat fortkörare och rattfyllerister, beslagtagit vapen, knark och hembränd sprit. En gång när han var sjukskriven för ryggskott och var ute och promenerade för att inte stelna till hade han sett ett skinnhuvud ta en muslimsk kvinna på brösten utanför Klastorpsskolan. Han hade med värkande rygg sprungit efter skinnskallen längs vattnet, genom hela parken, förbi Smedsudden, upp på Västerbron, över vattnet och Långholmen till Södermalm och gripit honom först vid trafikljusen på Högalidsgatan.

Utan någon egentlig vilja att göra karriär har Joona Linna stigit i graderna. Han tycker om kvalificerade uppgifter och han ger aldrig upp. Han har krona och två eklövsgaloner på sin gradbeteckning, men saknar fyrkantssnöre för särskild tjänsteställning. Han är helt enkelt ointresserad av alla former av chefskap och vägrar att ingå i Riksmordkommissionen.

Nu sitter Joona Linna denna decembermorgon på rikskriminalchefens rum. Han känner ännu inte av någon trötthet efter den långa natten i Tumba och på Karolinska sjukhuset när han lyssnar på Carlos Eliasson som pratar med den biträdande chefsobducenten på rättsmedicinska avdelningen i Stockholm, professor Nils ”Nålen” Åhlén.

– Nej, jag behöver bara veta vilken som är den första brottsplatsen, säger Carlos och lyssnar en stund. Det förstår jag, det förstår jag ... men din bedömning så här långt, hur ser det ut?

Joona lutar sig bakåt mot ryggstödet, kliar sig i det blonda, rufsiga håret och ser hur kriminalchefens ansikte blir allt rödare. Han lyssnar till Nålens monotona röst och istället för att svara, nickar han bara och lägger sedan på utan att säga adjö.

– De ... de ...

– De har konstaterat att pappan blev dödad först, fyller Joona i.

Carlos nickar.

– Vad var det jag sa, säger Joona leende.

Carlos slår ner blicken och harklar sig.

– Okej, du är förundersökningsledare, säger han. Fallet i Tumba är ditt.

– Snart, svarar Joona allvarligt.

– Snart?

– Först vill jag höra en sak. Vem var det som hade rätt? Vem hade rätt, du eller jag?

– Du, ropar Carlos. För guds skull, Joona, vad är det med dig? Du hade rätt som vanligt!

Joona döljer leendet med handen när han reser sig upp.

– Nu måste jag förhöra mitt vittne innan det är för sent.

– Ska du förhöra pojken? frågar Carlos.

– Ja.

– Har du pratat med åklagaren?

– Jag tänker inte lämna över förundersökningen förrän jag har en misstänkt, säger Joona.

– Nej, det menar jag inte heller, säger Carlos. Jag tror bara att det är bra att ha med åklagaren i båten om du ska prata med en så pass skadad pojke.

– Okej, du är klok som vanligt – jag ringer Jens, säger Joona och går.

# 3

*Tisdag förmiddag den åttonde december*

EFTER SAMTALET MED rikskriminalchefen sätter sig Joona Linna i sin bil för att köra den korta vägen till Stockholms rättsmedicinska avdelning på Karolinska institutets område. Han vrider nyckeln i tändningslåset, lägger i ettans växel och rullar försiktigt ut från parkeringsplatsen.

Innan han ringer upp chefsåklagaren Jens Svanehjälm måste han tänka igenom vad han hittills har fått veta om fallet i Tumba. Mappen där han samlat sina anteckningar från den påbörjade förundersökningen ligger på passagerarsätet. Han kör mot Sankt Eriksplan och försöker minnas vad han redan har rapporterat till åklagarmyndigheten om den inledande brottsplatsundersökningen och vad anteckningarna från nattens samtal med socialnämnden innehöll.

Joona kör över bron, ser Karlbergs bleka slott på vänster sida och upprepar för sig själv vad de båda läkarna påtalade för risker med att förhöra en så pass skadad patient och bestämmer sig för att gå igenom de senaste tolv timmarna ännu en gång.

Karim Muhammed kom till Sverige som flykting från Iran. Han var journalist och fängslades när Ruhollah Khomeyni återvände till landet. Efter åtta år i fängelse lyckades han fly över gränsen till Turkiet och vidare till Tyskland och Trelleborg. Karim Muhammed är sedan snart två år anställd av Jasmin Jabir som äger handelsbolaget Johanssons lokalvård med postadress på Alice Tegnérs väg 9 i Tullinge. Bolaget har av Botkyrka kommun fått i uppdrag att städa Tullingebergsskolan, Vistaskolan, Broängsskolan, Storvretsbadet, Tumba gymnasium, Tumba idrottshus och omklädningsrummen vid Rödstuhage idrottsplats.

Karim Muhammed anlände till Rödstuhage idrottsplats klockan 20:50 igår, måndagen den sjunde december. Det var hans sista uppdrag denna kväll. Han ställde sin Volkswagenbuss på parkeringsplatsen inte långt från en röd Toyota. Strålkastarna på de höga fackverksmasterna kring fotbollsplanen var släckta men ljuset brann fortfarande i omklädningsrummet. Han öppnade bussens bakdörrar, fällde ner rampen, klättrade upp och lossade spännremmarna från den minsta städvagnen.

När han kom fram till den låga träbyggnaden och försökte vrida nyckeln i låset i dörren till herrarnas omklädningsrum märkte han att det redan var upplåst. Han knackade, fick inget svar och öppnade. Först när han hade ställt upp dörren med en kil av plast upptäckte han blodet på golvet. Han gick in, såg den döde mannen, återvände till sin bil och ringde SOS-Alarm.

Sambandcentralen kom i kontakt med en radiobil på Huddingevägen inte långt från Tumba pendeltågsstation. De två polisassistenterna Jan Eriksson och Erland Björkander skickades till idrottsplatsen.

Medan Erland Björkander tog upp Karim Muhammeds redogörelse gick Jan Eriksson in i omklädningsrummet. Eriksson tyckte sig höra något från offret, trodde att han fortfarande levde och rusade därför fram. När polisassistenten vände på mannen förstod han att det var omöjligt. Kroppen var mycket illa tilltygad, höger arm saknades och bröstet var så sargat att det liknade en öppen skål med blodig sörja. Ambulansen anlände och strax därefter polisinspektör Lillemor Blom. Offret identifierades utan problem som Anders Ek, lärare i kemi och fysik på Tumba gymnasium, gift med Katja Ek, bibliotekarie på Huddinge huvudbibliotek. De bodde i ett radhus på Gärdesvägen 8 med två hemmavarande barn, Lisa och Josef.

Eftersom klockan var så mycket gav polisinspektör Lillemor Blom polisassistent Erland Björkander i uppdrag att tala med offrets familj, medan hon själv tog upp Jan Erikssons rapport och gjorde en kvalificerad avspärrning av brottsplatsen.

Erland Björkander kom fram till radhuset i Tumba, parkerade och ringde på dörren. När ingen öppnade gick han runt hela längan till baksidan, tände ficklampan och lyste in. Det första han såg var en stor blodpöl på heltäckningsmattan i sovrummet, utdragna strimmor, som om någon släpats genom dörren, och ett par barnglasögon vid tröskeln. Utan att begära förstärkning forcerade Erland Björkander balkongdörren och gick in med draget vapen. Han sökte igenom huset, hittade de tre offren, begärde omedelbart polis och ambulans till platsen och märkte överhuvudtaget inte att pojken fortfarande levde. Erland Björkanders anrop gjordes av misstag på en kanal som omfattade hela Stockholmsområdet.

Klockan var 22:10 när Joona Linna satt i sin bil på Drottningholmsvägen och hörde det upprivna anropet. En polisassistent vid namn Erland Björkander skrek att barnen var slaktade, att han var ensam i huset, att mamman var död, att alla var döda. En liten stund senare var han utanför huset och betydlig mer samlad när han berättade att polisinspektör Lillemor Blom skickade honom ensam till huset på Gärdesvägen. Björkander tystnade tvärt, mumlade att det var fel kanal och sedan försvann han.

Det blev tyst i Joona Linnas bil. Vindrutetorkarna skrapade bort vattendroppar från glaset. Medan han långsamt körde förbi Kristineberg tänkte han på sin far som inte hade fått något understöd.

Joona körde in till vägkanten vid Stefanskolan, irriterad över bristen på ledning ute i Tumba. Ingen polis ska behöva göra en insats av det här slaget på egen hand. Joona suckade, tog upp telefonen och bad att få bli kopplad till Lillemor Blom.

Lillemor Blom gick på Polishögskolan samma år som Joona. Hon gifte sig efter aspiranttiden med en kollega på spaningsenheten vid namn Jerker Lindkvist. Två år senare fick de en son som de gav namnet Dante. Jerker tog aldrig ut sin del av den betalda föräldraledigheten, trots att den är lagstadgad. Hans val blev en ekonomisk förlust för familjen och fördröjde Lillemors karriär. Jerker lämnade henne för en yngre polis som just avslutat sin utbildning och Joona har hört att han inte ens träffar sin son varannan helg.

Joona presenterade sig kort när Lillemor svarade. Han stressade förbi artighetspratet och förklarade sedan vad han hade hört på radion.

– Vi har dåligt med folk, Joona, förklarade hon. Och jag bedömde faktiskt ...

– Det spelar ingen roll, avbröt han. Din bedömning var åt helvete.

– Du vill inte lyssna, sa hon.

– Jo, men ...

– Gör det då!

– Du får inte ens skicka Jerker ensam till en brottsplats, fortsatte Joona.

– Är du färdig?

Efter en kort tystnad förklarade Lillemor Blom att kriminalassistent Erland Björkander bara fått i uppdrag att underrätta familjen om deras förlust och att han helt på egen hand tagit initiativet att forcera dörren på radhusets baksida. Joona sa att hon hade gjort rätt, bad om ursäkt flera gånger och frågade sedan mest av artighet vad det var som hade hänt ute i Tumba.

Lillemor beskrev vad kriminalassistent Erland Björkander hade rapporterat om knivarna och besticken som låg i blodet på köksgolvet, flickans glasögon, blodspåren, handavtrycken och kropparna och kroppsdelarnas placering i hemmet. Hon berättade sedan att Anders Ek, som hon antog var det sista offret, var känd hos de sociala myndigheterna för sitt spelberoende. Han hade genomgått en skuldsanering men samtidigt lånat pengar av några tungt kriminella personer i kommunen. Nu hade en indrivare gett sig på hans familj för att få tag på honom. Lillemor beskrev Anders Eks kropp i omklädningsrummet och den påbörjade styckningen, att man hittat jaktkniven och en avskuren arm i duschen. Hon beskrev vad hon visste om familjen i huset och att sonen var förd till Huddinge sjukhus. Flera gånger återkom hon till att de hade personalbrist, att brottsplatsundersökningen fick vänta.

– Jag kommer över, sa Joona.

– Varför det? frågade hon förvånat.

– Jag vill titta på det här.

– Nu?

– Ja, tack, svarade han.

– Trevligt, sa hon på ett sätt som fick honom att tro att hon menade det.

Joona hade inte omedelbart förstått vad det var som hade fångat hans intresse. Det handlade inte i första hand om brottets allvarliga art, utan om någonting som inte stämde i mötet mellan den information han hade fått och de slutledningar som hade dragits.

Först efter att ha besökt de båda brottsplatserna, omklädningsrummet vid Rödstuhage idrottsplats och radhuset på Gärdesvägen 8 i Tumba, var han säker på att den aning han fått också gick att koppla till konkreta observationer. Det rörde sig givetvis inte om några bevis, men iakttagelserna var ändå så pass markanta att han inte kunde släppa taget. Han var övertygad om att fadern hade dödats innan resten av familjen angreps. För det första hade fotspåren i blodet på golvet i omklädningsrummet verkat kraftfullare, mer energiska i jämförelse med fotspåren i radhuset, och för det andra hade jaktkniven som låg i duschen vid idrottsplatsen spetsen avbruten, vilket skulle förklara besticken på golvet i radhusets kök:

gärningsmannen hade helt enkelt letat efter ett nytt vapen.

Joona hade anbefallt en allmänläkare från Huddinge sjukhus att hjälpa till som sakkunnig i väntan på rättsläkare och tekniker från Statens kriminaltekniska laboratorium. De gjorde en inledande brottsplatsundersökning i radhuset och sedan talade Joona med rättsläkarstationen i Stockholm och begärde utvidgad rättsmedicinsk obduktion.

Lillemor Blom stod och rökte vid ett elskåp intill en lyktstolpe när Joona kom ut från radhuset. Han kände sig mer skakad än han gjort på länge. Det grövsta våldet hade riktats mot den lilla flickan.

En kriminaltekniker var redan på väg. Joona klev över de skälvande, blåvita plastbanden som spärrade av området och fortsatte fram till Lillemor.

Det hade varit blåsigt och mörkt. Torra, glesa snöflingor stack då och då till i ansiktet på dem. Lillemor var snygg på ett slitet sätt, hennes ansikte var numera fullt av trötthetsrynkor och hon sminkade sig både hårt och slarvigt. Men Joona hade alltid tyckt att hon var vacker med sin raka näsa, höga kindknotor och sneda ögon.

– Har ni inlett förundersökning? frågade han.

Hon skakade på huvudet och andades ut rök.

– Jag gör det, sa han.

– Då åker jag hem och lägger mig.

– Det låter skönt, log han.

– Följ med, skojade hon.

– Jag måste se om det går att prata med pojken.

– Just det, jag gjorde en sak, ringde SKL i Linköping, bara så att de kom i kontakt med Huddinge sjukhus.

– Fan vad bra, sa Joona.

Lillemor släppte cigaretten till backen och trampade ut glöden.

– Vad har egentligen rikskrim med det här fallet att göra? frågade hon och blickade bort mot sin bil.

– Vi får se, mumlade Joona.

Orsakerna bakom morden var inte kopplade till ett försök att driva in spelskulder, tänkte han återigen. Det stämde helt enkelt inte. Någon ville utplåna en hel familj, men krafterna och motiven bakom denna vilja var ännu fördolda.

När Joona hade satt sig i bilen igen ringde han till Huddinge sjukhus, fick veta att patienten förts till neurokirurgiska avdelningen på Karolinska sjukhuset i Solna. De sa att hans tillstånd hade försämrats en timme efter det att kriminalteknikerna från Linköping hade sett till att en läkare säkrade biologiskt material på honom.

Det var mitt i natten när Joona började köra tillbaka till Stockholm. På Södertäljevägen ringde han socialtjänsten för att inleda ett samarbete kring de planerade förhören inom ramen för förundersökningen. Han kopplades till ett jourhavande vittnesstöd vid namn Susanne Granat, berättade om de speciella omständigheterna och bad att få återkomma när han hade fått klarhet om stabiliteten i patientens tillstånd.

Joona befann sig på neurokirurgiska intensivavdelningen på Karolinska sjukhuset klockan 02:05 och fick tillfälle att tala med ansvarig läkare, Daniella Richards, femton minuter senare. Hon förklarade att hennes bedömning var att pojken inte skulle kunna förhöras på flera veckor om han överhuvudtaget överlevde skadorna.

– Han har hamnat i medicinsk chock, sa hon.

– Vad innebär det?

– Han har stor blodförlust, hjärtat försöker kompensera och börjar skena ...

– Har ni fått stopp på blödningarna?

– Jag tror det, jag hoppas det, och vi tillför hela tiden blod, men syrebristen i kroppen har gjort att slaggprodukterna från ämnesomsättningen inte kan transporteras bort, blodet blir surare och kan skada hjärtat, lungorna, levern, njurarna.

– Är han vid medvetande?

– Nej.

– Om jag måste prata med honom, frågade Joona. Går det att göra någonting?

– Den enda som möjligtvis skulle kunna påskynda pojkens återhämtning är Erik Maria Bark.

– Hypnotisören? frågade Joona.

Hon log stort och rodnade om kinderna.

– Kalla honom inte för det om du vill ha hans hjälp, sa hon sedan. Han är vår främste expert på chock- och traumabehandling.

– Har du någonting emot att jag ber honom komma?

– Tvärt om, jag har tänkt på det själv, sa hon.

Joona letade efter telefonen i fickorna, förstod att han hade glömt den i bilen och bad att få låna Daniella Richards telefon. Efter att ha redogjort för omständigheterna för Erik Maria Bark ringde han upp Susanne Granat på socialtjänsten igen och förklarade att han hoppades på att kunna tala med Josef Ek snart. Susanne Granat berättade då att familjen fanns i deras register, att fadern var spelmissbrukare och att de haft viss kontakt med dottern för tre år sedan.

– Med dottern? frågade Joona skeptiskt.

– Den äldre dottern, Evelyn, förklarade Susanne.

# 4

*Tisdag morgon den åttonde december*

ERIK MARIA BARK har precis kommit hem från det nattliga jourbesöket på Karolinska sjukhuset där han träffat kriminalkommissarie Joona Linna. Erik hade tyckt om honom trots att han försökt få honom att bryta sitt löfte att aldrig mer hypnotisera. Kanske var det kommissariens helt öppna och ärliga oro för storasystern som hade gjort honom så sympatisk. Någon jagade henne antagligen i denna stund.

Erik går in i sovrummet och betraktar sin hustru Simone i sängen. Han är mycket trött nu, tabletterna har börjat verka, ögonen är ömma och tunga, sömnen är redan på väg. Ljuset ligger som en repig skiva av glas över Simone. En hel natt har nästan gått sedan han lämnade henne här för att undersöka den skadade pojken. Nu har Simone tagit över hela platsen. Kroppen är tung. Täcket ligger vid fötterna, nattlinnet har hasat upp kring midjan. Hon vilar slappt på mage. Huden har knottrat sig på hennes armar och axlar. Erik lägger täcket försiktigt över henne. Hon säger något svagt och kryper ihop. Han sätter sig och smeker hennes vrist, ser tårna reagera, röra sig.

– Jag ska ta en dusch, säger han och lutar sig bakåt.

– Vad hette polisen? frågar hon sluddrande.

Men innan han hinner svara befinner han sig vid Observatorielunden. Han gräver i sanden på lekplatsen och hittar en gul sten, rund som ett ägg, stor som pumpa. Han krafsar med händerna och anar en relief på sidan, en taggig tandrad. När han vänder på den tunga stenen ser han att det är ett kranium från en dinosaurie.

– Fan för dig, skriker Simone.

Han rycker till och förstår att han har somnat och börjat drömma. De starka tabletterna sövde honom mitt i samtalet. Han försöker le och möter Simones kyliga blick.

– Sixan? Vad är det?

– Har det börjat igen? frågar hon.

– Vilket?

– Vilket, upprepar hon irriterat. Vem är Daniella?

– Daniella?

– Du lovade, det var ett löfte, Erik, säger hon upprört. Jag litade på dig, jag var så dum att jag faktiskt litade ...

– Vad pratar du om? avbryter han. Daniella Richards är en kollega på Karolinska. Vad är det med henne?

– Ljug inte för mig.

– Det här är faktiskt lite absurt, säger han leende.

– Tycker du att det är roligt? frågar hon. Ibland har jag tänkt ... till och med trott att jag ska kunna glömma det som hände.

Erik somnar till några få sekunder, men hör ändå vad hon säger.

– Det är kanske bäst att vi separerar, viskar Simone.

– Ingenting har hänt mellan mig och Daniella.

– Det spelar egentligen ingen roll, säger hon trött.

– Gör det inte det? Spelar det ingen roll? Du vill separera för en sak som jag gjorde för tio år sedan?

– En sak?

– Jag var berusad och ...

– Jag vill inte höra, jag vet allting, jag ... Fan också! Jag vill inte ha den här rollen. Jag är inte svartsjuk av mig, men jag är en lojal människa och jag kräver lojalitet tillbaka.

– Jag har aldrig svikit dig igen och jag kommer aldrig att ...

– Varför bevisar du inte det för mig, avbryter hon. Det är det jag skulle behöva.

– Du måste helt enkelt lita på mig, säger han.

– Ja, suckar hon och lämnar sovrummet med kudde och täcke.

Han andas tungt, vet att han borde följa efter henne, inte bara ge sig, han borde dra henne tillbaka till sängen eller lägga sig på golvet bredvid bäddsoffan i gästrummet, men sömnen är just nu så mycket starkare. Han har inte längre kraft nog att göra motstånd. Han sjunker ner i sängen, känner dopaminerna i tabletten flyta runt i hans kropp, den njutningsfulla avslappningen sprida sig i ansiktet, ut i tårna och fingertopparna. Den tunga, kemiska sömnen sluter sig kring hans medvetande som ett mjöligt moln.

*

Två timmar senare öppnar Erik sakta ögonen mot det bleka ljuset som trycker mot gardinen. Genast börjar nattens bilder fladdra förbi: Simones anklagelser och pojken som ligger med hundratals svarta knivhugg över den lysande kroppen. De djupa såren i nacken, halsen och bröstkorgen.

Erik tänker på kriminalkommissarien som verkade vara övertygad om att gärningsmannen velat mörda en hel familj. Först fadern, sedan modern, sonen och dottern.

Telefonen ringer på sängbordet bredvid honom.

Erik reser sig, men istället för att svara för han isär gardinerna och kisar ut mot fasaden mitt emot, väntar en stund och försöker samla tankarna. Strimmorna av damm över fönsterrutorna syns tydligt i morgonsolen.

Simone har redan gått till galleriet. Han förstår inte hennes reaktion, varför hon pratade om Daniella. Han undrar om det handlar om något helt annat. Kanske tabletterna. Han är medveten om att han befinner sig mycket nära ett allvarligt beroende.

Men han måste sova. All nattjour på sjukhuset har förstört hans sömn. Utan tabletter skulle han gå under, tänker han och sträcker sig efter väckarklockan men välter ned den på golvet.

Telefonen tystnar, men är bara tyst en stund innan den börjar ringa igen.

Han överväger att gå in till Benjamin och lägga sig bredvid sin son, väcka honom försiktigt, fråga om han drömt något.

Erik tar telefonen från sängbordet och svarar.

– Erik Maria Bark.

– Hej, det är Daniella Richards.

– Är du kvar på neurologen? Vad är klockan egentligen?

– Kvart över åtta – jag börjar bli lite trött.

– Åk hem.

– Tvärt om, säger Daniella samlat. Du måste komma tillbaka. Kommissarien är på väg hit. Han verkar ännu mer övertygad om att gärningsmannen är på jakt efter den äldre systern. Han säger att han måste prata med pojken.

Erik känner en plötslig, mörk tyngd bakom ögonen:

– Det är nog ingen bra idé med tanke på ...

– Men systern, avbryter hon. Jag känner att jag snart kommer att ge kommissarien klartecken att förhöra Josef.

– Om du bedömer att patienten klarar av det, säger Erik.

– Klarar av? Det gör han inte, det är alldeles för tidigt, hans tillstånd är ... Han kommer att få veta vad som hänt med hela hans familj utan att ha någon beredskap, utan att ha hunnit bygga upp ett försvar ... han skulle kunna bli psykotisk, han ...

– Det är din sak att bedöma, avbryter Erik.

– Jag vill inte släppa in polisen, det är det ena, men jag kan inte heller bara sitta ner och vänta, jag menar, hans syster är utan tvekan i fara, säger hon.

– Fast det är ...

– En mördare letar efter storasystern, avbryter Daniella med höjd röst.

– Antagligen.

– Förlåt, jag vet inte varför jag blir så skärrad av det här, säger hon. Kanske för att det inte är för sent, kanske för att det faktiskt finns något att göra. Det är ju inte ofta det gör det, men den här gången skulle vi kunna rädda en flicka innan hon blir ...

– Vad är det du vill egentligen? avbryter Erik.

– Du måste komma hit och göra det du är bra på.

– Jag kan prata med pojken om det som hänt när han mår bättre.

– Du ska komma och hypnotisera honom, säger hon allvarligt.

– Nej, inte det, svarar han.

– Det är den enda utvägen.

– Jag kan inte.

– Men det finns ingen som är lika bra som du.

– Jag har inte ens tillåtelse att utöva hypnos på Karolinska.

– Det ordnar jag innan du är här.

– Men jag har lovat att aldrig mer hypnotisera.

– Kan du inte bara komma hit?

Det blir tyst en liten stund och sedan frågar Erik:

– Är han vid medvetande?

– Snart.

Han hör sin egen andning brusa i telefonen.

– Om du inte hypnotiserar pojken så kommer jag låta polisen gå in.

Hon lägger på.

Erik blir stående med luren i sin darrande hand. Tyngden bakom ögonen rullar in mot hjärnan. Han öppnar nattygsbordet. Träasken med papegojan är inte där. Han måste ha glömt den i bilen.

Lägenheten flödar av solljus när han går genom rummen för att väcka Benjamin.

Pojken sover med öppen mun, hans ansikte är blekt och ser utmattat ut, trots en hel natts sömn.

– Benni?

Benjamin öppnar sina sömndränkta ögon och ser på honom som om han var en fullständig främling innan han ler ett leende som sett likadant ut sedan han föddes.

– Det är tisdag – dags att vakna.

Benjamin sätter sig gäspande upp, kliar sig i håret och tittar sedan på telefonen som han har hängande om halsen. Det är det första han gör varje morgon: kontrollerar om han har missat något meddelande under natten. Erik tar fram den gula väskan med en puma som innehåller faktorpreparatet desmopressin, alsolsprit, de sterila kanylerna, kompresserna, kirurgisk tejp, smärtstillande.

– Nu eller till frukosten?

Benjamin rycker på axlarna.

– Spelar ingen roll.

Erik baddar hastigt sonens smala arm, vänder den mot ljuset genom fönstret, känner muskelns mjukhet, knackar på sprutan och för försiktigt in kanylen under huden. Medan sprutan långsamt töms på sitt innehåll sitter Benjamin och knappar på sin mobiltelefon med den lediga handen.

– Shit, jag har nästan inget batteri kvar, säger han och lägger sig sedan ned medan Erik trycker en kompress mot armen för att stoppa blodflödet. Benjamin får sitta så ganska länge innan han fäster den med kirurgisk tejp på hans arm.

Varsamt böjer han sonens ben fram och tillbaka, därefter tränar han de smala knälederna och avslutar med att massera fötterna och tårna.

– Hur känns det? frågar han och ser hela tiden på sonens ansikte.

Benjamin gör en grimas.

– Som vanligt, säger han.

– Vill du ha smärtstillande?

Sonen skakar på huvudet och Erik tänker plötsligt på det medvetslösa vittnet, pojken med de många knivsåren. Kanske

letar mördaren efter den vuxna dottern just i denna stund.
– Pappa? Vad är det? frågar Benjamin försiktigt.
Erik möter hans blick och säger:
– Jag kör dig till skolan om du vill.
– Varför då?

*

Rusningstrafiken brusar långsamt. Benjamin sitter bredvid sin pappa och låter sig sakta sövas av bilens framryckande rörelser. Han gäspar stort och känner att en mjuk värme fortfarande vilar i kroppen efter nattsömnen. Han tänker på att hans pappa har bråttom, men att han ändå tar sig tid att köra honom till skolan. Benjamin ler för sig själv. Det har alltid varit så, tänker han. När pappa är med om hemska saker på sjukhuset blir han extra orolig för att något ska hända mig.
– Nu glömde vi skridskorna ändå, säger Erik plötsligt.
– Just det.
– Vi vänder, säger Erik.
– Nej, det behövs inte, det gör ingenting, säger Benjamin.
Erik försöker byta fil, men blir hindrad av en bil från att komma in. När han tvingas tillbaka, kolliderar han nästan med en sopbil.
– Vi hinner vända och ...
– Men skit i skridskorna, jag bryr mig inte, säger Benjamin med höjd röst.
Erik ger honom en förvånad sidoblick:
– Jag trodde att du gillade att åka skridskor?
Benjamin vet inte vad han ska svara, han avskyr att bli förhörd, vill inte börja ljuga.
– Gör du inte det? frågar Erik.
– Vad då?
– Gillar du inte att åka skridskor?
– Varför skulle jag göra det? mumlar han.

– Vi köpte helt nya ...

– Men hur roligt kan det vara, avbryter Benjamin trött.

– Så jag ska inte åka hem och hämta dem åt dig?

Benjamin suckar bara till svar.

– Det är tråkigt med skridskor, säger Erik. Tråkigt med schack och tevespel. Vad är det egentligen som är roligt att göra?

– Jag vet inte, svarar han.

– Ingenting?

– Jo.

– Titta på film?

– Ibland.

– Ibland? ler Erik.

– Ja, svarar Benjamin.

– Du som skulle kunna se tre, fyra filmer på en kväll, säger Erik muntert.

– Vad är det med det?

– Nej, ingenting, fortsätter Erik leende. Vad kan det vara med det? Vissa skulle kanske undra hur många filmer om dagen du skulle se om du verkligen gillade film? Om du älskade film ...

– Sluta.

– Då hade du kanske haft dubbla skärmar och snabbspolat framåt för att hinna.

Benjamin känner att han inte kan låta bli att le när hans pappa gullar med honom.

Plötsligt hörs en dämpad knall och på himlen syns en ljusblå stjärna, med fallande rökfärgade uddar.

– Konstig tid för fyrverkerier, säger Benjamin.

– Va? frågar hans pappa.

– Titta, pekar Benjamin.

På himlen hänger en stjärna av rök. Benjamin ser av någon anledning Aida för sig och det drar ihop sig i hans mage, det blir varmt i honom. I fredags satt de tysta, alldeles tätt ihop i soffan i Aidas trånga vardagsrum ute i Sundbyberg. De såg på filmen *Elephant* medan hennes lillebror lekte med pokémonkort på golvet och pratade för sig själv.

När Erik parkerar bilen utanför skolgården upptäcker Benjamin plötsligt Aida. Hon står på andra sidan stängslet och väntar på honom. När hon får syn på honom vinkar hon. Benjamin tar sin väska och säger stressat:

– Hej då, pappa, tack för skjutsen.

– Jag älskar dig, säger Erik lågt.

Benjamin nickar och drar sig undan.

– Ska vi titta på en film i kväll? frågar Erik.

– Jag vet inte, svarar han med nedslagen blick.

– Är det där Aida? frågar hans pappa.

– Ja, svarar Benjamin nästan ljudlöst.

– Jag skulle vilja hälsa på henne, säger Erik och lämnar bilen.

– Men varför det?

De går fram mot Aida. Benjamin vågar knappt se på henne, han känner sig som en barnunge. Hon får inte tro att han vill att hans pappa ska godkänna henne. Han struntar i vad hans pappa tycker eller inte tycker. Aida ser nervös ut nu när de närmar sig. Hon flackar med blicken mellan honom och Erik. Innan Benjamin hinner komma med någon förklaring sträcker Erik ut handen och hälsar:

– Hej.

Aida tar avvaktande hans hand. Benjamin noterar att hans pappa hajar till inför hennes tatuering: hon har ett hakkors tatuerat på halsen. Bredvid den finns en liten davidsstjärna. Hon har målat ögonen svarta, håret är fäst i två barnsliga flätor och hon är klädd i en svart skinnjacka och en vid, svartfärgad tyllkjol.

– Jag är Erik, Benjamins pappa, säger Erik.

– Aida.

Hennes röst är ljus och svag. Benjamin rodnar om kinderna och tittar nervöst på Aida och sedan ner i marken.

– Är du nazist? frågar Erik.

– Är du? replikerar hon.

– Nej.

– Inte jag heller, säger hon och möter hans blick mycket kort.

– Varför har du ett ...

– För ingenting, avbryter hon. Jag är ingenting, jag är bara ...

Benjamin bryter in, hans hjärta slår stenhårt i bröstet av genans inför sin pappa.

– Hon hamnade i vissa kretsar för några år sedan, säger han högt. Men tyckte att de var idioter och ...

– Du behöver inte förklara för honom, avbryter Aida irriterat.

Han blir stum ett kort ögonblick.

– Jag ... jag tycker bara att det är modigt att stå för sina misstag, säger han sedan.

– Ja, men jag tolkar det, säger Erik, jag tolkar det som en fortsatt brist på insikt att inte ta bort ...

– Sluta nu, ropar Benjamin. Du vet ingenting om henne.

Aida vänder sig bara om och går iväg. Benjamin skyndar efter henne.

– Förlåt, flämtar han. Pappa, han är så pinsam ...

– Har han inte rätt då? frågar hon.

– Nej, svarar Benjamin svagt.

– Jo, jag tror kanske att han har det, säger hon, ler en aning och tar hans hand i sin.

# 5

*Tisdag förmiddag den åttonde december*

AVDELNINGEN FÖR rättsmedicin ligger i en röd tegelbyggnad på Retzius väg 5, mitt på Karolinska institutets stora campus, omgivet av större huskomplex på alla håll. Joona Linna svänger runt det slutna huset, stannar och lämnar bilen på gästparkeringen. Han passerar en frostig gräsplätt och en lastramp av stål när han går mot huvudingången.

Joona tänker på att det är märkligt att ordet obduktion har sitt ursprung i latinets ord för att täcka över, skyla och hölja, när man egentligen gör motsatsen. Kanske är det bara så enkelt att man undermedvetet velat betona avslutningen, när kroppen stängs efter obduktionen och det inre äntligen döljs igen.

Efter att ha anmält sig hos en flicka i receptionen, får han gå in till Nils Åhlén, professor i rättsmedicin, allmänt kallad Nålen eftersom han alltid undertecknar sina rapporter N Åhlén.

Nålens rum är modernt inrett med rena ytor av högblankt vitt och matt ljusgrått. Det är påkostat och designat. De få sittmöblerna är gjorda av borstat stål och har strama, vita skinnsitsar. Ljuset över skrivbordet kommer från en stor, hängande glasskiva.

Nålen skakar Joonas hand utan att resa sig upp. Han bär vit polotröja under läkarrocken och pilotglasögon med vita bågar. Hans ansikte är slätrakat och smalt, det grå håret är snaggat, läpparna bleka och näsan lång och bucklig.

– God morgon, väser han.

På väggen hänger ett bleknat färgfotografi på Nålen och

några av hans kollegor: rättsläkare, rättskemister, rättsgenetiker och rättsodontologer. Alla bär vita läkarrockar och ser glada ut. De står samlade kring några mörka benbitar på en bänk. Texten under bilden berättar att det rör sig om fyndet från en utgrävning av gravarna från 800-talet utanför handelsplatsen Birka på Björkö.

– Ny bild igen, säger Joona.

– Jag får tejpa upp fotografier, säger Nålen missnöjt. På gamla patologen hade de en tavla på arton kvadratmeter.

– Oj då, svarar Joona.

– Målad av Peter Weiss.

– Författaren?

Nålen nickar och blänket från skrivbordslampan återkastas i hans pilotglasögon:

– Ja, han porträtterade hela institutionen på trettiotalet. Ett halvårs arbete som han fick 600 kronor för, har jag hört. Min pappa finns med bland obducenterna på tavlan, han står vid fotändan bredvid Bertil Falconer.

Nålen lägger huvudet på sned och återvänder till datorn.

– Jag sitter och petar med obduktionsprotokollen från Tumbamorden, säger han dröjande.

– Ja?

Nålen kisar mot Joona:

– Carlos ringde och jagade på mig i morse.

Joona ler:

– Jag vet, säger han.

Nålen petar upp glasögonen på näsan.

– För det var visst viktigt med tidsbestämningen av dödsfallen.

– Ja, vi behövde veta i vilken ordning …

Nålen söker i datorn med trutande mun:

– Det var bara en preliminär bedömning, men …

– Att mannen dog först?

– Precis … jag utgick bara från kroppstemperaturen, säger

han och pekar på datorskärmen. Erixon sa att de båda rummen, omklädningsrummet och radhuset, höll samma temperatur, så min bedömning var att mannen dog lite mer än en timme före de två andra.

– Har du en annan uppfattning nu?

Nålen skakar på huvudet och reser sig upp med ett stönande.

– Diskbråck, säger han förklarande, lämnar sedan kontoret och börjar gå genom korridoren.

Joona Linna följer efter Nålen som långsamt haltar bort mot obduktionsavdelningen.

De passerar en nedsläckt sal med ett fristående obduktionsbord av rostfritt stål. Det liknar en diskbänk, men med kvadratiska sektioner och förhöjda kanter runt om. De går in i ett svalare rum där kropparna som undersökts på rättsmedicin förvaras i lådor med en temperatur av fyra grader. Nålen stannar, kontrollerar numret, drar ut en stor låda och ser att den är tom.

– Borta, ler han och börjar gå genom korridoren där tusentals små hjulspår löper över golvet, öppnar en ny dörr och håller upp den för Joona.

De stannar i en upplyst, vitkaklad sal med ett stort handfat på väggen. Vatten sipprar ner i en golvbrunn från en brandgul spolslang. På det långa plastöverdragna obduktionsbordet ligger en naken och färglös kropp, täckt av hundratals mörka sår.

– Katja Ek, konstaterar Joona.

Den döda kvinnan har en märkvärdig stillhet över sina anletsdrag, munnen är halvöppen och ögonen lugnt blickande. Det ser ut som om hon lyssnar på vacker musik. Minen i ansiktet går inte på något sätt ihop med de långa skärsåren över pannan och kinderna. Joona glider med blicken över Katja Eks kropp där en marmorerad ådérteckning redan har börjat anas kring halsen.

– Vi hoppas på att hinna göra den inre besiktningen i eftermiddag.

– Ja, herregud, suckar Joona.

Den andra dörren öppnas och en ung man kommer in med ett osäkert leende. Han har flera ringar i ögonbrynen och det svartfärgade håret hänger i en hästsvans efter ryggen på läkarrocken. Småleende lyfter Nålen ena näven i en hårdrockshälsning som den unge mannen omedelbart besvarar.

– Det här är Joona Linna från rikskrim, förklarar Nålen. Han hör till dem som kommer och hälsar på oss ibland.

– Frippe, säger den unge mannen och skakar hand med Joona.

– Han specialiserar sig inom rättsmedicin, förklarar Nålen.

Frippe drar på sig ett par latexhandskar och Joona följer honom fram till obduktionsbordet och känner att en kall och illaluktande luft omger kvinnan.

– Hon är den som utsattes för minst övervåld, påpekar Nålen. Trots multipla skär- och sticksår.

De betraktar den döda kvinnan. Kroppen är täckt av stora och små sår.

– Dessutom är hon är till skillnad från de andra två varken stympad eller styckad, fortsätter han. Den direkta dödorsaken är inte såren i halsen, utan det här, som går rakt in i hjärtat enligt datortomografin.

– Men det är lite svårt att se blödningar på bilderna, förklarar Frippe.

– Vi kontrollerar givetvis saken när vi öppnar henne, säger Nålen till Joona.

– Hon har gjort motstånd, säger Joona.

– Min bedömning är att hon först värjde sig aktivt, svarar Nålen. Med tanke på såren på handflatorna, men att hon sedan försökte undkomma och bara skydda sig.

Nålen får en blick av den unge läkaren.

– Iaktta skadorna på armarnas sträcksidor, säger Nålen.

– Värjningsskador, mumlar Joona.

– Exakt.

Joona lutar sig framåt och betraktar de brungula fläckarna som syns i kvinnans öppna ögon.

– Du tittar på solarna?

– Ja . . .

– Man ser dem först några timmar efter döden, ibland tar det flera dygn, säger Nålen. De blir alldeles svarta till slut. Det hela kommer sig av att trycket i ögat sjunker.

Nålen tar en reflexhammare från en hylla och uppmanar Frippe att kontrollera om idiomuskulär vulst kvarstår. Den unge läkaren knackar mitt på kvinnans biceps och känner med fingrarna på muskeln efter sammandragningar.

– Minimalt nu, säger han till Joona.

– Det brukar upphöra efter tretton timmar, förklarar Nålen.

– De döda är inte alldeles döda, säger Joona och ryser till då han anar en spöklik rörelse i Katja Eks slappa arm.

– Mortui vivos docent – de döda lär de levande, svarar Nålen och ler för sig själv när han och Frippe vänder henne på mage.

Han pekar ut de suddiga rödbruna fläckarna på hennes skinkor och korsrygg, över skulderbladen och armarna:

– Likfläckarna är svaga när offret förlorat mycket blod.

– Det är klart, säger Joona.

– Blod är tungt och när man dör finns det inte längre något inre trycksystem, förklarar han för Frippe. Det är kanske självklart, men blodet rinner nedåt och samlas helt enkelt på de lägsta platserna och syns oftast i kontaktytorna med underlaget.

Han trycker med tummen på en fläck på hennes högra vad tills den nästan är försvunnen.

– Ja, du ser . . . man kan trycka bort dem ända fram till ett dygn efter döden.

– Men jag tyckte att jag såg fläckar över höftbenen och bröstten, säger Joona tvekande.

– Bravo, säger Nålen och ser på honom med ett lätt förvånat leende. Jag trodde inte att du skulle upptäcka dem.

– Hon har alltså legat på mage som död innan hon vändes, säger Joona med finlandssvensk stramhet i rösten.

– Två timmar skulle jag tippa.

– Så förövaren stannade i två timmar, funderar Joona. Eller så återvände han eller någon annan till mordplatsen och vände på henne.

Nålen rycker på axlarna:

– Jag är långt ifrån färdig med min utvärdering ännu.

– Får jag fråga en sak? Jag lade märke till att ett av såren på magen ser ut som ett akut kejsarsnitt ...

– Kejsarsnitt, ler Nålen. Varför inte? Ska vi titta på det?

De båda läkarna vänder på kroppen igen.

– Det här menar du?

Nålen pekar på ett stort skärsår från naveln och femton centimeter nedåt.

– Ja, svarar Joona.

– Jag har inte hunnit undersöka varje skada ännu.

– Vulnera incisa s scissa, säger Frippe.

– Ja, det ser ut att vara ett skärsår, som det kallas på svenska, säger Nålen.

– Och inte ett sticksår, säger Joona.

– Med tanke på den regelbundna streckformen och att den omgivande hudytan är intakt ...

Nålen petar med fingret i såret och Frippe lutar sig fram för att se.

– Ja ...

– Väggarna, fortsätter Nålen. De är inte speciellt blodgenomdränkta men ...

Han tystnar tvärt.

– Vad är det? frågar Joona.

Nålen ser på honom med en underlig blick.

– Det här snittet är gjort efter hennes död, säger han.

Han drar av sig handskarna.

– Jag måste titta på datortomografin, säger han stressat och går fram och öppnar datorn på bordet vid dörren.

Han knappar sig fram mellan de tredimensionella bilderna, stannar till, flyttar sig vidare och ändrar vinkel.

– Såret ser ut att gå in i livmodern, viskar han. Det ser ut att följa de gamla ärren.

– Gamla? Vad menar du? frågar Joona.

– Såg du inte det? ler Nålen och återvänder till kroppen. Ett katastrofsnitt.

Han pekar på det vertikala såret. Joona tittar närmare och ser att det längs hela den ena sårkanten löper som en tunn tråd av gammal blekrosa ärrvävnad efter ett för länge sedan läkt kejsarsnitt.

– Men hon var ju inte gravid nu? frågar Joona.

– Nej, skrattar Nålen och petar upp pilotglasögonen på näsan.

– Har vi att göra med en mördare med kirurgisk kompetens? frågar Joona.

Nålen skakar på huvudet och Joona tänker att någon dödade Katja Ek med stort våld och mycket ursinne. Två timmar senare kom han tillbaka, vände henne på rygg och skar upp hennes gamla kejsarsnitt.

– Titta om det finns något liknande på de andra kropparna.

– Ska vi prioritera det? frågar Nålen.

– Ja, jag tror det, svarar Joona.

– Du tvekar?

– Nej.

– Men du vill att vi ska prioritera allt, säger Nålen.

– Ungefär så, ler Joona och lämnar rummet.

När han sätter sig i bilen på parkeringsplatsen börjar han frysa. Han startar, rullar ut på Retzius väg, vrider upp värmen i bilen och slår numret till överåklagare Jens Svanehjälm.

– Svanehjälm, svarar han.

– Joona Linna här.

– God morgon... Jag pratade precis med Carlos – han sa att du skulle höra av dig.

– Det är lite svårt att säga vad det är vi har, säger Joona.

– Är du ute och kör?

– Jag är precis färdig på rättsmedicin och tänkte titta förbi på sjukhuset, jag behöver verkligen höra det överlevande offret.

– Carlos förklarade situationen för mig, säger Jens. Vi får skynda på det här. Har du fått igång GMP-gruppen?

– Det räcker inte med en gärningsmannaprofil, svarar Joona.

– Nej, jag vet, jag gör samma bedömning som du. Om vi ska ha någon möjlighet att skydda storasystern så behöver vi prata med pojken, det är bara så det är.

Joona ser plötsligt en fyrverkeripjäs explodera fullständigt ljudlöst – en ljusblå stjärna långt bort över Stockholms tak.

– Jag är i kontakt med... fortsätter Joona och harklar sig. Jag är i kontakt med Susanne Granat på socialtjänsten och så tänkte jag ha med mig psykiatrikern Erik Maria Bark som är expert på behandling av chock och trauma.

– Det är i sin ordning, säger Jens lugnande.

– Då åker jag till neurokirurgen direkt.

– Det tycker jag.

# 6

*Natten till den åttonde december*

AV NÅGON ANLEDNING är Simone vaken redan innan telefonen på Eriks sängbord börjar ringa med sin lägsta klirrande signal.

Erik mumlar någonting om ballonger och serpentiner, tar telefonen och skyndar ut ur sovrummet.

Han stänger dörren innan han svarar. Rösten hon hör genom väggen förefaller känslig, nästan öm. Efter en stund smyger Erik in i sovrummet och hon frågar vem det var som ringde.

– En polis ... en poliskommissarie, jag hörde inte vad han hette, svarar Erik och förklarar sedan att han måste åka till Karolinska sjukhuset.

Hon tittar på väckarklockan och sluter sina ögon.

– Sov nu, Sixan, viskar han och lämnar rummet.

Nattlinnet har vridit sig kring hennes kropp och stramar över det vänstra bröstet. Hon rättar till det, vänder sig på sidan och ligger sedan stilla i sängen och lyssnar till Eriks rörelser.

Han klär sig, rotar efter något i garderoben, använder skohornet, lämnar lägenheten och låser efter sig. Efter en liten stund hör hon porten mot gatan sluta sig bakom honom.

Hon ligger i sängen, försöker somna om en lång stund, men lyckas inte. Hon tycker inte att det lät som att Erik talade med en polis, det lät för avslappnat. Kanske var han bara trött.

Hon går upp och kissar, dricker lite yoghurt och lägger sig igen. Sedan börjar hon tänka på det som hände för tio år sedan och kan inte längre sova. Hon ligger kvar en halvtimme, sätter sig sedan upp, tänder sänglampan, tar telefonen, tittar på displayen och hittar det senast inkomna samtalet. Hon vet att hon borde släcka lampan och sova, men ringer ändå upp telefonnumret. Tre signaler går fram. Så knäpper det till och hon hör en kvinna skratta en bit bort från telefonen.

– Erik, låt bli, säger kvinnan muntert och sedan är rösten alldeles nära: Ja, Daniella. Hallå?

Simone hör kvinnan vänta en liten stund och sedan med en trött frågande röst säga "aloha" innan hon avbryter samtalet. Simone blir sittande med telefonen i handen. Hon försöker förstå varför Erik sa att det var en polis, en manlig polis som ringde. Hon vill hitta en rimlig förklaring, men kan inte hindra tankarna från att leta sig tillbaka till den där gången för tio år sedan då hon plötsligt insåg att Erik bedrog henne, att han ljög henne rakt upp i ansiktet.

Det råkade vara samma dag som Erik tillkännagav att han slutade med hypnos för all framtid.

Simone minns att hon för ovanlighetens skull inte var på sitt nyöppnade galleri den dagen, kanske var Benjamin hemma från skolan, kanske hade hon tagit ledigt, men den här dagen satt hon i varje fall vid det ljusa köksbordet i radhuset i Järfälla och gick igenom posten när hon fick syn på ett ljusblått kuvert adresserat till Erik. På avsändaren stod bara ett förnamn: Maja.

Det finns stunder när man med varje atom i sin kropp vet att något är fel. Kanske hade hon skaffat sig sin rädsla för förräderier efter att ha sett sin pappa bli bedragen. Han som hade arbetat som polis ända fram till pensionen och till och med fått medalj för ett extraordinärt spaningsarbete, hade behövt många år på sig för att upptäcka sin hustrus alltmer oförblommerade otrohet.

Hon minns hur hon bara gömde sig den kväll då föräldrarna hade det fruktansvärda grälet som slutade med att mamman lämnade familjen. Mannen som hon hade träffat under de senaste åren var en granne, en alkoholiserad förtidspensionär som en gång i tiden spelat in några dansbandsskivor. Mamman flyttade med honom till en lägenhet i Fuengirola på spanska solkusten.

Simone och hennes pappa hade fortsatt sina liv, bitit ihop och konstaterat att det alltid ändå bara varit de två i familjen. Hon hade vuxit upp och fått samma fräkniga skinn som mamman, samma rödblonda, lockiga hår. Men till skillnad från mamman hade Simone en skrattande mun. Det hade Erik sagt till henne en gång och hon tyckte om den beskrivningen.

Som ung hade Simone velat bli konstnär men avstått, hade inte riktigt vågat. Hennes pappa Kennet övertalade henne att bli något ordentligt, riskfritt. Det blev en kompromiss. Hon började läsa konstvetenskap, trivdes oväntat bra bland alla studenter och skrev flera uppsatser om den svenske konstnären Ola Billgren.

På en universitetsfest träffade hon Erik. Han kom fram till henne och gratulerade, trodde att det var hon som hade doktorerat. När han förstått sitt misstag hade han rodnat, bett om ursäkt och velat gå sin väg. Men någonting, inte bara att han var lång och snygg, utan hans varsamma sätt, hade fått henne att börja prata med honom. Deras samtal blev omedelbart intressant och roligt och sökte sig bara vidare och vidare. De träffades redan nästa dag, gick på bio och såg Ingmar Bergmans *Fanny och Alexander.*

Simone hade varit gift med Erik i åtta år när hon med darrande fingrar öppnade kuvertet med avsändaren ”Maja”. Tio fotografier ramlade ut på köksbordet i radhusets kök. Bilderna var inte tagna av någon professionell fotograf. Suddiga närbilder av ett kvinnobröst, en mun och en naken hals, ljusgröna trosor och svart, tättlockigt hår. På en bild syntes Erik. Han såg förvånad och lycklig ut. Maja var en söt, mycket ung kvinna med mörka, kraftiga ögonbryn. Hon hade stor, allvarlig mun. Hon låg i bara trosorna på en smal säng, med det svarta håret i testar över de breda, vita brösten. Hon såg glad ut, rodnade under ögonen.

Det är svårt att återkalla känslan av att bli bedragen. Sedan länge är allt bara en sorg och ett underligt, tomt sug i magen, en vilja att undvika de sårande tankarna. Ändå minns hon att det första hon kände var förvåning. En gapande, dum förvåning över att ha blivit grundlurad av någon som hon fullständigt hade litat på. Och så kom skammen, följd av den förtvivlade känslan av otillräcklighet, uppflammande vrede och ensamhet.

Simone ligger i sängen medan tankarna maler i huvudet och spinner iväg i olika smärtsamma riktningar. Långsamt ljusnar det över staden. Hon somnar till några minuter innan Erik kommer tillbaka från Karolinska sjukhuset. Han försöker vara tyst, men när han sätter sig på sängen vaknar hon. Erik säger att han ska duscha. Hon ser på honom att han har tagit en massa tabletter igen. Med bultande hjärta frågar hon honom vad polisen hette som ringde på natten, men han svarar inte och hon inser att han har somnat mitt i samtalet. Då förklarar Simone att hon har ringt upp numret och att det inte var en polis som svarade utan en fnittrande kvinna som hette Daniella. Erik förmår inte hålla sig vaken utan somnar igen. Då skriker hon åt honom, kräver att få veta, anklagar honom för att ha förstört allting, när hon precis börjat lita på honom igen.

Hon sitter där i sängen och ser på honom. Han verkar inte förstå hennes upprördhet. Hon tänker att hon inte står ut med fler lögner. Och sedan säger hon orden som hon redan flera gånger tänkt, men som samtidigt känns så avlägsna, så plågsamma och misslyckade.

– Det är kanske bäst att vi separerar.

Simone lämnar sovrummet med kudde och täcke, hör sängen knaka bakom sig och hoppas på att han ska följa efter henne, trösta henne och berätta vad som hänt. Men han stannar i sängen och hon stänger in sig i gästrummet och gråter en lång stund, snyter sig sedan. Hon lägger sig i soffan och försöker sova, men inser att hon inte orkar träffa sin familj denna morgon. Hon går till badrummet, tvättar ansiktet, borstar tänderna, sminkar och klär sig, ser att Benjamin fortfarande sover, lägger en lapp till honom på bordet och lämnar lägenheten för att äta frukost någonstans innan hon går till galleriet.

Hon sitter länge och läser på det inglasade kaféet i Kungsträdgården för att få i sig smörgåsen till kaffet. Genom det stora fönstret ser hon att ett tiotal personer håller på att förbereda något slags evenemang. Rosa tält är uppställda framför den stora scenen. Kravallstaket placeras runt en liten avfyrningsramp. Plötsligt går något fel. Det sprakar till och en fyrverkeripjäs skjuter upp i luften. Männen snubblar bakåt och skriker åt varandra. Raketen exploderar med ett genomskinligt blått sken mot den ljusa himlen och knallen ekar mellan fasaderna.

# 7

*Tisdag förmiddag den åttonde december*

TVÅ SÖNDERVITTRADE människor håller ett grått foster intill sig. Konstnären Sim Shulman har blandat ockra, hematit, magnesiumoxid och kol med djurfett och sedan strukit ut färgerna över stora stenplattor. Mjuka och kärleksfulla drag. Istället för pensel har Shulman använt en pinne med förkolnad spets. Han har lånat tekniken från den franska och spanska magdalénienkulturen för runt 15 000 år sedan då de fantastiska grottmålningarna av framrusande bufflar, lekande hjortar och dansande fåglar nådde sin höjdpunkt.

Istället för djur har Sim Shulman målat människor: varma, svävande och nästan slumpvis överlappande varandra. När Simone såg hans verk första gången erbjöd hon honom omedelbart en separatutställning på sitt galleri.

Shulmans tjocka, svarta hår brukar vara samlat i en hästsvans. Hans mörka, kraftiga anletsdrag vittnar om den irakisk-svenska härkomsten. Han växte upp i Tensta, där hans ensamstående mamma Anita arbetade som expedit på Ica.

När han var tolv år var han medlem av ett kriminellt ungdomsgäng som tränade kampsport och rånade ensamma ungdomar på deras pengar och cigaretter. En morgon hittades Sim i baksätet på en parkerad bil. Han hade sniffat lim och var medvetslös, kroppstemperaturen hade sjunkit och när ambulansen till slut hade kommit fram till Tensta hade hans hjärta slutat slå.

Sim Shulman överlevde och fick delta i ett rehabiliteringsprogram för ungdomar. De skulle avsluta grundskolan och samtidigt lära sig ett hantverk. Sim hade sagt att han ville bli konstnär utan att egentligen veta vad det innebar. Socialtjänsten inledde ett samarbete med Kulturskolan och den svenske konstnären Keve Lindberg. Sim Shulman har berättat för Simone om känslan då han gick in i Keve Lindbergs ateljé för första gången. Det stora, ljusa rummet luktade terpentin och oljefärg. Han gick mellan gigantiska dukar med grälla, gapande ansikten. Drygt ett år senare bara antogs han till Konstakademien som den yngsta eleven ditintills, endast sexton år gammal.

– Nej, vi borde placera stentavlorna ganska lågt, säger Simone till Ylva, sin assistent på galleriet. Fotografen kan belysa dem indirekt. Det blir snyggt i katalogen. Vi skulle kunna ställa dem på golvet helt enkelt, luta dem mot väggen och rikta ljuset från ...

– Oj oj, nu kommer sötnosen igen, avbryter Ylva.

Simone vänder sig om och ser en man rycka i dörren. Hon känner igen honom direkt. En konstnär vid namn Norén som tycker att galleriet borde ha en separatutställning med hans akvareller. Han knackar och ropar något irriterat genom glaset, innan han förstår att dörren öppnas inåt.

Den korte, robuste mannen kommer in, ser sig omkring och går sedan fram till dem. Ylva viker av, säger något om telefonen och försvinner sedan till kontoret.

– Här var det visst lite kissnödiga damer, flinar han. Finns det inga karlar man kan prata med?

– Vad gäller saken? frågar Simone torrt.

Han nickar mot en av Shulmans bilder.

– Det där är konst – eller hur?

– Ja, svarar Simone.

– Fina damer, säger han föraktfullt. Ni kan inte se er mätta på kuken i fittan. Eller hur? Är det inte det det handlar om?

– Nu vill jag att du går här ifrån, säger Simone.

– Du säger inte åt mig att ...

– Försvinn, avbryter hon.

– Vad fan, säger han och lämnar galleriet, vänder sig om utanför dörren, skriker något och tar sig i skrevet.

Assistenten tassar ut från kontoret, svagt leende.

– Förlåt att jag smet, jag blev så jävla rädd när han var här förra gången, säger hon.

– Man skulle se ut som Shulman, eller hur?

Simone ler och pekar på den stora porträttbilden av konstnären där han poserar i svart ninjadräkt med ett svärd lyft över huvudet.

De skrattar och bestämmer att de ska köpa in två dräkter när telefonen börjar surra i Simones väska.

– Simone Barks galleri, säger hon.

– Det här är Siv Sturesson från skolexpeditionen, säger en äldre kvinna i andra änden.

– Jaha, säger Simone tvekande. Hej.

– Jag ringer för att höra hur det är med Benjamin.

– Benjamin?

– Han är inte i skolan idag, förklarar kvinnan, och han har inte sjukanmält sig. Vi tar alltid kontakt med föräldrarna då.

– Vet du vad, säger Simone. Jag ringer hem och kollar. Både Benjamin och Erik var kvar i morse när jag gick. Jag återkommer.

Hon klickar bort samtalet och slår genast numret hem. Det är inte likt Benjamin att försova sig eller strunta i reglerna. Hon och Erik har till och med oroat sig för att sonen kanske är lite för ordentlig.

Ingen svarar på hemnumret. Erik borde ju ha sovmorgon idag. En ny ångest hugger tag i henne, innan hon tänker att Erik antagligen ligger med öppen mun och snarkar, sövd av sina sömntabletter medan Benjamin lyssnar på hög musik. Hon försöker med Benjamins telefon. Ingen svarar. Hon talar in ett kort meddelande och försöker sedan med Eriks mobiltelefon, men den är givetvis avstängd.

– Ylva, ropar hon. Jag måste åka hem, jag kommer snart.

Assistenten tittar ut från kontoret med en tjock pärm i händerna, ler och ropar:

– Puss på dig.

Men Simone är för stressad för att skoja tillbaka. Hon tar sin väska, slänger kappan över axlarna och halvspringer till tunnelbanan.

*

Det finns en särskild tystnad utanför dörrar till tomma hem. Redan när Simone sätter nyckeln i låset vet hon att det inte är någon hemma.

Skridskorna ligger kvarglömda på golvet, men Benjamins ryggsäck, skor och jacka är borta, precis som Eriks ytterkläder. I sonens rum ligger pumaväskan med medicin. Hon tänker att det förhoppningsvis betyder att Erik har gett Benjamin faktorpreparat.

Hon sätter sig på stolen, håller för ansiktet och försöker hindra alla skrämmande tankar. Ändå ser hon för sig hur Benjamin får en blodpropp av medicinen, hur Erik ropar på hjälp, hur han just nu springer nedför långa trappor med Benjamin i armarna.

Simone kan inte rå för att hon är orolig. För sin inre syn har hon alltid sett Benjamin få en basketboll i ansiktet på rasten eller hur en spontan blödning plötsligt bara sätter igång i huvudet på honom: en mörk pärla i hjärnan som vidgas som en stjärna och rinner ut i vindlingarna.

Hon drabbas av en nästan outhärdlig skamkänsla när hon tänker på hur hon förlorade tålamodet med Benjamin för att han inte ville gå. Han var två år och kröp fortfarande fram. De visste inte att han var blödarsjuk och att blodkärlen brast i lederna på honom när han stod upp. Hon skällde på honom när han grät. Sa till honom att han såg ut som en bebis när han kröp. Benjamin försökte gå, tog några steg, men den fruktansvärda smärtan tvingade honom att lägga sig ner igen.

Efter att Benjamin hade fått diagnosen von Willebrands sjukdom, hade Erik varit den som tog hand om sjukdomen, inte hon. Erik var den som varsamt böjde Benjamins leder fram och tillbaka efter nattens orörlighet för att minska risken för inre blödningar. Det var Erik som lade de komplicerade injektionerna där sprutan absolut inte fick tränga in i muskulaturen, utan bara varsamt och långsamt skulle tömmas under skinnet. Det var en teknik som var långt mer smärtsam än vanlig injicering. De första åren satt Benjamin med ansiktet tryckt mot sin pappas mage och grät tyst när nålen trängde in. Nuförtiden fortsatte han att äta sin frukost utan att titta, räckte bara ut armen mot Erik som tvättade, injicerade och plåstrade.

Faktorpreparatet som skulle hjälpa Benjamins blod att koagulera hette Haemate. Det lät som en grekisk hämndgudinna, tyckte Simone. Det var en otäck och otillfredsställande medicin som levererades i form av frystorkat, gulkornigt pulver, pulver som skulle lösas upp och blandas, tempereras och doseras innan det kunde ges. Haemate ökade kraftigt risken för blodpropp och de hoppades ständigt att något bättre skulle komma. Men tillsammans med Haemate, en hög dos av desmopressin och Cyklokapron i nässprayen som skulle skydda mot slemhinneblödningar, var Benjamin relativt trygg.

Hon mindes fortfarande när de fått hans lilla inplastade riskkort från koagulationsjouren i Malmö, med fotot från Benjamins födelsedag. Hans skrattande fyraårsansikte under texten: Jag har von Willebrands sjukdom, händer det mig någonting så ring genast koagulationsjouren: 040-33 10 10.

Simone blickar runt i Benjamins rum, tänker att det var lite sorgligt när han tog bort planschen på Harry Potter från väggen och ställde ner nästan alla sina leksaker i en kartong i förrådet.

Han hade fått bråttom att bli stor när han mötte Aida.

Simone stannar till och tänker att Benjamin kanske är tillsammans med henne nu.

Benjamin är bara fjorton år, Aida sjutton. Han säger att de är kompisar, men det är tydligt att hon är hans flickvän. Simone undrar om han ens har vågat berätta för henne att han är blödarsjuk. Vet hon att minsta slag kan kosta honom livet om han inte har tagit sin medicin ordentligt?

Sedan Benjamin träffade Aida har han alltid sin mobiltelefon hängande om halsen i ett svart dödskalleband. De skriver meddelanden till varandra långt in på natten och Benjamin har fortfarande telefonen kring halsen när man väcker honom på morgonen.

Simone letar försiktigt bland alla papper och tidningar på Benjamins skrivbord, öppnar en låda, flyttar undan en bok om andra världskriget och hittar en lapp med ett svart läppstiftsavtryck och ett telefonnummer. Hon skyndar till köket, slår numret, väntar medan signalerna går fram och slänger en illaluktande svamptrasa i soppåsen när någon plötsligt svarar i telefon.

En svag, kraxande röst och tung andhämtning.

– Hej, säger Simone. Jag ber om ursäkt om jag ringer olägligt. Jag är Simone Bark, mamma till Benjamin. Jag undrar om ...

Rösten, som verkar komma från en kvinna, väser att hon inte känner någon Benjamin, att hon måste ha ringt fel nummer.

– Vänta, snälla, säger Simone och försöker låta lugn. Aida och min son brukar umgås och jag undrar om du vet var de kan vara, för jag behöver få tag på Benjamin.

– Ten ... ten ...

– Jag hör inte. Jag ber om ursäkt, men jag hör inte riktigt vad du säger.

– Ten ... sta.

– Tensta? Är Aida i Tensta?

– Ja, den där jävla ... tattoo.

Simone tycker sig höra en syrgasmaskin arbeta långsamt, ett pysande, regelbundet ljud i bakgrunden.

– Vad försöker du säga? frågar hon bedjande.

Kvinnan snäser något och avbryter sedan samtalet. Simone sitter och tittar på telefonen, tänker att hon ska ringa upp kvinnan igen, när hon plötsligt förstår vad hon sagt: Någonting om tatueringar i Tensta. Hon ringer omedelbart nummerupplysningen och får en adress till en tatueringsateljé i Tensta centrum. Simone ryser över hela ryggen när hon föreställer sig hur Benjamin just nu blir lurad att tatuera sig och hur blodet börjar rinna utan att kunna koagulera.

# 8

*Tisdag förmiddag den åttonde december*

PÅ VÄG GENOM sjukhuskorridoren efter att ha lämnat Benjamin på skolan tänker Erik på hur dumt det hade varit att kommentera tatueringen på Aidas hals. Han hade bara framstått som självgod och mästrande i deras ögon.

Två uniformerade polismän släpper in honom på avdelningen. Utanför rummet där Josef Ek ligger står redan Joona Linna och väntar. När han får se Erik ler han och vinkar som små barn brukar göra, genom att öppna och stänga handen.

Erik stannar bredvid honom och blickar in på patienten genom fönstret i dörren. En påse med nästan svart blod hänger över honom. Läget har stabiliserats ytterligare, men nya blödningar i levern skulle kunna uppstå när som helst.

Han ligger på rygg i sängen, munnen är hårt sluten, magen häver sig snabbt upp och ner och fingrarna spritter ibland till.

En ny kateter är placerad i det andra armvecket. Sköterskan förbereder en infusion av morfin. Dropphastigheten har minskats något.

– Jag hade rätt när jag sa att gärningsmannen började på idrottsplatsen, säger Joona. Först mördade han fadern, Anders Ek, sedan åkte han till huset och dödade Lisa, den lilla dottern, trodde att han dödade sonen, och dödade sedan modern, Katja.

– Har patologen bekräftat det?

– Ja, svarar Joona.

– Jag förstår.

– Så om gärningsmannens avsikt är att utplåna en hel familj, fortsätter Joona, så återstår bara den vuxna dottern, Evelyn.

– Om han inte har fått reda på att pojken fortfarande lever, säger Erik.

– Precis, men honom kan vi beskydda.

– Ja.

– Vi måste hitta gärningsmannen innan det är för sent, säger Joona. Jag behöver höra vad pojken vet.

– Men jag är tvungen att se till patientens bästa.

– Kanske är det bästa för honom att inte förlora sin syster.

– Jag har också tänkt det, jag ska givetvis titta på patienten en gång till, säger Erik. Men jag är egentligen redan säker på att det är alldeles för tidigt.

– Okej, svarar Joona.

Daniella kommer in i en röd, slank kappa, går med hastiga steg, säger att hon måste rusa och lämnar över en påbörjad journal.

– Jag tror att patienten ganska snart, förklarar Erik för Joona, bara inom några timmar, kommer att vakna till så pass mycket att man kan börja tala med honom. Men efter den punkten ... du måste förstå, det är en lång terapeutisk process vi har framför oss. Ett förhör skulle kunna försämra pojkens tillstånd så att ...

– Erik, det spelar ingen roll vad vi tycker, avbryter Daniella. Åklagaren har redan fattat beslut om att synnerliga skäl föreligger.

Erik vänder sig om och ser undrande på Joona.

– Så du behöver inget godkännande från oss? frågar han.

– Nej, svarar Joona.

– Vad väntar du på?

– Jag tycker att Josef redan har lidit mer än vad någon ska behöva göra, svarar Joona. Jag vill inte utsätta honom för någonting som kan skada honom, men samtidigt måste jag hitta hans syster innan mördaren gör det. Och pojken har antagligen sett förövarens ansikte. Om du inte hjälper mig att höra honom, så gör jag det som man brukar, men det är klart att jag föredrar det sätt som är bäst.

– Vilket sätt är det? frågar Erik.

– Hypnos, svarar Joona.

Erik tittar på honom och sedan säger han långsamt:

– Jag har inte ens tillstånd att hypnotisera ...

– Jag har talat med Annika, säger Daniella.

– Vad sa hon? frågar Erik och kan inte låta bli att le.

– Det här är knappast något populärt beslut, att tillåta hypnos av en instabil patient som dessutom är minderårig, men eftersom jag ansvarar för patienten så överlät hon åt mig att göra bedömningen.

– Jag vill verkligen slippa det här, säger Erik.

– Varför? frågar Joona.

– Jag tänker inte prata om det, men jag har lovat att inte hypnotisera igen, det var ett beslut från mitt håll som jag fortfarande tror var riktigt.

– Är det riktigt i det här fallet? frågar Joona.

– Jag vet faktiskt inte.

– Gör ett undantag, säger Daniella.

– Hypnos alltså, suckar Erik.

– Jag vill att du gör ett försök så snart du bedömer att patienten är det minsta mottaglig för hypnos, säger Daniella.

– Det vore bra om du var med, säger Erik.

– Jag fattar beslutet om hypnos, förklarar hon. Under förutsättning att du i och med det tar över ansvaret för patienten.

– Så jag är ensam nu?

Daniella tittar på honom med trött ansikte och säger:

– Jag har jobbat hela natten, lovade att följa Tindra till skolan, jag får ta den konflikten i kväll, men nu måste jag faktiskt åka hem och sova.

Erik ser henne gå genom korridoren. Den röda kappan fladdrar bakom henne. Joona blickar in på patienten. Erik går till toaletten, låser dörren, tvättar ansiktet, drar loss några oblekta pappersservetter och torkar sig om pannan och kinderna. Han tar upp sin telefon och ringer Simone, men ingen svarar. Han provar hemnumret, lyssnar till signalerna och telefonsvararens hälsningsmeddelande. När det piper för att inspelningen har påbörjats vet han inte längre vad han ska säga:

– Sixan, jag ... du måste lyssna på mig, jag vet inte vad du tror, men ingenting har hänt, du kanske inte bryr dig, men jag lovar att jag ska hitta ett sätt att bevisa för dig att jag är ...

Erik tystnar, han vet att hans ord inte längre har någon betydelse. Han ljög för henne för tio år sedan och har ännu inte lyckats bevisa sin kärlek, inte på något sätt, inte tillräckligt, inte så att hon har börjat lita på honom igen. Han avbryter samtalet och lämnar toaletten, går fram till dörren med glasfönstret där kriminalkommissarien står och blickar in.

– Vad är egentligen hypnos? frågar kommissarien efter en stund.

– Det rör sig bara om ett förändrat medvetandetillstånd, besläktat med suggestion och meditation, svarar Erik.

– Okej, säger Joona dröjande.

– När du säger hypnos talar du egentligen om heterohypnos, där en person hypnotiserar en annan, i något syfte.

– Som?

– Som att framkalla negativa hallucinationer.

– Vad är det?

– Det vanligaste är att man hämmar den medvetna registreringen av smärta.

– Men smärtan finns kvar.

– Det beror på hur du definierar smärta, svarar Erik. Patienten svarar förstås med fysiologiska reaktioner på smärtretningen, men upplever ingen smärta, det går till och med att utföra kirurgi under klinisk hypnos.

Joona skriver något i sitt anteckningsblock.

– Rent neurofysiologiskt, fortsätter Erik, fungerar hjärnan på ett speciellt sätt under hypnos. Delar av hjärnan som vi sällan använder aktiveras plötsligt. En hypnotiserad människa är ju mycket djupt avslappnad, ser nästan sovande ut, men tar man ett EEG visar hjärnaktiviteten en person som är vaken och uppmärksam.

– Pojken öppnar ögonen ibland, säger Joona och blickar in genom fönstret.

– Jag har sett det.

– Vad kommer att hända nu? frågar han.

– Med patienten?

– Ja, när du hypnotiserar honom.

– Vid dynamisk hypnos, alltså i ett terapeutiskt sammanhang, spaltar patienten nästan alltid upp sig själv i ett observerande jag och ett eller flera upplevande och agerande jag.

– Han ser sig själv på teater?

– Ja.

– Vad kommer du att säga till honom?

– Först och främst måste jag få honom att känna sig trygg, han har varit med om fruktansvärda saker, så jag börjar med att förklara min avsikt och går sedan över till avslappning, jag talar lugnande om ögonlocken som blir tyngre, att man vill blunda, om de djupa andetagen genom näsan, jag går igenom kroppen uppifrån och ner och så vänder jag tillbaka.

Erik väntar medan Joona skriver.

– Efter det här kommer vad som kallas för induktionen, säger Erik. Jag lägger in en sorts dolda kommandon i det jag säger och förmår patienten att föreställa sig platser och enkla förlopp, jag suggererar en vandring i tankarna längre och längre bort tills behovet att kontrollera situationen nästan upphör. Det är lite som när man läser en bok och det blir så spännande att man inte längre är medveten om att man sitter och läser.

– Jag förstår.

– Om man lyfter patientens hand så här och släpper den så

ska handen stanna upplyft, kataleptiskt, när induktionen är färdig, förklarar Erik. Efter induktionen räknar jag baklänges och fördjupar hypnosen ytterligare. Jag brukar räkna, andra låter patienten visualisera en gråskala, för att lösa upp gränserna i tankarna. Vad som rent praktiskt äger rum är egentligen bara att den rädsla eller det kritiska tänkandet som blockerar vissa minnen sätts ur spel.

– Kommer du att lyckas hypnotisera honom?

– Om han inte gör motstånd.

– Vad händer då? frågar Joona. Vad händer om han gör motstånd?

Erik svarar inte. Han iakttar pojken genom glaset, försöker avläsa hans ansikte, mottagligheten.

– Det är svårt att säga vad jag kommer att få fram, det kan ha mycket varierande relevans, förklarar han.

– Jag är inte ute efter ett vittnesmål, jag behöver bara ett tips, ett signalement, något att gå på.

– Så allt jag ska leta efter är personen som gjorde det här mot dem?

– Gärna ett namn eller en plats eller en koppling.

– Jag har ingen aning om hur det här kommer att gå, säger Erik och drar efter andan.

Joona följer med honom in, sätter sig på en stol i hörnet, petar av sig skorna och lutar sig bakåt. Erik dämpar ljuset, drar fram en stålpall och slår sig ned intill sängen. Försiktigt börjar han förklara för pojken att han vill hypnotisera honom för att hjälpa honom att förstå vad det var som hände igår.

– Josef, jag kommer hela tiden att sitta här, säger Erik lugnt. Det finns absolut ingenting att vara rädd för. Du kan känna dig helt trygg. Jag är här för din skull, du säger ingenting du inte vill säga och du kan själv avsluta hypnosen när du vill.

Först nu börjar Erik ana hur mycket han har längtat efter processen. Hans hjärta slår hårt och tungt. Han måste försöka dämpa sin iver. Förloppet får inte forceras, inte hastas fram.

Det måste fyllas av stillhet, tillåtas sjunka och avnjutas i sitt eget mjuka tempo.

Det är lätt att få pojken mycket avslappnad, kroppen befinner sig redan i vila och tycks bara längta efter mer.

När Erik öppnar munnen och påbörjar induktionen är det som om han aldrig har upphört att hypnotisera: hans röst är tät, saklig och lugn, orden kommer så lätt och självklart, de strömmar fram, mättade med monoton värme och en sövande, fallande ton.

Han känner omedelbart Josefs stora mottaglighet. Det är som om pojken intuitivt klamrar sig fast vid den trygghet Erik förmedlar. Hans skadade ansikte blir tyngre, dragen fylls ut och munnen blir slappare.

– Josef, om du vill så ... Tänk på en sommardag, säger Erik. Allt är bara underbart och behagligt. Du ligger på durken till en liten träbåt som vaggar långsamt. Det kluckar från vattnet och du tittar upp på de små molnen som rör sig på den blå himlen.

Pojken svarar så bra på induktionen att Erik undrar om han borde bromsa förloppet en aning. Han vet att svåra händelser ofta kan öka känsligheten inför hypnos, att den inre stressen kan fungera som en omvänd motor, inbromsningen sker oväntat hastigt och varvtalet faller mycket snabbt mot noll.

– Jag ska nu räkna baklänges och för varje siffra du hör kommer du att slappna av lite mer. Du kommer att känna hur du fylls av ett stort lugn och hur behagligt allting är omkring dig. Slappna av från tårna, vristerna, vaderna. Ingenting besvärar dig, allt är bara rofyllt. Det enda som du behöver lyssna till är min röst, siffrorna som faller. Nu slappnar du av ännu mer, blir ännu tyngre, du slappnar av över knäna, längs låren mot ljumskarna. Känn att du samtidigt sjunker nedåt, mjukt och behagligt. Allt är bara lugnt och stilla och alldeles avslappnat.

Erik vilar en hand på pojkens axel. Blicken ligger på magen och för varje utandning säger han siffror i fallande ordning.

Han bryter det logiska mönstret ibland, men fortsätter hela tiden nedräkningen. En känsla av drömlik lätthet och fysisk styrka fyller Erik medan processen fortskrider. Han räknar och ser samtidigt sig själv sjunka genom alldeles ljust och syrerikt vatten. Han hade nästan glömt bort känslan av blått hav, ocean. Leende sjunker han utmed en enorm klippformation. En kontinentalspricka som fortsättar ned mot enorma djup. Vattnet glittrar av små bubblor. Med en lyckokänsla i kroppen singlar han bara tyngdlös nedåt längs den skrovliga väggen.

Pojken visar tydliga tecken på hypnotisk vila. En stor slapphet har lagt sig över kinder och mun. Erik har alltid tyckt att patienternas ansikten blir bredare, liksom plattare. Mindre vackra, men ömtåliga och utan all tillgjordhet.

Erik sjunker djupare, sträcker ut en arm och rör vid klippväggen som passerar förbi. Det ljusa vattnet skiftar långsamt till rosa.

– Nu är du djupt avslappnad, säger Erik lugnt. Och allt är mycket, mycket behagligt.

Pojkens ögon glänser innanför de halvslutna ögonlocken.

– Josef ... försök att minnas vad som hände igår. Det började som en helt vanlig måndag, men på kvällen är det någon som kommer på besök.

Pojken är tyst.

– Nu berättar du för mig vad som händer, säger Erik.

Pojken nickar minimalt.

– Du sitter i ditt rum? Är det det du gör? Lyssnar du på musik?

Han svarar inte. Munnen rör sig undrande, sökande.

– Din mamma var hemma när du kom från skolan, säger Erik.

Han nickar.

– Varför? Vet du det? Beror det på att Lisa har fått feber?

Pojken nickar och fuktar munnen.

– Vad gör du när du kommer hem från skolan, Josef?

Pojken viskar något.

– Jag hör inte, säger Erik. Jag vill att du talar så att jag hör.

Pojkens läppar rör sig och Erik lutar sig fram.

– Som eld, precis som eld, mumlar han. Jag försöker blinka, jag går in i köket, men det stämmer inte, det knastrar mellan stolarna och en alldeles röd eld sprider sig över golvet.

– Var kommer elden ifrån? frågar Erik

– Jag minns inte, det hände något förut ...

Han tystnar igen.

– Återvänd lite till, innan den här elden finns i köket, säger Erik.

– Det är någon där, säger pojken. Jag hör någon knacka på dörren.

– På ytterdörren?

– Jag vet inte.

Pojkens ansikte blir plötsligt spänt, han gnyr oroligt och raden av undertänder blottas i en konstig grimas.

– Det är ingen fara, säger Erik. Det är ingen fara, Josef, du är trygg här, du är lugn och känner ingen oro. Du tittar bara på det som händer, du är inte med, du ser bara förloppet på lagom avstånd och det är inte det minsta farligt.

– Fötterna är ljusblå, viskar han.

– Vad sa du?

– Det knackar på dörren, säger pojken sluddrande. Jag öppnar, men ingen är där, jag ser ingen. Men knackningarna fortsätter. Jag förstår att någon retas med mig.

Patienten andas snabbare, magen rör sig ryckigt.

– Vad händer nu? frågar Erik.

– Jag går till köket och tar en limpmacka.

– Du äter en smörgås?

– Men nu börjar det knacka igen, ljudet kommer från Lisas rum. Dörren står på glänt och jag ser att hennes prinsesslampa är tänd. Försiktigt petar jag upp dörren med kniven och tittar in. Lisa ligger i sin säng. Hon har glasögonen på sig, men blundar och andas flåsande. Hon är vit i ansiktet. Armarna och benen är alldeles stela. Så böjer hon huvudet bakåt så att halsen blir helt spänd, och börjar sparka med fötterna på sänggaveln. Hon sparkar bara snabbare och snabbare. Jag säger åt henne att sluta med det där, men hon fortsätter, hårdare. Jag skriker åt henne och kniven har redan börjat hugga och mamma springer in och sliter i mig och jag vänder mig runt och kniven går fram, det forsar bara ut ur mig, jag hämtar nya knivar, jag är rädd för att sluta, jag måste fortsätta, det går inte att stanna, mamma kryper genom köket, golvet är alldeles rött, jag måste prova knivarna på allt, på mig själv, på möblerna, väggarna, jag slår och hugger och så blir jag plötsligt trött och lägger mig. Jag vet inte vad som händer, jag har ont inuti kroppen och jag är törstig, men orkar inte röra mig.

Erik känner hur han hänger tillsammans med pojken, djupt nere i det ljusa vattnet, deras ben rör sig mjukt och han följer klippväggen med blicken, längre och längre ner, den tar inte slut, vattnet mörknar bara och blir blågrått och sedan lockande svart.

– Du hade träffat ... frågar Erik och hör sin egen röst darra. Du hade träffat din pappa tidigare.

– Ja, nere vid fotbollsplanen, svarar Josef.

Han tystnar, ser undrande ut, stirrar framför sig med sovande blick.

Erik ser att hans puls går upp och förstår att blodtrycket samtidigt faller.

– Jag vill att du sjunker djupare ner, säger Erik dämpat. Du sjunker, känner dig lugnare, behagligare och ...

– Inte mamma? frågar pojken med ynklig röst.

– Josef, berätta ... du har också träffat din storasyster, Evelyn?

Erik iakttar Josefs ansikte, medveten om att gissningen kan skapa problem, en spricka i hypnosen om det visar sig att han har fel. Men han var tvungen att göra ett brant skär, för tiden kommer inte att räcka till, han måste avbryta hypnosen alldeles snart, patientens tillstånd håller på att bli akut igen.

– Vad hände när du träffade Evelyn? frågar han.

– Jag borde aldrig ha åkt till henne.

– Var det igår?

– Hon gömde sig i stugan, viskar pojken leende.

– Vilken stuga?

– Moster Sonjas, säger han trött.

– Beskriv vad som händer i stugan?

– Jag står bara där, Evelyn är inte glad, jag vet vad hon tänker, mumlar han. Jag är bara en hund för henne, jag är inte värd någonting ...

Josefs tårar rinner, munnen darrar.

– Säger Evelyn det här till dig?

– Jag vill inte, jag behöver inte, jag vill inte, kvider Josef.

– Vad är det du inte vill?

Hans ögonlock börjar darra spasmodiskt.

– Vad händer nu, Josef?

– Hon säger att jag måste bita och bita för att få min belöning.

– Vem är det du ska bita?

– Det finns en bild där i stugan ... en bild i en ram som ser ut som en flugsvamp ... det är pappa, mamma och Knyttet, men ...

Hans kropp är plötsligt spänd, benen rör sig snabbt och slött, han håller på att glida ut ur den mycket djupa hypnosen. Erik styr försiktigt undan, lugnar honom och lyfter patienten några nivåer. Noga stänger han dörrarna till alla minnen från dagen och alla minnen från hypnosen. Ingenting får stå öppet när han påbörjar den försiktiga väckningsprocessen.

Josef ligger leende på britsen när Erik lämnar honom. Kriminalkommissarien reser sig från stolen i hörnet och följer med Erik ur rummet och går sedan fram till kaffeautomaten.

– Jag är imponerad, säger Joona lågt och tar upp sin telefon.

En ödslig känsla drar över Erik, en aning om att något är oåterkalleligt fel.

– Innan du ringer några samtal vill jag bara betona en sak, säger Erik. Patienten talar alltid sanning under hypnos, men det rör sig givetvis bara om hans sanning, han talar bara om det han själv uppfattar som sanningen, han beskriver alltså sina egna subjektiva minnen och inte ...

– Det förstår jag, avbryter Joona.

– Jag har hypnotiserat schizofrena personer, fortsätter Erik.

– Vad vill du få sagt?

– Josef talade om systern ...

– Ja, att hon krävde att han skulle bita som en hund och så vidare, säger Joona.

Han slår ett nummer och lägger telefonen till örat.

– Det är inte säkert att systern sa till honom att göra det här, förklarar Erik.

– Men hon kan ha gjort det, säger Joona och håller upp en hand för att tysta Erik. Anja, min guldklimp ...

En mjuk röst anas genom telefonen.

– Kan du kolla upp en sak? Ja, precis. Josef Ek har en moster som heter Sonja och hon har ett hus eller ett fritidshus någonstans och ... Ja, det ... bussigt.

Joona tittar upp på Erik.

– Förlåt, du skulle säga något mer.

– Bara att det inte heller är säkert att det var Josef som mördade familjen.

– Men är det möjligt att han tillfogade sig själv såren? Kan han ha skurit sig själv så här? Enligt din bedömning?

– Inte egentligen, men visst, teoretiskt, svarar Erik.

– Då tror jag faktiskt att vår förövare ligger där inne, säger Joona.

– Det tror jag också.

– Är han i skick att rymma från sjukhuset?

– Nej, ler Erik överraskat.

Joona börjar gå i riktning mot korridoren.

– Ska du åka till mosterns hus? frågar Erik.

– Ja.

– Jag kan följa med, säger Erik och börjar gå. Systern kan vara skadad eller befinna sig i akut chock.

# 9

*Tisdag lunchtid den åttonde december*

SIMONE SITTER OCH tittar ut genom fönstret i tunnelbanevagnen. Hon är fortfarande svettig efter att ha lämnat den tomma lägenheten och sprungit till tunnelbanestationen.

Nu står tåget stilla i Huvudsta.

Hon tänker att hon borde ha tagit en taxi istället, men försöker säga till sig själv att ingenting har hänt, att hon vet att hon alltid oroar sig i onödan.

Hon tittar på sin telefon igen och undrar om den konstiga kvinnan hon talade med för en stund sedan var Aidas mamma, och om hon hade rätt i att Aida befann sig i en tatueringsateljé i Tensta centrum.

Dörrarna stängs, men öppnas omedelbart igen, rop hörs längre fram, dörrarna sluter sig än en gång och tåget kommer äntligen i rörelse.

En man prasslar med tidningarna mitt emot henne. Han samlar ihop dem, breder ut dem på sätet bredvid, tycks jämföra något, viker samman dem igen. Via avspeglingen i fönstret ser hon att han sneglar på henne då och då. Hon överväger att byta säte men kommer av sig när ett plingande i hennes telefon tillkännager att hon fått ett meddelande. Det är från Ylva på galleriet. Simone orkar inte öppna det. Hon hade hoppats att det skulle vara från Erik. Hon vet inte hur många försök hon har gjort, ändå ringer hon hans mobil igen. Lyssnar till de stumma tonerna och den plötsliga omkopplingen till röstbrevlådan.

– Du, säger mannen mitt emot henne med en retsamt pockande röst.

Hon försöker se ut som om hon inte hör honom, tittar ut genom fönstret och låtsas lyssna i sin telefon.

– Hallå-å? säger mannen.

Hon inser att han inte tänker ge sig förrän han har fått hennes uppmärksamhet. Som så många män tycks han inte förstå att kvinnor har ett eget liv, egna tankar, att kvinnor inte lever i en ständig beredskap att lyssna på dem.

– Du, hör du inte att jag pratar med dig, upprepar mannen.

Simone vänder sig mot honom.

– Jag hör dig mycket väl, säger hon lugnt.

– Varför svarar du inte då, frågar han.

– Jag svarar nu.

Han blinkar ett par gånger och sedan kommer det:

– Du är en kvinna? Eller hur?

Simone sväljer och tänker att det här är en sådan sorts man som tänker tvinga henne att säga sitt namn, berätta om sitt civiltillstånd och till slut provocera henne till att bli riktigt otrevlig.

– Du är en kvinna?

– Är det bara det du vill veta? frågar hon kort och vänder sig mot fönstret igen.

Han byter säte och sätter sig bredvid henne:

– Lyssna på det här ... Jag hade en kvinna, och min kvinna, min kvinna ...

Simone känner några droppar saliv landa på sin kind.

– Hon var som Elizabeth Taylor, fortsätter han. Vet du vem det är?

Han skakar hennes arm.

– Vet du vem Elizabeth Taylor är?

– Ja, säger Simone otåligt. Det är klart att jag vet.

Han lutar sig nöjt tillbaka.

– Alltid nya karlar hade hon, gnäller han. Bättre och bättre skulle det vara, diamantringar och presenter och halsband.

Tåget saktar in och Simone inser att hon ska gå av, de är i Tensta. Hon reser sig upp, men han ställer sig i vägen.

– Ge mig en liten kram, jag vill bara ha en kram.

Hon ursäktar sig sammanbitet, för undan hans arm och känner en hand över stjärten. I samma ögonblick stannar tåget till, mannen tappar balansen och sätter sig tungt på sätet igen.

– Luder, säger han helt lugnt efter henne.

Hon lämnar tåget, springer ut från tunnelbanestationen, över den plexiglastäckta bron och nedför trappan. Utanför köpcentret sitter tre berusade män på en bänk och pratar med skrovliga röster. Simone skyndar in genom huvudentrén och försöker nå Erik på mobiltelefonen igen. Från Systembolaget kommer en lukt av gammalt rödvin från en krossad flaska. Med häftig andhämtning skyndar hon förbi fönstret till restaurangen. Ser en buffé med burkmajs, gurkbitar och torra salladsblad. Mitt på inomhustorget finns en stor tavla som beskriver köpcentrets affärer. Hon läser tills hon finner det hon söker: Tensta Tattoo. Enligt planritningen ska butiken ligga längst bort, högst upp. Hon springer i riktning mot rulltrapporna, mellan föräldralediga mammor, pensionärer i armkrok och skolkande tonåringar.

För sin inre syn ser hon hur ungdomarna samlas i en ring kring en liggande pojke, hur hon tränger sig fram och förstår att det är Benjamin, att blodet inte slutar rinna från den påbörjade tatueringen.

Hon går med stora steg uppför rulltrappan. I samma ögonblick som hon når den översta våningen fångar hennes blick en märkvärdig rörelse längst bort i en ödslig del av våningsplanet. Det ser ut som om någon hänger över räcket. Hon börjar gå ditåt och i takt med att hon närmar sig ser hon tydligare vad det är som försiggår: två barn håller ett tredje barn över räcket. En storväxt gestalt trampar runt bakom dem och slår armarna omkring sig som om han värmer sig med en åkerbrasa.

Barnen verkar helt lugna i ansiktet medan de håller den skräckslagna flickan över kanten.

– Vad gör ni? ropar Simone medan hon går mot dem.

Hon vågar inte springa, hon är rädd för att de ska bli skrämda och tappa flickan. Det är ett fall på minst tio meter rakt ned till inomhustorget på bottenvåningen.

Pojkarna har sett henne och låtsas att de råkar släppa taget om henne. Simone skriker till, men de håller kvar flickan och drar sedan sakta upp henne. En av dem ger Simone ett underligt leende innan de springer iväg. Bara den storväxte pojken står kvar. Flickan sitter hulkande hopkrupen innanför räcket. Simone stannar med skenande hjärtslag och böjer sig ned intill henne.

– Hur är det med dig?

Flickan skakar bara tyst på huvudet.

– Vi måste gå till vakten, förklarar Simone.

Flickan skakar på huvudet igen. Hon darrar i hela kroppen och kryper ihop som en boll intill räcket. Simone tittar på den storvuxne, stabbige pojken som bara står helt stilla och iakttar dem. Han är klädd i mörk täckjacka och svarta solglasögon.

– Vem är du? frågar Simone honom.

Istället för att svara tar han upp en kortlek ur jackfickan och börjar bläddra, kupera och blanda.

– Vem är du? upprepar Simone med högre röst. Är du vän till de där pojkarna?

Han rör inte en min.

– Varför gjorde du ingenting? De kunde ha dödat henne!

Simone känner adrenalinet i kroppen, den höga pulsen i tinningarna.

– Jag frågade dig en sak. Varför gjorde du ingenting?

Hon stirrar stint på honom. Han svarar fortfarande inte.

– Idiot, skriker hon.

Pojken börjar långsamt flytta sig bortåt. När hon går efter honom för att inte låta honom komma undan snubblar han till och tappar sin kortlek på golvet. Han rabblar något för sig själv och slinker nedför rulltrappan.

Simone vänder sig om för att ta hand om den lilla flickan, men hon är försvunnen. Simone springer tillbaka utmed loftgången, där butikslokalerna är tomma och nedsläckta, men hon ser varken flickan eller någon av pojkarna. Hon fortsätter en bit och inser plötsligt att hon står utanför tatueringsateljén. Skyltfönstret är täckt av svart, bucklig film och en stor bild på Fenrisulven. Hon öppnar dörren och går in. Det verkar tomt i butiken. Överallt på väggarna sitter fotografier på tatueringar. Hon ser sig omkring och ska just gå ut igen när hon hör en ljus, skärrad röst:

– Nicke? Var är du? Säg någonting.

Ett svart draperi delar sig och en flicka kommer ut med en mobiltelefon mot örat. Hon har ingenting på överkroppen. Några fina droppar blod rinner nedför hennes hals. Hennes ansikte är koncentrerat och oroligt.

– Nicke, säger flickan samlat i sin telefon. Vad är det som har hänt?

Hennes bröst är knottriga men hon verkar inte tänka på att hon är halvnaken.

– Får jag fråga en sak? säger Simone.

Flickan lämnar butiken och börjar springa. Simone följer efter henne mot dörren när hon hör någon bakom sig.

– Aida? ropar en pojke med ängslig röst.

Hon vänder sig om och ser att det är Benjamin.

– Var är Nicke? frågar han.

– Vem?

– Aidas lillebror, han är utvecklingsstörd. Såg du honom därute?

– Nej, jag ...

– Han är storväxt, med svarta solglasögon.

Simone går långsamt tillbaka in i butiken igen och sätter sig på en stol.

Aida återvänder tillsammans med sin bror. Han stannar utanför dörren, nickar med ängsliga ögon åt allt hon säger och torkar sig sedan under näsan. Flickan kommer in, skyler brösten med ena handen, passerar Simone och Benjamin utan att titta på dem och försvinner bakom draperiet. Simone hinner se att hennes hals har rodnat för att hon har tatuerat en mörkröd ros bredvid en liten davidsstjärna.

– Vad är det som händer? frågar Benjamin.

– Jag såg några pojkar, de var inte kloka, höll en flicka över räcket. Aidas lillebror stod bara där och ...

– Sa du något till dem?

– De slutade när jag kom fram, men det var som om de bara tyckte att det var roligt.

Benjamin ser mycket besvärad ut, han blir röd om kinderna, flackar med blicken, söker runt, som om han skulle vilja springa sin väg.

– Jag tycker inte om att du håller till här, säger Simone.

– Jag får göra vad jag vill, svarar han.

– Du är för liten för att ...

– Sluta, avbryter han med dämpad röst.

– Vad då? Tänkte du också tatuera dig?

– Nej, det tänkte jag inte.

– Jag tycker att det är hemskt med tatueringar på halsen och i ansiktet ...

– Mamma, avbryter han.

– Det är fult.

– Aida hör vad du säger.

– Fast jag tycker ...

– Kan du gå ut härifrån? avbryter Benjamin skarpt.

Hon tittar på honom, tänker att hon inte känner igen röstläget, men vet egentligen att hon och Erik låter på samma sätt allt oftare.

– Du ska följa med mig hem, säger hon lugnt.

– Jag kommer om du går ut först, svarar han.

Simone lämnar butiken och ser att Nicke står vid det mörka fönstret med armarna i kors över bröstet. Hon går fram till honom, försöker se snäll ut och pekar på hans pokémonkort.

– Alla gillar Pikachú bäst, säger hon.

Han nickar för sig själv.

– Fast jag är mer förtjust i Mew, fortsätter hon.

– Mew lär sig saker, säger han försiktigt.

– Förlåt för att jag skrek åt dig.

– Det finns inget att göra mot Wailord, ingen klarar av honom, han är störst, fortsätter han.

– Är han störst av alla?

– Ja, svarar pojken allvarligt.

Hon tar upp ett kort som han har tappat.

– Vem är det här?

Benjamin kommer ut med glansiga ögon.

– Arceus, svarar Nicke och lägger kortet överst.

– Han ser snäll ut, säger Simone.

Nicke ler stort.

– Vi går, säger Benjamin dämpat.

– Hej då, ler Simone.

– Hejdåhadetsåbra, svarar Nicke mekaniskt.

Benjamin går tyst bredvid Simone.

– Vi tar en taxi istället, bestämmer hon när de närmar sig ingången till tunnelbanan. Jag är så trött på tunnelbanor.

– Okej, säger Benjamin och vänder.

– Vänta lite, säger Simone.

Hon har upptäckt en av pojkarna som hotade flickan. Han står vid tunnelbanespärrarna och tycks vänta på någonting. Hon känner hur Benjamin försöker dra med henne bort.

– Vad är det? frågar hon.

– Kom, vi går, vi skulle ju ta en taxi.

– Jag måste bara prata med honom, säger hon.

– Mamma, skit i dem nu, ber Benjamin.

Hans ansikte är blekt och oroligt och han står bara kvar när hon resolut närmar sig pojken.

Simone lägger handen på pojkens axel och vänder honom mot sig. Han är kanske bara tretton år, men istället för att bli rädd eller förvånad hånler han mot henne som om han gillrat en fälla åt henne.

– Du ska följa med mig till vakten, säger hon bestämt.

– Vad sa du, kärring?

– Jag såg dig när du ...

– Håll käften! avbryter pojken. Du ska nog hålla käften om du inte vill bli straffknullad.

Simone blir så häpen att hon inte vet vad hon ska svara. Pojken spottar på marken framför henne och hoppar över spärrarna och försvinner långsamt ner i tunnelbanegången.

Simone är skärrad, hon går ut och fram till Benjamin.

– Vad sa han? frågar han.

– Ingenting, svarar hon trött.

De går till taxistationen och sätter sig i baksätet på den främsta bilen. När de rullar bort från Tensta centrum säger Simone att de ringde från skolan idag.

– Aida ville att jag skulle vara med när hon ändrade på en tatuering, säger Benjamin lågt.

– Det var snällt av dig.

De färdas under tystnad på Hjulstavägen utmed ett rostigt stickspår på en vall av brunt grus.

– Sa du till Nicke att han var en idiot? frågar Benjamin.

– Jag sa fel ... det är jag som är en idiot.

– Men hur kunde du?

– Jag gör fel ibland, Benjamin, säger hon dämpat.

Från Tranebergsbron blickar Simone ner mot Stora Essingen. Isen har inte lagt sig, men vattnet verkar trögt och blekt.

– Det ser ut som att jag och pappa kommer att separera, säger hon.

– Jaha ... Varför det?

– Det har absolut ingenting med dig att göra.

– Jag frågade varför.

– Det finns inget bra svar, börjar hon. Din pappa ... Hur ska jag förklara det här? Han är mitt livs kärlek, men det har ... det kan ta slut ändå, det tror man inte när man träffas, när man får barn och ... Förlåt, jag borde inte prata om det här. Jag ville bara att du skulle förstå varför jag är totalt ur balans. Alltså, det är inte säkert att vi separerar.

– Jag vill inte bli inblandad.

– Förlåt för jag ...

– Men sluta då, snäser han.

# 10

*Tisdag eftermiddag den åttonde december*

ERIK VISSTE ATT HAN inte skulle kunna sova, men gjorde ett försök. Han har varit klarvaken hela tiden, trots att kriminalkommissarie Joona Linna har kört mycket mjukt på väg 274 över Värmdö, mot stugan där Evelyn Ek antas befinna sig.

När de passerar det gamla sågverket börjar löst grus rassla under bilen. Efterverkningarna av kodeinkapslarna gör Eriks ögon ömtåliga och torra. Han kisar ut på ett område med timmerbyggda fritidshus på trånga gräsmattor. Träden står kala i den sterila decemberkylan. Ljuset och färgerna får Erik att börja tänka på utflykterna med skolan när han var barn. Lukten av murkna stammar, svampdofterna ur mullen. Hans mamma jobbade halvtid som skolsköterska på Sollentuna gymnasium och var övertygad om nyttan av frisk luft. Det var Eriks mamma som velat att han skulle heta Erik Maria. Det ovanliga namnet kom av att Eriks mamma hade varit på en språkresa i Wien, gått på Burgtheater och sett Strindbergs *Fadren* med Klaus Maria Brandauer i huvudrollen. Hon hade blivit så tagen att hon bar med sig skådespelarens namn i många år. Som barn försökte Erik alltid dölja mellannamnet Maria och i tonåren kände han igen sig i sången *A Boy Named Sue* på en skiva med Johnny Cash som hade spelats in på San Quentinfängelset. ”Some gal would giggle and I'd get red, and some guy 'd laugh and I'd bust his head, I tell ya, life ain't easy for a boy named Sue.”

Eriks pappa, som arbetade på Försäkringskassan, hade egentligen bara haft ett enda genuint intresse i hela sitt liv.

Han var hobbytrollkarl och brukade klä ut sig i en hemmasydd mantel, begagnad frack och ett slags hopfällbar cylinderhatt på huvudet, som han kallade sin chapeau claque. Erik och hans vänner fick sitta på pinnstolarna i garaget där han hade byggt en liten scen med hemliga falluckor. De flesta av sina trick hade han hittat i katalogen från Bernandos magic i Bromölla: trollstavar som rasslade till och fällde ut sig, biljardbollar som multiplicerades med hjälp av ett skal, en håv av sammet med lönnfack och den glittriga handgiljotinen. Numera tänker Erik med både munterhet och ömhet på sin pappa, hur han med foten satte igång den där bandspelaren med Jean Michel Jarre medan han gjorde magiska rörelser över en svävande dödskalle. Erik hoppas av hela sitt hjärta att pappan aldrig märkte att han skämdes när han blev äldre och himlade med ögonen mot kamraterna bakom hans rygg.

Det fanns kanske ingen djupare förklaring till varför Erik hade blivit läkare. Han hade nog aldrig önskat sig något annat jobb, aldrig föreställt sig ett annat liv. Han minns alla regniga skolavslutningar, den hissade flaggan och sommarpsalmerna. Han hade alltid fått bästa betyg i alla ämnen, det var något hans föräldrar räknade med. Hans mamma talade ofta om att svenskarna var bortskämda som tog sitt välfärdssamhälle för självklart, när det med största sannolikhet bara var en liten historisk parentes. Hon menade att systemet med gratis sjukvård och tandvård, gratis barnomsorg och grundskola, gratis gymnasium och gratis universitet när som helst skulle kunna försvinna. Men just nu fanns det en möjlighet för en helt vanlig pojke eller flicka att studera till läkare, arkitekt eller doktor i finansiell ekonomi på landets alla universitet utan vare sig förmögenhet, stipendier eller allmosor.

Känslan av att förstå dessa möjligheter var ett privilegium som hade omslutit honom som ett gyllene skimmer. Det gav honom ett försprång och en målmedvetenhet, men kanske också en sorts högfärd som ung.

Han minns när han som artonåring satt där i soffan i Sollentuna och stirrade på sina toppbetyg och sedan lät blicken gå över det enkla rummet. Bokhyllorna med prydnadssaker och souvenirer, fotografierna i sina ramar av nysilver, bilder från föräldrarnas konfirmation, bröllop och femtioårsdag, följt av ett tiotal bilder på deras ende son, från rultig bebis i spetsklänning till småleende yngling i stuprörskostym.

Hans mamma kom in i rummet och räckte honom ansökningsblanketterna till läkarlinjen. Hon hade haft helt rätt, precis som hon brukade. Så fort han satte sin fot på Karolinska institutets läkarutbildning var det som att komma hem. När han specialiserade sig inom psykiatrin förstod han att läkaryrket skulle passa honom bättre än han egentligen ville erkänna. Efter sin AT-tjänst, de arton månader av allmäntjänstgöring som krävs innan Socialstyrelsen utfärdar läkarlegitimationen, hade han arbetat för Läkare utan gränser. Han hade hamnat i Chisimayu söder om Mogadishu i Somalia. Det var en mycket intensiv tid på ett fältsjukhus vars utrustning bestod av kasserat, svenskt sjukhusmaterial, röntgenapparater från sextiotalet, medicin som hade passerat bästföredatum, rostiga och fläckiga britsar från nedlagda eller ombyggda sjukhusavdelningar. I Somalia hade han för första gången träffat svårt traumatiserade människor. Barn som förlorat lusten att leka, som var apatiska, ungdomar som tonlöst vittnade om hur de tvingats begå fruktansvärda förbrytelser, kvinnor som gjorts så illa att de inte längre förmådde tala, utan bara log undanglidande och aldrig lyfte blicken. Han hade känt att han ville arbeta med att hjälpa människor som hölls fångna av de kränkningar de utsatts för, som plågades trots att förgriparna hade försvunnit för länge sedan.

Erik återvände hem och genomgick psykoterapeututbildningen i Stockholm. Men det var först när han specialiserade sig inom psykotraumatologi och katastrofpsykiatri som han kom i kontakt med olika teorier om hypnos. Vad som attraherade honom med hypnosen var snabbheten, att psykologen så fort kunde närma sig traumats ursprung. Erik insåg att denna snabbhet var oerhört viktig om man ville jobba med krigsoffer och offer för naturkatastrofer.

Han fick en grundutbildning i hypnos genom the European Society of Clinical Hypnosis, blev snart medlem av the Society for Clinical and Experimental Hypnosis, the European Board of Medical Hypnosis, Svenska föreningen för klinisk hypnos och brevväxlade under flera år med Karen Olness, den amerikanska barnläkaren vars banbrytande metod att hypnotisera kroniskt sjuka och svårt smärtpåverkade barn fortfarande är det som imponerat mest på honom.

I fem år arbetade Erik för Röda Korset i Uganda med traumatiserade människor. Under den perioden fanns det överhuvudtaget inte tid för att pröva och utveckla hypnos, situationerna var alldeles för överväldigande och akuta, det handlade nästan alltid om att tillgodose grundläggande behov. Han använde sig bara av hypnos ett tiotal gånger under hela denna tid och då egentligen bara i enklare sammanhang, istället för smärtlindring vid överkänslighet och som en första blockering av fobiska fixeringar. Men en gång under det sista året i Uganda stötte han på en flicka som satt inlåst i ett rum för att hon inte slutade skrika. De katolska nunnorna som arbetade som sjuksystrar förklarade att flickan hade kommit krypande på vägen från kåkstaden norr om Mbale. De trodde att hon tillhörde bagisufolket eftersom hon talade lugisu. Hon hade inte sovit en enda natt, istället ropade hon oavbrutet att hon var en hemsk demon med eld i ögonen. Erik hade bett dem öppna dörren till flickan. Så fort han fick träffa henne såg han att hon led av akut vätskebrist. När han försökte få henne att dricka vrålade hon som om åsynen av vatten brände som eld. Hon rullande runt på golvet och skrek. Han bestämde sig för att prova hypnos för att få henne lugn. En nunna som hette syster Marion tolkade hans ord till bukusu, som flickan borde förstå, och när hon väl hade börjat lyssna var det lätt att försätta henne i hypnos. På bara en timme ringade flickan in hela sitt psykiska trauma. En tankbil nerifrån Jinja hade åkt av vägen strax norr om kåkstaden på Mbale-Soroti Road. Det tunga fordonet hade vält och dragit upp ett djupt dike vid sidan av vägen. Ur ett hål i den stora tanken forsade alldeles ren bensin ut på marken. Flickan hade rusat hem och hittat sin morbror, berättat om bensinen som bara försvann ner i jorden. Morbrodern hade sprungit dit med två tomma plastdunkar. Ett tiotal människor var redan där när flickan hann ifatt morbrodern vid tankbilen. De fyllde hinkar med bensin från diket. Det luktade fruktansvärt, solen sken och luften var het. Flickans morbror vinkade till henne. Hon tog emot den första dunken och började släpa den hemåt. Den var väldigt tung. Hon stannade till för att lyfta upp dunken på huvudet och såg en kvinna med blå huvudduk stå vid tankbilen med bensin upp till knäna och fylla små glasflaskor. Längre bort på vägen i riktning mot staden fick flickan syn på en man i gul kamouflageskjorta. Han kom gående, hade en cigarett i munnen och när han drog in rök lyste glöden.

Erik minns tydligt hur flickan hade sett ut när hon talade. Hennes röst var tjock och dov och tårarna strömmade nedför hennes kinder när hon berättade att hon fångade elden från cigaretten med sina ögon och flyttade den till kvinnan med blå huvudduk. Elden fanns i hennes ögon, sa hon. För när hon vände sig tillbaka och tittade på kvinnan fattade hon eld. Först den blå huvudduken och sedan sveptes hela hon in i stora flammor. Plötsligt var det som en storm av eld kring tankbilen. Flickan började springa och hörde ingenting annat än skrik bakom sig.

Efter hypnosen talade Erik och syster Marion med flickan en lång stund om det hon berättat under hypnos. De förklarade för henne gång på gång att det var ångorna från bensinen, det som luktade så starkt, som hade börjat brinna. Mannens cigarett hade tänt eld på tankbilen genom luften, och det hade inte någonting med henne att göra.

Bara någon månad efter händelsen med flickan återvände Erik till Stockholm där han sökte anslag från Medicinska forskningsrådet för att på allvar fördjupa sig i hypnos och traumabehandling på Karolinska Institutet. Det var strax efter det som han träffade Simone. Han minns hur han mötte henne på en stor fest på universitetet, hon var uppspelt, rosenkindad och sprudlande. Först hade han lagt märke till hennes rödblonda och lockiga hår. Sedan hade han sett hennes ansikte. Hennes panna var välvd och blek, hennes fina ljusa hy var översållad av ljusbruna fräknar. Hon såg ut som en bokmärkesängel, liten och slank. Han minns fortfarande hur hon var klädd den kvällen: hon bar en grön figursydd sidenblus, svarta långbyxor och höga, mörka pumps. Hennes läppar var målade i en blekrosa ton, och ögonen lyste klargröna.

De gifte sig redan ett år senare och försökte ganska snart få barn. Det visade sig vara svårt, de fick fyra missfall efter varandra. Erik minns särskilt ett. Simone hade varit i 16:e veckan när ett flickfoster kom. Exakt två år efter det missfallet föddes Benjamin.

Erik blickar kisande ut genom vindrutan och hör Joonas lågmälda samtal med kollegorna på väg ut mot Värmdö över polisradion.

– Jag tänkte på en sak, säger Erik.

– Ja.

– Jag sa att Josef Ek inte kan rymma från sjukhuset, men jag menar, om han kunde tillfoga sig själv alla de här knivhuggen så ska man kanske inte vara för säker.

– Jag tänkte samma sak, svarar Joona.

– Okej.

– Har redan placerat en av mina killar utanför rummet.

– Det är antagligen helt onödigt, säger Erik.

– Ja.

Tre bilar stannar på rad vid vägkanten under en kraftledningsstolpe. Fyra poliser står i det vita ljuset och talar, tar på sig skyddsvästar och pekar på en karta. Solljuset blixtrar till i glaset till ett gammalt växthus.

Joona sätter sig igen på förarplatsen och drar med sig den kyliga luften in. Han väntar på att de andra ska ta plats i sina bilar och trummar tankfullt på ratten med ena handen.

Från polisradion hörs plötsligt en snabb tonföljd och sedan ett kraftigt sprakande som bryts tvärt. Joona byter kanal på radion, testar att alla i gruppen är med, växlar några ord med var och en innan han vrider nyckeln i tändningslåset.

Bilarna fortsätter längs en brun åker, förbi en björkdunge och en stor, rostig silo.

– Du väntar i bilen när vi kommer fram, säger Joona lågt.

– Ja, svarar Erik.

Några kråkor lyfter från vägbanan och flaxar undan.

– Vad finns det för negativa sidor med hypnos? frågar Joona.

– Vad menar du?

– Du var en av de bästa i världen, men slutade.

– Människor kan ha goda skäl att hålla saker gömda, svarar Erik.

– Det är klart, men …

– Och de skälen är mycket svåra att bedöma vid hypnos.

Joona ger honom ett skeptiskt ögonkast.

– Varför tror jag inte på att det här är orsaken till att du slutade?

– Jag vill inte prata om det, säger Erik.

Trädstammar flimrar förbi vid sidan av vägen. Skogen djupnar och mörknar längre in. Gruset smattrar under bilen. De svänger av på en smal skogsväg, passerar några fritidshus och stannar. Långt bort mellan granarna ser Joona ett brunt trähus i en mörk glänta.

– Jag räknar med att du sitter kvar, säger han till Erik och lämnar sedan bilen.

Medan Joona går mot infarten där de andra poliserna redan står och väntar, tänker han återigen på den hypnotiserade pojken, Josef. Orden som bara rann ut mellan hans slappa läppar. En pojke som beskrev sin bestialiska aggression med distanserad klarsyn. Minnet måste ha varit alldeles tydligt för honom: lillasysterns feberkramper, den framvällande vreden, valet av knivar, euforin i att gå över gränsen. Mot slutet av hypnosen blev Josefs beskrivningar förvirrade, det var svårare att förstå vad han menade, vad han egentligen uppfattade, om storasystern Evelyn faktiskt hade tvingat honom att utföra morden.

Joona samlar de fyra poliserna omkring sig. Utan att spetsa insatsen för mycket beskriver han situationens allvar och ger instruktioner för användandet av skjutvapen, att den eventuella verkningselden under alla omständigheter måste riktas mot benen. Han undviker termer från sin utbildning i särskild polistaktik och förklarar istället att de med största sannolikhet kommer att stöta på en fullständigt ofarlig människa.

– Jag vill uppmana alla att uppträda försiktigt för att inte skrämma flickan, säger Joona. Hon är kanske rädd, kanske skadad, men samtidigt får ni inte vid något enda ögonblick glömma att det kan röra sig om en farlig person.

Han skickar en patrull på tre polismän runt huset, ber dem att inte trampa i köksträdgården, att hålla sig utanför, för att de ska närma sig baksidan på säkert avstånd.

De börjar gå nedför skogsvägen, en av dem stannar till och lägger in snus under läppen. Husets chokladbruna fasad består av liggande, överlappande panel. Fodren är vita och ytterdörren svart. Rosa gardiner täcker fönstren. Det syns ingen rök i skorstenen. På förstutrappen står en sopkvast och en gul plasthink med torra grankottar.

Joona ser att polispatrullen sprider sig runt huset på bra avstånd och med dragna vapen. En gren knakar till. Avlägset hör han en hackspetts ekande knackningar. Joona följer polisernas förflyttning med blicken och närmar sig samtidigt huset långsamt, försöker se något genom det rosa gardintyget. Han gör tecken åt polisassistent Kristina Andersson, en ung kvinna med spetsigt ansikte, att stanna på gången. Hon är röd om sina kinder och nickar utan att ta blicken från huset. Med lugnt allvar drar hon sin tjänstepistol och flyttar sig några steg i sidled.

Huset är tomt, tänker Joona och närmar sig förstutrappan. Brädorna knakar svagt under hans tyngd. Han tittar på gardinen efter plötsliga luftrörelser när han knackar på dörren. Ingenting händer. Han väntar en stund och stelnar sedan till, han tyckte att han hörde något och söker med blicken i skogen bredvid huset, bakom snåren och stammarna. Han drar sin pistol, en tung Smith & Wesson som han föredrar framför standardvapnet av märket Sig Sauer, osäkrar den och kontrollerar patronen i patronläget. Plötsligt rasslar det till i skogsbrynet och ett rådjur springer in mellan träden med snabba, kantiga rörelser. Kristina Andersson ler stressat tillbaka när han tittar till på henne. Han pekar på fönstret, går försiktigt fram och blickar in i stugan vid sidan av gardinen.

I dunklet ser han ett rottingbord med skrovlig glasskiva och en ljusbrun manchestersoffa. På ryggen till en röd pinnstol hänger två par vita bomullstrosor på tork. I pentryt står flera paket med snabbmakaroner, pesto på burk, konserver och en kasse med äpplen. Några bestick glimmar på golvet framför diskhon och under köksbordet. Joona återvänder till förstutrappan, gör tecken åt Kristina Andersson att han ska gå in, öppnar sedan dörren och flyttar sig ur linjen, får ett klartecken från Kristina Andersson, blickar in och fortsätter sedan över tröskeln.

Erik sitter i bilen och kan bara på avstånd ana vad som sker. Han ser Joona Linna försvinna in i det bruna huset, följd av en annan polis. Efter en kort stund är han tillbaka ute på förstutrappan igen. Tre poliser kommer runt huset och stannar framför honom. De står och pratar, tittar på en karta, pekar mot vägen och de andra stugorna. Joona tycks vilja visa en av dem något i huset. Alla följer med och den siste stänger dörren efter sig för att inte släppa ut värmen.

Plötsligt ser Erik någon stå mellan träden där marken börjar slutta ner mot träsket. Det är en smal kvinna med ett gevär i handen, ett hagelgevär. Den glänsande dubbelpipan släpar i marken när hon börjar gå i riktning mot huset. Erik ser hur den studsar mjukt mot blåbärsris och mossa.

Poliserna har inte sett kvinnan och hon har inte haft någon möjlighet att se dem. Erik slår Joonas mobilnummer. Telefonen börjar ringa i bilen, den ligger på förarsätet bredvid honom.

Utan brådska går kvinnan mellan träden med geväret hängande i handen. Erik inser att det kan bli en farlig situation om polisen och kvinnan överraskar varandra. Han lämnar bilen, springer till infarten och går sedan långsamt.

– Hej, ropar han.

Kvinnan stannar till och vänder blicken mot honom.

– Ganska kyligt idag, säger han lågt.

– Va?

– Det är kallt i skuggan, säger han högre.

– Ja, svarar hon.

– Är du ny här? frågar han och fortsätter fram mot henne.

– Nej, jag lånar huset av min moster.

– Är Sonja din moster?

– Ja, ler hon.

Erik kommer fram till henne.

– Vad jagar du?

– Hare, svarar hon.

– Får jag se på bössan?

Hon bryter den och ger den till honom. Hennes nästipp är röd. Torra tallbarr hänger i hennes sandfärgade hår.

– Evelyn, säger han lugnt. Det är några poliser här som vill prata med dig.

Hon ser orolig ut, tar ett steg bakåt.

– Om du har tid, säger han leende.

Hon nickar svagt och Erik ropar mot huset. Joona kommer ut med ett irriterat drag över ansiktet, beredd att kommendera honom tillbaka till bilen. När han får se kvinnan stelnar han till under bråkdelen av en sekund.

– Det här är Evelyn, säger Erik och räcker geväret till honom.

– Hej, säger Joona.

Hennes ansikte bleknar, hon ser ut som hon är på väg att svimma.

– Jag behöver prata med dig, förklarar Joona allvarligt.

– Nej, viskar hon.

– Kom in i huset.

– Jag vill inte.

– Vill du inte gå in?

Evelyn vänder sig till Erik:

– Måste jag? frågar hon med darrande mun.

– Nej, svarar han. Bestäm själv.

– Följ med är du snäll, säger Joona.

Hon skakar på huvudet, men följer ändå med honom in i huset.

– Jag väntar utanför, säger Erik.

Han går en bit uppför infarten. Gruset är täckt av barr och bruna kottar. Han hör Evelyn skrika genom husets väggar. Ett enda skrik. Det låter ensamt och förtvivlat. Ett utryck av obegriplig förlust. Han känner så väl igen skriket från tiden i Uganda.

Evelyn sitter i manchestersoffan med båda händerna klämda mellan låren, vit som aska i ansiktet. Hon har fått beskedet om vad som hänt hennes familj. Fotografiet i ramen som liknar en flugsvamp ligger på golvet. Mamman och pappan sitter i något som ser ut som en hammock. De har lillasystern mellan sig. Föräldrarna kisar i det starka solljuset, medan lillasysterns glasögon lyser vita.

– Jag beklagar sorgen, säger Joona dämpat.

Hennes haka darrar.

– Tror du att du skulle kunna hjälpa oss att förstå vad det är som har hänt? frågar han.

Stolen knakar under Joonas tyngd. Han väntar en stund och fortsätter sedan:

– Var befann du dig måndagen den sjunde december?

Hon skakar på huvudet.

– Igår, preciserar han.

– Jag var här, säger hon svagt.

– I stugan?

Hon möter hans blick:

– Ja.

– Gick du inte ut på hela dagen?

– Nej.

– Satt du bara här?

Hon gör en gest mot sängen och läromedelsböckerna i statsvetenskap.

– Du studerar?

– Ja.

– Så du lämnade inte huset igår?

– Nej.

– Finns det någon som kan bekräfta det?

– Vad då?

– Var det någon med dig här? frågar Joona.

– Nej.

– Har du någon aning om vem som kan ha gjort detta mot din familj?

Hon skakar på huvudet.

– Är det någon som har hotat er?

Hon verkar inte höra honom.

– Evelyn?

– Va? Vad sa du nu?

Hennes fingrar är hårt klämda mellan benen.

– Är det någon som har hotat din familj, har ni några ovänner, fiender?

– Nej.

– Vet du om att din pappa hade stora skulder?

Hon skakar på huvudet.

– Det hade han, säger Joona. Din pappa lånade pengar från kriminella människor.

– Jaha.

– Kan de vara någon av dem som ...

– Nej, avbryter hon.

– Varför inte?

– Ni förstår ingenting, säger hon med höjd röst.

– Vad är det vi inte förstår?

– Ni förstår ingenting.

– Berätta för oss vad det ...

– Det går inte, skriker hon.

Hon är så upprörd att hon börjar gråta, rakt ut, med oskyddat ansikte. Kristina Andersson går fram och kramar henne och efter en stund blir hon lugnare. Hon sitter helt stilla i polisens famn medan enstaka gråtkramper går genom hennes kropp.

– Lilla gumman, viskar Kristina Andersson tröstande.

Hon håller flickan intill sig och stryker henne över huvudet. Plötsligt skriker Kristina och knuffar bort Evelyn, rakt ner på golvet.

– Helvete, hon bet mig ... hon bet mig som fan.

Hon tittar häpet på sina blodiga fingrar. Det rinner från ett sår mitt på halsen.

Evelyn sitter på golvet, döljer ett förvirrat leende med handen. Ögonen rullar bakåt och hon sjunker ihop medvetslös.

# 11

*Tisdag kväll den åttonde december*

BENJAMIN HAR LÅST IN sig på sitt rum. Simone sitter vid köksbordet med slutna ögon och lyssnar på radio. Det är direktsändning från Berwaldhallen. Hon försöker föreställa sig ett liv som ensamstående. Det skulle inte skilja sig mycket från det jag har nu, tänker hon ironiskt. Jag skulle kanske gå på konsert, teater och gallerier, som alla ensamma kvinnor gör.

Hon hittar en flaska maltwhisky i skåpet och häller upp en skvätt och några droppar vatten: en svagt gul vätska i ett tungt glas. Ytterdörren öppnas medan de varma tonerna från en cellosvit av Bach fyller köket. Det är en mjuk och sorgsen melodi. Erik står i dörröppningen och tittar på henne, grå i ansiktet av trötthet.

– Det ser gott ut, säger han.

– Whisky kallas det, säger hon och ger honom glaset.

Hon häller upp en ny till sig själv och sedan står de mitt emot varandra och skålar allvarligt.

– Har du haft en besvärlig dag? frågar hon lågt.

– Ganska, svarar han och ler blekt.

Han ser plötsligt så sliten ut. Det ligger en otydlighet över anletsdragen, som ett tunt lager damm.

– Vad lyssnar du på? frågar han.

– Ska jag stänga av?

– Inte för min skull – det var fint.

Erik tömmer glaset, räcker det mot henne och hon häller upp mer whisky.

– Så det blev ingen tatuering för Benjamin, säger han.
– Du har följt dramatiken på telefonsvararen.
– Nu precis, på väg hem, jag har inte hunnit innan …
– Nej, avbryter hon och tänker på den där kvinnan som svarade när hon ringde.
– Det var bra att du åkte och hämtade honom, säger Erik.

Hon nickar och tänker på hur alla känslor ligger inskjutna i varandra, hur ingen relation står fri och avgränsad, hur allting genomkorsas av allting.

De dricker igen och plötsligt märker hon att Erik står och ler mot henne. Hans leende med de sneda tänderna har alltid gjort henne knäsvag. Hon tänker på hur gärna hon skulle vilja ligga med honom nu, utan något prat, utan komplikationer. En dag blir vi alla ensamma ändå, säger hon sig.

– Jag vet ingenting, säger hon kort. Eller snarare … Jag vet att jag inte litar på dig.
– Varför säger du …
– Det känns som om vi har tappat bort allting, avbryter hon. Du sover bara, eller så är du på jobbet eller var du nu är. Jag hade velat göra saker, resa, vara tillsammans.

Han ställer ifrån sig glaset och tar ett steg mot henne:
– Kan vi inte göra det? säger han snabbt.
– Säg inte så, viskar hon.
– Varför inte?

Han ler, stryker henne över kinden och blir allvarlig. Plötsligt kysser de varandra. Simone känner hur hela hennes kropp har längtat efter detta, längtat efter kyssar.

– Pappa, vet du var …

Benjamin tystnar när han kommer in i köket och ser dem.
– Ni är inte kloka, suckar han och går ut igen.
– Benjamin, ropar Simone efter honom.

Han kommer tillbaka.
– Du lovade att hämta maten, säger hon.
– Har du ringt då?

– Det är klart om fem minuter, säger hon och ger honom sin plånbok. Du vet väl var thaistället ligger?

– Nej, suckar han.

– Gå bara raka vägen, säger hon.

– Sluta.

– Lyssna på mamma, säger Erik.

– Jag ska hämta lite mat på hörnet, ingenting kommer att hända, säger han och går ut i hallen.

Simone och Erik ler mot varandra, hör ytterdörren slå igen och sedan de snabba stegen nerför trappan.

Erik plockar fram tre dricksglas ur skåpet, stannar upp, tar Simones hand och håller den mot sin egen kind.

– Ska vi gå in i sovrummet? frågar hon.

Han ser generat glad ut precis när telefonen ringer.

– Ta det inte, säger han.

– Det kan vara Benjamin, svarar hon och lägger telefonen till örat. Ja, Simone.

Ingenting hörs, bara ett litet tickande, kanske från en dragkedja som öppnas.

– Hallå?

Hon ställer tillbaka telefonen i hållaren.

– Var det ingen? frågar Erik.

Simone tänker att han ser orolig ut. Han går fram till fönstret och blickar ner på gatan. Återigen hör hon för sig den där kvinnan som svarade när hon slog numret som ringt upp Erik i morse. Låt bli, Erik, hade hon skrattat. Låt bli vad då? Treva innanför hennes kläder, suga på hennes bröst, hasa upp hennes kjol.

– Ring Benjamin, säger Erik med spänd röst.

– Varför ska jag ...

Hon tar telefonen i samma stund som den ringer.

– Hallå? svarar hon.

När ingen säger något avbryter hon samtalet och slår Benjamins nummer.

– Det är upptaget.

– Jag kan inte se Benjamin, säger Erik.

– Ska jag gå efter honom?

– Kanske.

– Han kommer att bli arg på mig, ler hon.

– Jag gör det, säger Erik och går ut i hallen.

Han tar jackan från galgen precis när dörren öppnas och Benjamin kommer in. Erik hänger tillbaka jackan och tar emot den ångande plastpåsen med matkartongerna.

De sätter sig framför teven och ser på en film och äter direkt ur förpackningarna. Benjamin skrattar åt en replikväxling. De tittar nöjt på varandra precis som de gjorde när han var liten och gapskrattade åt barnprogrammen. Erik lägger handen på Simones knä och hon lägger sin hand över och kramar hans fingrar.

Skådespelaren Bruce Willis ligger på rygg och torkar bort blod från munnen. Telefonen ringer igen och Erik ställer ifrån sig maten och lämnar soffan. Han går ut i hallen och svarar så lugnt han förmår.

– Erik Maria Bark.

Ingenting hörs, bara ett svagt knäppande.

– Nu räcker det, säger han argt.

– Erik?

Det är Daniellas röst.

– Är det du, Erik? frågar hon.

– Vi sitter och äter.

Han hör henne andas snabbt.

– Vad ville han? frågar hon.

– Vem då?

– Josef, säger hon.

– Josef Ek? frågar Erik.

– Sade han ingenting? upprepar Daniella.

– När?

– Nu ... i telefon.

Erik blickar in genom dörren till vardagsrummet och ser Simone och Benjamin sitta och titta på filmen. Han tänker på familjen ute i Tumba. Den lilla flickan, mamman och pappan. Det ohyggliga raseriet bakom dådet.

– Varför tror du att han har ringt till mig? frågar Erik.

Daniella harklar sig.

– Han måste ha övertygat sköterskan om att ge honom en telefon, jag har pratat med växeln, de kopplade honom till dig.

– Är du säker på det här? frågar Erik.

– Josef skrek när jag kom in, hade slitit loss katetern, jag gav honom Alprazolam, men han sa en massa saker om dig innan han somnade.

– Vad då? Vad sa han?

Erik hör Daniella svälja hårt i luren och hennes röst låter mycket trött när hon svarar:

– Att du hade knullat med hans hjärna, att du skulle ge fan i hans syster om du inte ville bli utrotad, det sa han flera gånger, att du kunde räkna med att bli utrotad.

# 12

*Tisdag kväll den åttonde december*

DET ÄR TRE TIMMAR sedan Joona följde Evelyn till Kronobergshäktet. Hon fördes till en liten cell med kala väggar och horisontala galler framför det immiga fönstret. Det luktade uppkastningar från det rostfria handfatet i hörnet. Evelyn stod bara bredvid den väggfasta britsen med grön plastmadrass och tittade på honom med undrande blick när han lämnade henne där.

Efter gripandet har åklagaren maximalt tolv timmar på sig att fatta beslut om att anhålla henne eller frige henne. Om han fattar beslutet om anhållande har han en frist till klockan tolv den tredje dagen innan han måste lämna en häktningsframställan till domstol och begära den anhållne häktad. Gör han inte det så ska hon försättas på fri fot. Om han begär henne häktad så blir det antingen som skäligen misstänkt eller på sannolika skäl misstänkt, som är den högre graden av misstanke.

Joona är nu tillbaka i häktets korridor med det vita, blänkande plastgolvet. Han går längs rader av ärtgröna dörrar till cellerna. Han skymtar sig själv, avspeglad i metallplattor med handtag och lås. Vita termosar står på golvet utanför varje dörr. Röda skyltar markerar skåpen med brandsläckare. En städvagn med vit påse för tvätt och grön för sopor är lämnad framför receptionen.

Joona stannar till och byter några ord med en kurator från Individuell människohjälp och fortsätter sedan in på kvinnoavdelningen.

Utanför ett av häktets fem förhörsrum står Jens Svanehjälm, den nye överåklagaren i Stockholmsregionen. Han ser ut att vara knappt tjugo år, men är i själva verket fyrtio. Det finns något pojkaktigt i blicken och barnsligt över kinderna som ger intryck av att han aldrig har varit med om någonting omskakande i sitt liv.

– Evelyn Ek, säger Jens dröjande. Är det hon som har tvingat sin lillebror att mörda familjen?

– Det var vad Josef sa när ...

– Fast ingenting av det Josef Ek erkände under hypnos går att använda, avbryter Jens. Det strider mot både rätten till tystnad och rätten att inte belasta sig själv.

– Jag förstår det, fast det var inte ett förhör, han var inte misstänkt, svarar Joona.

Jens tittar på sin mobiltelefon och säger samtidigt:

– Det räcker med att samtalet rör den sak som förundersökningen avser för att det ska räknas som förhör.

– Jag är medveten om det, men jag gjorde en annan prioritering, säger Joona.

– Det var det jag misstänkte, men ...

Han tystnar och sneglar på Joona som om han väntade på något.

– Snart nog kommer jag att veta vad som hänt, säger Joona.

– Låter bra, säger Jens och ser nöjd ut. För det enda råd jag fick när jag tog över efter Anita Niedel var att om Joona Linna säger att han kommer att få reda på sanningen, så får han det också.

– Vi hade några duster.

– Hon antydde det, ler han.

– Ska jag gå in? frågar Joona.

– Du är förhörsledare, men ...

Jens Svanehjälm kliar sig i örat och muttrar att han inte vill ha några fler koncept, inga sammanfattningar av förhör, inga otydligheter.

– Jag har alltid dialogförhör om det är möjligt, svarar Joona.

– För om du spelar in så tycker jag inte att vi behöver något förhörsvittne, inte i det här läget, säger Jens.

– Jag antog det.

– Vi hör bara Evelyn Ek upplysningsvis, betonar Jens.

– Vill du att jag ska delge henne misstanke om brott? frågar Joona.

– Det får du avgöra själv, men klockan tickar, du har inte så mycket tid kvar.

Joona knackar på dörren och går in i det trista förhörsrummet där persiennerna är neddragna mot de gallerförsedda fönstren. Evelyn Ek sitter med spända axlar på en stol. Hennes ansikte är slutet, käkarna sammanbitna, blicken stirrar i bordsskivan och hon har armarna i kors över bröstet.

– Hej, Evelyn.

Hon tittar hastigt upp med rädda ögon. Han sätter sig på stolen mitt emot henne. Precis som sin bror är hon vacker, hennes drag är inte alls uppseendeväckande, men symmetriska. Hon har ljusbrunt hår och intelligent blick. Joona förstår att hon har ett ansikte som vid första anblicken kanske verkar oansenligt, men som bara blir vackrare och vackrare ju mer man betraktar det.

– Jag tänkte att vi skulle prata lite, säger han. Vad tror du om det?

Hon rycker på axlarna.

– När träffade du Josef senast?

– Minns inte.

– Var det igår?

– Nej, säger hon förvånat.

– Hur många dagar sedan var det?

– Vad då?

– Jag vill veta när du träffade Josef senast, säger Joona.

– Alltså, det var för jättelänge sedan.

– Har han besökt dig i stugan?

– Nej.

– Aldrig? Har han aldrig besökt dig i stugan?

Hon rycker svagt på axlarna:

– Nej.

– Men han känner till stugan – eller hur?

Hon nickar.

– Han var där som barn, svarar hon och ger honom en lång blick med sina mjukt bruna ögon.

– När var det?

– Jag vet inte ... jag var tio, vi lånade stugan en sommar av moster Sonja när hon var i Grekland.

– Och Josef har inte varit där efter det?

Evelyns blick flyger plötsligt över väggen bakom Joona.

– Det tror jag inte, säger hon.

– Hur länge har du bott i din mosters stuga?

– Jag flyttade dit precis efter terminsstarten.

– I augusti.

– Ja.

– Du har bott där sedan augusti, det är fyra månader. I en liten stuga på Värmdö. Varför?

Återigen fladdrar hennes blick bort, rör sig bakom Joonas huvud.

– För att få ro att studera, säger hon.

– I fyra månader?

Hon byter sakta ställning på stolen, lägger benen i kors och kliar sig i pannan.

– Jag behöver få vara i fred, suckar hon.

– Vem stör dig?

– Ingen.

– Varför behöver du vara i fred i så fall?

Hon ler svagt och utan glädje:

– Jag tycker om skogen.

– Vad läser du?

– Statsvetenskap.

– Och du försörjer dig med studiemedel?
– Ja.
– Var handlar du mat?
– Jag cyklar till Saltarö.
– Är inte det långt?
Evelyn rycker på axlarna:
– Jo.
– Har du träffat någon du känner där?
– Nej.
Han betraktar Evelyns släta, unga panna.
– Du har inte träffat Josef där?
– Nej.
– Evelyn, lyssna på mig, säger Joona med en ny och allvarligare ton. Din lillebror Josef har sagt att det var han som mördade din pappa, din mamma och din lillasyster.
Evelyn stirrar i bordet, hennes ögonfransar darrar. En svag rodnad växer i hennes bleka ansikte.
– Han är bara femton år, fortsätter Joona.
Joona tittar på hennes tunna händer och det borstade, glänsande håret som ligger över de bräckliga axlarna.
– Varför tror du att han säger att han har mördat sin familj?
– Vad då? frågar hon och tittar upp.
– Det verkar som du tror att han talar sanning, säger han.
– Gör det?
– Du såg inte förvånad ut när jag sa att han hade erkänt morden, säger Joona. Var du förvånad?
– Ja.
Hon sitter helt stilla på en stol, frusen och medtagen inifrån. En tunn bekymmersrynka har vuxit mellan ögonbrynen på den släta pannan. Hon ser mycket trött ut. Hennes läppar rör sig som om hon ber eller viskar för sig själv.
– Är han inlåst? frågar hon plötsligt.
– Vem?

Hon höjer inte blicken mot honom när hon svarar, utan talar tonlöst ned i bordet:

– Josef? Har ni låst in honom?

– Är du rädd för honom?

– Nej.

– Jag tänkte att du kanske hade ett gevär för att du var rädd för honom?

– Jag jagar, svarar hon och möter hans blick.

Han tänker att det är något egendomligt med henne, något som han inte förstår ännu. Det är inte det vanliga – skuld, vrede eller hat. Snarare något som påminner om ett gigantiskt motstånd. Han får inte fatt i det. En försvarsmekanism eller skyddsbarriär som inte liknar något annat han har mött.

– Hare? frågar han.

– Ja.

– Är det gott med hare?

– Inte speciellt.

– Hur smakar det?

– Sött.

Joona tänker på hur hon stod i den kalla luften utanför stugan. Han försöker se förloppet för sig.

Erik Maria Bark hade tagit hennes gevär. Han höll det över armen och det var brutet. Evelyn kisade mot honom i solskenet. Slank och lång, med det sandbruna håret i en hög, tät hästsvans. Silvrig dunväst och lågt skurna jeans, de fuktiga gymnastikskorna, tallarna bakom henne, mossan på marken, lingonriset och den södertrampade flugsvampen.

Plötsligt upptäcker Joona en spricka i Evelyns ord. Han har redan snuddat vid tanken, men sedan tappat bort den. Nu är sprickan alldeles tydlig igen. När han talade med Evelyn i mosterns stuga satt hon helt stilla i manchestersoffan med händerna klämda mellan låren. På golvet vid hennes fötter låg ett fotografi i en flugsvampsram. På bilden syntes Evelyns lillasyster. Hon satt mellan sina föräldrar och solljuset blänkte i hennes stora glasögon.

Lillasystern måste vara fyra, kanske redan fem år på bilden, tänker Joona. Fotografiet är med andra ord inte mer än ett år gammalt.

Evelyn hävdade att Josef inte hade varit i stugan på många år, men Josef beskrev fotografiet under hypnosen.

Det kan givetvis finnas fler kopior av fotografiet i andra flugsvampsramar, tänker Joona. Möjligheten finns även att just denna bild har flyttats runt. Och Josef kan också ha varit i stugan utan Evelyns vetskap.

Men, säger han sig, det kan också vara en spricka i Evelyns berättelse. Det är inte alls omöjligt.

– Evelyn, säger Joona. Jag undrar över något du sa för en stund sedan.

Det knackar på dörren till förhörsrummet. Evelyn blir rädd och skyggar till med kroppen. Joona reser sig och går och öppnar. Det är chefsåklagaren Jens Svanehjälm som ber honom följa med ut.

– Jag släpper henne, säger Jens. Det här är bara dumheter, vi har ju absolut ingenting, ett ogiltig förhör med hennes femtonårige bror som antyder att hon ...

Jens tystnar när han möter Joonas blick.

– Du har kommit på någonting, säger han. Eller hur?

– Det spelar ingen roll, svarar Joona.

– Ljuger hon?

– Jag vet inte, kanske ...

Jens stryker sig över hakan, tänker.

– Ge henne en smörgås och kopp te, säger han till slut. Så får du en timme till innan jag fattar beslut om att vi ska anhålla henne eller inte.

– Det är inte säkert att det leder till någonting.

– Men du gör ett försök?

*

Joona placerar en plastmugg med engelskt te och en smörgås på en pappersassiett framför Evelyn och sätter sig sedan på stolen.

– Jag tänkte att du kanske var lite hungrig, säger han.

– Tack, svarar hon och ser gladare ut under några sekunder.

Hennes hand darrar när hon äter upp smörgåsen och sopar upp smulorna på bordet.

– Evelyn, i din mosters stuga finns det ett fotografi som sitter i en ram som ser ut som en svamp.

Evelyn nickar:

– Hon köpte den uppe i Mora, tyckte att den skulle passa i stugan och ...

Hon tystnar och blåser på sitt te.

– Har ni fler ramar som ser ut så?

– Nej, ler hon.

– Har fotografiet alltid stått i stugan?

– Vad håller du på med? frågar hon svagt.

– Ingenting, bara att Josef har pratat om den här bilden, han måste ha sett den, så jag tänkte att du kanske hade glömt någonting.

– Nej.

– Det var bara det, säger Joona och reser sig.

– Ska du gå?

– Evelyn, jag litar på dig, säger Joona allvarligt.

– Alla verkar tro att jag är inblandad.

– Men det är du inte – eller hur?

Hon skakar på huvudet.

– Inte på det sättet, säger Joona.

Hon torkar tårar hastigt från kinderna.

– Josef kom till stugan en gång, tog en taxi och hade med sig en tårta, säger hon med sprucken röst.

– På din födelsedag?

– Han ... det var han som fyllde år.

– När var det? frågar Joona.

– Första november.

– För en månad sedan ungefär, säger Joona. Vad hände?

– Ingenting, svarar hon. Jag blev överraskad.

– Han hade inte sagt att han skulle komma?

– Vi har ingen kontakt.

– Varför inte?

– Jag behöver vara för mig själv.

– Vilka visste att du bodde i stugan?

– Ingen, förutom Sorab, min pojkvän ... eller, han har gjort slut, vi är bara vänner, men han hjälper mig, säger till alla att jag bor hos honom, svarar när mamma ringer och ...

– Varför?

– Jag behöver vara ifred.

– Kom Josef fler gånger?

– Nej.

– Det här är viktigt, Evelyn.

– Han har inte kommit fler gånger, svarar hon.

– Varför ljög du om det här?

– Jag vet inte, viskar hon.

– Vad har du mer ljugit om?

# 13

*Onsdag eftermiddag den nionde december*

ERIK GÅR MELLAN DE upplysta montrarna på varuhuset NK:s juvelavdelning. En svartklädd kvinna talar lågmält med sin kund. Hon öppnar en låda och lägger upp ett par smycken på en sammetsklädd bricka. Erik stannar till framför en monter och tittar på ett halsband från Georg Jensen. Tunga, mjukt slipade trianglar som länkats ihop som kronblad till en sluten krans. En tung lyster, som från platina, utgår från det polerade sterlingsilvret. Erik tänker på hur vackert halsbandet skulle ligga kring Simones smala hals och bestämmer sig för att köpa det som julklapp.

När expediten slår in smycket i mörkrött, glättat papper börjar telefonen surra i Eriks ficka med resonans mot den lilla träasken med infödingen och papegojan. Han får upp telefonen och svarar utan att kontrollera numret på displayen.

– Erik Maria Bark.

Det knastrar konstigt och avlägsna julsånger hörs.

– Hallå? säger han.

Så hörs det en svag röst:

– Är det Erik?

– Ja, det är jag, säger han.

– Jag undrar ...

Erik tycker med ens att det låter som om någon fnittrar i bakgrunden.

– Vem är det jag talar med? frågar han skarpt.

– Vänta lite, doktorn. Jag vill bara fråga en sak, säger rösten som nu helt uppenbart är gycklande.

Erik ska just säga adjö när rösten i telefonen plötsligt vrålar:

– Hypnotisera mig! Jag vill bli ...

Erik rycker telefonen från örat. Han trycker bort samtalet och försöker se vem det var som ringde, men det är ett dolt nummer. Ett plingande avslöjar att han har fått ett sms. Även det kommer från ett dolt nummer. Han öppnar det och läser: *Kan du hypnotisera ett lik?*

Förvirrad tar Erik emot julklappen i en liten svartvit påse och lämnar avdelningen. I foajén mot Hamngatan möter han blicken från en kvinna i en svart, bylsig kappa. Hon står under den hängande, tre våningar höga julgranen och tittar på Erik. Han har aldrig sett henne förr, men hennes blick är helt tydligt fientlig.

Med ena handen pillar han upp locket till träasken som han bär i rockfickan, häller ut en Codeisankapsel i handen, för den till munnen och sväljer den.

Han går ut i den kyliga luften. Människor trängs framför skyltfönstret. Tomtenissar dansar runt i ett godislandskap. En karamell med stor mun sjunger en julsång. Dagisbarn med gula västar utanpå tjocka overaller tittar tysta.

Telefonen ringer igen, men den här gången kontrollerar han numret innan han svarar, ser att det är ett Stockholmsnummer och säger avvaktande:

– Erik Maria Bark.

– Ja hej, jag heter Britt Sundström. Jag arbetar för Amnesty International.

– Hej, svarar han undrande.

– Jag skulle vilja veta om din patient hade någon möjlighet att säga nej till hypnosen.

– Vad sa du? frågar Erik och ser en stor snigel släpa en släde med julklappar i skyltfönstret.

Hans hjärta börjar slå hårdare och magsyran stiger i hans innanmäte.

– KUBARK, CIA:s handbok för spårlös tortyr, tar faktiskt upp hypnos som en av de ...

– Ansvarig läkare gjorde bedömningen …
– Så du har inget eget ansvar menar du?
– Jag tror inte att jag bör kommentera det här, säger han.
– Du är redan polisanmäld, säger hon kort.
– Jaha, svarar han lamt och avbryter sedan samtalet.

Långsamt börjar han gå mot Sergels torg, det lysande glastornet och Kulturhuset, ser julmarknaden och hör en trumpetare spela *Stilla natt*. Han svänger av på Sveavägen och går förbi alla resebyråer. Utanför närbutiken Seven-Eleven stannar han till och läser kvällstidningarnas löpsedlar:

**BARN LURADES ERKÄNNA MORD**
**PÅ HELA SIN FAMILJ**
**UNDER HYPNOS**

**SKANDALHYPNOS**
**Erik Maria Bark**
**RISKERAR POJKES LIV**

Erik känner hur pulsen går upp i tinningarna, han skyndar vidare, undviker att möta blickarna omkring sig. Han passerar platsen där Olof Palme mördades. Tre röda rosor ligger på den smutsiga minnesplattan. Erik hör någon ropa efter honom och smiter in i en exklusiv hifi-butik. Tröttheten, som kändes som berusning nyss, är ersatt av en febrighet, en blandning mellan nervositet och förtvivlan. Hans händer skakar när han tar ytterligare en tablett av det starkt smärtstillande medlet Codeisan. Magen svider då kapseln löser upp sig och pulvret går in i slemhinnorna.

På radio pågår en debatt om huruvida hypnos borde förbjudas som behandlingsform. En man berättar att han en gång blev hypnotiserad att tro att han var Bob Dylan.

– Jag visste ju att det inte var sant, säger han släpigt. Ändå var jag liksom tvingad att säga det jag sa, jag visste att jag var hypnotiserad, såg min kompis sitta där och vänta och ändå trodde jag att jag var Dylan, jag pratade engelska, det gick inte att låta bli, jag hade kunnat erkänna vad som helst.

Justitieministern säger på småländska:

– Att använda hypnos som förhörsmetod är utan tvivel rättskränkande.

– Så Erik Maria Bark har alltså brutit mot lagen, frågar journalisten skarpt.

– Det får åklagarmyndigheten titta på ...

Erik lämnar butiken, svänger in på en tvärgata och fortsätter på Luntmakargatan.

Svett rinner efter ryggen på honom när han stannar utanför porten på Luntmakargatan 73, knappar in koden och öppnar. Med fumliga händer letar han fram sina nycklar medan hissen susar uppåt. Innanför dörren låser han, går svajande in i sällskapsrummet, försöker få av sig kläderna, men håller hela tiden på att ramla åt höger.

Han slår på teven och ser ordföranden för Svenska föreningen för klinisk hypnos sitta i en tevestudio. Erik känner honom mycket väl, har sett många kollegor drabbas av hans högmod och karriärism.

– Vi uteslöt Bark för tio år sedan och han är inte välkommen tillbaka, säger ordföranden småleende.

– Påverkar detta anseendet för seriös hypnos?

– Alla våra medlemmar håller sig till strikta etiska regler, svarar han med överlägset tonfall. I övrigt har Sverige faktiskt lagar mot kvacksalveri.

Erik klär av sig med klumpiga rörelser, sätter sig i soffan och vilar, öppnar ögonen igen när han hör en visselpipa och barnröster från teven. På en solbelyst skolgård står Benjamin. Hans ögonbryn är rynkade, han är röd om nästippen och öronen, axlarna är uppdragna och han ser ut att frysa.

– Har din pappa hypnotiserat dig någon gång? frågar reportern.

– Va? Eh ... nej, det är väl klart att han inte har ...

– Hur vet du det? avbryter reportern. Om han har hypnotiserat dig, så är det väl inte säkert att du skulle vara medveten om det?

– Nej, det förstås, flinar Benjamin, överraskad av reporterns framfusighet.

– Hur skulle det kännas om det visade sig att han hade gjort det?

– Jag vet inte.

En rodnad har växt på Benjamins kinder.

Erik går fram och stänger av teven, fortsätter in i sovrummet, sätter sig på sängen, drar av sig byxorna och lägger träasken med papegojan i sängbordets låda.

Han vill inte tänka på den längtan som väcktes inom honom när han hypnotiserade Josef Ek, följde honom ner i det blåa, djupa havet.

Erik lägger sig, sträcker ut handen mot vattenglaset på nattygsbordet, men somnar innan han hinner dricka.

*

Han vaknar till, tänker i ett halvslumrande tillstånd på sin egen pappa när han uppträdde på barnkalas, med den preparerade fracken på sig och svetten rinnande efter kinderna. Han gjorde ballongfigurer och drog fram färgglada fjäderblommor ur en ihålig spatserkäpp. När han var gammal och hade flyttat från huset i Sollentuna till ett äldreboende, fick han höra om Eriks arbete med hypnosterapi och ville att de skulle sätta ihop ett nummer tillsammans. Han som gentlemannatjuv och Erik som estradhypnotisör som skulle få folk att sjunga som Elvis och Zarah Leander.

Plötsligt är han klarvaken, han ser Benjamin för sig, frysande på skolgården inför klasskamrater och lärare, tevekameran och den leende reportern.

Erik sätter sig upp, känner hur det bränner till av sveda i magen, tar telefonen från sängbordet och ringer Simone.

– Galleri Simone Bark, svarar hon.

– Hej, det är jag, säger Erik.

– Vänta en sekund.

Han hör henne gå över trägolvet och stänga dörren till kontoret bakom sig.

– Vad är det som händer? frågar hon. Benjamin ringde och ...

– Mediadrevet gick igång och ...

– Jag menar, avbryter hon, vad har du gjort?

– Läkaren som ansvarar för patienten bad mig hypnotisera honom.

– Men att erkänna ett brott under hypnos är ...

– Lyssna på mig, avbryter han. Kan du göra det?

– Ja.

– Det var inget förhör, börjar Erik.

– Det spelar väl ingen roll vad man kallar ...

Hon tystnar. Han hör hennes andning.

– Förlåt, säger hon lågt.

– Det var inget förhör, polisen behövde få fram ett signalement, vad som helst, för de trodde att en flickas liv hängde på informationen och läkaren som just då ansvarade för patienten bedömde att riskerna för hans hälsa var tillräckligt små.

– Men ...

– Vi trodde att han var ett offer och försökte bara rädda hans syster.

Han tystnar och hör Simone andas.

– Vad har du ställt till med? säger hon sedan med ömhet i rösten.

– Det ordnar sig.

– Gör det det?

Erik går till köket, blandar en Treo comp och sköljer ner magsårsmedicinen med den söta vätskan.

## 14

*Torsdag kväll den tionde december*

JOONA SER UT PÅ DEN tomma och mörka korridoren. Det är kväll, klockan är snart åtta, det är bara han kvar på hela avdelningen. I alla fönster lyser adventsstjärnor och de elektriska ljusstakarna skapar mjuka, runda dubbelsken när de speglas mot det svarta glaset. Anja har ställt en skål julgodis på hans skrivbord, och han äter alldeles för mycket medan han skriver sina kommentarer till protokollet från förhöret med Evelyn.

Efter det att Evelyns första lögner avslöjats hade åklagaren fattat beslutet att anhålla henne. Han hade informerat henne om misstankarna om inblandning i morden och rätten att anlita biträde av försvarare. I och med häktningen hade förundersökningen fått en frist på tre dagar innan beslutet om häktningsframställan måste fattas. Antingen skulle de då ha så pass starka skäl till misstankar mot henne att domstolen skulle betrakta det som åtminstone sannolikt att hon var skyldig, eller så skulle hon försättas på fri fot.

Joona vet mycket väl att Evelyns lögn inte alls behöver betyda att hon är skyldig till något brott, men det kommer att ge honom tre dygn att undersöka vad det är hon döljer och varför.

Han skriver ut protokollet, lägger det i utgående post till åklagaren, ser till att pistolen är ordentligt inlåst i vapenskåpet, tar sedan hissen ner, lämnar polishuset och sätter sig i bilen.

Vid Fridhemsplan hör Joona telefonen ringa men av någon anledning får han inte upp den ur rocken. Den har hamnat i fodret genom ett hål i fickan. Trafikljusen skiftar till grönt och bilarna bakom honom börjar tuta. Han kör in på busshållplatsen utanför Hare Krishnarörelsens restaurang, skakar ut telefonen och ringer tillbaka.

– Det här är Joona Linna – du ringde mig precis.

– Ja, vad bra, säger polisassistent Ronny Alfredsson. Vi vet inte riktigt vad vi ska göra.

– Har ni pratat med Evelyns pojkvän, Sorab Ramadani?

– Det har inte gått så bra.

– Har ni kollat på jobbet?

– Det är inte det, säger Ronny. Han är här, inne i lägenheten, det är bara att han inte vill öppna, han vill inte prata med oss. Ropar att vi ska sticka, att vi stör grannarna, att vi trakasserar honom för att han är muslim.

– Vad har ni sagt till honom?

– Inte ett skit, bara att vi behövde hjälp med en sak, vi gjorde precis som du sa att vi skulle.

– Jag förstår, säger Joona.

– Får vi forcera dörren?

– Jag kommer dit. Låt honom vara så länge.

– Ska vi vänta i bilen utanför porten?

– Ja, tack.

Joona slår på blinkern, svänger runt, letar sig upp förbi DN-skrapan och ut på Västerbron. I mörkret lyser stadens alla fönster och ljus så att himlen står som en grå, disig kupa över dem.

Han tänker återigen på brottsplatsundersökningen, att det är något besynnerligt med mönstret som framträder. Vissa omständigheter känns helt enkelt oförenliga. Vid rödljusen på Heleneborgsgatan passar Joona på att öppna mappen som ligger på det högra framsätet. Han bläddrar hastigt mellan fotografierna från idrottsplatsen. Tre duschar utan skärmar emellan. Skenet från kamerans blixt blänker i det vita kaklet. På en bild syns duschskrapan med träskaft. Den står lutad mot väggen. Gummilamellen är omgiven av en stor pöl av blod, vatten och smuts, hårstrån, plåsterlappar och en flaska med duschtvål.

Vid golvbrunnen ligger en hel arm. Den blottade ledkulan är omgiven av brosk och avskuren muskelvävnad. Jaktkniven med avbruten spets ligger i duschen.

Nålen hittade spetsen med hjälp av datortomografi, den satt fast i Anders Eks bäckenben.

Den mycket sargade kroppen är lämnad på golvet mellan träbänken och de buckliga plåtskåpen. En röd sportjacka hänger på en krok. Det är blod överallt, på golv, dörrar och bänkar.

Joona trummar på ratten i väntan på att ljuset ska slå om, och tänker på att teknikerna säkrade massor av spår och fingeravtryck och fibrer och hårstrån. Det rör sig om enorma mängder DNA, från hundratals personer, men ännu inget som kan kopplas till Josef Ek. Mycket av det DNA som samlats in var nedsmutsat och blandbilderna så komplexa att analysen på Kriminaltekniska laboratoriet försvårades.

Han förklarade för kriminalteknikerna att de skulle koncentrera sig på att leta efter blod från fadern på Josef Ek. Den stora mängden blod som täckte hela hans kropp från den andra brottsplatsen betyder ingenting. Alla i radhuset var nersölade med varandras blod. Att Josef hade blod på sig från sin lillasyster var inte konstigare än att hon hade blod på sig från honom. Men om de hittar blod från fadern på Josef eller spår från Josef i omklädningsrummet så kan han bindas till bägge brottsplatserna. Det räcker med att koppla honom till omklädningsrummet för att väcka åtal.

Redan på Huddinge sjukhus fick en läkare vid namn Sigrid Krans instruktioner från SKL i Linköping, som gör DNA-analyserna i Sverige, om att alla biologiska spår på Josef skulle säkras.

Vid Högalidsparken ringer Joona upp Erixon, en mycket

tjock man, som är ansvarig kriminaltekniker vid brottsplatsundersökningen i Tumba.

– Sluta, svarar en tung röst.

– Erixon? skojar Joona. Erixon? Kan man få ett livstecken?

– Jag sover, kommer svaret trött.

– Sorry.

– Nej, men jag är faktiskt på väg hem.

– Har ni hittat någonting från Josef i omklädningsrummet? frågar Joona.

– Nej.

– Det är klart ni har.

– Nej, svarar Erixon.

– Jag tror att du slarvar.

– Du har fel, säger Erixon lugnt.

– Har du pressat våra vänner i Linköping? frågar Joona.

– Med hela min tyngd, svarar han.

– Och?

– De hittade inget DNA från pappan på Josef.

– Jag tror inte på dem heller, säger Joona. Han var för fan nersölad med …

– Inte en droppe, avbryter Erixon.

– Det stämmer inte.

– De lät i alla fall jävligt belåtna när de sa det.

– LCN?

– Nej, inte ens en mikrodroppe, ingenting.

– Alltså … vi kan inte ha en sådan jävla otur.

– Det kan vi nog.

– Nej.

– Du får nog ge dig på den punkten, säger Erixon.

– Okej.

De avbryter samtalet och Joona tänker på att det som kan likna en gåta ibland bara beror på tillfälligheter. Gärningsmannens tillvägagångssätt på de båda platserna förefaller identiskt: de besinnigslösa knivhuggen och de aggressiva försöken till styckning. Det är därför mycket underligt att de inte hittade faderns blod på Josef om han är förövaren. Han borde ha blivit så nersölad med blod att han hade väckt uppmärksamhet, tänker Joona och ringer Erixon igen.

– Ja.

– Jag kom på en sak.

– Efter tjugo sekunder?

– Undersökte ni damernas omklädningsrum?

– Ingen har varit där – dörren var låst.

– Offret hade antagligen nycklarna på sig.

– Men ...

– Kolla golvbrunnen i damernas dusch, säger Joona.

Efter att ha rundat Tantolunden kör Joona in på en gångväg och parkerar framför höghusen som vänder sig mot parken. Han undrar var den väntande polisbilen står, kontrollerar adressen och överväger möjligheten att Ronny och hans kollega kanske knackade på fel dörr. Han drar på munnen. Det skulle förklara Sorabs ovilja att släppa in dem, eftersom han i så fall inte ens heter Sorab.

Det är kyligt i kvällsluften. Han går fort i riktning mot porten och tänker på hur Josef beskrev förloppet i radhuset under hypnos. Om det stämmer med hur dåden verkligen såg ut, så gör Josef ingenting för att dölja brottet under tiden, han skyddar sig inte. Han tänker inte på några följder, utan låter sig bli nerstänkt med blod.

Joona tänker att Josef Ek kanske bara beskrev känslan under hypnosen, ett förvirrat och rasande tumult, medan han rent fysiskt, till det yttre, på platsen, i själva verket var mycket kontrollerad, gick metodiskt fram och bar heltäckande regnkläder och duschade i damernas omklädningsrum innan han åkte till radhuset.

Han måste tala med Daniella Richards, få besked om när hon tror att Josef Ek kommer att vara tillräckligt frisk för att klara av ett förhör.

Joona går in genom porten, tar upp telefonen och ser sitt ansikte i de svarta fälten på den schackrutiga kakelväggen. Det ljusa, frostiga ansiktet, den allvarliga blicken och det blonda, rufsiga håret. Framför hissen ringer han Ronny igen, men får inget svar. Kanske gjorde de ett sista försök och blev insläppta av Sorab. Joona åker upp till våning 6, väntar på att en mamma med barnvagn ska åka ned med hissen och går sedan fram till Sorabs dörr och ringer på.

Han väntar en stund, knackar, väntar några sekunder, petar sedan upp brevinkastet med handen och säger:

– Sorab? Jag heter Joona Linna. Jag är polis, kriminalkommissarie.

Det hörs ett ljud innanför dörren, som om någon har lutat sig tungt mot den men nu snabbt flyttar sig undan.

– Du var den enda som visste var Evelyn höll till, fortsätter han.

– Jag har inte gjort någonting, säger en man med mörk röst inifrån lägenheten.

– Men du berättade att ...

– Jag vet ingenting, skriker han.

– Det är okej, säger Joona. Men jag vill att du öppnar dörren, ser på mig och säger att du inte vet någonting.

– Gå härifrån.

– Öppna dörren.

– Vad fan ... kan ni inte bara lämna mig ifred, jag har ingenting med det här att göra, jag vill inte bli inblandad.

Hans röst är fylld av ångest. Han tystnar, andas, slår med handen mot någonting där inne.

– Evelyn mår bra, säger Joona.

Det rasslar lätt i brevlådan.

– Jag trodde ...

Han tystnar.

– Vi behöver prata med dig.

– Är det sant att ingenting har hänt med Evelyn?

– Öppna dörren.
– Jag vill inte det, har jag sagt.
– Det vore bra om du kunde följa med.
Det är tyst mellan dem ett ögonblick.
– Har han varit här fler gånger? frågar Joona plötsligt.
– Vem?
– Josef?
– Vem är det?
– Evelyns bror.
– Han har inte varit här, säger Sorab.
– Vem var det som var här då?
– Har du inte fattat att jag inte tänker prata med dig?
– Vem var det som var här?
– Jag har inte sagt att någon var här, eller hur, du försöker bara lura mig.
– Nej, det gör jag inte.
Återigen blir det tyst. Sedan hörs en rivande snyftning innanför dörren.
– Är hon död? frågar Sorab. Är Evelyn död?
– Varför frågar du det?
– Jag vill inte prata med dig.
Fotsteg avlägsnar sig inåt lägenheten och därefter hörs ljudet av en dörr som stängs. Hög musik börjar skräna där inne. När Joona går nedför trapporna tänker han att någon skrämde Sorab till att berätta var Evelyn gömde sig.

Joona kommer ut i den kyliga luften och ser att två män med jackor från Pro Gym står och väntar vid hans bil. När de hör honom komma vänder de sig om. Den ene sätter sig på motorhuven med en telefon mot örat. Joona bedömer dem snabbt. De är båda i trettioårsåldern. Han som sitter på motorhuven har rakat bort allt hår, medan den andre har en frisyr som en skolpojke. Joona bedömer att mannen med pojkfrisyren väger mer än hundra kilo. Kanske tränar han aikido, karate eller kickboxning. Antagligen äter han tillväxthormoner, tänker

Joona. Den andre bär kanske kniv, men troligtvis inte något handeldvapen.

Ett tunt lager snö ligger på gräsytorna.

Joona svänger av som om han inte tagit någon notis om männen och börjar gå i riktning mot den upplysta gångvägen.

– Gubbe, ropar den ena.

Joona låtsas inte om dem, utan fortsätter mot trappan vid lyktstolpen med grön papperskorg.

– Ska du inte ha din bil?

Joona stannar till och kastar en snabb blick upp mot fasaden. Han förstår att mannen som sitter på motorhuven talar i telefon med Sorab och att Sorab betraktar dem från sitt fönster.

Den störste av dem närmar sig försiktigt och Joona vänder och går honom till mötes.

– Jag är polis, säger han.

– Och jag är en liten apajävel, säger han.

Joona tar snabbt upp sin telefon och ringer upp Ronny igen. *Sweet Home Alabama* börjar spela i fickan på mannen som står upp, han ler stort, tar upp Ronnys telefon och svarar.

– Ja, det är snuten.

– Vad handlar det här om? säger Joona.

– Du ska ge fan i Sorab – han vill inte prata.

– Tror ni att ni hjälper honom genom att ...

– Det här är en varning, avbryter han. Jag skiter i vem du är, du ska hålla dig borta från Sorab.

Joona förstår att situationen kan bli farlig, inser att han låste in sin pistol i vapenskåpet på rummet i polishuset och ser sig om efter något tillhygge.

– Var är mina kollegor? frågar han med lugn röst.

– Hörde du mig? Du ska ge fan i Sorab.

Mannen mitt emot honom stryker sig hastigt över pojkfrisyren, börjar andas snabbare, vänder sidan till, närmar sig lite och lyfter bakre fotens häl några centimeter från marken.

– Jag tränade när jag var yngre, säger Joona. Och om du ger

dig på mig så kommer jag att försvara mig och gripa er.

– Vi darrar, säger han som sitter på bilen.

Joona tar inte blicken från mannen med pojkfrisyr.

– Du har tänkt att du ska sparka på mina ben, säger Joona. Eftersom du vet att du är för klumpig för höga sparkar.

– Idiot, mumlar mannen.

Joona flyttar sig åt höger för att öppna upp linjen.

– Om du väljer att sparka, fortsätter Joona, så kommer jag inte att backa som du är van vid, utan istället gå in, mot ditt andra knäveck, och när du faller bakåt, möter jag din nacke med den här armbågen.

– Fan, vad han snackar skit, säger mannen på bilen.

– Ja, flinar den andre.

– Om du har tungan ute så kommer du att bita av den, säger Joona.

Mannen med pojkfrisyren gungar lite på kroppen och när sparken kommer är den långsammare än väntat. Joona har redan tagit ett första steg när höftvridningen påbörjas. Och innan benet sträcks ut och träffar sitt mål sparkar Joona så hårt han kan rakt i knävecket på benet som mannen med pojkfrisyren vilar all sin tyngd på. Han har redan dålig balans och faller bakåt samtidigt som Joona svänger runt och träffar honom i nacken med armbågen.

# 15

*Fredag morgon den elfte december*

KLOCKAN ÄR BARA HALV sex på morgonen när det börjar knacka någonstans i lägenheten. Simone hör ljudet som en del av en frustrerande dröm där hon måste lyfta på olika snäckskal och porslinslock. Hon förstår reglerna, men gör ändå fel. En pojke knackar i bordet och pekar hur fel hon har valt. Simone vrider sig i sömnen och gnyr, öppnar ögonen och är med ens alldeles klarvaken.

Någon eller någonting knackar inne i lägenheten. Hon försöker lokalisera ljudet i mörkret, ligger helt stilla och lyssnar, men knackningarna har upphört.

Hon hör Erik snarka dämpat bredvid sig. Det knäpper i rören. Vinden går mot fönsterrutorna.

Simone hinner tänka att hon måste ha förstorat upp ljudet i sömnen, när det plötsligt börjar knacka igen. Någon befinner sig i lägenheten. Erik har tagit tabletter och sover tungt. Ljuden från en bil nere på gatan brusar genom fönstret. Eriks snarkningar dämpas när hon lägger handen på hans arm. Han vänder sig pustande om i sömnen. Så tyst som möjligt smyger hon upp ur sängen och glider genom sovrumsdörren som står halvöppen.

Någonting är tänt i köket. När hon rör sig genom hallen ser hon ett sken hänga i luften som ett blått gasmoln. Det är kylskåpslampan. Kylen och frysen står vidöppna. Det droppar från frysboxen, vatten har runnit ut på golvet. Droppar faller från de tinade matvarorna och landar med små knackningar på plastlisten.

Simone känner hur kallt det är i köket. Det luktar cigarettrök.

Hon tittar ut i hallen.

Då upptäcker hon att ytterdörren står vidöppen.

Hon skyndar sig till Benjamins rum. Men han ligger och sover alldeles lugnt. En liten stund står hon bara där och lyssnar på hans regelbundna andetag.

När hon går för att stänga ytterdörren håller hennes hjärta på att stanna. Det står någon i dörröppningen. Han nickar åt henne och räcker fram ett föremål. Det tar några sekunder för henne att inse att det är tidningsbudet. Han vill ge henne morgontidningen. Hon tackar, tar emot den och när hon äntligen stänger och låser dörren märker hon att hon skakar i hela kroppen.

Hon tänder alla lampor och söker igenom lägenheten. Ingenting tycks saknas.

Simone ligger på knä och torkar upp vattnet på golvet när Erik kommer in. Han hämtar en handduk, slänger den på golvet och börjar torka med foten.

– Det var säkert jag som gick i sömnen, säger han.

– Nej, säger hon trött.

– Kylskåpet är ju klassiskt – jag var väl hungrig.

– Det här är inte roligt, jag sover så lätt, jag ... jag vaknar varje gång du vänder dig i sängen eller slutar snarka, jag vaknar om Benjamin går på toa, jag hör när ...

– Då var det väl du som gick i sömnen.

– Förklara varför ytterdörren var öppen, förklara varför ...

Hon tystnar, vet inte om hon ska berätta det eller inte.

– Jag kände tydligt lukten av cigarettrök här i köket, säger hon till slut.

Erik skrattar till och Simone rodnar argt om kinderna.

– Varför tror du inte att någon var här? frågar hon irriterat. Efter all skit som har stått om dig i tidningarna? Det är väl inte så jävla konstigt att någon galning tar sig in och ...

– Men sluta, avbryter han. Det är inte logiskt, Sixan. Vem skulle, vem i all världen skulle ta sig in i vår lägenhet, öppna kyl och frys, röka en cigarett och bara gå?

Simone kastar handduken på golvet:

– Jag vet inte, Erik! Jag vet inte, men nu är det någon som har gjort det!

– Lugna dig, säger Erik retligt.

– Det tycker du?

– Får jag säga vad jag tror? Jag menar, lite cigarettrök är inte speciellt konstigt. Antagligen har någon granne stått och rökt vid köksfläkten. Vi delar faktiskt ventilationstrummor i hela huset. Eller så har någon hemsk person tagit en cigarett i trappan utan att tänka på ...

– Du behöver inte vara nedlåtande, säger Simone kort.

– Men för guds skull, Sixan, gör ingen prestigesak av det här, jag tror faktiskt att det här är helt ofarligt och att vi när som helst kommer att få den naturliga förklaringen.

– Jag kände att någon befann sig i lägenheten när jag vaknade, säger hon dämpat.

Han suckar och lämnar köket. Simone ser på den gråsmutsiga handduken hon torkat golvet kring kylskåpet med.

Benjamin kommer in och sätter sig på sin vanliga plats.

– God morgon, säger hon.

Han suckar och hänger med huvudet i händerna.

– Varför ljuger du och pappa om allting?

– Det gör vi inte, svarar hon.

– Nej.

– Tycker du det?

Han svarar inte.

– Tänker du på det jag sa i taxin från ...

– Jag tänker på en massa saker, avbryter han högt.

– Du behöver inte skrika åt mig.

– Glöm att jag sa någonting, suckar han.

– Jag vet inte hur det blir med mig och pappa. Det är inte så lätt, säger hon. Du har säkert rätt i att vi bara lurar oss själva, men det är inte samma sak som att ljuga.

– Nu har du sagt det, säger han lågt.

– Är det något mer du tänker på?

– Det finns inga bilder på mig som liten.

– Det gör det väl, svarar hon leende.

– När jag var nyfödd, säger han.

– Du vet ju att jag fick missfall innan ... alltså, vi var så glada när du föddes att vi glömde bort att fotografera. Jag vet precis hur du såg ut när du var nyfödd, dina skrynkliga öron och ...

– Sluta, skriker Benjamin och går till sitt rum.

Erik kommer in i köket och släpper ner en Treo comp i ett glas vatten.

– Vad är det med Benjamin? frågar han.

– Jag vet inte, viskar hon.

Erik dricker vätskan över vasken.

– Han tycker att vi ljuger om allting, säger hon.

– Så känner alla tonåringar.

Erik rapar tyst.

– Jag råkade säga till honom vi ska separera, berättar hon.

– Hur kan du göra något så jävla dumt? säger han hårt.

– Jag sa bara vad jag kände just då.

– Men du kan väl för fan inte bara tänka på dig själv.

– Det är inte jag som gör det, det är inte jag som ligger med praktikanter, det är inte ...

– Håll käften med dig, skriker han.

– Det är inte jag som tar en massa tabletter för att ...

– Du vet ingenting!

– Jag vet att du tar starka värktabletter.

– Vad har du med det att göra?

– Har du ont någonstans, Erik? Berätta om du ...

– Jag är läkare och jag tror att jag kan bedöma det här lite bättre än vad ...

– Du kan inte lura mig, avbryter hon.

– Vad menar du? skrattar han.

– Du har ett missbruk, Erik, vi ligger inte med varandra längre för att du tar en massa starka tabletter som ...

– Jag kanske inte vill ligga med dig, avbryter han. Varför skulle jag vilja det när du är så jävla missnöjd med mig hela tiden?

– Då separerar vi, säger hon.

– Bra, svarar han.

Hon kan inte se på honom, går bara långsamt ut ur köket, känner hur det spänner och gör ont i halsen, hur tårarna stiger i ögonen.

Benjamin har stängt dörren till sitt rum och lyssnar på så hög musik att det skallrar i väggar och dörrar. Simone låser in sig i badrummet, släcker lampan och gråter.

– Helvetes piss, hör hon Erik skrika från hallen innan ytterdörren öppnas och slår igen.

# 16

*Fredag morgon den elfte december*

KLOCKAN VAR INTE ENS sju på morgonen när Joona Linna tog emot ett telefonsamtal från doktor Daniella Richards. Hon förklarade att Josef nu kunde klara av ett kortare förhör enligt hennes bedömning, även om han fortfarande låg kvar på rummet intill operationssalen.

När Joona sätter sig i bilen för att köra till sjukhuset känner han en dov smärta i armbågen. Han tänker på gårdagskvällen, hur det blå skenet från radiobilarna hade svept över fasaden på höghuset vid Tantolunden där Sorab Ramadani bodde. Den storväxte mannen med pojkfrisyr hade spottat blod och muttrat grötigt om sin tunga när han förts in i patrullbilens baksäte. Ronny Alfredsson och hans kollega Peter Jysk återfanns i skyddsrummet i höghusets källare. De hade blivit hotade med kniv och instängda, därefter hade männen kört deras patrullbil till det andra höghuset och lämnat den på gästparkeringen.

Joona hade återvänt till höghuset, ringt på Sorabs dörr, sagt att hans livvakter var gripna och att dörren till lägenheten skulle forceras om han inte öppnade omedelbart.

Sorab släppte in honom, bad honom sitta i den blå skinnsoffan, bjöd på kamomillte och bad om ursäkt för sina vänner.

Han var en blek man med håret i hästsvans. Han var ängslig, blickade hela tiden runt, bad om ursäkt igen för det som skett, men förklarade att han hade haft så mycket problem på sista tiden.

– Det är därför, sa han lågt, som jag har skaffat livvakter.

– Vilken sorts problem har du haft, frågade Joona och läppjade på det heta teet.

– Det är någon som är ute efter mig.

Sorab reste sig upp och kikade ut genom fönstret.

– Vem? frågade Joona.

Sorab sa entonigt med ryggen mot honom att han inte ville tala om det.

– Är jag tvungen att prata? frågade han. Har jag inte rätt att vara tyst, eller?

– Du har rätt att vara tyst, medgav Joona.

Sorab ryckte på axlarna.

– Då så.

– Men jag vill gärna att du pratar med mig, hade Joona försökt. Jag kan kanske hjälpa dig, har du tänkt på det?

– Tack så mycket, sa Sorab mot fönstret.

– Är det Evelyns bror som ...

– Nej, avbröt han tvärt.

– Var det inte Josef Ek som var här?

– Han är inte hennes bror.

– Vem är han då?

– Vad vet jag, men han är inte hennes bror, han är något annat.

Efter de orden, att Josef inte skulle vara Evelyns bror, hade Sorab blivit nervös igen, pratat om fotboll, den tyska ligan och svarade inte längre ordentligt på fler frågor. Joona undrade vad Josef hade sagt till Sorab, vad han hade gjort, hur han hade kunnat skrämma honom att berätta var Evelyn befann sig.

Joona svänger in och parkerar framför neurologiska kliniken, lämnar bilen, går in genom den stora entrén, tar hissen till femte våningen, fortsätter genom korridoren, hälsar på polismannen som håller vakt och går sedan in i Josefs rum. En kvinna reser sig upp från stolen bredvid sängen och presenterar sig:

– Lisbet Carlén, säger hon. Jag är socialsekreterare och kommer att vara Josefs stödperson under förhören.

– Vad bra, säger Joona och skakar hennes hand.

Hon ser på honom med en blick som han av någon anledning finner sympatisk.

– Är du förhörsledare? frågar hon intresserat.

– Ja. Ursäkta mig, jag heter Joona Linna och är från rikskriminalen, vi har talat i telefon.

Med jämna mellanrum bubblar det högt i rummet från Bülowdränaget, pumpen som är kopplad med ett rör till Josefs punkterade lungsäck. Dränaget återställer det undertryck som inte längre finns naturligt, så att hans lunga kan fungera under läkningsprocessen.

Lisbet Carlén säger lågt att doktorn förklarat att Josef måste ligga absolut stilla på grund av risken för nya blödningar i levern.

– Jag kommer inte att riskera hans hälsa, förklarar Joona och placerar bandspelaren på bordet intill Josefs ansikte.

Han gör en frågande gest mot Lisbet, som nickar mot honom. Han startar inspelningen, beskriver förhörssituationen, att Josef Ek hörs upplysningsvis, att det är fredagen den 11 december, klockan 08.15 på morgonen. Därefter redogör han för vilka personer som befinner sig i rummet.

– Hej, säger Joona.

Josef tittar på honom med tunga ögon.

– Jag heter Joona ... jag är kriminalkommissarie.

Josef blundar.

– Hur mår du?

Socialsekreteraren blickar ut genom fönstret.

– Kan du sova med den bubblande apparaten? frågar han.

Josef nickar sakta.

– Vet du varför jag är här?

Josef öppnar ögonen och skakar långsamt på huvudet. Joona väntar och iakttar hans ansikte.

– Det har varit en olycka, säger Josef. Hela min familj har råkat ut för en olycka.

– Har ingen berättat för dig vad som har hänt? frågar Joona.

– Kanske lite, säger han svagt.

– Han vägrar träffa psykologer och kuratorer, säger socialsekreteraren.

Joona tänker på hur annorlunda Josefs röst hade varit under hypnosen. Nu är den plötsligt skir, nästan obefintlig och hela tiden undrande.

– Jag tror att du vet vad som har hänt.

– Du behöver inte svara, säger Lisbet Carlén snabbt.

– Du är femton år nu, fortsätter Joona.

– Ja.

– Vad gjorde du på din födelsedag?

– Jag kommer inte ihåg, säger Josef.

– Fick du presenter?

– Jag tittade på teve, svarar Josef.

– Åkte du till Evelyn? frågar Joona neutralt.

– Ja.

– Till hennes lägenhet?

– Ja.

– Var hon där?

– Ja.

Tystnad.

– Nej, det var hon inte, ändrar sig Josef tvekande.

– Var var hon då?

– I stugan, svarar han.

– Är det en fin stuga?

– Inte fin . . . men lite mysig.

– Blev hon glad?

– Vem?

– Evelyn.

Tystnad.

– Hade du med dig något?

– En tårta.

– En tårta? Var den god?

Han nickar.

– Tyckte Evelyn att den var god? fortsätter Joona.

– Hon ska bara ha det bästa, säger han.

– Fick du någon present av henne?

– Nej.

– Men hon sjöng kanske för ...

– Hon ville inte ge mig min present, säger han sårat.

– Sa hon det?

– Ja, det gjorde hon, svarar han snabbt.

– Varför?

Tystnad.

– Var hon arg på dig? frågar Joona.

Han nickar.

– Ville hon att du skulle göra något som du inte kunde göra? fortsätter Joona lugnt.

– Nej, hon ...

Josef viskar fortsättningen.

– Jag hör inte, Josef.

Han fortsätter viska. Joona närmar sig, försöker höra orden och lutar sig över honom.

– Den där jäveln! skriker Josef i örat på honom.

Joona flyttar sig bakåt, går runt sängen, stryker sig över örat och försöker le. Josefs ansikte är askgrått när han väser:

– Jag ska nosa reda på den där jävla hypnotisören och bita halsen av honom, jag ska jaga honom och hans ...

Socialsekreteraren skyndar fram till sängen och försöker stänga av inspelningen.

– Josef! Du har rätt att vara tyst om ...

– Lägg dig inte i det här, avbryter Joona.

Hon tittar på honom med upprörd blick och säger darrande:

– Innan förhöret började borde du ha informerat ...

– Nej, du har fel, det finns inga lagar som styr det här, säger Joona med höjd röst. Han har rätt att vara tyst, det är sant, men det finns inga krav på att jag måste informera honom om den rätten.

– Förlåt då.

– Det ordnar sig, mumlar Joona och vänder sig sedan till Josef. Varför är du arg på hypnotisören?

– Jag behöver inte svara på dina frågor, säger Josef och försöker peka på socialsekreteraren.

# 17

*Fredag morgon den elfte december*

ERIK SPRINGER NEDFÖR trapporna och ut genom porten. Han stannar till på Sveavägen. Känner svetten på ryggen kylas ner. Han mår illa av ångest, förstår inte hur han kan vara så dum att han stöter bort Simone för att han känner sig sårad. Han fortsätter långsamt upp mot Odenplan, sätter sig på en bänk utanför biblioteket, det är kallt i luften, en man sover en bit bort under tjocka travar av filtar.

Erik reser sig och börjar gå hemåt, köper bröd på stenugnsbageriet och en latte macchiato till Simone. Han skyndar sig tillbaka och går med stora kliv uppför trapporna. Dörren är låst, han tar fram nycklarna, låser upp och förstår omedelbart att lägenheten är tom. Erik tänker att han ska bevisa för Simone att hon kan lita på honom. Hur lång tid det än tar ska han övertyga henne igen. Han står vid köksbordet och dricker kaffet, känner sig illamående och letar reda på en kapsel Losec.

Klockan är inte mer än nio på morgonen. Hans pass på sjukhuset börjar inte förrän om flera timmar. Han tar med sig en bok och går och lägger sig i sängen. Men istället för att läsa börjar han tänka på Josef Ek. Han undrar om kriminalkommissarie Joona Linna får honom att tala.

Lägenheten är tyst, övergiven.

Ett mjukt lugn sprider sig i magen från medicinen.

Ingenting som sägs under hypnos kan användas som bevis, men Erik vet att Josef sa sanningen, att det var han som dödade familjen, även om själva motivet är osynligt och på vilket sätt han tycker sig vara styrd av systern.

Erik sluter ögonen och försöker föreställa sig radhuset och familjen. Evelyn måste ha känt att brodern var farlig redan tidigt, tänker han. Genom åren har hon lärt sig att leva med hans brist på impulskontroll. Alltid balanserat sin egen vilja mot risken för vredesutbrott. Josef har varit en pojke som slagits, som fått skäll, men slagits ändå. Som äldre syster har hon inte haft något konkret skydd. Familjen har hanterat Josefs våldsamhet från dag till dag, försökt leva med den, men inte insett allvaret. Föräldrarna tänkte kanske att det aggressiva beteendet helt enkelt berodde på att han var en pojke. Det är möjligt att de tog på sig skulden för att de hade låtit honom spela brutala tevespel, låtit honom se på skrämmande filmer.

Evelyn lämnade hemmet så fort hon kunde, skaffade sig ett jobb och egen lägenhet, men någonting fick henne att ana det stegrande allvaret, hon var plötsligt så rädd att hon gömde sig i mosterns stuga, bar med sig ett gevär för att skydda sig.

Hade Josef hotat henne?

Erik försöker föreställa sig Evelyns rädsla om nätterna i stugan, i mörkret, med det laddade geväret bredvid sängen.

Han tänker på Joona Linnas telefonsamtal efter förhöret med henne. Vad hände när Josef kom dit med en tårta? Vad sa han till henne? Vad kände hon? Var det först då hon blev rädd och skaffade geväret? Var det efter hans besök som hon levde med skräcken för att han skulle döda henne?

Erik tänker på Evelyn. Han ser henne för sig så som hon var ute vid stugan. En ung kvinna i silverfärgad dunväst, grå stickad tröja, slitna jeans och gymnastikskor. Hon går långsamt mellan träden med gungande hästsvans. Ansiktet är oskyddat, barnsligt. Hon håller i hagelgeväret med en loj hand. Det släpar i marken, studsar mjukt över blåbärsriset och mossan. Solen strilar ner mellan tallarnas grenar.

Plötsligt förstår Erik någonting avgörande: Om Evelyn var rädd, om hon hade ett gevär för att försvara sig mot Josef, så skulle hon ha burit det annorlunda, inte släpat det efter sig när hon närmade sig huset.

Erik minns att hon var blöt om knäna, hade mörka jordiga fläckar på jeansen.

Hon gick ut i skogen med geväret för att ta sitt liv, tänker han.

Hon har stått på knä i mossan med gevärspipan i munnen, men ångrat sig, inte vågat.

När han såg henne i skogsbrynet med geväret släpande i blåbärsriset var hon på väg tillbaka till stugan, tillbaka till det alternativ hon velat fly från.

Erik tar telefonen och slår numret till Joonas mobiltelefon.

– Ja, Joona Linna här.

– Hej, det är Erik Maria Bark.

– Erik? Jag hade tänkt att ringa, men det har varit så förbannat mycket ...

– Det gör ingenting, säger Erik, jag har ...

– Du ska veta, avbryter Joona honom, att jag är jävligt ledsen för mediadrevet, jag lovar att kolla upp läckan när det lugnar sig.

– Det spelar ingen roll.

– Jag känner mig skyldig för att jag övertygade dig att ...

– Jag gjorde valet själv, jag skyller inte på någon annan.

– Personligen, vilket man inte får säga just nu, så tycker jag fortfarande att det var rätt att hypnotisera Josef, vi vet ingenting ännu, men det kan mycket väl ha räddat Evelyns liv.

– Det är det jag ringer om, säger Erik.

– Vad då?

– Jag kom att tänka på en sak. Har du tid?

Erik hör Joona flytta på någonting, det låter som om han drar ut en stol och sätter sig ned.

– Ja, säger han. Jag har tid.

– När vi var ute på Värmdö, vid mosterns stuga, börjar Erik. Jag satt ju i bilen och fick syn på en kvinna mellan träden. Hon hade ett hagelgevär i handen. På något sätt förstod jag att det var Evelyn och tänkte att det skulle kunna uppstå en farlig situation om hon överraskades av polisen.

– Ja, hon hade faktiskt kunnat skjuta genom fönstret, säger Joona. Om hon trodde att det var Josef hon såg.

– Nu satt jag här hemma och tänkte på Evelyn igen, fortsätter Erik. Jag hade sett henne mellan träden. Hon gick långsamt i riktning mot stugan och höll bössan med ena handen, lät pipan släpa i marken.

– Jaha?

– Bär man ett gevär så om man är rädd för att bli mördad?

– Nej, svarar Joona.

– Jag tror att hon hade gått ut i skogen för att ta sitt eget liv, säger Erik. Jeansen var blöta på knäna. Hon hade antagligen stått på knä i den fuktiga mossan med geväret riktat mot pannan eller bröstet, men sedan ångrat sig, inte vågat, det är vad jag tror.

Erik tystnar. Han hör Joona andas tungt i luren. Ett billarm börjar tjuta nere på gatan.

– Tack, säger Joona. Jag ska åka och tala med henne.

# 18

*Fredag eftermiddag den elfte december*

FÖRHÖRET MED EVELYN ska hållas i ett av kriminalvårdsavdelningens kontorsrum. För att göra det trista rummet hemtrevligare har någon placerat en röd pepparkaksburk av plåt på skrivbordet och elljusstakar från Ikea i fönstren. Evelyn och hennes vittnesstöd sitter redan på varsin stol när Joona startar inspelningen.

– Jag vet att mina frågor kommer att kännas jobbiga, Evelyn, säger han lågt och ser hastigt på henne. Men jag vore tacksam om du ville svara på dem ändå, så gott du kan.

Evelyn svarar inte utan blickar ned i sitt knä.

– För jag tror inte att det är till din fördel att vara tyst, fortsätter han mjukt.

Hon reagerar inte, ser bara stint ned i knäet. Vittnesstödet, en medelålders man med skuggor av skäggväxt över ansiktet, tittar uttryckslöst på Joona.

– Ska jag börja, Evelyn?

Hon skakar på huvudet. Han väntar. Efter en stund lyfter hon hakan och möter hans blick.

– Du gick ut i skogen med geväret för att ta ditt eget liv – eller hur?

– Ja, viskar hon.

– Jag är glad att du inte gjorde det.

– Inte jag.

– Har du försökt göra det fler gånger?

– Ja.

– Före den här gången?

Hon nickar.

– Men inte innan Josef kom med tårtan?

– Nej.

– Vad sa han?

– Jag vill inte tänka på det.

– På vad då? På det han sa?

Evelyn sätter sig upp i stolen och hennes mun smalnar.

– Jag minns inte, säger hon nästan ljudlöst. Det var säkert ingenting speciellt.

– Du tänkte skjuta dig själv, Evelyn, påminner Joona.

Hon reser sig, går fram till fönstret, släcker ljusstaken och tänder den igen, återvänder till stolen och sätter sig med armarna i kors över magen.

– Kan jag inte bara få vara ifred?

– Vill du det? Är det vad du verkligen vill?

Hon nickar utan att titta på honom.

– Behöver du ta en paus? frågar vittnesstödet.

– Jag vet inte vad det är med Josef, säger Evelyn tyst. Han har något fel i huvudet. Det har alltid ... när han var liten slogs han, för hårt, för farligt. Han förstörde alla mina saker, jag fick inte ha någonting.

Hennes mun darrar.

– När han var åtta frågade han chans på mig. Det låter kanske inte så farligt, men för mig, jag ville inte, men han krävde att vi skulle kyssas ... jag var rädd för honom, han gjorde konstiga saker, kunde smyga in till mig på natten och bita mig så att jag blödde. Jag började slå tillbaka, jag var fortfarande starkare.

Hon torkar tårar från kinderna.

– Så han gav sig på Buster istället om jag inte gjorde som han sa ... det blev bara värre, han skulle titta på mina bröst, han skulle bada med mig ... han dödade min hund och slängde den från en vägbro.

Hon ställer sig upp och går rastlöst fram till fönstret.

– Josef var kanske tolv när han ...

Hennes röst bryts och hon gnyr tyst för sig själv innan hon fortsätter.

– Han frågade om jag ville ha hans snopp i munnen. Jag sa att han var äcklig. Då gick han in till Knyttet och slog henne, hon var bara två år ...

Evelyn gråter och lugnar ner sig.

– Jag var tvungen att titta när han runkade, flera gånger varje dag ... han slog Knyttet om jag vägrade, sa att han skulle döda henne. Ganska snart, det kan ha rört sig om några månader, så började han kräva att han skulle få ligga med mig, han sa det varje dag, hotade mig ... men jag kom på ett svar, jag sa att han var minderårig, att det var förbjudet, att jag inte kunde göra något som var förbjudet.

Hon torkar tårar från kinderna.

– Jag tänkte att det bara skulle försvinna, jag flyttade hemifrån, ett år gick, men så började han ringa mig, sa att han snart var femton. Det var då jag gömde mig, jag ... jag fattar inte hur han kom på att jag var i stugan, jag ...

Hon gråter med öppen mun, rakt ut.

– Å gud ...

– Så han hotade, säger Joona, han hotade med att döda hela familjen om han inte ...

– Han sa inte det! skriker hon. Han sa att han skulle börja med pappa. Det är mitt fel, allting ... jag vill bara dö ...

Hon sjunker ned på golvet mot väggen och kryper ihop.

# 19

*Fredag eftermiddag den elfte december*

JOONA SITTER PÅ SITT rum och stirrar under ett ögonblick av tomhet rakt in i sina handflator. Den ena handen håller fortfarande i telefonen. När han informerade Jens Svanehjälm om Evelyns plötsliga vändning hade han lyssnat under tystnad och suckat tungt medan Joona redogjorde för det synnerligen grymma motivet bakom brottet.

– Ärligt talat, Joona, hade han sedan sagt. Det här är tyvärr lite för tunt, med tanke på att systern i sin tur är utpekad av Josef Ek, jag menar, vad vi behöver är ett erkännande eller teknisk bevisning.

Joona flyger med blicken över rummet, gnider sitt ansikte med handen, sedan ringer han upp Josefs läkare Daniella Richards och diskuterar en lämplig tid för fortsatta förhör då den misstänkte inte har så mycket smärtlindrande medicin i kroppen.

– Han måste vara klar i huvudet, säger Joona.

– Du skulle kunna komma in klockan fem, säger Daniella.

– I eftermiddag?

– Han får inte sin morfindos förnyad förrän vid sex. Det är en utplaning kring kvällsmålet.

Joona ser på klockan. Hon är halv tre på eftermiddagen.

– Det passar mig bra, säger han.

Efter samtalet med Daniella Richards ringer han upp Lisbet Carlén, Josefs stödperson, och informerar henne om tiden.

Han går ut till personalrummet, hämtar ett äpple i fruktkorgen och när han kommer tillbaka sitter Erixon, ansvarig kriminaltekniker vid brottsplatsundersökningen i Tumba, på hans plats, med hela sin kroppshydda mot skrivbordet. Han är röd i ansiktet, vinkar med en matt hand mot Joona och pustar.

– Tryck in äpplet i käften på mig så har du en julgris, säger han.

– Sluta, svarar Joona och tar en tugga.

– Jag förtjänar det, säger Erixon. Sedan det här thaistället på hörnet öppnade har jag gått upp elva kilo.

– De har god mat.

– Ja, fy fan.

– Hur har det gått med damernas omklädningsrum? frågar Joona.

Erixon håller upp en avvärjande rund hand:

– Du får inte säga vad var det jag sa, men …

Joona ler stort.

– Vi får se, säger han diplomatiskt.

– Okej, suckar Erixon och torkar svett från kinderna. Det fanns hår från Josef Ek i golvbrunnen och det fanns blod från pappan, Anders Ek, i fogarna på golvet.

– Vad var det jag sa, säger Joona strålande.

Erixon skrattar och håller sig för halsen som om han trodde att något skulle gå sönder.

I hissen ner till Rikspolisstyrelsens foajé ringer Joona upp Jens Svanehjälm igen.

– Bra att du ringde, säger Jens. De är på mig för det här med hypnosen, tycker att vi ska lägga ner förundersökningen mot Josef, att det bara kommer att kosta pengar och …

– Ge mig en sekund, avbryter Joona.

– Fast jag har bestämt mig för …

– Jens?

– Ja, svarar han.

– Vi har teknisk bevisning, säger Joona allvarligt. Josef Ek är bunden vid den första brottsplatsen och vid faderns blod.

Överåklagare Jens Svanehjälm andas tungt i telefonen och säger sedan samlat.

– Joona, du ringde i sista sekunden.

– Det räcker, svarar han.

– Ja.

De är på väg att lägga på när Joona säger:

– Sade jag inte att jag hade rätt?

– Va?

– Hade jag inte rätt?

Det blir tyst i luren. Sedan säger Jens långsamt och pedagogiskt:

– Jo, Joona, det hade du.

De avslutar samtalet, leendet försvinner från kriminalkommissariens ansikte, han går efter glasväggen mot gården och tittar på klockan igen. Om en halvtimme ska han befinna sig på Nordiska museet på Djurgården.

*

Joona går uppför museets trappor och fortsätter genom de långa, folktomma korridorerna. Han passerar hundratals upplysta glasmontrar utan att vända blicken mot dem. Han ser inte bruksföremålen, skatterna och konsthantverket, han noterar inte utställningarna, folkdräkterna och de stora fotografierna.

Vakten har redan dragit fram en stol till den svagt upplysta montern. Utan att säga något sätter sig Joona som vanligt och betraktar den samiska brudkronan. Spröd och skir vidgar den sig upptill i en perfekt cirkel. Spetsarna påminner om en blomkalk eller ett par händer som förts samman med uppsträckta fingrar. Sakta flyttar Joona sitt huvud så att ljuset rör sig långsamt. Brudkronan är flätad av rot, bunden för hand. Materialet är framgrävt ur jorden och skiner som hud, som guld.

Denna gång sitter Joona framför montern bara en timme innan han reser sig upp, nickar åt vakten och går långsamt ut från Nordiska museet. Snöblasket på marken är svartsörjigt och det luktar diesel från en båt under Djurgårdsbron. Sakta promenerar han mot Strandvägen när telefonen ringer. Det är Nålen, rättsläkaren.

– Bra att jag fick tag i dig, konstaterar han kort när Joona svarar.

– Är obduktionen färdig?

– Så gott som, så gott som.

Joona ser en ung pappa på trottoaren som gång på gång lutar en barnvagn bakåt för att få sitt barn att skratta. En kvinna står stilla i ett fönster och stirrar ut på gatan. När han möter hennes blick tar hon genast ett steg inåt lägenheten.

– Har du hittat något oväntat? frågar Joona.

– Ja, inte vet jag . . .

– Men?

– Det är ju det här med snittet i magen, förstås.

– Ja?

Han hör Nålen dra efter andan och något som skramlar till i bakgrunden.

– Tappade pennan, viskar Nålen och Joona hör hur det prasslar i luren.

– Det har riktats väldigt mycket våld mot de här kropparna, säger Nålen allvarligt när han är tillbaka i luren. Framför allt mot den lilla flickan.

– Jag har förstått det, säger Joona.

– Och många av såren är obefogade, de är rent ut sagt lustbetonade. Det är för jävligt, om du frågar mig.

– Ja, säger Joona och tänker på hur det såg ut när han kom till brottsplatsen.

De chockade polismännen, känslan av kaos i luften. Kropparna där inne. Han minns Lillemor Bloms pappersbleka kinder när hon stod och rökte med darrande händer. Han erinrar sig hur blodet hade stänkt upp på fönsterrutorna, runnit nedför glaset på altandörrarna mot baksidan.

– Har du fått någon klarhet kring snittet på kvinnans mage?

Nålen suckar.

– Jo, det är som vi trodde. Hon blev snittad cirka två timmar efter att döden inträdde. Någon vände hennes kropp och lade en vass kniv i det gamla kejsarsnittärret.

Han bläddrar med papper.

– Vår gärningsman kan emellertid inte så mycket om sectio caesarea. Hos Katja Ek var det fråga om ett katastrofsnitt som löpte vertikalt från naveln och nedåt.

– Ja?

Nålen pustar.

– Nu är det ju på det viset att man alltid snittar livmodern på tvären, även om snittet genom buken är vertikalt.

– Men det visste inte Josef, frågar Joona.

– Nej, säger Nålen. Han har bara öppnat magen, utan att förstå att ett kejsarsnitt alltid består av två ingrepp, ett genom buken och ett genom livmodern.

– Är det något annat som jag borde veta direkt?

– Kanske att han höll på ovanligt länge med kropparna, att han aldrig slutade, trots att han blir tröttare och tröttare får han aldrig nog, vreden kallnar inte.

Det blir tyst mellan dem. Joona går längs Strandvägen. Han börjar tänka på det senaste förhöret med Evelyn igen.

– Jag ville bara bekräfta det här med kejsarsnittet, säger Nålen efter en stund. Att skärsåret gjordes cirka två timmar efter dödens inträde.

– Tack, Nålen, säger Joona.

– Du har hela obduktionsprotokollet i morgon.

När Joona har klickat bort samtalet, tänker han på hur fruktansvärt det måste ha varit att växa upp bredvid Josef Ek. Hur oskyddad Evelyn måste ha upplevt att hon var, för att inte tala om hennes lillasyster.

Joona försöker minnas vad Evelyn sa om moderns kejsarsnitt.

Han tänker på hur Evelyn hade suttit nedsjunken på golvet och lutat sig mot väggen i förhörsrummet medan hon berättade om Josefs nästan patologiska svartsjuka gentemot lillasystern.

– Det är något fel i huvudet på Josef, hade hon viskat. Det har alltid varit det. Jag minns när han föddes, mamma blev jättesjuk, jag vet inte vad det var, men de fick göra katastrofsnitt.

Evelyn hade skakat på huvudet och sugit in läpparna innan hon fortsatte tala:

– Vet du vad ett katastrofsnitt är?

– Ja, på ett ungefär, hade Joona svarat.

– Ibland ... ibland blir det komplikationer när man föder ett barn på det viset.

Evelyn gav honom en skygg blick.

– Menar du syrebrist och sådant? hade Joona frågat.

Hon skakade på huvudet och strök bort tårarna från kinderna.

– Jag menar psykiska problem hos mamman. En kvinna som utsätts för en svår förlossning och plötsligt sövs ner för att bli snittad kan få problem med att knyta an till sitt barn.

– Fick din mamma en förlossningsdepression?

– Inte riktigt, hade Evelyn svarat med tung, tjock röst. Min mamma fick en psykos när hon födde Josef. De fattade inte det på BB, utan lät henne åka hem med honom. Jag märkte det direkt. Allt var fel. Det var jag som fick ta hand om Josef. Jag var bara åtta år, men hon brydde sig inte om honom, rörde honom inte, hon låg bara i sin säng och grät, grät, grät.

Evelyn såg på Joona och viskade:

– Mamma sa att han inte var hennes, att hennes barn hade dött och till slut fick hon läggas in.

Evelyn log snett för sig själv:

– Mamma kom tillbaka till familjen efter ett år ungefär. Hon låtsades att allt var normalt igen, men egentligen fortsatte hon att förneka honom.

– Så du tror inte att din mamma blev frisk? frågade Joona försiktigt.

– Hon blev frisk, för när hon fick Lisa var allting annorlunda. Mamma var lycklig över henne, gjorde allt för henne.

– Och du fick ta hand om Josef.

– Han började säga att mamma borde ha fött honom på riktigt. För honom blev förklaringen till orättvisan att Lisa var född ”i fittan” men inte han. Han sa det hela tiden. Att mamma borde ha fött honom i fittan och inte bara …

Evelyns röst tynade bort. Hon vände undan ansiktet och Joona såg hennes uppdragna, spända axlar utan att våga röra vid henne.

# 20

*Fredag kväll den elfte december*

PÅ KAROLINSKAS intensivvårdsavdelning är det för ovanlighetens skull inte helt tyst när Joona kommer gående. Det luktar mat över hela avdelningen och en vagn med kokkärl i rostfritt stål, tallrikar, glas och bestick står utanför samlingsrummet. Någon har satt på teven där inne och Joona hör ljudet av slamrande porslin.

Han tänker på att Josef skar upp det gamla kejsarsnittsärret på moderns mage, öppnade sin egen passage till livet, den passage som också dömde honom till att bli moderslös, som gjorde att modern aldrig knöt an till honom.

Josef kände tidigt att han inte var som de andra barnen, han var ensam. Den enda som hade gett honom kärlek och omvårdnad var Evelyn. Han accepterade inte att bli avvisad av henne. Minsta tecken på distans gjorde honom förtvivlad och rasande, och vreden riktades allt mer mot den älskade lillasystern.

Joona nickar åt Sunesson som står utanför dörren till Josef Eks rum och blickar sedan in på pojkens ansikte. Kateterns urinbehållare är halvfull och en tung droppställning som står alldeles intill sängen förser honom med både vätska och blodplasma. Pojkens fötter sticker ut under den ljusblå filten, fotsulorna är smutsiga, det har fastnat hår och skräp i kirurgtejpen som ligger över stygnen. Teven är på men han verkar inte se på den.

Socialsekreteraren, Lisbet Carlén, befinner sig redan i rummet. Hon har inte sett honom ännu, utan står i fönstret och klämmer fast ett hårspänne i håret.

Josef har fått en ny blödning från ett sår, det rinner efter armen och droppar till golvet. En äldre sjuksköterska står böjd över honom, lossar på kompressen och tejpar ihop sårkanterna igen, tvättar bort blodet och lämnar sedan rummet.

– Ursäkta, säger Joona och går ifatt sköterskan i korridoren.

– Ja.

– Hur mår han, hur är det med Josef Ek egentligen?

– Tala med ansvarig läkare, svarar kvinnan och börjar gå igen.

– Det ska jag, ler Joona och skyndar efter henne. Men ... jag skulle vilja visa honom någonting som ... kan jag köra honom dit, jag menar i rullstol ...

Sköterskan skakar på huvudet och stannar tvärt.

– Patienten får absolut inte förflyttas, säger hon strängt. Vilka dumheter, han har mycket ont, kan inte röra sig, skulle kunna få nya blödningar om han satte sig upp.

Joona återvänder till Josefs rum. Utan att knacka går han in till pojken, tar fjärrkontrollen, stänger av teven, slår på bandspelaren, rabblar upp tid och datum och närvarande i rummet och sätter sig sedan på besöksstolen. Josef öppnar sina tunga ögon och ser på honom med milt ointresse. Bülowdränaget som är kopplat till hans bröstkorg för att återställa trycket i hans punkterade lungsäck ger ifrån sig ett ganska behagligt, lågt bubblande ljud.

– Du borde bli utskriven snart, säger Joona.

– Det ska bli skönt, svarar Josef svagt.

– Fast du kommer att förflyttas till häktet.

– Lisbet har sagt att åklagaren inte är beredd att göra någonting, säger han med en blick mot socialsekreteraren.

– Det var innan vi hade ett vittne.

Josef blundar mjukt.

– Vem?

– Vi har talat ganska mycket, du och jag, säger Joona. Men kanske vill du ändra på något du sagt eller lägga till något som du inte sagt.

– Evelyn, viskar han.

– Du kommer inte att komma ut på mycket länge.

– Du ljuger.

– Nej, Josef, jag talar sanning. Lita på det. Du kommer att begäras häktad och har nu rätt till ett juridiskt ombud.

Josef försöker höja handen, men orkar inte.

– Ni har hypnotiserat henne, säger han leende.

– Nej.

– Ord står mot ord, säger han.

– Inte riktigt, säger Joona och betraktar pojkens rena, bleka ansikte. Vi har också teknisk bevisning.

Josef biter ihop käkarna hårt.

– Jag har inte tid att sitta här, men om du vill berätta någonting för mig kan jag stanna en liten stund till, säger Joona vänligt.

Han låter en halv minut passera, trummar på armstöden, reser sig, tar med sig bandspelaren och med en kort nick mot socialsekreteraren lämnar han sedan rummet.

I bilen utanför sjukhuset tänker Joona att han borde ha konfronterat Josef med Evelyns berättelse, han borde ha gjort det för att se pojkens reaktion. Det finns ett kokande övermod i Josef Ek som kanske hade lurat honom att erkänna, om han blev tillräckligt provocerad.

Han överväger ett ögonblick att återvända, men låter bli för att inte komma för sent till middagen hemma hos Disa.

Det är mörkt och dimmigt när han kör in och parkerar bilen vid det gräddiga huset på Lützengatan. Han känner sig för ovanlighetens skull frusen när han går fram till porten, blickar bort mot det frostiga gräset på Karlaplan, trädens svarta grenar.

Han försöker erinra sig Josef där han låg i sin säng, men det enda han ser för sig är den där dränageapparaten som bubblade och rosslade. Ändå får han en känsla av att han har sett något viktigt utan att ha förstått det.

Aningen om att något inte stämmer fortsätter att pyra i honom när han tar hissen upp till Disas lägenhet och ringer på dörren. Ingen öppnar. Joona hör att en person befinner sig i trapphuset ovanför honom, hon suckar stötvis eller gråter alldeles tyst.

Disa öppnar dörren med ett stressat ansiktsuttryck, klädd i endast behå och strumpbyxor.

– Jag räknade med att du skulle vara försenad, förklarar hon.

– Så är jag lite för tidig istället, säger Joona och kysser henne lätt på kinden.

– Kan du komma in och stänga dörren innan alla grannar har sett min rumpa.

Den hemtrevliga hallen doftar mat. En skär lampa med fransar stryker Joona över hjässan.

– Jag har lagat sjötunga och mandelpotatis, säger Disa.

– Med skirat smör?

– Och svamp, persilja och kalvfond.

– Gott.

Lägenheten är ganska sliten, men i grunden fin. Det är bara två rum och kök, men högt i tak. Stora fönster som vetter mot Karlaplan, med fönsterkarmar av teak, ett tak av lackad träpanel och ett vackert såpat golv.

Joona följer med Disa in i hennes sovrum. Han stannar till, försöker förstå vad det är han har sett hos Josef. I den obäddade sängen ligger datorn påslagen, hon har strött böcker och lösa pappersark omkring sig.

Han sätter sig i fåtöljen och väntar medan hon klär sig färdigt. Utan ett ord ställer hon sig med ryggen mot honom och låter honom dra upp dragkedjan till en snäv, enkelt skuren klänning.

Joona tittar i en uppslagen bok och ser en stor, svartvit

bild på ett gravfält. Arkeologerna, klädda i fyrtiotalskläder, går längre bort på bilden och kisar mot fotografen. De tycks precis ha börjat gräva ut platsen, de har markerat ytan med ett femtiotal små flaggor.

– Det är gravar, säger hon lågt. Flaggorna visar gravarnas placering. Han som grävde ut den där platsen hette Hannes Müller. Han dog för ett tag sedan, men blev säkert hundra år. Kvar på institutionen hela tiden. Såg ut som en snäll gammal sköldpadda ...

Hon står framför den höga spegeln, flätar sitt raka hår i två tunna flätor och vänder sig sedan om och tittar på honom.

– Hur ser jag ut?

– Du är fin, säger Joona vänligt.

– Ja, svarar hon sorgset. Hur är det med din mamma?

Joona fångar hennes hand.

– Det är bra, viskar han. Hon hälsade till dig.

– Vad snällt, vad sa hon?

– Att du inte skulle bry dig om mig.

– Nej, svarar Disa dystert. Hon har rätt förstås.

Långsamt drar hon fingrarna genom hans tjocka, rufsiga hår. Hon tittar på honom med ett plötsligt leende, går sedan fram till datorn, stänger av den och ställer den på byrån.

– Vet du att man enligt förkristen lag inte såg spädbarn som fullvärdiga människor innan de lagts till bröstet. Det var tillåtet att sätta ut spädbarnen i skogen under den tid som gick mellan förlossning och amning.

– Man blev människa genom andras val, säger Joona långsamt.

– Är det inte alltid så?

Hon öppnar sin garderob, lyfter ut en skokartong och tar upp ett par mörkbruna sandaletter med mjuka remmar och smäckra klackar, randiga av skiftande träslag.

– Nya? frågar Joona.

– Sergio Rossi. Jag fick dem av mig själv för att jag har ett så oglamouröst arbete, säger hon. Hela dagarna kryper jag omkring i en lerig åker.

– Är du ute i Sigtuna fortfarande?

– Ja.

– Var har ni egentligen hittat?

– Jag berättar när vi äter.

Han pekar på hennes sandaletter.

– Mycket snygga, säger han och reser sig ur fåtöljen.

Disa vänder sig om med ett beskt leende.

– Jag är ledsen, Joona, säger hon över axeln, men jag tror inte att de görs i din storlek.

Han stannar plötsligt till.

– Vänta, säger han och tar stöd mot väggen.

Disa tittar frågande på honom.

– Det var ett skämt, förklarar hon.

– Nej, det var hans fötter ...

Joona går förbi henne ut mot hallen, tar telefonen från jackan, ringer sambandscentralen och säger med samlad röst att Sunesson behöver omedelbar förstärkning på sjukhuset.

– Vad är det som har hänt? frågar Disa.

– Hans fötter, de var alldeles smutsiga, säger Joona till henne. De säger att han inte kan röra sig, men han har varit uppe. Han har varit uppe och gått omkring.

Joona slår numret till Sunesson och när ingen svarar tar han på sig jackan, viskar förlåt, lämnar lägenheten och springer nerför trappan.

*

Ungefär samtidigt som Joona ringer på Disas dörr sätter sig Josef Ek upp i sängen på sitt sjukhusrum.

Igår natt provade han om han kunde gå: han gled ner på golvet, var tvungen att stå stilla en lång stund med händerna på sängens gavel. Smärtan från de många såren sköljde över honom som kokande olja och stinget från den skadade levern fick det att svartna för blicken, men han kunde gå. Han hade sträckt ut slangarna till droppet och Bülowdränaget, kontrollerat vad som fanns i skåpet med sjukhusmaterial och sedan lagt sig igen.

Nu är det trettio minuter sedan nattpersonalen kom in och hälsade. Korridoren är nästan tyst. Josef drar sakta ut handledskatetern, känner suget i röret då det släpper hans kropp och ett litet flöde blod rinner ned i hans knä.

Det gör inte speciellt ont i kroppen när han lämnar sängen. Han tar sig till skåpet med sjukhusmaterial, hittar kompresser, skalpeller, engångssprutor och rullar av gasbinda. Han stoppar några sprutor i den vida, slappa fickan till sjukhusjackan. Med darrande händer öppnar han förpackningen till en skalpell och skär av slangen till dränaget. Slemmigt blod rinner ut och hans vänstra lunga sjunker långsamt ihop. Det värker bakom ena skulderbladet, han hostar svagt, men känner egentligen inte av förändringen, den minskade lungkapaciteten.

Plötsligt hörs steg utanför korridoren, gummisulor mot plastmattan. Med skalpellen i handen ställer sig Josef vid dörren, blickar ut genom rutan och väntar.

Sköterskan stannar till och pratar med den posterade polisen. Josef hör dem skratta åt något.

– Jag har slutat röka, svarar hon.

– Har du ett nikotinplåster så säger jag inte nej, fortsätter polisen.

– Jag har slutat med det också, svarar hon. Men gå ut på gården, jag blir ändå här en stund.

– Fem minuter, säger polisen ivrigt.

Polisen går, nycklarna skramlar, sköterskan bläddrar bland några papper och kommer sedan in i rummet. Hon ser egentligen bara förvånad ut. Skrattrynkorna i hennes ögonvrå framträder när skalpellens klinga tränger in i hennes hals. Josef är svagare än han trott, han får hugga henne flera gånger. Det stramar och bränner i hans kropp av de plötsliga rörelserna. Sköterskan faller inte genast utan försöker hålla sig fast i honom. De hasar ned på golvet tillsammans. Hennes kropp är alldeles svettig och ångande varm. Han försöker resa sig upp men halkar på hennes hår som fallit ut i en vid, blond kärve. När han drar loss skalpellen från hennes hals kommer det ett pipande ljud från henne. Hon börjar rycka med benen och Josef står en stund och ser på henne innan han fortsätter ut i korridoren. Hennes klänning har hasat upp och han ser tydligt de skära trosorna innanför nylonstrumpbyxorna.

Han går genom korridoren. Nu gör det mycket ont i levern. Han fortsätter till höger, hittar rena kläder på en vagn och byter om. En satt kvinna drar en golvmopp fram och tillbaka över den glänsande plastmattan. Hon lyssnar på musik i hörlurar. Josef närmar sig och ställer sig bakom henne och tar fram en engångsspruta. Han hugger flera gånger med sprutan i luften mot hennes rygg, men stannar varje gång innan spetsen når fram. Hon märker ingenting. Han stoppar sprutan i fickan, knuffar undan kvinnan med handen och passerar. Hon håller på att falla och svär på spanska. Josef stannar tvärt och vänder sig mot henne.

– Vad sa du? frågar han.

Hon tar av sig hörlurarna och tittar frågande på Josef.

– Sa du någonting? frågar han.

Hon skakar hastigt på huvudet och fortsätter städa. Han iakttar henne en stund och går sedan vidare mot hissen, trycker på knappen och ställer sig att vänta.

# 21

*Fredag kväll den elfte december*

MED HÖG HASTIGHET kör Joona Linna på Valhallavägen förbi Stadion där de olympiska sommarspelen hölls 1912. Han byter fil, kör om en stor Mercedes på insidan och ser Sophiahemmets röda tegelfasad flimra mellan träden. Däcken dundrar över en stor metallplatta. Han trampar ner gasen för att hinna före en blå linjebuss som är på väg att svänga ut från sin hållplats. Den tutar länge och upprört efter honom när han svänger in framför den. Vatten från en grå pöl stänker upp över de parkerade bilarna och trottoaren precis efter Tekniska högskolan.

Joona kör mot rött ljus vid Norrtull, passerar Stallmästaregården och hinner få upp farten till nästan 180 kilometer i timmen på den korta sträckan av Uppsalavägen innan avfarten böjer sig brant in under motorvägen och upp mot Karolinska.

När han parkerar intill huvudentrén ser han flera polisbilar stå med blåljusen fortfarande på, svepande som hemska vingslag över sjukhusets bruna tegelfasad. En grupp journalister har ringat in några sköterskor. De huttrar framför den stora entrén, deras ansikten är rädda och ett par av dem gråter öppet inför kamerorna.

Joona försöker gå in men blir genast hejdad av en ung polis som står och trampar av adrenalinchock eller upphetsning.

– Stick härifrån, säger polisen och knuffar till honom.

Joona ser in i ett par ljusblå, stumma ögon. Han tar bort polisens hand från sitt bröst och säger lugnt:

– Rikskrim.

Det sticker till av misstänksamhet i polisens blick.

– Legitimation, tack.

– Joona, skynda dig, det är här borta.

Carlos Eliasson, chef för Rikskriminalpolisen, står och vinkar på honom inne i det gulbleka ljuset vid receptionen. Genom fönsterrutan ser han Sunesson sitta på en bänk och gråta med hopskrynklat ansikte. En yngre kollega sätter sig bredvid och lägger armen om hans axlar.

Joona visar upp sin legitimation och polisen flyttar sig vresigt undan. Stora delar av entréområdet är avspärrat av plastband. Kameror blixtrar från journalisterna utanför glasväggarna och inne på sjukhuset fotograferar brottsplatsundersökarna.

Carlos är kommenderingschef vid insatsen och ansvarar både för den övergripande, strategiska ledningen och den minutoperativa, taktiska. Han ger snabba anvisningar till brottsplatskoordinatören och vänder sig sedan till Joona.

– Har ni honom? frågar Joona.

– Vittnen säger att han tog sig ut från foajén stödd på en rollator, säger Carlos stressat. Den står nere vid busshållsplatsen.

Han tittar i sitt anteckningsblock.

– Två bussar har lämnat området, sju taxibilar och färdtjänst ... och uppskattningsvis ett tiotal privatbilar och bara en ambulans.

– Har ni spärrat utfarterna?

– Det är för sent för det.

En uniformerad polis vinkas fram.

– Bussarna är spårade – det gav ingenting, säger han.

– Taxibilarna? frågar Carlos.

– Vi är klara med Taxi Stockholm och Taxi Kurir, men ...

Polisen gör en vilsen gest i luften som om han inte längre minns vad han skulle säga.

– Har du kontaktat Erik Maria Bark? frågar Joona.

– Vi ringde till honom direkt. Han svarade inte, men vi försöker få tag i honom.

– Han måste få beskydd.

– Rolle! ropar Carlos. Har du fått tag på Bark?

– Jag ringde precis, svarar Roland Svensson.

– Gör det igen, säger Joona.

– Jag måste snacka med Omar på sambandsenheten, säger Carlos och blickar runt. Vi ska ut med rikslarm.

– Vad vill du att jag ska göra?

– Håll dig här, kolla om jag har missat något, säger Carlos och ropar till sig Mikael Verner, en av teknikerna från mordroteln.

– Delge kommissarie Linna vad ni har hittat hittills, beordrar Carlos.

Verner tittar uttryckslöst på Joona och säger med nasal röst:

– En död sjuksköterska ... Flera vittnen såg den misstänkte ta sig ut med rollator.

– Visa mig, säger Joona.

De går tillsammans uppför brandtrappan eftersom hissarna och schakten inte är färdiggenomsökta ännu.

Joona betraktar de rödfläckiga fotspåren som den barfota Josef Ek har gjort på väg ned mot utgången. Det luktar elektricitet och död. Ett blodigt handavtryck på väggen ungefär där matvagnen stod förut tyder på att han har snavat till eller varit tvungen att stödja sig. På metallen till hissdörren ser Joona blod och något som liknar ett fettavtryck av en panna och nästipp.

De fortsätter genom korridoren och stannar i dörröppningen till rummet där han själv hade ett möte med Josef bara för någon timme sedan. En nästan svart blodpöl breder ut sig kring en kropp på golvet.

– Hon var sköterska, säger Verner sammanbitet. Ann-Katrin Eriksson.

Joona ser den dödas rågblonda hår och ett par ögon utan liv. Hennes sjuksköterskeuniform är upphasad över höfterna. Det ser ut som om mördaren försökt dra upp klänningen på henne, tänker han.

– Mordvapnet är sannolikt en skalpell, säger Verner torrt.

Joona muttrar något, tar upp sin telefon och ringer Kronobergshäktet.

En sömnig mansröst svarar något som Joona inte hör.

– Joona Linna här, säger han snabbt. Jag vill veta om Evelyn Ek är kvar hos er.

– Va?

Joona upprepar bistert:

– Är Evelyn Ek kvar på häktet?

– Det får du fråga vakthavande om, svarar rösten surt.

– Kan du hämta honom, tack.

– Ett ögonlock, säger mannen och lägger ifrån sig telefonen.

Joona hör honom gå iväg och en dörr som gnisslar. Sedan en ordväxling och något som slamrar. Han ser på klockan. Han har redan varit på sjukhuset i tio minuter.

Joona går mot trappan och fortsätter ner mot huvudentrén med telefonen mot örat.

– Jan Persson här, säger en fryntlig röst.

– Joona Linna på rikskrim. Jag vill höra hur det är med Evelyn Ek, säger han kort.

– Evelyn Ek, säger Jan Persson frågande. Jaså, hon. Vi har släppt henne. Det var inte lätt, hon vägrade gå härifrån, hon ville vara kvar på häktet.

– Har ni släppt ut henne?

– Nej, nej, åklagaren var här, hon sitter i ...

Joona hör Jan Persson bläddra i en katalog.

– Hon sitter i en av våra skyddade lägenheter.

– Bra, säger han. Ställ några poliser utanför hennes dörr. Hör du det?

– Vi är inga idioter, säger Jan Persson stött.

Joona avslutar samtalet, går fram till Carlos som sitter på en stol med en dator i knäet. En kvinna står bredvid och pekar på skärmen.

Omar på sambandsenheten upprepar kodordet Echo i sin kommunikationsradio. Det är den benämning som används för hundenheter vid insatser. Joona gissar att de har spårat de flesta bilarna vid det här laget utan resultat.

Joona vinkar mot Carlos, men lyckas inte fånga hans uppmärksamhet, struntar i det och fortsätter istället ut genom en av de mindre glasdörrarna. Det är mörkt och kallt i luften. Rollatorn står på den tomma busshållsplatsen. Joona ser sig omkring. Han väljer bort människorna som iakttar polisens arbete från andra sidan avspärrningarna, han väljer bort det rinnande blåljuset och polisernas stressade förflyttningar, han väljer bort fotografernas blixtrande kameror, och låter blicken istället gå över parkeringsplatsen, de mörka fasaderna och in mellan sjukhuskomplexets olika byggnader.

Joona börjar gå, ökar takten, kliver över de fladdrande plastbanden som avgränsar området, tränger sig igenom gruppen av nyfikna och blickar bort mot Norra begravningsplatsen. Han fortsätter ned till Solna kyrkoväg, går utmed staketet och försöker urskilja något mellan svarta silhuetter av träd och stenar. Ett nätverk av mer eller mindre upplysta gångvägar breder ut sig på ett sextio hektar stort område med minneslundar, planteringar, krematorium och 30 000 gravar.

Joona passerar grindstugan, skyndar på stegen, blickar bort mot Alfred Nobels ljusa obelisk, fortsätter förbi det stora gravkoret.

Plötsligt är det alldeles tyst. Larmet kring sjukhusets entré hörs inte längre. Det susar mellan trädens nakna grenar och hans egna steg ekar svagt mellan gravstenar och kors. Något stort fordon dånar borta på motorvägen. Det prasslar bland de torra löven under en buske. Här och var brinner gravljus i sina dimmiga glasburkar.

Joona börjar gå mot utkanten av kyrkogårdens östra långsida, den del som vetter mot påfarten till motorvägen och ser plötsligt någon röra sig i mörkret mellan de höga gravstenarna i riktning mot expeditionen. Kanske fyrahundra meter bort. Han stannar till och försöker skärpa sin blick. Skepnaden har en kantig, framåtböjd gång. Joona börjar springa mellan gravvårdar och planteringar, fladdrande ljuslågor och änglar av sten. Han ser den smala gestalten hasta över det frostiga gräset mellan träden. De vita kläderna fladdrar kring honom.

– Josef, ropar Joona. Stanna!

Pojken fortsätter in bakom en stor familjegrav med gjutjärnsstaket och krattat grus. Joona drar sitt vapen, osäkrar snabbt, springer i sidled, får syn på pojken, ropar åt honom att stanna och siktar på hans högra lår. Plötsligt står en gammal kvinna i vägen. Hon hade varit böjd vid en grav och sedan rest sig upp. Ansiktet befinner sig mitt i linjen. Det ilar till av ångest i Joonas mage. Josef försvinner in bakom en cypresshäck. Joona sänker vapnet och jagar efter honom. Han hör kvinnan jämra sig om att hon bara ville tända ett ljus på Ingrid Bergmans grav. Utan att titta på henne ropar han någonting om att det rör sig om ett polisärende. Han söker runt med blicken i mörkret. Josef är försvunnen mellan träden och stenarna. De glesa lyktstolparna lyser bara upp små områden, en grön parkbänk eller några få meter av en grusgång. Joona tar upp telefonen, slår numret till sambandsenheten och begär omedelbar förstärkning, det är en farlig situation, han behöver en hel enhet, minst fem grupper och helikopter. Han skyndar sig på skrå uppför en slänt, hoppar över ett lågt staket och stannar. Avlägsna hundskall hörs. En grusgång krasar en bit bort och Joona börjar springa i den riktningen. Han ser någon krypa mellan gravstenarna, följer honom med blicken, försöker komma närmare, hitta en eldlinje om han lyckas identifiera personen. Svarta fåglar flaxar upp. En soptunna välter. Plötsligt ser han hur Josef springer hukande bakom en brun, frostig häck. Joona halkar och hasar nedför en sluttning och in i ett ställ med vattenkannor och strutformade vaser. När han kommer upp kan han inte längre se Josef. Pulsen dånar i tinningarna. Han känner att han har skrapat upp ett sår på ryggen. Händerna är kalla och stumma. Han korsar grusvägen och blickar runt. En bil med Stockholms stads emblem på dörren syns långt borta, bakom expeditionsbyggnaden. Den svänger långsamt runt, de röda baklyktorna försvinner och ljuset från strålkastarna fladdrar över träden och belyser plötsligt Josef. Han står vinglande på den smala vägen. Huvudet hänger tungt fram, han tar ett par haltande steg. Joona springer så fort han bara kan. Bilen har stannat, framdörren öppnas och en man med helskägg kliver ur.

– Polis, ropar Joona.

Men de hör honom inte.

Han skjuter ett skott i luften och den skäggige mannen tittar åt hans håll. Josef närmar sig mannen med skalpellen i handen. Det rör sig om ett förlopp på några få sekunder. Det finns ingen möjlighet att hinna fram. Joona tar stöd på en gravsten, avståndet är mer än 300 meter, sex gånger så långt som banor i precisionsskytte. Kornet gungar framför Joona. Det är svårt att se, han blinkar och spänner ögat. Den gråvita gestalten smalnar och mörknar. En gren från ett träd rör sig gång på gång genom eldlinjen. Den skäggige mannen har vänt sig om mot Josef igen och tar ett steg bakåt. Joona försöker hålla kvar siktet och kramar avtryckaren. Skottet brinner av och rekylen fortplantas i armbåge och axel. Krutstänken svider till på hans nerkylda hand. Kulan försvinner bara spårlöst in bland träden. Ekot från knallen tonar bort. Joona siktar igen och ser Josef hugga den skäggige mannen i magen med kniven. Blod väller fram. Joona skjuter, kulan fladdrar genom Josefs kläder, han vinglar till och släpper kniven, trevar över ryggen, går fram och sätter sig i bilen. Joona börjar springa för att hinna ner till vägen men Josef har redan hunnit starta bilen, han kör rakt över den skäggige mannens ben och ger sedan full gas. När Joona förstår att han inte kommer att hinna ner till vägen, stannar han och siktar med pistolen på det främre däcket, skjuter och träffar. Bilen vingar till, men fortsätter ändå framåt, ökar farten och försvinner bort mot utfarten till motorvägen. Joona hölstrar pistolen, tar upp telefonen och rapporterar läget för sambandsenheten, ber att få prata med Omar och upprepar att han behöver en helikopter.

Den skäggige mannen lever fortfarande, en ström av mörkt blod rinner mellan hans fingrar ur såret i magen och båda benen ser ut att vara brutna.

– Det var ju bara en grabb, upprepar han chockat. Det var ju bara en grabb.

– Ambulans är på väg, säger Joona och hör äntligen en helikopter över gravplatsen, det smattrande ljudet från rotorbladen.

*

Klockan är mycket när Joona lyfter telefonen på sitt rum i polishuset, slår numret till Disa och väntar medan signalerna går fram.

– Låt mig vara, svarar hon släpigt.

– Låg du och sov, frågar Joona.

– Klart jag gjorde.

Det blir tyst en stund.

– Var maten god?

– Ja, det var den.

– Du förstår att jag var tvungen att ...

Han tystnar, hör hur hon gäspar och sätter sig upp i sängen.

– Är du okej? frågar hon.

Joona ser på sina händer. Trots att han har tvättat sig noga, tycker han att det kommer en vag lukt av blod från fingrarna. Han hade suttit på knä och hållit ihop det största såret i magen på mannen vars bil Josef Ek hade stulit. Den skadade hade varit vid klart medvetande hela tiden, pratat upprymt och nästan ivrigt om sin son som nyss tagit studenten och som för första gången helt ensam skulle resa till norra Turkiet och träffa sin farmor och farfar. Mannen hade tittat på Joona, sett hans händer över sin mage och häpet konstaterat att det inte alls gjorde ont.

– Är inte det underligt, hade han frågat och tittat på Joona med ett barns glänsande, klara blick.

Joona hade försökt tala lugnt, han hade förklarat för mannen att endorfinerna gjorde att han för tillfället var smärtfri. Kroppen var så chockad att den valde att bespara nervsystemet ytterligare en belastning.

Mannen hade tystnat och sedan frågat stillsamt:

– Är det så här att dö?

Han hade nästan försökt att le mot Joona:

– Gör det inte alls ont?

Joona öppnade munnen för att svara, men i samma ögonblick kom ambulansen och Joona hade känt hur någon varsamt flyttat undan hans händer från mannens buk och lett bort honom några meter medan ambulanspersonalen lyfte upp mannen på en bår.

– Joona? frågar Disa igen. Hur är det?

– Jag är okej, säger han.

Han hör henne röra sig, det låter som om hon dricker vatten.

– Vill du ha en ny chans? frågar hon sedan.

– Det vill jag väldigt gärna.

– Fastän du skiter i mig, säger hon hårt.

– Du vet att det inte är sant, svarar han och hör plötsligt hur oändligt trött han låter på rösten.

– Förlåt, säger Disa. Jag är glad att du är okej.

De avslutar samtalet.

Joona sitter stilla i ett ögonblick och lyssnar på den susande tystnaden i polishuset, sedan reser han sig upp, tar vapnet ur hölstret som hänger innanför dörren, plockar isär det, börjar långsamt rengöra och smörja in varje del. Han sätter ihop pistolen igen och går sedan fram till vapenskåpet och låser in den. Blodlukten är borta. Istället luktar hans händer starkt av vapenfett. Han sätter sig ned för att skriva en rapport till Petter Näslund, hans närmaste chef, om varför han fann det nödvändigt och befogat att avlossa sitt tjänstevapen.

## 22

*Fredag kväll den elfte december*

ERIK TITTAR PÅ MEDAN de tre pizzorna bakas och ber om mer salami på Simones. Telefonen ringer och han ser på displayen. När han inte känner igen numret stoppar han tillbaka telefonen i fickan. Det är antagligen en journalist igen. Han orkar inte med fler frågor just nu. När han går hemåt med de stora, varma kartongerna tänker han att han måste tala med Simone, förklara att han blev arg för att han var oskyldig, att han inte har gjort det hon tror, att han inte svikit henne ännu en gång, att han älskar henne. Han stannar till utanför floristen, tvekar, men går sedan in. Det ligger en mättad sötma i luften i affären. Fönstret mot gatan är immigt. Han bestämmer sig för att köpa en bukett rosor när telefonen ringer igen. Det är Simone.

– Hallå?

– Var är du någonstans? frågar hon.

– Jag är på väg.

– Vi är svinhungriga.

– Bra.

Han skyndar sig hem, går in genom porten och blir sedan stående i väntan på hissen. Genom portens gula, slipade glasruta ser världen utanför sagoaktig och förtrollad ut. Snabbt ställer han ned kartongerna på golvet, öppnar luckan till sopnedkastet och slänger buketten med rosor.

I hissen ångrar han sig, tänker att hon kanske hade blivit glad ändå och inte alls uppfattat det som ett försök att köpa sig fri, undvika en konfrontation.

Han ringer på dörren. Benjamin öppnar och tar emot pizzakartongerna. Erik hänger av sig ytterkläderna, går till badrummet och tvättar händerna. Han tar fram en karta med små, citrongula tabletter, trycker snabbt ut tre stycken, sväljer dem utan vatten och går sedan tillbaka till köket.

– Vi äter redan, säger Simone.

Erik ser på vattenglasen på bordet och muttrar något om godtemplare medan han tar fram två vinglas.

– Bra, säger Simone när han korkar upp en flaska.

– Simone, säger han. Jag vet att jag har gjort dig besviken, men ...

Eriks mobiltelefon ringer. De ser på varandra.

– Är det någon som vill svara? frågar Simone.

– Jag pratar inte med fler journalister i kväll, förklarar Erik.

Hon skär upp bitar av pizzan, tar en tugga och säger:

– Låt det ringa.

Erik häller upp vin i deras glas. Simone nickar och ler.

– Just det, säger hon plötsligt. Det har nästan försvunnit nu, men det luktade cigarettrök när jag kom hem.

– Har du någon kompis som röker? frågar Erik.

– Nej, svarar Benjamin.

– Gör Aida det?

Benjamin svarar inte, han äter snabbt, men slutar plötsligt, lägger bara ifrån sig besticken och tittar i bordet.

– Men gubben, vad är det? frågar Erik försiktigt. Vad tänker du på?

– Ingenting.

– Du vet att du kan berätta allt för oss?

– Gör jag?

– Tror du inte att ...

– Du fattar inte, avbryter han.

– Förklara för mig, försöker Erik.

– Nej.

De äter under tystnad. Benjamin stirrar in i väggen.

– God salami, säger Simone lågt.

Hon torkar bort läppstiftsavtrycket på glaset.

– Synd att vi har slutat laga mat tillsammans, säger hon till Erik.

– När skulle vi hinna det? försvarar han sig.

– Sluta bråka, skriker Benjamin.

Han dricker vatten och blickar ut genom fönstret på den mörka staden. Erik äter nästan ingenting men fyller på sitt glas två gånger.

– Fick du en spruta i tisdags? frågar Simone.

– Har pappa någonsin missat det?

Benjamin reser sig och ställer tallriken på diskbänken.

– Tack för maten.

– Jag gick och tittade på skinnjackan som du sparar till, säger Simone. Jag har tänkt att jag kan betala det som fattas.

Benjamin ler med hela ansiktet och går fram och kramar henne. Hon håller honom hårt, men släpper taget när hon anar den första rörelsen bort. Han går till sitt rum.

Erik bryter av en kant och stoppar den i munnen. Han har mörka ringar under ögonen och fårorna kring hans mun har djupnat. Det ligger ett plågat eller spänt drag över pannan.

Telefonen ringer igen. Den rör sig vibrerande över bordet.

Erik tittar på displayen och skakar på huvudet.

– Ingen vän till mig, säger han bara.

– Har du tröttnat på att vara kändis? frågar Simone mjukt.

– Jag har bara pratat med två journalister idag, ler han blekt. Men det räckte för min del.

– Vad ville de?

– Det var den där tidningen Café eller vad den heter.

– Den som har pinuppor på omslaget?

– Alltid någon tjej som ser häpen ut över att bli fotograferad i bara ett par trosor med engelska flaggan på.

Hon ler mot honom.

– Vad ville de?

Erik harklar sig och säger torrt:

– De frågade mig om det gick att hypnotisera kvinnor så att de vill ha sex och bla bla bla.

– Seriöst.

– Ja.

– Och det andra samtalet, frågar hon. Var det från Ritz eller Slitz?

– Dagens Eko, svarar han. De undrade hur jag såg på JO-anmälningen.

– Tråkigt.

Erik gnider sina ögon och suckar. Det ser ut som om han sjunkit ihop någon decimeter.

– Utan hypnosen, säger han sakta, skulle Josef Ek kanske ha mördat sin syster så fort han blivit utskriven från sjukhuset.

– Du skulle inte ha gjort det ändå, invänder Simone tyst.

– Nej, jag vet, svarar han och fingrar på glaset. Jag ångrar att jag ...

Han tystnar och Simone får en plötslig lust att röra honom, att omfamna honom. Men istället sitter hon bara där hon sitter, ser på honom och frågar:

– Hur ska vi göra?

– Göra?

– Med oss. Vi har sagt saker, att vi ska separera. Jag vet inte var jag har dig längre, Erik.

Han stryker sig hårt över ögonen.

– Jag förstår att du inte litar på mig, säger han och tystnar.

Hon möter hans trötta, glansiga blick, ser det slitna ansiktet, hans gråa, spretiga hår och tänker på att det fanns en tid då de nästan alltid hade roligt tillsammans.

– Jag är inte den du vill, fortsätter han.

– Sluta, säger hon.

– Vad då?

– Du säger att jag är missnöjd med dig, men det är du som

bedrar mig, som inte tycker att jag räcker till.

– Simone, jag ...

Han rör vid hennes hand, men hon drar undan den. Hans blick är dunkel och hon ser att han har tagit tabletter.

– Jag måste sova, säger Simone och reser sig.

Erik följer efter henne med askgrått ansikte och trötta ögon. På väg till badrummet känner hon noga på ytterdörren.

– Du får ligga i gästrummet, säger hon.

Han nickar, ser likgiltig ut, verkar nästan bedövad, och går bara och hämtar täcke och kudde.

*

Mitt i natten vaknar Simone av ett plötsligt stick i överarmen. Hon ligger på mage, rullar över på sidan och trevar över armen. Det spänner och kliar i muskeln. Sovrummet är mörkt.

– Erik? viskar hon, men kommer ihåg att han sover i gästrummet.

Hon vänder sig mot dörröppningen och ser en skugga försvinna ut. Parkettgolvet knäpper under tyngden från en människa. Hon tänker att Erik har gått upp för att hämta något, men inser att han borde sova djupt på sina sömntabletter. Hon tänder sänglampan, vänder armen mot ljuset och ser en pärla av blod komma från en liten rosa prick i huden. Hon måste ha stuckit sig på något.

Mjuka dunsar hörs från hallen. Simone släcker lampan igen och reser sig upp på svaga ben. Masserar den ömma armen medan hon går ut i det stora rummet. Hennes mun är torr och benen varma och stumma. Någon viskar i hallen och skrattar dämpat, kuttrande. Det låter inte alls som Erik. Simone ryser över ryggen. Ytterdörren står vidöppen. Det är mörkt i trapphuset. Svalare luft strömmar in. Det hörs något från Benjamins rum, ett svagt gnyende.

– Mamma?

Benjamin verkar rädd.

– Aj, hör hon honom kvida. Han börjar gråta, tyst och hest.

Via spegeln i korridoren ser Simone att någon står böjd över Benjamins säng med en spruta i handen. Tankarna flyger genom hennes huvud. Hon försöker förstå vad som händer, vad det är hon ser.

– Benjamin? säger hon med ängslig röst. Vad gör ni? Får jag komma in?

Hon harklar sig, tar ett steg närmare och plötsligt viker sig benen under henne, hon famlar med handen över serverings-skåpet, men kan inte hålla sig uppe. Hon rasar ned på golvet, slår huvudet mot väggen och känner hur smärtan börjar brinna i skallen.

Hon försöker komma upp, men kan inte längre röra sig, har ingen kontakt med benen, ingen känsel i underkroppen. Det pirrar konstigt i bröstet och andningen blir tyngre. Synen försvinner några sekunder och återvänder sedan grumligt.

Någon drar Benjamin i benen längs golvet, pyjamasjackan hasar upp, hans armar rör sig långsamt, förvirrat. Han försöker hålla sig fast i dörrkarmen men är för svag. Huvudet studsar mot tröskeln. Benjamin ser Simone i ögonen, han är skräckslagen, munnen rör sig men han får inte fram ett ord. Hon sträcker sig efter hans hand, men missar den. Hon försöker krypa efter, men orkar inte, ögonen rullar bakåt, hon ser ingenting, blinkar och uppfattar i korta fragment hur Benjamin släpas genom hallen, ut i trapphuset. Dörren stängs försiktigt. Simone försöker ropa på hjälp, men ingenting hörs, ögonen stängs, hon andas långsamt, tungt, får inte i sig tillräcklig med luft.

Det blir svart.

# 23

*Lördag morgon den tolfte december*

SIMONES MUN KÄNNS som om den är full av små glasbitar. När hon drar efter andan gör det fruktansvärt ont. Hon försöker känna i gommen med tungan, men den är svullet orörlig. Hon försöker titta, men ögonlocken höjer sig först bara minimalt. Det går inte att förstå vad det är hon ser. Långsamt framträder glidande ljus, metall och förhängen.

Erik sitter på en stol bredvid henne och håller henne i handen. Hans ögon är insjunkna och trötta. Simone försöker tala, men halsen känns alldeles sårig:

– Var är Benjamin?

Erik rycker till.

– Vad sa du? frågar han.

– Benjamin, viskar hon. Var är Benjamin?

Erik blundar och munnen ser spänd ut, han sväljer och möter hennes blick.

– Vad har du gjort? frågar han lågt. Jag hittade dig på golvet, Sixan. Du hade nästan ingen puls och om inte jag hade hittat dig...

Han stryker sig över munnen och talar mellan fingrarna:

– Vad har du gjort?

Det är tungt att andas. Hon sväljer flera gånger. Hon förstår att hon har blivit magpumpad, men vet inte vad hon ska säga. Hon har inte tid att förklara att hon inte har försökt ta sitt liv. Det är inte viktigt vad han tror. Inte just nu. När hon försöker skaka på huvudet mår hon illa.

– Var är han? viskar hon. Är han borta?

– Vad menar du?

Tårarna rinner efter hennes kinder.

– Är han borta? upprepar hon.

– Du låg i hallen, älskling. Benjamin hade redan gått ut när jag gick upp. Har ni bråkat?

Hon försöker skaka på huvudet igen, men orkar inte.

– Det var någon i vår lägenhet ... som tog honom, säger hon svagt.

– Vem?

Hon gråter kvidande.

– Benjamin? frågar Erik. Vad är det med Benjamin?

– Å gud, mumlar hon.

– Vad är det med Benjamin? nästan skriker Erik.

– Någon har tagit honom, svarar hon.

Erik ser rädd ut, han blickar runt, stryker sig darrande över munnen och går ned på knä bredvid henne.

– Berätta vad som har hänt, säger han med samlad röst. Simone, vad är det som har hänt?

– Jag såg någon släpa Benjamin genom hallen, säger hon nästan ljudlöst.

– Vad då släpa, vad menar du?

– Jag vaknade på natten av ett stick i armen, jag hade fått en spruta, någon gav mig ...

– Var? Var fick du sprutan?

– Du tror mig inte?

Hon försöker kavla upp ärmen på sin sjukhusrock, han hjälper henne och hittar ett litet rött märke mitt på överarmen. När han känner på svullnaden kring sticket med fingertopparna förlorar hans ansikte all färg.

– Någon tog Benjamin, säger hon. Jag kunde inte stoppa ...

– Vi måste ta reda på vad det är du har fått, säger han och trycker på larmknappen.

– Strunta i det, jag bryr mig inte, du måste hitta Benjamin.

– Jag ska göra det, säger han kort.

En sköterska kommer in och får korta instruktioner om blodprovet och skyndar sedan ut. Erik vänder sig mot Simone igen:

– Vad hände? Du är säker på att du såg någon släpa Benjamin genom hallen?

– Ja, svarar hon förtvivlat.

– Men du såg inte vem det var?

– Han drog Benjamin i benen genom hallen och ut genom dörren. Jag låg på golvet ... kunde inte röra mig.

Tårarna börjar rinna igen, han omfamnar henne och hon gråter mot hans bröst, trött och jämrande, med skakande kropp. När hon har lugnat sig en aning puttar hon mjukt undan honom.

– Erik, säger hon. Du måste hitta Benjamin.

– Ja, svarar han och lämnar rummet.

Sköterskan knackar på dörren och kommer in. Simone blundar för att slippa se henne fylla de fyra små rören med blod.

*

Erik går mot sitt rum på sjukhuset medan han tänker på ambulansfärden på morgonen när han hade hittat henne livlös på golvet, nästan helt utan puls. Den snabba färden genom den ljusa staden, rusningstrafiken som väjde undan, upp på trottoarerna. Magpumpningen, den kvinnliga läkarens effektivitet, hennes lugna snabbhet. Syretillskottet och den mörka skärmen med hjärtats ojämna rytm.

Erik slår på telefonen i korridoren, stannar till och lyssnar igenom alla nya meddelanden. Igår hade en polis vid namn Roland Svensson sökt honom fyra gånger för att erbjuda polisbeskydd. Det finns inget meddelande från Benjamin eller någon som haft något med hans försvinnande att göra.

Han ringer Aida och känner en isande våg av panik när hon med den ljusa rösten mättad av rädsla säger att hon inte har en aning om var Benjamin kan vara någonstans.

– Kan han ha åkt till det där stället i Tensta?

– Nej, svarar hon.

Erik ringer David, Benjamins gamla barndomskompis. Det är Davids mamma som svarar. När hon säger att hon inte har sett Benjamin på flera dagar, avbryter han bara samtalet mitt i hennes oroliga ordflöde.

Han slår numret till provtagningslaboratoriet för att få höra om deras analys, men de kan inte svara ännu, Simones blod har precis kommit in.

– Jag väntar i telefon, säger han.

Han hör dem arbeta och efter ett tag tar doktor Valdés luren och säger raspigt:

– Ja, hej Erik. Det ser ut att vara Rapifen eller något liknande med alfentanilsubstans.

– Alfentanil? Bedövningsmedlet?

– Antingen har någon rånat ett sjukhus eller en veterinär. Vi använder inte det här så mycket, det är så jävla beroendeframkallande. Men det ser ut som om din hustru hade en helvetes tur.

– Hur då? frågar Erik.

– Hon lever ju.

Erik går tillbaka till Simones rum för att fråga om detaljerna i bortförandet, gå igenom allting en gång till, men ser att hon har somnat. Hennes läppar är såriga och spruckna efter magpumpningen.

Telefonen ringer i hans ficka och han skyndar ut i korridoren innan han svarar.

– Ja?

– Det är Linnea i receptionen, du har besök.

Det tar några sekunder för Erik att förstå att kvinnan syftar på receptionen här på sjukhuset, på neurologen, att hon som talar är Linnea Åkesson som arbetat i receptionen i fyra år.

– Doktor Bark? frågar hon försiktigt.

– Har jag besök? Vem är det?

– Joona Linna, svarar hon.

– Okej, be honom komma upp till dagrummet. Jag väntar på honom där.

Erik klickar bort samtalet och blir sedan stående i korridoren medan tankarna rasar med oerhörd fart genom hans huvud. Han tänker på meddelandena på sin svarare, hur Roland Svensson från polisen ringde om och om igen för att erbjuda honom polisskydd. Vad är det som har hänt? Har någon hotat mig? frågar sig Erik och därefter blir han alldeles iskall i kroppen när han inser det ovanliga i att en rikskriminalkommissarie som Joona Linna söker upp honom personligen istället för att ringa.

Erik går till dagrummet, står framför plastkuporna över olika pålägg, känner den söta lukten från den skivade limpan. Ett illamående vrider sig i hans kropp. Händerna darrar när han häller upp vatten i ett repigt glas.

Joona är på väg hit, tänker han, för att berätta att de har hittat Benjamins kropp. Det är därför han kommer hit personligen. Han ska be mig sitta ner och sedan berätta att Benjamin är död. Erik vill inte tänka tanken, men ändå är den där, han tror inte på den, han vägrar tro på den, men den återvänder hela tiden, snabbare och snabbare visar tankarna upp skrämmande bilder på Benjamins kropp i ett dike bredvid motorvägen, i svarta sopsäckar i ett skogsområde, uppfluten på en lerig strand.

– Kaffe?

– Va?

– Ska jag hälla upp?

En ung kvinna med blänkande ljust hår står vid kaffebryggaren och håller upp den fyllda kannan mot honom. Det ångar från det nybryggda kaffet. Hon tittar undrande på honom. Han förstår att han har en tom kaffemugg i handen, skakar bara på huvudet och ser samtidigt hur Joona Linna kommer in i rummet.

– Vi sätter oss, säger Joona.

Hans blick är besvärad och undvikande.

– Okej, svarar Erik ljudlöst efter en liten stund.

De tar plats vid det innersta bordet, med pappersduk och saltkar. Joona kliar sig på ena ögonbrynet och viskar något.

– Va? frågar Erik.

Joona harklar sig lågt och säger sedan:

– Vi har försökt få tag på dig.

– Jag svarade inte i telefon igår, säger Erik svagt.

– Erik, jag är ledsen att behöva informera dig om ...

Joona hejdar sig kort, ger honom en granitgrå blick och förklarar:

– Josef Ek har rymt från sjukhuset.

– Va?

– Du har rätt till polisbeskydd.

Eriks mun börjar darra och ögonen fylls av tårar.

– Var det det du skulle säga? Att Josef har rymt?

– Ja.

Erik blir så lättad att han skulle vilja lägga sig ner på golvet och bara sova. Han torkar hastigt tårar från ögonen.

– När rymde han?

– Igår kväll ... han dödade en sjuksköterska och skadade en man mycket allvarligt, säger Joona tungt.

Erik nickar flera gånger och tankarna länkas hastigt samman på ett nytt, skrämmande sätt.

– Han kom till oss mitt i natten och tog Benjamin, säger han.

– Vad säger du?

– Han har tagit Benjamin.

– Såg du honom?

– Inte jag, men Simone ...

– Vad hände?

– Simone blev injicerad med ett starkt bedövningsmedel, säger Erik långsamt. Jag fick provsvaret precis nu, det är ett preparat som heter alfentanil och används vid stora kirurgiska ingrepp.

– Men hon mår bra?

– Hon kommer att klara sig.

Joona nickar och skriver ner namnet på läkemedlet.

– Säger Simone att Josef tog Benjamin?

– Hon såg inget ansikte.

– Jag förstår.

– Kommer ni att hitta Josef? frågar Erik.

– Det gör vi, lita på det. Rikslarm har sänts ut inom polisen, svarar Joona. Han är svårt skadad. Han kommer ingenvart.

– Men ni har inget spår?

Joona ger honom en hård blick.

– Jag tror att vi har honom snart.

– Bra.

– Var befann du dig när han kom hem till er?

– Jag sov i gästrummet, förklarar Erik. Jag hade tagit en tablett och hörde ingenting.

– Så när han kom till er kunde han bara se Simone i sovrummet?

– Antagligen.

– Fast det här stämmer inte, säger Joona.

– Det är lätt att missa gästrummet, det ser mer ut som en garderob, och när toalettdörren står öppen döljer den ingången.

– Inte det, säger han. Jag menar att det inte stämmer med Josef... han ger inte folk sprutor, han har ett mycket mer aggressivt beteende.

– Det kanske bara ser aggressivt ut för oss, säger Erik.

– Hur menar du?

– Han kanske vet vad han gör hela tiden, jag menar, ni hittade inget blod från pappan på honom ute i radhuset.

– Nej, men ...

– Det tyder på att han arbetar systematiskt, kyligt. Tänk om han bestämt sig för att hämnas på mig genom att ta Benjamin.

Det blir tyst. I ögonvrån ser Erik hur den blonda kvinnan vid kaffebryggaren står och läppjar på sin kopp medan hon blickar ut över sjukhusbyggnaderna.

Joona ser ned i bordet, sedan möter han Eriks blick och säger alldeles uppriktigt med sin mjuka, ömsinta finlandssvenska:

– Jag är verkligen ledsen, Erik.

*

Efter att han skilts från Joona utanför kafeterian går Erik till sitt kontor som också är hans övernattningsrum på sjukhuset. Han kan inte tro att Benjamin har blivit bortrövad. Det är helt enkelt för otroligt, för absurt att en främling skulle ha brutit sig in hos dem och släpat iväg hans son genom hallen och ut i trapphuset, ner på gatan och vidare någonstans.

Ingenting stämmer.

Det kan inte vara Josef Ek som har tagit hans son. Det går inte. Han vägrar tänka sig det. Det är omöjligt.

I en känsla av att allting omkring honom håller på att bli alldeles ohanterligt sätter han sig ned vid sitt slitna skrivbord och ringer och ringer och ringer samma människor om och om igen, som om han av deras nyanser i rösten skulle kunna utläsa om de förbisett någon viktig detalj, om de ljuger eller hemlighåller information. Han känner sig hysterisk när han ringer Aida tre gånger på rad. Första gången frågar han om hon vet om Benjamin har haft några särskilda planer för helgen. Andra gången ringer han för att fråga om hon har något telefonnummer till någon annan av hans vänner, han vet inte längre vilka Benjamin umgås med i skolan. Tredje gången frågar han om hon och Benjamin har bråkat och ger henne sedan alla telefonnummer som hon kan nå honom på, inklusive sjukhusets och Simones mobil.

Han ringer David en gång till och får bekräftat att Benjamin inte synts till sedan gårdagens lektioner. Då börjar han ringa polisen istället. Han frågar vad som händer, om de gör några framsteg. Därefter ringer Erik alla sjukhus i hela Stockholmsområdet. Han ringer Benjamins avstängda mobil för tionde gången och han ringer Joona och kräver med höjd röst att polisen ska intensifiera sökandet, att Joona ska begära mer resurser och han ber honom att göra sitt yttersta.

Erik går till rummet där Simone ligger, men stannar utanför. Han ser väggarna snurra runt, känner något tätna omkring sig. Hans hjärna kämpar för att förstå. Inom sig hör han ett oavbrutet hackande: ”Jag ska hitta Benjamin, jag ska hitta Benjamin.”

Genom glasrutan i dörren ser Erik på sin hustru. Hon är vaken, men ansiktet är trött och förvirrat, läpparna är bleka och de mörka ringarna kring ögonen har djupnat. Hennes rödblonda hår är trassligt av svett. Hon vrider på sin ring för sig själv, snurrar och pressar ringen mot fingerleden. Erik drar handen genom sitt hår och när han stryker sig över hakan känner han hur vass skäggstubben har blivit. Simone ser på honom genom glasrutan på dörren men hon rör inte en min.

Erik går in och sätter sig tungt vid hennes sida. Hon tittar till på honom och slår sedan ner blicken. Han ser hennes läppar dra ut sig i en plågsam min. Några stora tårar sväller och buktar i hennes ögon och näsan blir röd av gråt.

– Benjamin försökte få tag i mig, sträckte sig efter min hand, viskar hon. Men jag låg bara där, jag kunde inte röra mig.

Eriks röst är svag när han säger:

– Jag har precis fått veta att Josef Ek har rymt, han rymde igår kväll.

– Jag fryser, viskar hon.

Hon slår bort hans hand när han försöker lägga den ljusblåa sjukhusfilten över henne.

– Det är ditt fel, säger hon. Du var så jävla sugen på att hypnotisera att du ...

– Sluta Simone, det är inte mitt fel, jag försökte rädda en människa, det är mitt jobb att ...

– Men din son då? Räknas inte han? skriker hon.

När Erik försöker röra vid henne knuffar hon bort honom.

– Jag ringer pappa, säger hon med skakig röst. Han kommer att hjälpa mig att hitta Benjamin.

– Jag vill absolut inte att du ringer honom, säger Erik.

– Det visste jag att du skulle säga, men jag skiter faktiskt i dina känslor, jag vill bara ha tillbaka Benjamin.

– Jag ska hitta honom, Sixan.

– Varför tror jag dig inte?

– Polisen gör vad de kan och din pappa är ...

– Polisen? Det var ju polisen som släppte ut den där galningen, säger hon upprört. Var det inte det? De kommer inte att göra någonting för att hitta Benjamin.

– Josef är en seriemördare, polisen vill hitta honom, det kommer de att göra, men jag är inte dum, jag vet att Benjamin inte är viktig för dem, de bryr sig inte om honom, inte egentligen, inte som vi, inte som ...

– Jag säger ju det, avbryter hon irriterat.

– Joona Linna förklarade att ...

– Det är ju hans fel, det var ju han som fick dig att hypnotisera.

Erik skakar på huvudet och sväljer sedan hårt.

– Det var mitt val.

– Pappa skulle göra allt, säger hon lågt.

– Jag vill att du och jag går igenom varje liten detalj tillsammans, vi behöver tänka, vi behöver lugn och ro för att ...

– Vad fan kan vi göra? skriker hon.

Det blir tyst. Erik hör hur någon knäpper på teven i rummet bredvid.

Simone ligger i sängen med ansiktet bortvänt.

– Vi måste tänka, säger Erik försiktigt. Jag är inte säker på att det är Josef Ek som har ...

– Du är bara dum i huvudet, avbryter hon.

Simone försöker ta sig upp ur sängen, men orkar inte.

– Får jag bara säga en sak?

– Jag tänker skaffa en pistol och så tänker jag hitta honom, säger hon.

– Ytterdörren var öppen två nätter i rad, men ...

– Jag sa ju det, avbryter hon. Jag sa ju att någon var inne i lägenheten, men du trodde inte på mig, det gör du aldrig, om du bara hade trott på mig så skulle ...

– Lyssna nu, avbryter Erik. Josef Ek låg i sin säng på sjukhuset den första natten, det kan inte ha varit han som var inne i lägenheten och öppnade kylskåpet.

Hon lyssnar inte på honom, försöker bara resa sig upp. Hon stönar argt och lyckas gå till det smala skåpet där hennes kläder är inhängda. Erik står där utan att hjälpa henne, ser henne darrande klä på sig, hör henne svära tyst för sig själv.

## 24

*Lördag kväll den tolfte december*

DET ÄR REDAN KVÄLL när Erik äntligen får Simone utskriven från sjukhuset. Allt är i en enda röra i lägenheten, sängkläder är utdragna i korridoren, lamporna tända, kranen i badrummet rinner, skorna ligger huller om buller på hallmattan, telefonen är slängd på parkettgolvet och batterierna ligger bredvid.

Erik och Simone ser sig omkring med en kramande otäck förnimmelse av att något i hemmet för alltid är förlorat för dem. Föremålen har blivit främmande, betydelselösa.

Simone reser en stol, sätter sig och börjar dra av sig sina stövlar. Erik stänger av kranen i badrummet och går sedan in i Benjamins rum. Han tittar på skrivbordets rödmålade skiva. Skolböckerna som ligger vid datorn, klädda med grått skyddspapper. På anslagstavlan sitter ett fotografi på honom själv från tiden i Uganda, leende och solbränd, med händerna i fickorna till läkarrocken. Erik rör lätt vid Benjamins jeans som hänger över stolen tillsammans med den svarta tröjan.

Han återvänder till vardagsrummet och ser Simone stå med telefonen i handen. Hon stoppar tillbaka batterierna och börjar slå ett nummer.

– Vem ringer du?

– Jag ska ringa pappa, svarar hon.

– Kan du vänta lite med det?

Hon låter honom ta telefonen från hennes händer.

– Vad vill du säga? frågar hon trött.

– Jag orkar inte träffa Kennet, inte nu, inte ...

Han tystnar, lägger telefonen på bordet och stryker sig över ansiktet innan han börjar om:

– Kan du respektera att jag inte vill lämna allt jag har i händerna på din pappa?

– Kan du respektera att ...

– Sluta med det där, avbryter han.

Hon tittar sårat på honom.

– Sixan, jag har lite svårt att samla tankarna just nu. Jag vet inte, det känns som om jag bara vill skrika eller vad som helst ... jag orkar faktiskt inte ha din pappa i närheten.

– Är du färdig? säger hon och håller fram handen för att få telefonen.

– Det här handlar om vårt barn, säger han.

Hon nickar.

– Kan det få göra det? Kan det få handla om honom? fortsätter han. Jag vill att du och jag letar efter Benjamin ... tillsammans med polisen, precis som man ska göra.

– Jag behöver min pappa, säger hon.

– Jag behöver dig.

– Det tror jag faktiskt inte på, svarar hon.

– Varför tror du inte ...

– För att du bara vill bestämma över mig, avbryter hon.

Erik går ett varv, stannar.

– Din pappa är pensionerad, han kan inte göra någonting.

– Han har kontakter, säger hon.

– Han tror det, han tror att han har kontakter, han tror att han fortfarande är kommissarie, men han är bara en vanlig pensionär.

– Du vet inte ...

– Benjamin är ingen hobby, avbryter Erik.

– Jag bryr inte mig om vad du säger.

Hon tittar på telefonen.

– Jag kan inte stanna här om han kommer.

– Gör inte så här, säger hon lågt.

– Du vill bara att han ska komma hit och berätta för dig att jag har gjort fel, att allt är mitt fel, precis som han gjorde när vi fick reda på Benjamins sjukdom, allt är Eriks fel, jag menar, jag förstår att det är bekvämt för dig, men för mig är det . . .

– Du är faktiskt tramsig, avbryter hon leende.

– Om han kommer hit så går jag.

– Det skiter jag i, säger hon sammanbitet.

Hans axlar sjunker ned. Hon är halvt bortvänd när hon slår numret.

– Gör det inte, ber Erik.

Hon ser inte på honom. Han vet att han inte kan stanna. Det är omöjligt att vara kvar här när Kennet kommer. Han ser sig omkring. Det finns ingenting han vill ta med sig. Han hör signalerna i tystnaden och ser skuggan från Simones ögonfransar darra på kinden.

– Fan för dig, säger han och går ut i hallen.

Medan Erik får på sig skorna hör han Simone prata med Kennet. Med gråt i rösten ber hon honom komma så fort han bara kan. Erik tar jackan från galgen, lämnar lägenheten, stänger dörren och låser efter sig. Han går nedför trapporna, stannar till, tänker att han borde återvända och säga någonting, förklara för henne att det inte är rättvist, att det här är hans hem, hans son, hans liv.

– Fan, säger han lågt och fortsätter ned till porten och ut på den mörka gatan.

*

Simone står i fönstret och anar sitt ansikte som en genomskinlig skugga i kvällsmörkret. När hon ser pappans gamla Nissan Primera dubbelparkera utanför porten måste hon tvinga tillbaka gråten. Hon står redan i hallen när det knackar på dörren, öppnar med säkerhetskedjan på, stänger, hakar av kedjan och försöker le.

– Pappa, säger hon samtidigt som tårarna börjar rinna.

Kennet omfamnar henne och när hon känner den välbekanta lukten av läder och tobak från hans skinnjacka flyttas hon under ett par sekunder tillbaka till den tid då hon var ett barn.

– Nu är jag här, gumman, säger Kennet.

Han sätter sig på stolen i hallen med henne i knäet.

– Är inte Erik hemma? frågar han.

– Vi har separerat, viskar hon.

– Oj, oj, försöker Kennet.

Han fiskar upp en näsduk och hon glider av hans knä och snyter sig flera gånger. Sedan hänger han av sig jackan på en krok, noterar att Benjamins ytterkläder är orörda, att hans skor är lämnade i skostället och att ryggsäcken står lutad mot väggen intill ytterdörren.

Han tar sin dotter om axlarna, torkar henne försiktigt under ögonen med tummen och leder sedan in henne i köket. Där placerar han henne på en stol, tar fram filter och burken med kaffe och slår på bryggaren:

– Nu ska du berätta allting för mig, säger han lugnt medan han ställer fram muggar. Börja bara från början.

Och Simone berättar ingående om den första natten då hon vaknade av att någon befann sig i lägenheten. Hur hon kände lukten av cigarettrök i köket, hur ytterdörren bara stod öppen och hur det disiga ljuset flödade från kylskåp och frys.

– Och Erik? frågar Kennet uppfordrande. Vad gjorde Erik?

Hon tvekar innan hon möter sin fars blick och säger:

– Han trodde inte på mig ... sa att det var någon av oss som gått i sömnen.

– Helvete, säger Kennet.

Simone känner sitt ansikte skrynkla ihop sig igen. Kennet slår i kaffe åt dem, antecknar något på ett papper och ber henne fortsätta.

Hon berättar om nålsticket i armen som väckte henne natten

därpå, hur hon gick upp och hörde konstiga ljud från Benjamins rum.

– Vad då för ljud? frågar Kennet.

– Kuttranden, säger hon tveksamt. Eller mumlanden. Jag vet inte.

– Och sedan?

– Jag frågade om jag fick komma in, så såg jag att det var någon där, någon som lutade sig över Benjamin och ...

– Ja?

– Sedan vek sig mina ben, jag blev helt stum och föll, kunde bara ligga på golvet, jag låg i korridoren och såg hur Benjamin släpades ut ... Gud, hans ansikte, han var så rädd. Han ropade på mig och försökte nå mig med sina händer. Jag kunde inte längre röra mig.

Hon sitter tyst och stirrar framför sig.

– Minns du något mer?

– Va?

– Hur såg han ut? Han som kom in?

– Jag vet inte.

– Såg du någonting?

– Han rörde sig konstigt, med böjd rygg, som om han hade ont.

Kennet antecknar.

– Tänk efter, uppmanar han.

– Det var mörkt, pappa.

– Och Erik? frågar Kennet. Vad gjorde han?

– Han sov.

– Sov?

Hon nickar.

– Han har tagit rätt mycket sömntabletter de senaste åren, säger hon. Han låg i gästrummet och hörde ingenting.

Kennets blick är fylld av förakt och Simone känner plötsligt en smula förståelse för att Erik har gått sin väg.

– Vad är det för tabletter, frågar Kennet. Har du namnet?

Hon tar sin pappas händer:

– Pappa, det är inte Erik som är anklagad här.

Han drar åt sig händerna.

– Våld mot barn begås nästan uteslutande av någon inom familjen.

– Jag vet det, fast . . .

– Nu tittar vi på fakta, avbryter Kennet lugnt. Gärningsmannen har uppenbarligen medicinska kunskaper och tillgång till mediciner.

Hon nickar.

– Du såg inte Erik ligga i gästrummet?

– Dörren var stängd.

– Men du såg honom inte. Eller hur? Och du vet inte om han tog sömntabletter den här kvällen.

– Nej, måste hon erkänna.

– Jag tittar bara på det vi vet, Sixan, säger han. Vi vet faktiskt att du inte såg honom sova. Kanske sov han i gästrummet, men det vet vi ingenting om.

Kennet reser sig upp och tar fram bröd ur skafferiet och pålägg ur kylskåpet. Han gör i ordning en ostmacka till Simone och räcker den till henne.

Efter en stund harklar han sig och frågar:

– Varför öppnar Erik dörren för Josef?

Hon stirrar på honom.

– Vad menar du?

– Om han gjorde det – vad skulle han ha för skäl?

– Jag tycker att det här är ett dumt samtal.

– Varför?

– Erik älskar Benjamin.

– Ja, men något gick kanske fel. Erik skulle kanske bara prata med Josef, få honom att ringa polisen eller . . .

– Sluta pappa, ber Simone.

– Vi måste ställa de här frågorna om vi ska hitta Benjamin.

Hon nickar med känslan av att hennes ansikte är söndertrasat, och sedan säger hon knappt hörbart:

– Erik trodde kanske att det var någon annan som knackade på.

– Vem?

– Jag tror att han träffar en kvinna som heter Daniella, säger hon utan att möta faderns blick.

# 25

*Söndag morgon den trettonde december, lucia*

SIMONE VAKNAR KLOCKAN fem på morgonen. Kennet måste ha burit henne till sängen och bäddat ner henne. Hon går raka vägen till Benjamins rum med en fladdrande förhoppning i bröstet, men känslan sveps bort när hon stannar på tröskeln.

Rummet är övergivet.

Hon gråter inte, men tänker att smaken av gråt och ångest har gått in i allt, som en droppe mjölk gör klart vatten grumligt. Hon försöker styra sina tankar, törs inte tänka på Benjamin, inte på riktigt, törs inte släppa in skräcken.

Lampan är tänd i köket.

Kennet har täckt bordet med papperslappar. Polisradion står på diskbänken. Ett sorlande surr hörs från apparaten. Han står helt stilla och stirrar ut i luften ett kort ögonblick, sedan stryker han sig om hakan ett par gånger.

– Bra att du fick sova lite, säger han.

Hon skakar på huvudet.

– Sixan?

– Ja, mumlar hon och går fram till kökskranen, fyller händerna med kallt vatten och sköljer sitt ansikte. När hon torkar av sig med kökshandduken ser hon sin spegelbild i fönsterrutan. Det är fortfarande mörkt utanför, men snart kommer gryningen med sitt nät av silver, vinterkyla och decemberdunkel.

Kennet skriver på en bit papper, flyttar undan ett ark och noterar något i ett kollegieblock. Hon sätter sig på stolen mittemot sin pappa och försöker förstå vart Josef kan ha fört

Benjamin, hur han kunde ta sig in i deras lägenhet och varför han tog just Benjamin och inte någon annan.

– Lyckans son, viskar hon.

– Vad sa du? frågar Kennet.

– Nej, ingenting...

Hon tänkte på att lyckans son är den hebreiska betydelsen av Benjamin. Rakel i Gamla testamentet var hustru till Jakob. Han jobbade i fjorton år för att få gifta sig med henne. Rakel fick två söner, Josef, han som tolkade faraos drömmar, och Benjamin, lyckans son.

Simones ansikte drar ihop sig av återhållen gråt. Utan ett ord lutar sig Kennet fram och kramar hennes axel.

– Vi hittar honom, säger han.

Hon nickar.

– Jag fick den här bibban precis innan du vaknade, säger han och knackar på en mapp som ligger på bordet.

– Vad är det för papper?

– Du vet, radhuset i Tumba, där Josef Ek... Det här är rapporten från brottsplatsundersökningen.

– Är inte du pensionär?

Han ler och puttar över mappen till henne, hon öppnar den och läser den systematiska genomgången av fingeravtryck, handavtryck, spår efter kroppar som släpats, hårstrån, hudrester under naglar, skador på knivbladet, ryggmärg på ett par innetofflor, blod på teven, blod på rislampan, på trasmattan, gardinerna. Fotografier glider ur en plastficka. Simone försöker undvika att se, men hjärnan hinner ändå uppfatta ett fasansfullt rum: vardagliga föremål, bokhyllor, stereobänk är täckta av svart blod.

Ett golv med stympade kroppar och kroppsdelar.

Hon reser sig, går fram till diskhon och försöker kräkas.

– Förlåt, säger Kennet. Jag tänkte inte på... Ibland glömmer jag att alla inte är poliser.

Hon blundar och tänker på Benjamins rädda ansikte och

ett mörkt rum med alldeles kallt blod på golvet. Hon lutar sig fram och kräks. Strängar av slem och galla lägger sig över kaffekoppar och matskedar. När hon sköljer munnen och hör pulsen slå i en hög ton i öronen blir hon rädd för att hon håller på att bli fullständigt hysterisk.

Hon håller sig fast i diskbänken och andas lugnt, samlar sig och tittar på Kennet.

– Det är ingen fara, säger hon svagt. Jag kan bara inte koppla ihop allt det här med Benjamin.

Kennet går och hämtar en filt, sveper den om henne och sätter henne varsamt ned på stolen igen.

– Om Josef Ek har fört bort Benjamin så vill han något, eller hur, för han har inte gjort på det här sättet tidigare ...

– Jag orkar kanske inte, viskar hon.

– Får jag bara säga att jag tror att Josef Ek letade efter Erik, fortsätter Kennet. Men när han inte hittade honom så tog han Benjamin istället för att göra en utväxling.

– Då måste han leva – visst måste han det?

– Det är klart att han gör, säger Kennet. Vi måste bara förstå var han har gömt honom, var Benjamin finns.

– Var som helst, det kan vara var som helst.

– Tvärt om, säger Kennet.

Hon tittar på honom.

– Det handlar nästan uteslutande om hemmet eller i en sommarstuga.

– Men det här än ju hans hem, säger hon med höjd röst och knackar med fingret på plastfickan med fotografier.

Kennet stryker bort brödsmulor från bordet med handflatan.

– Dutroux, säger han.

– Va? frågar Simone.

– Dutroux, minns du Dutroux?

– Jag vet inte ...

Kennet berättar på sitt sakliga sätt om pedofilen Marc Dutroux som kidnappade och torterade sex flickor i Belgien. Julie

Lejeune och Melissa Russo svalt ihjäl när Dutroux avtjänade ett kort fängelsestraff för bilstöld. Eefje Lambrecks och An Marchal begravdes levande i trädgården.

– Dutroux hade ett hus i Charleroi, fortsätter han. I källaren hade han byggt ett utrymme med en 200 kilo tung lönndörr. Det gick inte att knacka efter tomrum. Enda sättet att hitta utrymmet var att mäta huset, det hade olika mått inuti och utanpå. Sabine Dardenne och Laetitia Delhez hittades vid liv.

Simone försöker resa sig. Hon känner hjärtat slå med konstiga knuffar i bröstet. Hon tänker på att det finns män som drivs av ett behov att mura in människor, som blir lugna av deras rädsla nere i mörkret, av att veta att de ropar efter hjälp bakom tysta väggar.

– Benjamin behöver sin medicin, viskar hon.

Simone ser sin pappa gå fram till telefonen. Han slår ett nummer, väntar en kort stund och säger sedan hastigt:

– Charley? Du, det är en sak jag måste veta om Josef Ek. Nej, det rör hans hus, radhuset.

Det blir tyst en stund, sedan hör Simone någon tala med grov, låg röst.

– Ja, säger Kennet. Jag förstår att ni har undersökt det, jag har hunnit kika i brottsplatsundersökningen.

Den andre fortsätter att tala. Simone blundar och lyssnar på polisradions surrande som uppgår i telefonröstens dova humleljud.

– Men ni har inte mätt huset? hör hon sin pappa fråga. Nej, det är klart, men …

Hon öppnar ögonen och känner plötsligt en kort adrenalinvåg skaka undan sömnigheten.

– Ja, det vore bra … kan du buda ritningen, säger Kennet. Och alla bygglovshandlingar som … Ja, samma adress. Ja … Stort tack.

Han avslutar samtalet och står sedan och blickar ut genom det svarta fönstret.

– Kan Benjamin finnas i radhuset? frågar hon. Kan han det? Pappa?

– Det är det vi ska undersöka.

– Men kom då, säger hon otåligt.

– Charley budar över ritningarna, säger han.

– Vad då ritningar? Jag skiter väl i ritningar, pappa. Vad väntar du på? Vi åker dit, jag kan bryta upp varenda liten ...

– Det är ingen idé, avbryter han. Jag menar ... det är bråttom, men jag tror inte att vi vinner tid på att åka till huset och börja riva vägg efter vägg.

– Men någonting måste vi göra, pappa.

– Huset har kryllat av poliser de senaste dagarna, förklarar han. Om det finns något uppenbart så skulle de ha hittat det, även om de inte har letat efter Benjamin.

– Men ...

– Jag måste titta på ritningarna, se var man skulle kunna bygga ett lönnrum, få fram mått som jag kan jämföra med dem vi mäter upp på plats i huset.

– Men om det inte finns något rum – var är han då?

– Familjen delade ett sommarhus utanför Bollnäs med pappans bröder ... jag har en vän där som lovade att åka över. Han kände väl till området där Eks familj hade sitt hus. Det ligger i den äldre delen av ett fritidshusområde.

Kennet tittar på klockan och slår ett nummer.

– Tjena Svante, det är Kennet här, jag undrar ...

– Jag är där nu, avbryter vännen.

– Var?

– Inne i huset, säger Svante.

– Du skulle ju bara titta.

– Jag blev insläppt av de nya ägarna, Sjölin, som har ...

Någon talar i bakgrunden.

– Sjödin heter de, rättar han sig. De har ägt huset i över ett år.

– Tack för hjälpen.

Kennet avbryter samtalet. Ett skarpt veck går över hans panna.

– Och stugan? frågar Simone. Den där stugan där systern höll till?

– Vi har haft folk där, flera gånger, men du och jag skulle kunna åka dit och titta ändå.

De blir tysta, med tankfulla, inåtvända blickar. Det rasslar i brevlådan, den försenade morgontidningen pressas in och dunsar på hallgolvet. Ingen av dem rör sig. Några brevlådor skramlar längre ner och sedan öppnas porten mot gatan.

Kennet höjer plötsligt volymen på polisradion. Ett anrop har gått ut. Någon svarar, begär information. Kortfattade ord byts, Simone uppfattar något om en kvinna som hört skrik från grannlägenheten. En bil skickas dit. I bakgrunden skrattar någon och påbörjar ett långt resonemang om varför hans vuxna lillebror fortfarande bor hemma och får mackorna bredda varje morgon. Kennet skruvar ned volymen igen.

– Jag sätter på lite kaffe, säger Simone.

Ur sin militärgröna tygväska tar Kennet upp en kartbok över Storstockholm. Han plockar bort ljusstakarna från bordet och ställer dem i fönstret innan han slår upp boken. Simone står bakom honom och betraktar det trassliga nätverk av vägar, tåg, och bussförbindelser som korsar varandra i röda, blåa, gröna och gula färger. Skogar och geometriska system av förorter.

Kennets finger går utmed en gul väg söder om Stockholm, förbi Älvsjö, Huddinge, Tullinge och ned till Tumba. Tillsammans granskar de sidan över Tumba och Salem. Det är en blek karta över ett gammalt stationssamhälle som fått ett nytt centrum vid pendeltågsstationen. De kan avläsa efterkrigstidens konstruerade bekvämlighet med höghus och affärer, kyrka, bank och systembolag. Kring denna kärna breder grenar av radhus och villaområden ut sig. Några halmgula åkrar ligger strax norr om samhället och ersätts efter ett par mil av skogar och sjöar.

Kennet följer gatunamnen i radhusområdet och ringar in en punkt bland de smala rektanglarna som ligger parallella som revben.

– Vart fan har budet tagit vägen? muttrar Kennet.

Simone häller upp kaffe i två muggar och ställer fram paketet med bitsocker till sin far.

– Hur kunde han komma in? frågar Simone.

– Josef Ek? Ja, antingen så hade han en nyckel eller så låste någon upp dörren åt honom.

– Går det inte att dyrka upp ...

– Inte det här låset, det är för svårt, det är mycket lättare att bryta upp dörren i så fall.

– Ska vi titta i Benjamins dator?

– Vi borde redan ha gjort det. Jag tänkte på det förut, men glömde bort det, jag börjar nog bli lite trött, säger Kennet.

Simone upptäcker att han ser gammal ut. Hon har aldrig tänkt på hans ålder förut. Han tittar på henne med ledsen mun.

– Försök att sova medan jag kollar datorn, säger hon.

– Nej, för fan.

När Simone och Kennet går in i Benjamins rum känns det som om det aldrig har varit bebott. Benjamin är plötsligt så fruktansvärt långt borta.

Simone känner ett illamående av skräck resa sig som en våg i magen. Hon sväljer och sväljer, i köket står polisradion och sorlar, piper och snurrar. Här inne i mörkret väntar döden som en svart frånvaro, en brist som hon aldrig kommer att hämta sig ifrån.

Hon slår på datorn och skärmen blixtrar till och lamporna tänds med ett pustande, fläktarna börja snurra och hårddisken stöter fram kommandon. När operativsystemets välkomstmelodi hörs är det som om något av Benjamin kommer tillbaka.

De drar fram varsin stol och sätter sig ned. Hon klickar på

miniatyrbilden av Benjamins ansikte för att logga in.

– Nu gör vi det här långsamt och metodiskt, gumman, säger Kennet. Vi börjar med mejlen och ...

Han tystnar när datorn begär ett lösenord för att gå vidare.

– Försök med hans namn, säger Kennet.

Hon skriver Benjamin, men nekas tillträde. Hon skriver Aida, vänder på namnen, sätter ihop dem. Skriver Bark, Benjamin Bark, rodnar när hon provar Simone och Sixan, försöker med Erik, provar namnen på de artister Benjamin lyssnar på, Sexsmith, Ane Brun, Rory Gallagher, Lennon, Townes Van Zandt, Bob Dylan.

– Det går inte, säger Kennet. Vi får ta hit någon som bara öppnar burken åt oss.

Hon provar att skriva några filmtitlar och regissörer som Benjamin brukar prata om, men ger upp efter ett tag, det är omöjligt.

– Vi borde ha fått ritningarna nu, säger Kennet. Jag ringer Charley och hör vad som händer.

Båda rycker till när det knackar på ytterdörren. Simone stannar i korridoren och tittar med bultande hjärta på Kennet när han går ut i hallen och vrider låsvredet runt.

*

Decembermorgonen är ljus som sand, det är någon plusgrad i luften när Kennet och Simone kör in i det kvarter i Tumba där Josef Ek föddes, växte upp och där han vid femton års ålder slaktade nästan hela sin familj. Huset ser ut som de andra husen på gatan. Prydligt och oansenligt. Vore det inte för det blåvita avspärrningsbandet skulle ingen kunna ana att detta hus för ett par dagar sedan var skådeplatsen för två av de värsta, mest utdragna och nådlösa morden i landets historia.

En cykel med stödhjul står lutad mot sandlådan på framsidan. Avspärrningsbandet har lossnat i ena änden, blåst iväg och fastnat i brevlådan mitt emot. Kennet stannar inte, utan kör sakta förbi huset. Simone kisar mot fönstren. Det ser helt övergivet ut. Hela radhuslängan verkar mörk. De fortsätter till vändplanen, svänger runt och närmar sig åter brottsplatsen när Simones telefon plötsligt ringer.

– Hallå? svarar hon snabbt och lyssnar kort. Har det hänt någonting? frågar hon.

Kennet stannar till, låter motorn gå, men vrider sedan tändningsnyckeln, drar åt parkeringsbromsen och lämnar bilen. Från det stora bagageutrymmet tar han fram kofot, måttband och ficklampa. Han hör Simone säga att hon måste avsluta samtalet innan han slår igen bakluckan.

– Vad tror du? skriker Simone i telefonen.

Kennet hör henne genom bilens glasrutor och ser hennes upprörda ansikte när hon lämnar passagerarplatsen med ritningarna i handen. Utan att prata går de tillsammans mot den vita grinden i det låga staketet. Kennet petar fram dörrnyckeln ur ett kuvert, fortsätter fram till dörren och låser upp. Innan han går in vänder han sig om mot Simone, nickar kort och ser hennes sammanbitna ansikte.

Så fort de kommer in i hallen möts de av en kväljande lukt av härsket blod. Simone känner ett kort ögonblick paniken fladdra upp i bröstet: det är en rutten, söt och avföringsliknande stank där inne. Hon sneglar på Kennet. Han verkar inte rädd, bara koncentrerad, avvägd i rörelserna. De rör sig förbi vardagsrummet och Simone anar i ögonvrån den blodiga väggen, det överväldigande kaoset, skräcken som stiger från golvet och blodet över täljstenskaminen.

Ett konstigt, knakande ljud hörs någonstans inifrån huset. Kennet tvärstannar, tar sakligt fram sin före detta tjänstepistol, osäkrar den och kontrollerar att en patron ligger i loppet.

Något hörs igen. Ett svajande, tungt ljud. Det låter inte som fotsteg, utan mer som en människa som långsamt kryper.

# 26

*Söndag morgon den trettonde december, lucia*

ERIK VAKNAR I DEN smala sängen i sitt rum på sjukhuset. Det är mitt i natten. Han tittar på klockan i telefonen. Hon är snart tre. Han tar en ny tablett, ligger sedan huttrande under filten tills pirrningarna sprider sig i kroppen och mörkret sveper in.

När han vaknar några timmar senare har han mycket ont i huvudet. Han tar en värktablett, ställer sig i fönstret och glider med blicken uppför den dystra fasaden med hundratals fönster. Himlen är vit, men fortfarande är alla glasrutorna mörka. Erik lutar sig fram, känner det svala glaset mot nästippen och tänker sig att han just nu blickar tillbaka på sig själv genom alla fönster samtidigt.

Han lägger telefonen på skrivbordet och klär sedan av sig. Den lilla duschkabinen luktar plast och desinfektionsmedel. Det varma vattnet rinner över hans huvud och nacke och slår dånande mot plexiglaset.

När han torkat sig stryker han bort lite imma från spegeln, fuktar ansiktet och lägger på raklödder, råkar fylla näsborrarna och fnyser bort skummet. Den rena ytan på spegeln sluter sig kring en allt mindre oval medan han rakar sig.

Han tänker på att Simone sa att dörren var öppen redan kvällen innan Josef Ek rymde från sjukhuset. Hon var vaken och gick och stängde. Men den gången kan det inte ha varit Josef Ek. Hur skulle det kunna stämma? Erik försöker förstå vad som hände på natten. Det är för många obesvarade frågor.

Hur lyckades Josef ta sig in? Kanske knackade han bara på dörren tills Benjamin vaknade och öppnade. Erik föreställer sig hur de två pojkarna står och tittar på varandra i det svaga skenet från trappbelysningen. Benjamin är barfota, har håret på ända, står i sin barnsliga pyjamas och blinkar med trötta ögon mot den större pojken. Man skulle kunna säga att de liknar varandra, men Josef har mördat sina föräldrar och sin lillasyster, han har precis dödat en sköterska på sjukhuset med en skalpell och skadat en man allvarligt på Norra begravningsplatsen.

– Nej, säger Erik för sig själv. Jag tror inte på det här, det stämmer inte.

Vem skulle kunna ta sig in, vem skulle Benjamin öppna dörren för, vem skulle Simone eller Benjamin anförtro en nyckel? Benjamin trodde kanske att Aida skulle komma. Kanske var det hon? Erik säger till sig själv att han måste tänka på allt. Kanske samarbetade någon med Josef och hjälpte honom med dörren, kanske hade Josef verkligen tänkt komma den första natten, men inte lyckats fly. Det var därför dörren var öppen, det var så överenskommelsen såg ut.

Erik rakar sig färdigt, borstar tänderna och tar telefonen från bordet, tittar på klockan och ringer sedan Joona.

– God morgon, Erik, säger en skrovlig, finlandssvensk röst i luren.

Joona måste ha känt igen Eriks nummer på displayen.

– Väckte jag dig?

– Nej.

– Förlåt att jag ringer igen, men ...

Erik hostar.

– Är det något som har hänt? frågar Joona.

– Ni har inte hittat Josef?

– Vi behöver tala med Simone, gå igenom allting ordentligt.

– Fast du tror inte att det var Josef som tog Benjamin?

– Nej, det gör jag inte, svarar Joona. Men jag är inte säker, jag vill titta på lägenheten, göra en dörrknackningsoperation för att försöka hitta vittnen.

– Ska jag be Simone ringa dig?

– Det behövs inte.

En droppe vatten släpper från munstycket på den rostfria vattenblandaren, med en kort, avhuggen klang faller droppen ned i handfatet.

– Jag tycker fortfarande att du ska acceptera polisbeskydd, säger Joona.

– Jag är bara här på Karolinska och jag tror inte att Josef kommer tillbaka frivilligt.

– Men Simone?

– Fråga henne, det är möjligt att hon ändrat sig, säger Erik. Även om hon redan har en beskyddare.

– Ja, precis, jag hörde det, säger Joona muntert. Jag har faktiskt lite svårt att föreställa mig hur det skulle vara att ha Kennet Sträng som svärfar.

– Jag med, svarar Erik.

– Det förstår jag, skrattar Joona och tystnar sedan.

– Försökte Josef rymma i förrgår? frågar Erik.

– Nej, det tror jag inte, ingenting tyder på det, svarar Joona. Varför undrar du?

– Någon öppnade vår dörr natten innan, precis som i natt.

– Jag är ganska säker på att Josefs rymning är en reaktion på att han fick veta att han skulle begäras häktad och det fick han veta först igår, säger Joona långsamt.

Erik skakar på huvudet och glider med tummen över sin mun, ser att våtrumstapeterna påminner om grå perstorpsplattor.

– Det här stämmer inte, suckar han.

– Såg du att dörren stod öppen? frågar Joona.

– Nej, det var Sixan ... Simone som gick upp.

– Kan hon ha någon anledning att ljuga?

– Jag har inte tänkt på det.

– Du behöver inte svara nu.

Erik ser in i sina egna ögon i spegeln medan han prövar resonemanget för andra gången: tänk om Josef hade en medhjälpare som förberedde något kvällen före kidnappningen, som kanske helt enkelt var utsänd för att prova om den kopierade nyckeln passade. Medhjälparen skulle bara försäkra sig om att den fungerade, men överskred sitt uppdrag och gick in i lägenheten. Han kunde inte låta bli att smyga in och titta på den sovande familjen. Situationen gav honom en njutningsfull känsla av kontroll och han fick lust att spela familjen ett spratt och lämnade kyl och frys öppna. Kanske berättade han allt för Josef, beskrev sitt besök, hur rummen såg ut, vem som sov var.

Det skulle förklara varför Josef inte hittade mig, tänker Erik. För den första natten sov jag på min plats bredvid Simone i sängen.

– Var Evelyn på polishuset i onsdags? frågar Erik.

– Ja.

– Hela dagen och hela natten?

– Ja.

– Är hon kvar?

– Hon har bara flyttat till en av övernattningslägenheterna. Men har dubbel bevakning.

– Har hon varit i kontakt med någon?

– Du vet att du måste låta polisen göra sitt arbete, säger Joona.

– Jag gör bara mitt, svarar Erik lågt. Jag vill prata med Evelyn.

– Vad ska du fråga henne?

– Om Josef har några vänner, någon som skulle kunna hjälpa honom.

– Det kan jag fråga.

– Kanske vet hon vem Josef skulle kunna samarbeta med, kanske känner hon hans vänner, vet var de bor.

Joona suckar och säger sedan:

– Du vet mycket väl att jag inte kan låta dig göra en privat utredning, Erik. Även om jag personligen skulle tycka att det var i sin ordning, så ...

– Kan jag inte få vara med när du pratar med henne? frågar Erik. Jag har jobbat med traumatiserade personer i många år och ...

Det blir tyst mellan dem i några sekunder.

– Möt mig om en timme i entrén till Rikspolisstyrelsen, säger Joona sedan.

– Jag är där om tjugo minuter, säger Erik.

– Okej, om tjugo minuter, säger Joona och avslutar sedan samtalet.

Tom på tankar går Erik sedan fram till sitt skrivbord och drar ut den översta lådan. Bland pennor, suddgummin och gem ligger flera olika tablettkartor. Han trycker ut tre olika tabletter i handen och sväljer ned dem.

Han tänker att han borde berätta för Daniella att han inte har tid att vara med på morgonmötet, men glömmer sedan bort det. Han lämnar sitt rum och skyndar till matsalen. Utan att sätta sig dricker han en kopp kaffe framför akvariet, följer ett stim neontetror med blicken, deras sökande färd kring ett vrak av plast och rullar sedan in en smörgås i några pappersservetter och stoppar den i fickan.

I hissen ner till entréplanet ser han sig själv i spegeln, möter de blanka ögonen. Ansiktet är ledset, nästan frånvarande. Han betraktar sig själv och tänker på suget i magen då man faller från en hög höjd, ett sug som nästan är sexuellt och som samtidigt är starkt förknippat med en hjälplöshet. Han har nästan ingen kraft kvar, men tabletterna lyfter honom upp på ett ljust och konturskarpt plan. Han fungerar en stund till, tänker han. Han håller ihop. Det enda han behöver göra är att hålla ihop tillräckligt länge för att hitta sin son igen. Sedan kan allt rämna.

Medan han kör till mötet med Joona och Evelyn försöker han tänka igenom vad han har gjort och var han har varit under veckan som gått. Han inser snabbt att hans nycklar skulle ha kunnat kopieras vid flera tillhällen. I torsdags hängde hans jacka med nycklarna i fickan på en restaurang på Södermalm helt utan uppsikt. Den har legat på stolen på kontoret på sjukhuset, hängt på en krok i personalkafeterian och varit på en massa andra ställen. Samma sak gällde säkerligen även Benjamins och Simones nycklar.

När han kör längs ombyggnadskaoset vid Fridhemsplan krånglar han upp telefonen ur jackfickan och slår numret till Simone.

– Hallå? svarar hon med jagad röst.

– Det är jag.

– Har det hänt någonting? frågar hon.

Det dånar i bakgrunden, som från en maskin och sedan tystnar det plötsligt.

– Jag tänkte bara säga att ni borde kolla datorn, inte bara mejl, utan all aktivitet överhuvudtaget, vad han har laddat ner, vilka platser han har besökt, tillfälliga mappar, om han har chattat och . . .

– Det är klart, avbryter hon.

– Jag ska inte störa.

– Vi har inte börjat med datorn ännu, säger hon.

– Lösenordet är Dumbledore.

– Jag vet.

Erik svänger in på Polhemsgatan och ned på Kungsholmsgatan, kör längs polishuset och ser det skifta skepnad: den släta kopparfärgade fasaden, tillbyggnaden av betong och slutligen den höga, ursprungliga byggnaden i gul puts.

– Jag måste sluta, säger hon.

– Simone, säger Erik. Har du sagt sanningen till mig?

– Vad menar du?

– Om vad som hände, att dörren var öppen natten innan, att du såg någon släpa Benjamin genom . . .

– Vad tror du? skriker hon och avbryter samtalet.

Erik känner att han inte orkar leta efter en ledig parkeringsplats, en böteslapp har inte någon som helst betydelse, den kommer att förfalla i ett helt annat liv. Utan att tänka sig för svänger han in precis framför polishuset. Däcken dundrar till och han stannar vid den stora trappan som vetter mot rådhuset. Bilens halvljus belyser en vacker, gammal trädörr, som för länge sedan tagits ur bruk. I snidade, ålderdomliga bokstäver står det ”Detektiv afdelningen”.

Han lämnar bilen och skyndar runt huset, uppför sluttningen på Kungsholmsgatan mot parken och entrén till Rikskriminalstyrelsen. Han ser en pappa gå med tre barn som har luciaklänningar utanpå vinteroverallerna. De vita särkarna stramar över de tjocka kläderna. Barnen har ljuskronor över mössorna och en av dem håller ett tärneljus i sin vantklädda hand. Erik tänker plötsligt på att Benjamin älskade att bli buren när han var liten, klängde fast med ben och armar och sa: Bär mig, du är tor och tark, pappa.

Ingången till Rikskriminalstyrelsen är en hög, lysande glaskub. Framför de stålinfattade svängdörrarna står en metallställning med dosa för passerkort och kod. Erik är andfådd när han stannar till på den svarta gummimattan i slussen framför ytterligare en dörr med kod och kortläsare. Rakt fram i den ljusa foajén finns två stora, roterbara dörrar i glasväggen, med nya kodlås. Erik går över det vita marmorgolvet och fram till receptionen till vänster. En man sitter bakom den öppna trädisken och talar i telefon.

Erik anmäler sitt ärende, receptionisten nickar kort, börjar knappa på sin dator och lyfter sedan telefonen.

– Det är receptionen, säger han i en dämpad ton. Du har besök av Erik Maria Bark.

Mannen lyssnar och vänder sig sedan till Erik.

– Han är på väg ner, förklarar han vänligt.

– Tack.

Erik sätter sig på en låg bänk utan ryggstöd, med svart,

knarrande skinnsits. Han tittar till på ett grönt glaskonstverk, glider sedan med blicken mot de stillastående roterdörrarna. Bakom den stora glasväggen syns en ny korridor i glas. Den leder nästan tjugo meter genom en öppen innergård till nästa huskomplex. Plötsligt ser Erik att Joona Linna passerar soffgruppen till höger, trycker på en knapp på väggen och går ut genom en av de roterande dörrarna. Han slänger ett bananskal i en papperskorg av aluminium, vinkar till mannen i receptionen och går sedan rakt fram till Erik.

Medan de promenerar till Evelyn Eks skyddade boende på Hantverkargatan försöker Joona summera vad som har kommit fram under förhören med henne: Hon bekräftade att hon hade gått in i skogen med geväret för att ta sitt eget liv. Josef hade under många år tvingat till sig sexuella tjänster. Han misshandlade lillasystern Lisa om Evelyn inte gjorde honom till viljes. När han började kräva samlag lyckades Evelyn köpa sig ett uppskov genom att hävda att det var förbjudet innan han var femton år. Då födelsedagen närmade sig gömde sig Evelyn i mosterns sommarstuga på Värmdö. Josef letade efter henne, gick till hennes före detta pojkvän Sorab Ramadani, och lyckades på något sätt få honom att berätta var Evelyn gömde sig. På sin födelsedag hälsade Josef på sin syster i stugan, och när hon vägrade ha samlag med honom sa han till henne att hon visste vad som skulle hända och att allt var hennes fel.

– Som det ser ut så planerade Josef åtminstone mordet på pappan, säger Joona. Orsakerna bakom valet av dag vet vi inte, men kanske var det bara kopplat till tillfället, att pappan skulle befinna sig ensam på en plats utanför hemmet. I måndags packade Josef Ek ett ombyte kläder, två par skoskydd, handduk, pappans jaktkniv, en flaska med bensin och tändstickor i en sportväska och cyklade sedan till Rödstuhage idrottsplats. När han hade dödat sin pappa och stympat honom, tog han nycklarna ur hans ficka, gick till damernas omklädningsrum, duschade och bytte om, låste efter sig, eldade upp väskan med de blodiga kläderna på en lekplats och cyklade sedan tillbaka till radhuset.

– Och det som hände sedan, i radhuset? Var det ungefär som han beskrev det under hypnosen, frågar Erik.

– Inte ungefär, utan exakt, verkar det som, säger Joona och harklar sig. Men orsaken, vad som plötsligt fick honom att ge sig på lillasystern och mamman vet vi inte.

Han ger Erik en dov blick:

– Kanske hade han bara en känsla av att inte vara färdig, att Evelyn inte hade straffats tillräckligt.

Strax före kyrkan stannar Joona framför en port, tar upp telefonen, slår ett nummer och förklarar att de är framme. Han knappar in koden, öppnar och släpper in Erik i den enkla trappuppgången med prickmålade väggar.

Två poliser väntar utanför hissen när de kommer upp till våning tre. Joona skakar hand med dem och låser därefter upp en säkerhetsdörr som saknar brevinkast. Innan han öppnar dörren helt knackar han på.

– Får vi komma in? frågar Joona genom glipan.

– Ni har inte hittat honom – eller hur?

Evelyns ansikte ligger i motljus och hennes drag går inte att urskilja riktigt. Erik och Joona ser bara en mörk skiva med solgenomlyst hår.

– Nej, svarar Joona.

Evelyn går till dörren, släpper in dem och låser därefter snabbt, kontrollerar låset och när hon vänder sig mot dem igen ser Erik att hon andas häftigt.

– Det är ett skyddat boende, du har polisbevakning, säger Joona. Ingen får lämna ut eller söka efter uppgifter om dig, det har vi åklagarbeslut på. Du är i säkerhet nu, Evelyn.

– Kanske så länge jag stannar här inne, säger hon. Men någon gång måste jag ut och Josef är bra på att vänta.

Hon går fram till fönstret, blickar ut och sätter sig sedan i soffan.

– Var kan Josef gömma sig? frågar Joona.
– Ni tror att jag vet någonting.
– Gör du det? frågar Erik.
– Ska du hypnotisera mig?
– Nej, ler han överraskat.
Hon har inte sminkat sig och hennes ögon ser sårbara och oskyddade ut när hon granskar honom.
– Du får göra det om du vill, säger hon och slår sedan hastigt ned blicken.
Lägenheten består av ett sovrum med en bred säng, två fåtöljer och en teve, ett badrum med duschkabin och ett kök med matplats. Fönstren är gjorda av skottsäkert glas och samtliga väggar i hela lägenheten är målade i en lugn gul färg.
Erik blickar runt och följer efter henne in i köket.
– Ganska fint, säger han.
Evelyn rycker på axlarna. Hon är klädd i en röd jumper och ett par urblekta jeans. Håret är slarvigt uppsatt i en tofs.
– Jag ska få hit lite privata saker idag, säger hon.
– Bra, säger Erik. Det brukar kännas bättre när ...
– Bättre? Vad vet du om vad som skulle få mig att känna mig bättre?
– Jag har jobbat med ...
– Förlåt, men jag skiter i det, avbryter hon. Jag har sagt att jag inte vill prata med psykologer och kuratorer.
– Jag är inte här i den egenskapen.
– Utan?
– För att försöka hitta Josef.
Hon vänder sig mot honom och säger kort:
– Han är inte här.
Utan att veta varför bestämmer sig Erik för att inte säga något om Benjamin.
– Lyssna nu, Evelyn, säger han stilla. Jag behöver din hjälp för att kartlägga Josefs bekantskapskrets.
Hon ser glansig, nästan febrig ut i blicken.

– Okej, svarar hon och drar lite på munnen.
– Har han någon flickvän?
Hennes ögon mörknar och munnen blir spänd.
– Förutom mig, menar du?
– Ja.
Hon skakar på huvudet efter en stund.
– Vad har han för umgänge?
– Han har inget umgänge, säger hon.
– Klasskamrater?
Hon rycker på axlarna.
– Han har aldrig haft några vänner vad jag vet.
– Om han behövde hjälp med något – vem skulle han vända sig till? frågar Erik.
– Jag vet inte ... Ibland står han och pratar med alkisarna bakom Systemet.
– Vet du vilka de är, vad de heter?
– En av dem har en tatuering på handen.
– Hur ser den ut?
– Jag kommer inte ihåg ... en fisk tror jag.
Hon reser sig upp och går fram till fönstret igen. Erik betraktar henne. Dagsljuset slår in över hennes unga ansikte och gör henne så tydlig. Han kan se den blå pulsådern tickande slå på hennes smala, långa hals.
– Kan han bo hemma hos någon av dem, tror du?
Hon rycker vagt på axlarna:
– Ja ...
– Tror du det?
– Nej.
– Vad tror du då?
– Jag tror att han kommer att hitta mig innan ni hittar honom.

Erik ser på henne där hon står med pannan lutad mot fönsterglaset och han undrar om han ska försöka pressa henne mer. Det är något med hennes klanglösa röst, hennes brist på förtröstan som säger honom att hon har insikter om sin lillebror som ingen annan kan ha.

– Evelyn? Vad vill Josef?

– Jag orkar inte prata om det.

– Vill han döda mig?

– Jag vet inte.

– Vad tror du?

Hon drar efter andan och hennes röst är hes och trött när hon säger:

– Om han tycker att du har stått emellan honom och mig, om han är svartsjuk, så kommer han att göra det.

– Vad då?

– Döda dig.

– Försöka menar du?

Evelyn slickar sig om läpparna, vänder sig mot honom och slår sedan ner blicken. Erik vill upprepa sin fråga men får inte fram någonting. Plötsligt knackar det på dörren. Evelyn tittar på Joona och på Erik, ser rädd ut och flyttar sig baklänges in i köket.

Det knackar igen. Joona går fram, tittar ut genom dörrögat och öppnar därefter dörren. Två poliser kommer in i hallen. Den ena bär en flyttkartong i famnen.

– Jag tror att vi fick med allt på listan, säger han. Var vill du ha grejerna?

– Var som helst, säger Evelyn svagt och kommer ut från köket.

– Kan man få en kråka.

Han räcker fram en följesedel och hon skriver på. Joona låser efter dem när de går. Evelyn skyndar fram till dörren, kontrollerar att han har låst ordentligt och vänder sig sedan mot dem igen.

– Jag bad att få lite saker hemifrån som …

– Ja, du sa det.

Evelyn sätter sig på huk, drar bort den bruna tejpen från

kartongen och viker upp flikarna. Hon plockar upp en silvrig spargris i form av en kanin och en inglasad tavla som föreställer en skyddsängel, men stannar plötsligt mitt i en rörelse.

– Mitt fotoalbum, säger hon och Erik ser att hennes mun har börjat darra.

– Evelyn?

– Jag bad inte om det, jag sa ingenting om ...

Hon slår upp första sidan med ett stort porträttfotografi på henne från skolan. Hon ser ut att vara fjorton år, har tandställning och ler skyggt. Hennes hy är blank och håret kortklippt.

Evelyn vänder sida och ett hopvikt papper faller ut ur albumet och landar på golvet. Hon tar upp det, vänder på det och när hon läser blir hennes ansikte helt rött.

– Han är hemma, viskar hon och räcker över brevet.

Erik slätar ut papperet och han och Joona läser tillsammans:

**Jag äger dig, du är bara min, jag dödar de andra, det är ditt fel, jag dödar den där fittiga hypnotisören och du ska hjälpa mig med det, det ska du, du ska visa var han bor, du ska visa var ni brukar knulla och festa, och så ska jag döda honom och du ska titta på när jag gör det, och så ska du tvätta fittan med en massa tvål och så ska jag knulla dig hundra gånger, för då är vi kvitt och då börjar vi om bara vi två.**

Evelyn drar ner persiennerna och blir sedan stående med armarna om sig själv. Erik lägger ned brevet på bordet och reser sig. Josef befinner i radhuset, tänker han hastigt. Det måste han göra. Om han kunde placera fotoalbumet med brevet i kartongen måste han vara där.

– Josef har flyttat tillbaka till radhuset, säger Erik.

– Var skulle han annars bo? svarar hon lågt.

Joona står redan med telefonen i köket och talar med den vakthavande kommissarien på sambandscentralen.

– Evelyn, kan du förstå hur Josef har kunnat gömma sig för polisen? frågar Erik. Det har ju pågått en brottsplatsundersökning där i nästan en vecka nu.

– Källaren, svarar Evelyn och tittar upp.

– Vad är det med källaren?

– Det finns ett konstigt rum där.

– Han är nere i källaren, ropar Erik mot köket.

I telefonen hör Joona det långsamma rasslandet från ett tangentbord.

– Den misstänkte antas befinna sig i källaren, säger Joona.

– Vänta lite nu, säger den vakthavande kommissarien i telefonen. Jag måste . . .

– Det är bråttom, avbryter Joona.

Efter en paus fortsätter den vakthavande mycket lugnt:

– Det gick ut ett alarm för två minuter sedan till samma adress.

– Vad säger du? Till Gärdesvägen 8 i Tumba? frågar Joona.

– Ja, svarar han. Grannarna ringde om att det var någon inne i huset.

# 27

*Söndag morgon den trettonde december, lucia*

KENNET STRÄNG STANNAR till och lyssnar innan han långsamt fortsätter fram till trappan. Han håller pistolen riktad mot golvet, tätt intill kroppen. Dagsljus kommer in i korridoren från köket. Simone följer efter sin pappa och tänker att den mördade familjens radhus påminner om det hus hon och Erik bodde i när Benjamin var liten.

Det knarrar någonstans – i golvet eller djupt inne i väggarna.

– Är det Josef? viskar Simone.

Ficklampan, ritningarna och kofoten får hennes händer att kännas bedövade. Tyngden från brytningsverktyget är nästan outhärdlig.

Det är alldeles tyst i huset. Ljudet som de hörde förut, knakningarna och de dämpade smällarna, har upphört.

Kennet gör en kort gest med huvudet mot henne. Han vill att de går ned i källaren. Simone nickar tillbaka, trots att varje muskel i hennes kropp avråder henne.

Utifrån ritningarna är den bästa platsen för ett gömställe utan tvekan källaren. Kennet markerade på ritningen med en penna. Hur väggen vid utrymmet för den gamla oljepannan kunde förlängas och skapa ett närmast osynligt rum. Det andra utrymmet Kennet markerade på husritningen var det innersta av kattvinden.

Bredvid furutrappan till övervåningen finns en smal, dörrlös öppning i väggen. Små gångjärnshakar sitter kvar på väggen efter en småbarnsgrind. Järntrappan ner till källaren ser nästan hemmagjord ut, svetsningarna är stora och klumpiga och stegen är klädda med tjockt, grått filttyg.

När Kennet trycker på strömbrytaren för belysningen så händer ingenting, han trycker igen, men lampan är trasig.

– Stanna här, säger han lågt.

Simone känner en kort stöt av ren skräck. En tung, dammig lukt som får henne att tänka på stora fordon strömmar upp.

– Ge mig ficklampan, säger han och håller fram handen.

Långsamt räcker hon fram den. Han ler kort, tar emot lampan, tänder den och fortsätter försiktigt nedåt.

– Hallå? ropar Kennet barskt. Josef? Jag behöver tala med dig.

Från källaren hörs ingenting. Inte ett skrammel, inte ett andetag.

Simone kramar kofoten och väntar.

Skenet från ficklampan belyser nästan enbart väggarna och taket till trappan. Källarens mörker behåller sin täthet. Kennet fortsätter nedåt, ljuset fångas upp av enstaka föremål: en vit plastpåse, ett reflexband på en gammal barnvagn, glaset till en inramad filmaffisch.

– Jag tror att jag kan hjälpa dig, säger Kennet lägre.

Han kommer ner, sveper först hastigt runt med ficklampan för att försäkra sig om att ingen rusar fram från sitt gömställe. Den snäva ljuskretsen glider över golv och väggar. Hoppar över föremål helt nära och kastar lutande, svängande skuggor. Därefter börjar Kennet om, han genomsöker rummet lugnt och systematiskt med ljuskäglan.

Simone börjar gå nedför trappan. En dov klang hörs under henne från metallkonstruktionen.

– Ingen är här, säger Kennet.

– Vad var det vi hörde då? Någonting var det, säger hon.

Genom ett smutsigt källarfönster precis intill taket sipprar dagsljus in. Ögonen vänjer sig vid det svaga ljuset. Källaren är full av cyklar i olika storlekar, en barnvagn, pulkor, slalomskidor och en bakmaskin, julprydnader, tapetrullar och en trappstege med vita färgstänk. På en kartong har någon skrivit med tjock filtpenna: Josefs serietidningar.

Det börjar knäppa i taket och Simone tittar mot trappan och sedan mot fadern. Han verkar inte höra ljudet. Han går långsamt mot en dörr i den andra änden av rummet. Simone stöter till en gunghäst. Kennet öppnar dörren och blickar in i en tvättstuga med en sliten tvättmaskin, torktumlare och en ålderdomlig mangel. Bredvid en jordvärmepump hänger ett smutsigt draperi framför ett stort skåp.

– Ingen här, säger han och vänder sig mot Simone.

Hon tittar på honom och ser samtidigt det smutsiga draperiet bakom hans rygg. Det är helt stilla men ändå närvarande.

– Simone?

Det finns en fuktfläck på tyget, en liten oval, som från en mun.

– Lägg upp ritningen, säger Kennet.

Simone tycker sig se hur den fuktiga ovalen plötsligt buktar inåt.

– Pappa, viskar hon.

– Ja, svarar han och lutar sig mot dörrposten, stoppar tillbaka pistolen i axelhölstret, och kliar sig i huvudet.

Det knarrar till, hon vänder sig runt och ser att gunghästen fortfarande rör sig vaggande.

– Vad är det, Sixan?

Kennet kommer fram till henne, tar ritningen från hennes händer, lägger den på en hoprullad madrass, lyser på den med ficklampan och vrider den runt.

Han tittar upp, vänder blicken mot ritningen igen och går fram till en tegelvägg där en gammal våningssäng står nedmonterad intill en garderob med brandgula flytvästar. På en verktygstavla hänger stämjärn, olika sågar och tvingar. Utrymmet bredvid hammaren är tomt, den stora yxan fattas.

Kennet mäter väggen och taket med blicken, lutar sig fram och knackar på väggen bakom sängen.

– Vad är det? frågar Simone.

– Den här väggen måste vara minst tio år.

– Finns det någonting bakom?

– Ja, det gör det, ett ganska stort rum, svarar han.

– Hur kommer man in?

Kennet lyser på väggen med ficklampan igen, på golvet vid den nedmonterade sängen. Skuggorna glider runt i källaren.

– Lys där igen, säger Simone.

Hon pekar på golvet bredvid garderoben. Någonting har skrapat mot betonggolvet i en båge massor av gånger.

– Bakom garderoben, säger hon.

– Håll i ficklampan, säger han och drar fram pistolen igen.

Plötsligt hörs något bakom garderoben. Det låter som om någon försiktigt rör på sig där innanför. Det är tydliga rörelser, men alldeles långsamma.

Simone känner sin puls öka till ett häftigt stötande. Det är någon där, tänker hon. Gode gud. Hon skulle vilja ropa på Benjamin, men törs inte.

Kennet gör en avvärjande gest åt henne att flytta sig bakåt, hon vill säga något när den spända tystnaden plötsligt exploderar. En häftig knall hörs från våningen över: trä går sönder och splittras. Simone tappar ficklampan i golvet och det blir svart. Snabba steg dånar över golvet, det smattrar i taket, bländande ljuskäglor sveper som höga vågor, nedför järntrappan och in i källaren.

– Lägg dig på golvet, skriker en man hysteriskt. Ner på golvet!

Simone står helt förstenad, bländad som ett nattdjur inför en framrusande bil på motorvägen.

– Lägg dig, ropar Kennet.

– Håll käften, skriker någon.

– Ner, ner!

Simone förstår inte att männen syftar på henne förrän hon får ett kraftigt slag i magen och blir nertryckt mot betonggolvet.

– Ner på golvet sa jag!

Hon försöker få luft, hostar och drar efter andan. Starkt ljus fyller källaren. Svarta gestalter drar i dem, släpar dem uppför den smala källartrappan. Hennes händer är låsta bakom ryggen. Hon har svårt att gå, halkar och slår kinden mot det vassa metallräcket.

Hon försöker vrida på huvudet men någon håller fast henne, andas uppjagat och trycker henne hårdhänt ned mot väggen intill källardörren.

Några skepnader tycks stå och fixera henne med blicken. Hon blinkar i dagsljuset, har svårt att se. Fragment av ett samtal längre bort når henne och hon känner igen pappans kortfattade och stringenta röst. Det är en röst som får henne att tänka på kaffelukten under tidiga skolmorgnar, medan radions Ekonyheter stått på.

Först nu förstår hon att det är poliser som har stormat in i radhuset. Kanske har någon granne sett ljuset från Kennets ficklampa och ringt larmcentralen.

En polisman i tjugofemårsåldern med rynkor och blåa ringar under ögonen betraktar henne med stressad blick. Hans huvud är rakat och avslöjar en klumpig, knölig skallform. Han stryker sig flera gånger kring halsen med handen.

– Vad heter du? frågar han kallt.

– Simone Bark, säger hon med en röst som fortfarande svajar. Jag är här med min pappa som är …

– Jag frågade vad du hette, avbryter mannen med höjd röst.

– Ta det lugnt, Ragnar, säger en kollega.

– Du är en jävla parasit, fortsätter han, vänd mot Simone. Men det är bara min åsikt om folk som tycker att det är spännande att titta på lite blod.

Han fnyser och vänder sig bort. Hon hör fortfarande sin

pappas röst. Han höjer inte tonläget, låter mycket trött.

Hon ser hur en av poliserna går iväg med hans plånbok.

– Ursäkta, säger Simone till en poliskvinna. Vi hörde någon nere i...

– Håll käften, avbryter kvinnan.

– Min son är...

– Håll käften, sa jag. Tejpa henne. Hon ska tejpas.

Simone ser hur polismannen som kallat henne för parasit letar fram en bred tejprulle, men avbryter sig när ytterdörren öppnas och en lång, blond man med skarp, grå blick kommer in och går genom korridoren.

– Joona Linna, rikskrim, säger han på finlandssvenska. Vad har ni?

– Två misstänkta, svarar poliskvinnan.

Joona tittar på Kennet och Simone.

– Jag tar över, säger han. Det här är ett misstag.

Ett par skrattgropar blir plötsligt synliga i Joonas kinder när han säger åt dem att släppa de misstänkta. Poliskvinnan går fram till Kennet och lossar handfängslen, ber om ursäkt och står sedan med röda öron och växlar några ord med honom.

Polismannen med rakat huvud trampar bara framför Simone och stirrar på henne.

– Släpp henne, säger Joona.

– De gjorde våldsamt motstånd och jag skadade tummen, svarar han.

– Tänker du gripa dem, frågar Joona.

– Ja.

– Kennet Sträng och hans dotter?

– Jag skiter i vilka de är, säger den aggressive polisen.

– Ragnar, säger poliskvinnan lugnande. Han är en kollega.

– Det är förbjudet att beträda brottsplatser och jag lovar...

– Lugna ner dig nu, avbryter Joona bestämt.

– Men har jag fel? frågar han.

Kennet har kommit fram, men säger ingenting.

– Har jag fel? upprepar Ragnar.

– Vi tar det senare, svarar Joona.

– Varför inte nu?

Joona sänker rösten och säger kort:

– För din skull.

Poliskvinnan går fram till Kennet igen, harklar sig och säger:

– Vi är ledsna för det här – du har en tårta i morgon.

– Det är okej, säger Kennet, hjälper Simone upp från golvet.

– Källaren, säger hon nästan ljudlöst.

– Jag tar hand om det, säger Kennet och vänder sig om mot Joona. Det finns en eller flera personer i ett dolt rum i källaren bakom garderoben med flytvästar.

– Hör upp nu, ropar Joona till de andra. Vi har skäl att tro att den misstänkte befinner sig i källaren. Jag är operativ ledare under hela insatsen. Var försiktiga. Det kan uppstå en gisslansituation och i så fall är det jag som förhandlar. Den misstänkte är en farlig person, men verkningseld riktas i första hand mot benen.

Joona lånar en skyddsväst som han snabbt kränger på sig. Sedan skickar han ut två poliser till baksidan av huset och samlar en insatsgrupp kring sig. De lyssnar på de snabba anvisningarna och försvinner sedan tillsammans med honom genom dörröppningen till källaren. Metalltrappan dånar under deras tyngd.

Kennet står med armarna om Simone. Hon är så rädd att hon skakar i kroppen. Han viskar åt henne att det kommer att gå bra. Det enda Simone vill är att få höra sin sons röst från källaren, hon ber om att nu, vilken sekund som helst, få höra hans röst.

Efter bara en kort stund kommer Joona tillbaka med skyddsvästen i handen.

– Han kom undan, säger han slutet.

– Benjamin, var är Benjamin? frågar Simone.

– Inte här, svarar Joona.

– Men rummet ...

Simone går mot trappan, Kennet försöker hålla henne kvar, men hon rycker loss handen, tränger sig förbi Joona och skyndar nerför järntrappan. Nu lyser källaren som en högsommardag. Tre strålkastare på stativ fyller rummet med ljus. Målarstegen är flyttad och står under det lilla, öppna källarfönstret. Garderoben med flytvästar har skjutits undan och en polis vaktar dörröppningen till lönnrummet. Långsamt går Simone i riktning mot honom. Hon hör att hennes far säger något bakom hennes rygg, men förstår inte orden.

– Jag måste, säger hon svagt.

Polisen håller upp en hand och skakar på huvudet.

– Jag kan tyvärr inte släppa in dig, säger han.

– Det är min son.

Hon känner faderns armar om sig men försöker komma loss.

– Han är inte här, Simone.

– Släpp mig!

Hon fortsätter fram och blickar in i ett rum med en madrass på golvet, buntar med gamla serietidningar, tomma chipspåsar, ljusblå skoskydd, konservburkar och flingpaket och en stor, blank yxa.

# 28

*Söndag middag den trettonde december, lucia*

SIMONE SITTER I BILEN på väg tillbaka från Tumba och hör Kennet prata om polisens brist på samordning. Hon svarar ingenting, låter honom gnälla och blickar ut genom bilrutan. Ser alla familjer som rör sig därute. Mammor som är på väg någonstans med overallklädda småbarn som pratar med nappen i munnen. Några barn försöker ta sig fram i snömodden på sparkcyklar. Alla har likadana ryggsäckar. Ett tjejgäng med luciaglitter i håret äter något ur en påse och skrattar förtjust.

Det har nu gått mer än ett dygn sedan Benjamin rövades bort från oss, drogs ur sin säng och släpades ut från sitt eget hem, tänker hon och betraktar sina händer i knäet. De röda linjerna efter handfängslena syns fortfarande tydligt.

Ingenting tyder på att Josef Ek är inblandad i hans försvinnande. Det fanns inga spår från Benjamin i det dolda rummet, bara från Josef. Med största sannolikhet satt Josef inne i det dolda rummet när hon och hennes pappa gick ner i källaren.

Simone tänker på hur han måste ha krupit ihop och lyssnat på dem, insett att de avslöjat hans gömställe och så tyst han kunnat sträckt sig efter yxan. När tumultet sedan uppstod, när polisen stormade ner och släpade upp henne och Kennet, passade Josef på att skjuta undan garderoben, resa stegen mot källarfönstret och klättra ut.

Han kom undan, lurade polisen och är fortfarande på fri fot. Rikslarm har gått ut, men Josef Ek kan inte ha kidnappat Benjamin. Det var bara två saker som hände vid ungefär samma tid, precis som Erik har försökt säga till henne.

– Kommer du? frågar Kennet.

Hon tittar upp och tänker att det har blivit kallt. Kennet säger åt henne att lämna bilen och följa med flera gånger innan hon förstår att de har parkerat på Luntmakargatan.

Hon låser upp dörren till lägenheten och ser Benjamins ytterkläder i tamburen. Hjärtat hoppar till och hon hinner tänka att han är hemma innan hon minns hur han släpades ut i sin pyjamas.

Hennes pappa är grå i ansiktet, han säger att han tänker duscha och försvinner in på toaletten.

Simone lutar sig mot väggen i hallen, blundar och tänker: Får jag bara tillbaka Benjamin så ska jag glömma allt som hänt och kommer att hända under dessa dagar. Jag ska aldrig prata om det, jag ska inte vara arg på någon, aldrig tänka på det, bara vara tacksam.

Hon hör Kennet vrida på vattnet i badrummet.

Suckande petar hon av sig skorna, låter jackan falla ned på golvet och går in och sätter sig på sängen i sovrummet. Plötsligt kan hon inte minnas vad hon skulle göra i rummet, om hon kanske skulle hämta något eller bara lägga sig en stund och vila. Hon känner svalkan från lakanen mot handflatan och ser Eriks skrynkliga pyjamasbyxor sticka fram under kudden.

I samma stund som duschen tystnar kommer hon ihåg vad hon skulle göra. Hon hade tänkt hämta en handduk till sin pappa och sedan öppna Benjamins dator och försöka hitta någonting som skulle kunna ha en koppling till bortförandet. Hon reser sig, tar ett grått badlakan från garderoben och återvänder till korridoren. Dörren till badrummet öppnas och Kennet kommer ut, fullt påklädd.

– Handduk, säger hon.

– Jag tog den lilla.

Han är fuktig i håret och luktar lavendel. Hon förstår att han måste ha använt den billiga tvålen i pumpflaskan på handfatet.

– Har du tvättat håret med tvål? frågar hon.

– Luktade gott, svarar han.

– Det finns schampo, pappa.

– Samma sak.

– Okej, säger hon leende och bestämmer sig för att inte förklara för honom vad den lilla handduken används till.

– Jag kokar kaffe, säger Kennet och går till köket.

Simone lägger det grå badlakanet på serveringsskåpet och fortsätter in i Benjamins rum, slår på datorn och sätter sig på stolen. Allt är oförändrat i rummet: sängkläderna ligger kvar på golvet och vattenglaset är omkullvält.

Välkomstmelodin från datorns operativsystem klingar ut, Simone lägger handen på musen, väntar några sekunder och klickar på miniatyrbilden av Benjamins ansikte för att logga in.

Datorn begär användarnamn och lösenord. Simone knappar in Benjamin, drar efter andan och skriver sedan Dumbledore.

Skärmen flimrar till, likt ett öga som stängs och sedan öppnas.

Hon är inne.

Datorns skrivbord består av ett fotografi på en hjort i en glänta i skogen. Ett trolskt, daggigt ljus ligger över växtligheten. Det skygga djuret förefaller helt lugnt just i detta ögonblick.

Trots att Simone vet att hon gör intrång i Benjamins allra mest privata sfär är det som om något av honom plötsligt är nära henne igen.

– Du är ett geni, hör hon fadern säga bakom ryggen.

– Nej, svarar hon.

Kennet lägger en hand på hennes axel och hon öppnar programmet för hanteringen av e-post.

– Hur långt tillbaka ska vi titta? frågar hon.

– Vi går igenom allt.

Hon scrollar i posterna för inkommande e-post, öppnar mejl efter mejl.

En klasskamrat har en fråga om en insamling.

Ett grupparbete avhandlas.

Någon hävdar att Benjamin har vunnit fyrtio miljoner euro på ett spanskt lotteri.

Kennet går och kommer tillbaka med två muggar:

– Kaffetåren är den bästa av jordens alla drycker, säger han och sätter sig. Hur fan kunde du knäcka datorn?

Hon rycker på axlarna och dricker lite kaffe.

– Jag måste ringa Kalle Jeppson och säga att vi inte behöver hans långsamma hjälp.

Hon bläddrar vidare, öppnar ett mejl från Aida. Hon beskriver handlingen i en dålig film på ett skämtsamt sätt, säger att Arnold Schwarzenegger är en lobotomerad Shrek.

Veckobrev från skolan.

Banken varnar för att lämna ut kontouppgifter.

Facebook, facebook, facebook, facebook, facebook.

Simone går in på Benjamins facebookkonto. Hundratals förfrågningar handlar om gruppen ”hypno monkey”.

Alla inlägg cirklar kring Erik, olika hånfulla teorier om att Benjamin har blivit hypnotiserad till att bli en tönt, bevis för att Erik har hypnotiserat hela det svenska folket, en person som kräver skadestånd för att Erik har hypnotiserat hans kuk.

Det finns en länk till en film på Youtube. Simone följer den och får se en kort film med namnet Asshole. Ljudet består av en forskare som beskriver hur seriös hypnos fungerar medan bildsekvensen visar Erik som tränger sig förbi några människor. Han råkar knuffa till en gammal kvinna med rollator som ger honom fingret bakom ryggen.

Simone går tillbaka till Benjamins mapp för inkommen e-post och hittar ett kort mejl från Aida som får hennes nackhår att resa sig. Det är något med de få orden som gör att en oformlig ångest börjar stiga i hennes mage. Handflatorna är plötsligt svettiga. Hon vänder sig och fångar Kennets uppmärksamhet.

– Läs det här, pappa.

Hon vinklar skärmen mot honom så att han ska kunna läsa Aidas brev: *Nicke säger att Wailord är arg, att han har öppnat munnen mot dig. Jag tror att det här kan vara farligt på riktigt, Benjamin.*

– Nicke är Aidas lillebror, säger Simone.

– Och Wailord? frågar Kennet och drar ett långt andetag. Känner du till det här?

Simone skakar på huvudet. Den plötsliga ångesten har med full densitet krympt ihop till en mörk kula som rullar inuti henne. Vad vet hon egentligen om Benjamins liv?

– Jag tror att det är namnet på en pokémonfigur, säger hon. Aidas bror, Nicke, pratade om Wailord.

Simone växlar till mappen för skickad e-post och hittar Benjamins upprörda svar: *Nicke måste hålla sig inne. Låt honom inte gå ner till havet. Om Wailord är arg på riktigt så kommer någon av oss att råka illa ut. Vi borde ha gått till polisen direkt. Jag tror att det är för farligt att göra det nu.*

– Det var som fan, säger Kennet.

– Jag vet inte om det här är på riktigt eller om det hör till en lek.

– Det låter inte som en lek.

– Nej.

Kennet pustar och kliar sig på magen.

– Aida och Nicke, säger han långsamt. Vad är det för människor egentligen?

Simone ser på sin pappa och undrar vad hon ska svara. Han skulle aldrig förstå en sådan som Aida. En svartklädd, piercad, sminkad och tatuerad flicka med egendomliga hemförhållanden.

– Aida är Benjamins flickvän, säger Simone. Och Nicke, det är hennes bror. Det finns ett kort på henne och Benjamin någonstans.

Hon hämtar Benjamins plånbok och hittar bilden på Aida. Benjamin har lagt armen runt Aidas axlar. Hon ser lätt besvärad ut men han skrattar uppsluppet in i kameran.

– Men vad är det för folk? frågar Kennet envist och tittar på Aidas hårt sminkade ansikte på bilden.

– Vad det är för folk, svarar hon sakta. Det vet jag inte riktigt. Jag vet bara att Benjamin är väldigt förtjust i henne. Och att hon verkar ta hand om sin bror. Jag tror att han är utvecklingsstörd på något sätt.

– Aggressiv?

Hon skakar på huvudet.

– Det tror jag inte, säger hon.

Hon tänker efter och berättar sedan:

– Deras mamma verkar sjuk. Jag har fått för mig att hon har lungemfysem, men det vet jag ingenting om.

Kennet sluter armarna i kors över bröstkorgen. Han lutar sig tillbaka och ser upp i taket. Sedan rätar han på sig och säger allvarligt:

– Wailord är en seriefigur, eller hur?

– En pokémon, svarar hon.

– Ska man känna till det här?

– Om man har barn i en viss ålder så känner man till det vare sig man vill det eller inte, svarar hon.

Kennet ser helt tomt på henne.

– Pokémon, upprepar Simone. Det är ett slags spel.

– Ett spel?

– Minns du inte att Benjamin höll på med det när han var mindre? Samlade kort och tjatade om de olika krafterna, om hur de förvandlade sig.

Kennet skakar på huvudet.

– Han höll säkert på med det här i två år, säger hon.

– Men inte nu längre?

– Han är lite för stor för det, svarar hon.

– Jag såg dig leka med dockor när du kom hem från ridlägret.

– Ja, vem vet, han leker kanske i hemlighet, säger hon.

– Vad går det ut på, pokémon?

– Hur ska jag förklara det här? Det har med djur att göra. Men det är inte riktiga djur. De är konstruerade, ser ut som insekter eller robotar, jag vet inte. Vissa är söta och andra bara äckliga. Det är alltså japanskt från början, dök upp någon gång på nittiotalet, i slutet av nittiotalet och blev en hel industri. De här figurerna är alltså fickmonster, pocketmonsters. Den som spelar har dem i fickan, de kan rullas ihop och läggas in i små kulor. Det är ganska dumt alltihop. Man tävlar liksom mot andra spelare genom att låta sina olika pokémon slåss. Mycket våldsamt förstås. Målet är i alla fall att besegra så många som möjligt, för då får man pengar ... spelaren får pengar, pokémonfiguren får poäng.

– Och den som har mest poäng vinner, säger Kennet.

– Jag vet faktiskt inte. Det verkar aldrig ta slut.

– Det här är alltså ett dataspel?

– Det är allting, det är säkert därför det har blivit så stort, det finns som teveprogram, kortlekar, gosedjur, godis, tevespel, dataspel, Nintendo och så vidare.

– Jag vet inte om jag blev så mycket klokare, säger han.

– Nej, säger hon dröjande.

Han tittar på henne.

– Vad tänker du på?

– Jag insåg bara att det är precis det som är meningen, att vuxna ska hamna utanför, säger hon. Barnen lämnas ifred, de får vara ifred för att vi inte kan greppa pokémonvärlden, det är för mycket, för stort.

– Tror du att Benjamin har börjat med här spelet igen? frågar Kennet.

– Nej, inte på samma sätt, det här, det här måste vara något annat, svarar hon och pekar på skärmen.

– Du tänker att Wailord är en riktig person, säger han undrande.

– Ja.

– Som inte har någonting med pokémon att göra?

– Jag vet inte... Aidas lillebror, Nicke, han pratade med mig om Wailord som om det rörde sig om en pokémon. Det är kanske bara hans sätt att prata. Men jag menar, allt blir ju annorlunda när Benjamin skriver: Låt inte Nicke gå ner till havet.

– Vilket hav? frågar Kennet.

– Precis, det finns inget hav här, det finns bara i spelet.

– Men samtidigt låter det som att Benjamin tar hotet på allvar, säger Kennet. Att det är på riktigt, eller hur?

Hon nickar.

– Havet är på låtsas, men hotet är på riktigt.

– Vi måste hitta den här Wailord.

– Det skulle kunna vara en Lunar, säger hon dröjande.

Han ser på henne och drar på munnen.

– Jag börjar förstå varför det var dags för mig att gå i pension, säger han.

– Lunar är en identitet på en chattsida, förklarar Simone och flyttar sig närmare datorn. Jag gör en sökning på Wailord.

Resultatet blir 85 000 träffar. Kennet går ut i köket och hon hör hur ljudet på polisradion skruvas upp. Knastranden och surranden blandas med människoröster.

Hon skummar igenom sida efter sida med japanskt pokémonmaterial. *Wailord is the largest of all identified pokémon up to now. This giant pokémon swims in the open sea, eating massive amounts of food at once, with its enormous mouth.*

– Här har vi havet, säger Kennet lågt och läser över hennes axel.

Hon har inte hört honom återvända.

Texten beskriver hur Wailord jagar sitt byte genom att göra ett gigantiskt hopp, landa mitt i stimmet och med käften full av fisk bara simma vidare. Det är fruktansvärt, läser Simone, att se hur Wailord sväljer sitt byte i ett enda svep.

Hon preciserar sökningen till att bara gälla sidor på svenska och går in på ett forum där hon finner en konversation:

"Hej, hur får man en Wailord?"

"För att få en Wailord är det lättast att fånga en Wailmer någonstans ute på havet."

"Ok men var någonstans på havet?"

"Nästan var som helst, bara du använder Super Rod."

– Hittar du någonting? frågar Kennet.

– Det kan ta tid.

– Gå igenom alla mejl, kolla i papperskorgen, försök att spåra den här Wailord.

Hon tittar upp och ser att Kennet har sin skinnjacka på sig.

– Vad ska du göra?

– Jag åker, svarar han kort.

– Åker vart? Hem?

– Måste prata med Nicke och Aida.

– Ska jag följa med? frågar hon.

Kennet skakar på huvudet.

– Det är bättre om du går igenom datorn.

Kennet försöker le när hon följer honom till hallen. Han ser mycket trött ut. Hon kramar honom innan han går, låser dörren och hör honom trycka på knappen till hissen. Maskineriet rullar igång. Plötsligt minns hon hur hon en gång stod i hallen en hel dag och stirrade på dörren i väntan på att hennes pappa skulle komma hem. Hon var kanske nio år och hade insett att mamman tänkte lämna dem. Hon vågade inte lita på att hennes pappa skulle stanna kvar.

När Simone kommer ut i köket ser hon att Kennet har skurit upp en vetekrans ovanpå påsen som den legat i. Kaffebryggaren står på, med en mörk bottensats i kannan.

Den brända kaffelukten blandas med panikkänslan av att hon förmodligen befinner sig bortanför de sista återstoderna av den lyckliga perioden av sitt liv. Att hennes liv är delat i två akter. Den första, lyckliga akten är precis slut. Vad hon har framför sig, det orkar hon inte tänka på.

Simone går till sin handväska och tar upp telefonen. Som väntat har Ylva ringt flera gånger från galleriet. Shulman finns också på samtalslistan. Simone tar fram hans nummer och klickar på ”uppringning” men ångrar sig innan någon signal hinner gå fram. Hon lägger ifrån sig telefonen och återvänder till datorn i Benjamins rum.

Utanför fönstret är det decembermörkt. Det ser ut att blåsa. De hängande gatlyktorna gungar och blöta snöflingor faller genom ljuset.

Simone hittar ett borttaget mejl från Aida med texten: *Jag tycker synd om dig som bor i ett hus av lögner.* I brevet finns en stor bifogad fil. Simone känner den stegrade pulsen i tinningarna när hon riktar markören. Precis när hon ska välja ett bildprogram för att öppna filen knackar det försiktigt på ytterdörren. Det är nästan en krafsning. Hon håller andan, hör en ny knackning och reser sig upp. Benen känns svaga när hon börjar gå genom den långa korridoren som leder fram till hallen och ytterdörren.

# 29

*Söndag eftermiddag den trettonde december, lucia*

KENNET SITTER I BILEN utanför Aidas portuppgång i Sundbyberg och funderar över de egendomliga hoten som fanns i Benjamins dator: ”Nicke säger att Wailord är arg, att han har öppnat munnen mot dig.” ”Låt inte Nicke gå ned till havet.” Han tänker på hur många gånger i sitt liv han både sett och hört rädsla. Han vet själv hur den känns, för ingen människa går utan rädsla.

Aidas hus är ganska litet, bara tre våningar. Det ser oväntat idylliskt ut, gammeldags och tillförlitligt. Han tittar på fotografiet han fick av Simone. En piercad flicka, svartmålad kring ögonen. Han undrar varför han har svårt att föreställa sig henne i detta hus, vid köksbordet, i ett rum där hästplanscher bytts ut mot Marilyn Manson.

Kennet är på väg ut ur bilen för att smyga fram till den balkong som han tror tillhör Aidas familj, men hejdar sig när han får syn på en kraftig skepnad som rör sig fram och tillbaka på gångbanan bakom husen.

Plötsligt öppnas porten. Det är Aida som kommer ut. Hon verkar ha bråttom. Hon ser sig om över axeln och tar fram ett cigarettpaket ur väskan, nyper tag i en cigarett med läpparna direkt ur paketet, tänder och röker utan att sakta ned. Kennet följer efter henne i riktning mot tunnelbanestationen. Han tänker att han ska tala med henne när han vet vart hon är på väg. En buss kör dundrande förbi och någonstans börjar en hund skälla. Kennet ser plötsligt att den storväxte skepnaden som rörde sig bakom huset rusar fram mot Aida. Hon måste ha hört honom för hon vänder sig om. Han närmar sig springande. Hon ser glad ut, hela ansiktet ler: de blekpudrade kinderna och svartsminkade ögonen är plötsligt alldeles barnsliga. Gestalten hoppar jämfota framför henne. Hon klappar honom på kinden och han svarar med att omfamna henne. De pussar varandras nästippar och sedan vinkar Aida adjö. Kennet närmar sig och tänker att den stora gestalten måste vara hennes bror. Han står stilla och blickar efter Aida, vinkar lite och vänder sig sedan om. Kennet ser pojkens ansikte, mjukt och öppet. Det ena ögat skelar kraftigt. Kennet stannar under en lyktstolpe och väntar. Pojken närmar sig med stora, tunga steg.

– Hej Nicke, säger Kennet.

Nicke hejdar sig och ser skrämt på honom. En kula av salivskum sitter i vardera mungipan på honom.

– Får inte, säger han sakta och avvaktande.

– Jag heter Kennet och jag är polis. Eller rättare sagt, jag har blivit lite gammal nu och är pensionär, men det ändrar ingenting, jag är fortfarande polis.

Pojken ler undrande.

– Har du pistol då?

Kennet skakar på huvudet.

– Nej, ljuger han. Och inte har jag någon polisbil heller.

Pojken blir allvarlig.

– Tog dom den när du blev gammal?

Kennet nickar.

– Japp.

– Är du här för att fånga tjuvarna? frågar Nicke.

– Vilka tjuvar?

Nicke drar i sin dragkedja.

– Ibland tar de saker från mig, säger han och sparkar i marken.

– Vem gör det?

Nicke ser otåligt på honom:

– Tjuvarna.

– Jo, det är ju klart.

– Min mössa, min klocka, en fin sten med en glittrande rand.

– Är du rädd för någon?

Han skakar på huvudet.

– Så alla är snälla här? frågar Kennet dröjande.

Pojken flåsar för sig själv och tittar efter Aida.

– Min syster letar efter det värsta monstret.

Kennet nickar mot Pressbyrån vid tunnelbanan.

– Vill du ha en läsk?

Pojken följer med honom och berättar:

– Jag jobbar på biblioteket på lördagarna. Jag hänger in kläder i garderoben åt folk och så får de lappar med nummer på, tusen olika nummer.

– Vad duktig du är, säger Kennet och beställer två flaskor Coca-Cola.

Nicke ser belåtet på honom och ber om att få ett extra sugrör. Sedan dricker han, rapar, dricker och rapar igen.

– Vad menade du med det där du sa om din syster? frågar Kennet i lätt ton.

Nicke rynkar pannan.

– Det är killen. Aidas kille. Benjamin. Nicke har inte sett honom idag. Men förut var han så arg, så arg. Aida grät.

– Var Benjamin arg?

Nicke ser förvånat på Kennet.

– Benjamin är inte arg, han är snäll. Aida blir glad och skrattar.

Kennet ser på den store pojken.

– Vem var arg då, Nicke? Vem var det som var arg?

Nicke ser plötsligt orolig ut. Han tittar på flaskan och letar efter något.

– Jag får inte ta emot saker ...

– Det går bra den här gången, jag lovar, säger Kennet. Vem var det som var arg?

Nicke kliar sig på halsen och stryker bort skummet ur mungiporna.

– Det är Wailord – han har så här stor mun.

Nicke visar med armarna.

– Wailord?

– Han är ond.

– Vart skulle Aida, Nicke?

Pojkens kinder darrar när han säger:

– Hon kan inte hitta Benjamin, det är inte bra.

– Men vart skulle hon gå nu?

Nicke ser nästan gråtfärdig ut när han skakar på huvudet:

– Oj, oj, oj, man får inte prata med farbröder som man inte känner ...

– Titta Nicke, jag är ingen vanlig farbror, säger Kennet, tar fram sin plånbok och hittar ett fotografi av sig själv i polisuniform.

Nicke ser mycket noga på bilden. Sedan säger han allvarligt:

– Aida går till Wailord nu. Hon är rädd att han har bitit Benjamin. Wailord gapar så här stort.

Nicke visar med armarna igen och Kennet försöker låta alldeles lugn på rösten när han säger:

– Vet du var han bor, Wailord?

– Jag får inte gå till havet, inte ens nära.

– Hur kommer man till havet?

– Med bussen.

Nicke känner på något i fickan och viskar för sig själv.

– Wailord lekte med mig en gång när jag skulle betala, säger han och försöker le. Han skojade bara. De lurade mig att äta en sak som man inte ska äta.

Kennet väntar. Nicke rodnar och petar på blixtlåset. Han är smutsig under naglarna.

– Vad åt du? frågar Kennet.

Pojkens kinder darrar häftigt igen:

– Jag ville inte, svarar han och några tårar rinner nedför hans kraftiga ansikte.

Kennet klappar Nicke på axeln och försöker hålla rösten lugn och stadig när han säger:

– Det låter som att Wailord är riktigt dum.

– Dum.

Kennet noterar att Nicke har något i fickan som han hela tiden känner på.

– Jag är polis, det vet du, och jag säger att ingen får vara dum mot dig.

– Du är för gammal.

– Men jag är stark.

Nicke ser gladare ut.

– Får jag en Cola till?

– Om du vill.

– Ja, tack.

– Vad är det du har i fickan? frågar Kennet och försöker låta likgiltig.

Nicke ler.

– Det är en hemlighet, säger han.

– Jaså, säger Kennet och avstår från att fråga mer.

Nicke sväljer betet:

– Vill du inte veta?

– Du behöver inte berätta det för mig om du inte har lust, Nicke.

– Oj, oj, oj, säger han. Du kan inte ana vad det är.

– Jag tror inte att det är något särskilt.

Nicke tar upp handen ur fickan.

– Jag ska säga vad det är.

Han öppnar näven.

– Det är min kraft.

I Nickes hand ligger lite jord. Kennet tittar undrande på pojken som bara ler.

– Jag är en mark-pokémon, säger han nöjt.

– En mark-pokémon, upprepar Kennet.

Nicke sluter näven om jorden och stoppar tillbaka alltihop i sin ficka.

– Vet du vad jag har för krafter?

Kennet skakar på huvudet och upptäcker att en man med toppigt huvud går utmed den mörka, våta husfasaden på andra sidan gatan. Det ser ut som om han letar efter något, han har en käpp i handen som han petar i marken med. Plötsligt slår det Kennet att mannen kanske försöker kika in genom fönstren på nedre botten. Han tänker att han måste gå dit och fråga vad det är han håller på med. Men Nicke har lagt sin hand på hans arm:

– Vet du vad jag har för krafter? upprepar pojken.

Kennets blick släpper motvilligt mannen. Nicke börjar räkna på fingrarna medan han pratar:

– Jag är bra mot alla elektricitets-pokémon, eld-pokémon, giftiga pokémon, sten-pokémon och stål-pokémon. De kan inte slå mig. Där är jag säker. Men jag kan inte slåss mot flygande pokémon, inte heller gräs- och insekts-pokémon.

– Är det så? frågar Kennet förstrött och tycker sig se hur mannen stannar till vid ett fönster. Han ser ut som om han låtsas söka efter något, men i själva verket böjer han sig fram mot rutan.

– Lyssnar du? frågar Nicke oroligt.

Kennet försöker le uppmuntrande mot honom. Men när han vänder tillbaka blicken mot fönstret har mannen försvunnit. Kennet kisar mot fönstret i husets bottenvåning men kan inte se om det står öppet.

– Jag tål inte vatten, förklarar Nicke ledset. Vatten är värst, jag tål inte vatten, jag är jätterädd för vatten.

Kennet lösgör sig försiktigt från hans hand.

– Vänta ett litet tag, säger han och börjar ta några steg mot fönstret.

– Vad är klockan, frågar Nicke.

– Klockan? Hon är kvart i sex.

– Då måste jag gå. Han blir arg om jag är försenad.

– Vem blir arg? Är det din pappa som blir arg?

Nicke skrattar.

– Jag har väl ingen pappa!

– Din mamma, menar jag.

– Nej, Ariados blir arg, han ska hämta saker.

Nicke tittar tvekande på Kennet, slår sedan ner blicken och frågar:

– Får jag pengar av dig nu? För om jag har för lite med mig, då måste han straffa mig.

– Vänta ett tag, säger Kennet som börjar lystra till vad Nicke säger. Är det Wailord som vill ha pengar av dig?

De lämnar Pressbyrån tillsammans och Kennet upprepar sin fråga:

– Är det Wailord som ska ha pengar?

– Är du helt sjuk? Wailord? Han skulle svälja mig ... men dom ... dom andra, dom kan simma till honom.

Nicke ser sig över axeln. Kennet upprepar:

– Vem är det som ska ha pengar?

– Ariados, sa jag ju, svarar pojken otåligt. Har du pengar? Jag kan göra något om jag får pengarna. Jag kan ge dig lite kraft ...

– Det behövs inte, säger Kennet och tar fram plånboken. Räcker det med tjugo kronor?

Nicke skrattar av förtjusning, stoppar sedeln i fickan och börjar springa nedför gatan utan att säga hej då.

Kennet står stilla ett ögonblick och försöker förstå vad det var pojken sa. Han kan inte sätta ihop det Nicke berättat till en helhet, men följer ändå efter honom. När han kommer runt hörnet ser han att Nicke står och väntar vid trafikljuset. Det blir grönt och han skyndar sig över. Det ser ut som om han är på väg mot biblioteket vid det fyrkantiga torget. Kennet följer efter honom över gatan och ställer sig vid en bankomat och avvaktar. Nicke har stannat igen. Han trampar otåligt omkring vid fontänen utanför biblioteket. Platsen är dåligt belyst, men Kennet ser ändå hur Nicke hela tiden fingrar på jorden i sin byxficka.

Plötsligt går en yngre pojke rakt igenom de planterade buskarna bredvid Folktandvården och ut på torget. Han närmar sig Nicke, stannar framför honom och säger något. Nicke lägger sig genast på marken och räcker fram pengarna. Pojken räknar pengarna och klappar sedan Nicke på huvudet. Så tar han plötsligt tag i Nickes jackkrage, släpar honom till fontänkanten och trycker ned hans ansikte i vattnet. Kennet gör en ansats att springa dit, men tvingar sig själv att stå stilla. Han är här för att hitta Benjamin. Han får inte skrämma iväg pojken som kanske är Wailord eller kan leda honom till Wailord. Kennet står med spända, sammanbitna käkar och räknar sekunderna innan han måste rusa fram. Nickes ben rycker och sparkar och han ser det oförklarliga lugnet i den andre pojkens ansikte när han släpper taget. Nicke sitter på marken bredvid fontänen och hostar och rapar. Pojken ger Nicke en sista klapp på axeln och börjar sedan gå därifrån.

Kennet skyndar sig efter pojken, genom buskarna och nedför en lerig grässluttning till en gångväg. Han följer honom utmed ett höghusområde och fram till en port, ökar på stegen och fångar dörren innan den sluter sig. Kennet hinner med hissen, ser att knappen för våning sex lyser. Han går också av på våning sex, dröjer, låtsas leta i fickorna och ser pojken gå fram till en dörr och ta fram nyckeln.

– Grabben, säger Kennet.

Pojken reagerar inte och Kennet går fram, tar tag i hans jacka och vänder honom runt.

– Släpp mig, gubbe, säger pojken och ser honom i ögonen.

– Vet du inte att det är förbjudet att pressa folk på pengar?

Kennet tittar in i ett par glidande, överraskande lugna ögon.

– Du heter Johansson i efternamn, säger Kennet efter att ha tittat till på dörren.

– Ja, ler han. Vad heter du?

– Kennet Sträng, kriminalkommissarie.

Pojken bara står där och ser på honom utan att visa någon rädsla.

– Hur mycket pengar har du tagit från Nicke?

– Jag tar inga pengar, ibland får jag pengar, men jag tar ingenting, alla är glada, ingen är ledsen.

– Jag tänker prata med dina föräldrar.

– Jaha.

– Ska jag göra det?

– Snälla låt bli, säger pojken skämtsamt.

Kennet ringer på dörren och efter en stund öppnas den av en tjock, solbränd kvinna.

– Hej, säger Kennet. Jag är kriminalkommissarie och jag är rädd för att din son har hamnat i dåligheter.

– Min son? Jag har inga barn, säger hon.

Kennet ser att pojken ler mot golvet.

– Du känner inte den här pojken?

– Får jag se på din polisbricka, säger den tjocka kvinnan.

– Den här pojken är . . .

– Han har ingen bricka, avbryter pojken.

– Jo, det har jag, ljuger Kennet.

– Han är ingen polis, ler pojken och tar fram sin plånbok. Här är mitt busskort, jag är mer polis än . . .

Kennet rycker åt sig hans plånbok.

– Ge tillbaka den.

– Jag ska bara ta en titt, svarar Kennet.

– Han sa att han ville pussa min pillesnopp, säger pojken.

– Jag ringer polisen, svarar kvinnan med rädd röst.

Kennet trycker på knappen till hissen. Kvinnan ser sig om och skyndar fram och börjar bulta på de andra dörrarna i trapphuset.

– Han gav mig pengar, säger pojken till henne. Men jag ville inte följa med.

Hissdörrarna glider isär. En granne öppnar med säkerhetskedjan på.

– Du ger fan i Nicke i fortsättningen, säger Kennet lågt.

– Han är min, svarar pojken.

Kvinnan ropar på polis. Kennet går in i hissen, trycker på den gröna knappen och ser dörrarna sluta sig. Det rinner svett efter ryggen. Han förstår att pojken måste ha märkt att han följde efter honom från fontänen, han hade bara lurat med honom, in genom en port och fram till en helt främmande dörr. Hissen rör sig långsamt nedåt, ljuset blinkar till, det dånar i stållinorna ovanför. Kennet tittar i pojkens plånbok: nästan tusen kronor, bonuskort på en videobutik, busskort och ett knyckligt, blått visitkort med texten: Havet, Louddsvägen 18.

# 30

*Söndag eftermiddag den trettonde december, lucia*

PÅ TAKET TILL GATUKÖKET har man monterat en jättestor varmkorv med glad mun som med den ena handen håller ketchup på sig själv och med den andra gör tummen upp. Erik beställer en hamburgertallrik med pommes frites, sätter sig på en av de höga stolarna vid den smala bänkskivan intill fönstret och ser ut genom den immiga rutan. På andra sidan gatan ligger en låssmedsbutik. De har julskyltat med knähöga tomtar vid olika kassaskåp, låsinsatser och nycklar.

Erik öppnar burken med mineralvatten, tar en klunk och ringer sedan hem. Han hör sin egen röst på telefonsvararen uppmana honom att lämna ett meddelande. Han avslutar bara samtalet och ringer Simones mobiltelefon istället. Hon svarar inte och när röstbrevlådan piper, säger han:

– Hej Simone... Jag ville bara säga att du borde acceptera polisbeskydd, för Josef Ek, han verkar väldigt arg på mig... Det var bara det.

Tomheten i magen värker när han tar en tugga av hamburgaren. Tröttheten sänker sig över honom. Han spetsar den hårt friterade potatisen på plastgaffeln och tänker på Joonas ansikte när han hade läst Josefs brev till Evelyn. Som om temperaturen föll. De ljusgrå ögonen blev som is, men med en omedelbar skärpa.

Joona ringde för fyra timmar sedan och berättade att de hade missat Josef igen. Han hade befunnit sig i källaren, men flytt. Ingenting tydde på att Benjamin hade varit där. Tvärt om visade de preliminära DNA-resultaten på att Josef hade varit ensam i rummet hela tiden.

Erik försöker minnas Evelyns ansikte och hennes exakta ord när hon plötsligt förstod att Josef hade återvänt till radhuset. Erik tror inte att Evelyn låtit bli att berätta om det hemliga utrymmet avsiktligt. Hon hade bara glömt bort det. Det var först när hon insåg att Josef hade återvänt och gömt sig i radhuset som hon kom ihåg lönnrummet.

Josef Ek vill mig illa, tänker Erik. Han är svartsjuk och hatar mig, han har inbillat sig att jag och Evelyn har en sexuell relation och han är inställd på att hämnas på mig. Men han vet inte var jag bor. I brevet kräver han att Evelyn ska berätta det för honom. Du ska visa mig var han bor, skrev han.

– Han vet inte var jag bor, viskar Erik. Om Josef inte vet var jag bor så var det inte han som trängde sig in i vårt hem och släpade ut Benjamin.

Erik äter mer av hamburgaren, torkar händerna på servetten och gör ett nytt försök att få tag på Simone. Hon måste få veta att det inte är Josef Ek som har tagit Benjamin. En lättnad sveper förbi, trots att han får lov att börja om, tänka igenom allt-ihop igen från början. Erik tar fram ett papper, skriver Aida på det, men ändrar sig och knycklar ihop det. Simone är tvungen att minnas mer, säger han sig, hon måste ha sett något.

Hon hade blivit förhörd av Joona Linna, men inte kommit ihåg mer. De har varit alldeles för inställda på Josef, på sammanträffandet att han rymde innan Benjamin fördes bort. Nu känns det nästan konstigt. Det stämmer ju inte ens, det har han sagt hela tiden. Det första intrånget hos dem skedde ju innan Josef rymde. Han är en seriemördare, han har fått smak på att döda. Att föra bort någon passar inte ihop med Josefs mönster. Den enda han vill föra bort är Evelyn, han är fixerad vid henne, det är hon som är hans motivation i allt.

Telefonen ringer och han lägger ner hamburgaren, torkar händerna igen och svarar utan att titta på displayen.

– Ja, det är Erik Maria Bark här.
Det sprakar och dånar samtidigt dovt.
– Hallå? säger Erik med höjd röst.
Plötsligt hörs en svag röst.
– Pappa?
Det pyser när frityrkorgen sänks ned i den heta oljan.
– Benjamin?
En hamburgare vänds på stekbordet. Det dundrar i telefonen.
– Vänta, jag hör inte.
Erik knuffar sig förbi de nyanlända gästerna och ut på parkeringsplatsen. Snö virvlar kring den gula vägbelysningen.
– Benjamin!
– Hör du mig? frågar Benjamin helt nära.
– Var är du? Säg var du är!
– Jag vet inte, pappa, jag fattar ingenting, jag ligger i en bil som åker och åker ...
– Vem är det som har tagit dig?
– Jag vaknade här, jag har inte sett någonting, jag är törstig ...
– Är du skadad?
– Pappa, gråter han.
– Jag är här, Benjamin.
– Vad är det som händer?
Han låter liten och rädd.
– Jag ska hitta dig, säger Erik. Vet du vart du är på väg?
– Jag hörde en röst, som genom tjockt tyg, precis när jag vaknade. Vad var det nu igen? Det var någonting om ... ett hus, tror jag ...
– Säg något mer! Vad då för hus?
– Nej, inte ett hus ... ett kråkslott.
– Var?
– Nu stannar vi, pappa, bilen har stannat, jag hör steg, säger Benjamin med skräckslagen röst. Jag kan inte prata mer.

Konstiga, bökande ljud hörs, det knakar till och så Benjamins plötsliga skrik, rösten är skärrad och gäll, han låter fruktansvärt rädd:

– Låt mig vara, jag vill inte, snälla, jag lovar att ...

Det blir tyst, samtalet är brutet.

Torra snöflingor virvlar över parkeringsplatsen utanför gatuköket. Erik tittar på telefonen, men törs inte använda den, vill inte riskera att blockera ett nytt samtal från Benjamin. Han väntar utanför bilen. Hoppas på att Benjamin ska ringa igen. Försöker gå igenom samtalet, men tappar hela tiden tråden. Benjamins rädsla ekar med snabba stötar genom hans huvud. Han inser att han måste berätta för Simone.

Ett band av röda baklyktor slingrar sig norrut och delar sig som en ormtunga till höger mot universitetet och Europaväg 18, och till vänster mot Karolinska sjukhuset och Europaväg 4. Tusentals bilar i en långsamt flytande rusningstrafik. Erik vet att han lämnade sina handskar och sin mössa bredvid hamburgaren i gatuköket, men kan inte bry sig.

När han sätter sig i bilen skakar händerna så att han inte får in nyckeln i tändningslåset. Han blir tvungen att använda båda händerna. Körbanan skimrar grå och blöt av den våta snön när han backar ut i mörkret och svänger vänster på Valhallavägen.

Erik parkerar på Döbelnsgatan, går med stora steg ned till Luntmakargatan, känner ett märkligt främlingskap när han passerar in genom porten och fortsätter uppför trapporna. Han ringer på dörren, väntar, hör stegen, det lilla klickande ljudet när metallocket framför tittögat förs åt sidan. Han hör dörren låsas upp från insidan. Efter en stund öppnar Erik dörren och går in i den dunkla hallen. Simone har flyttat sig bakåt och står en bit in i korridoren med armarna i kors över bröstet. Hon är klädd i jeans och den blå, stickade tröjan och ser mycket sammanbiten ut.

– Du svarar inte i telefon, säger Erik.

– Jag har sett att du har ringt, säger hon dämpat. Var det något viktigt du ville?

– Ja.

Hennes ansikte spricker upp i all den rädsla och ångest som hon kämpat för att dölja. Hon håller en hand för munnen och stirrar på honom.

– Benjamin ringde mig för en halvtimme sedan.

– Gode gud …

Simone närmar sig.

– Var är han? frågar hon med höjd röst.

– Jag vet inte, han visste inte själv, han visste ingenting …

– Vad sa han då?

– Att han låg i en bil.

– Var han skadad?

– Jag tror inte det.

– Men vad …

– Vänta, avbryter Erik. Jag måste låna telefonen, det går kanske att spåra samtalet.

– Vem ska du ringa?

– Polisen, svarar han. Jag har en kontakt som …

– Jag pratar med pappa – det går fortare, avbryter Simone.

Hon tar telefonen och han sätter sig på den låga hallbänken i mörkret, känner hur ansiktet hettar i värmen.

– Låg du och sov? frågar Simone. Pappa, jag måste … Erik är här, han har pratat med Benjamin, du måste spåra samtalet. Jag vet inte. Nej, jag har inte … Du får prata med honom …

Erik reser sig och viftar avvärjande när hon närmar sig, men tar ändå emot telefonen och lägger den till örat.

– Hallå.

– Berätta vad som har hänt, Erik, säger Kennet.

– Jag ville tala med polisen men Simone sa att du kunde spåra samtalet snabbare.

– Hon kan ha rätt.

– Benjamin ringde mig för en halvtimme sedan, han visste

ingenting, inte var han befann sig eller vem som hade tagit honom, han visste egentligen bara att han låg i en bil ... och medan vi pratade så stannade bilen, Benjamin sa att han hörde steg och sedan ropade han något och så blev det tyst.

Erik hör tillbakahållen gråt från Simone.

– Ringde han med sin egen telefon? frågar Kennet.

– Ja.

– För den har varit avstängd ... jag försökte spåra den redan i förrgår, du vet, telefoner avger signaler till den närmaste basstationen även när de inte används.

Erik lyssnar tyst medan Kennet snabbt förklarar att teleoperatörerna är tvungna att hjälpa polisen enligt telelagens paragraf 25 till 27 om minimistraffet för brottet som utreds är fängelse i minst två år.

– Vad kan de få fram? frågar Erik.

– Precisionen varierar, det beror på stationerna och växlarna, men med lite tur har vi snart en platsangivelse med en radie på hundra meter.

– Skynda dig, du måste skynda dig.

Erik avslutar samtalet, står med telefonen i handen och ger den sedan till Simone.

– Vad har du gjort på kinden? frågar han.

– Va? Jaså, det är ingenting, svarar hon.

De ser på varandra, trötta och ömtåliga.

– Vill du komma in, Erik? frågar hon.

Han nickar, står en stund, petar sedan av sig skorna och går in, ser att datorn lyser i Benjamins rum och fortsätter dit.

– Har du hittat något?

Simone stannar i dörren till rummet.

– Några mejl mellan Benjamin och Aida, säger hon. Det verkar som att de känner sig hotade.

– Av vem då?

– Vi vet inte. Pappa jobbar på det.

Erik sätter sig framför datorn.

– Benjamin lever, säger han lågt och ser länge på henne.

– Ja.

– Josef Ek verkar inte vara inblandad.

– Du sa det på telefonsvararen, att han inte vet var vi bor, säger hon. Men han ringde ju hit, eller hur, då kan han väl ...

– Det är en annan sak, avbryter han.

– Är det?

– Växeln kopplade samtalet hit, förklarar han. Jag har bett dem göra det om det är viktigt. Han har inte vårt telefonnummer, inte vår adress.

– Men någon har tagit Benjamin och lagt honom i en bil ...

Hon tystnar.

Erik läser mejlet från Aida där hon beklagar att Benjamin lever i ett hus av lögner och sedan öppnar han bilden som hon bifogade: ett färgfotografi taget nattetid med blixt på en gulgrön, vildvuxen gräsyta. Den ser ut att bukta en aning mot en låg häck. Bakom den torra häcken anas baksidan av ett brunt trästaket. I utkanten av det starka vita skenet syns en grön lövkorg av plast och något som skulle kunna vara ett potatisland.

Erik söker runt med blicken, försöker förstå vad som är bildens motiv, om det finns en igelkott eller näbbmus någonstans som han ännu inte upptäckt. Han försöker se in i mörkret bortom skenet från kamerablixten, om det finns en människa där, ett ansikte, men hittar ingenting.

– Vilket märkligt fotografi, viskar Simone.

– Aida kanske bara bifogade fel bild, säger Erik.

– Det skulle förklara varför Benjamin kastat brevet.

– Vi får prata med Aida om både det här ...

– Faktorpreparatet, kvider Simone plötsligt.

– Jag vet ...

– Gav du honom faktorpreparatet i måndags?

Innan han hinner svara lämnar hon rummet och går genom

korridoren och in i köket. Han följer efter henne. När han kommer dit står hon i fönstret och snyter sig i en bit hushållspapper. Erik sträcker fram handen för att klappa henne, men hon drar sig undan. Han vet exakt när Benjamin fick sprutan senast. Sprutan med faktorpreparatet, medlet som hjälper hans blod att koagulera, som skyddar från spontana hjärnblödningar, som hindrar honom från att förblöda, kanske bara av en hastig rörelse.

– I måndags förmiddag, klockan tio över nio gav jag honom sprutan. Han skulle åka skridskor, men åkte till Tensta med Aida istället.

Hon nickar och räknar efter med ryckande ansikte:

– Idag är det söndag. Han borde få en ny spruta i morgon, viskar hon.

– Det är ingen riktig fara på ännu några dagar, säger Erik lugnande.

Han tittar på henne, hennes trötta ansikte, de vackra dragen, fräknarna. De lågt skurna jeansen, kanten till de gula trosorna utmed linningen. Han skulle vilja stanna här, bara stanna, han skulle vilja att de sov tillsammans, egentligen skulle han vilja älska med henne, men vet att det är för tidigt för allt detta, för tidigt att ens försöka, för tidigt för att börja längta.

– Jag ska gå, mumlar han.

Hon nickar.

De tittar på varandra.

– Ring när Kennet har spårat samtalet.

– Vart ska du? frågar hon.

– Jag måste jobba.

– Sover du på kontoret?

– Det är ganska praktiskt.

– Du kan sova här, säger hon.

Han blir förvånad, vet plötsligt inte vad han ska säga. Men den lilla stunden av tystnad räcker för att hon ska misstolka hans reaktion som en tvekan.

– Det var inte menat som en invit, säger hon snabbt. Inbilla dig ingenting.

– Detsamma, svarar han.

– Har du flyttat hem till Daniella?

– Nej.

– Vi har redan separerat, säger hon med höjd röst. Så du behöver inte ljuga för mig.

– Okej.

– Vad då? Okej vad då?

– Jag har flyttat hem till Daniella, ljuger han.

– Bra, viskar hon.

– Ja.

– Jag tänker inte fråga om hon är ung och snygg och …

– Det är hon, avbryter Erik.

Han går ut i hallen, får på sig skorna, lämnar lägenheten och stänger dörren. Han väntar tills han hör henne låsa och lägga på säkerhetskedjan innan han fortsätter ner.

# 31

*Måndag morgon den fjortonde december*

SIMONE VAKNAR AV att telefonen ringer. Gardinerna är frändragna och sovrummet uppfyllt av vintrigt solljus. Hon hinner tänka att det kanske är Erik och vill bara gråta när hon inser att han inte kommer att ringa, att han ska vakna bredvid Daniella denna morgon, att hon är helt ensam nu.

Hon tar telefonen från sängbordet och svarar:

– Ja?

– Simone? Det är Ylva. Jag har försökt få tag på dig i flera dagar.

Ylva låter mycket stressad. Klockan är redan tio.

– Jag har haft annat att tänka på, säger Simone stramt.

– De har inte hittat honom?

– Nej, svarar Simone.

Det blir tyst. Några skuggor glider förbi utanför fönstret och Simone ser hur det faller färg från taket mitt emot. Flagnad plåt som skrapas bort av män i brandgula kläder.

– Förlåt, säger Ylva. Jag ska inte störa dig.

– Vad är det som har hänt?

– Revisorn kommer hit i morgon igen, det är något som inte stämmer och jag kan inte tänka när Norén är här och bankar.

– Bankar?

Ylva gör ett ljud som inte går att tolka.

– Han kom in med en gummihammare och hävdade att han skapade modern konst, förklarar Ylva med trött röst. Han säger att han har slutat med akvareller, att han istället letar efter hålrummen i konsten.

– Det får han väl göra någon annanstans.

– Han slog sönder skålen från Peter Dahl.

– Har du ringt polisen?

– Ja, de var här, men Norén babblade bara om sin konstnärliga frihet. De sa till honom att hålla sig borta, så nu står han här utanför och bankar.

Simone reser sig upp och tittar på sig själv i klädkammarens röktonade spegel. Hon ser mager och trött ut. Det känns som om hennes ansikte har krossats i en mängd små bitar, och sedan satts samman igen.

– Och Shulman? frågar Simone. Hur går det med hans rum?

Ylva låter ivrig.

– Han säger att han behöver prata med dig.

– Jag ringer honom.

– Det är något med ljuset som han vill visa dig.

Hon sänker rösten:

– Jag har ju ingen aning om hur du och Erik har det, men ...

– Vi har separerat, säger Simone kort.

– För jag tror verkligen ...

Ylva tystnar.

– Vad tror du? frågar Simone tålmodigt.

– Jag tror att Shulman är kär i dig.

Simone möter sin egen blick i spegeln och känner hur det plötsligt pirrar till magen.

– Jag får väl komma, säger hon.

– Kan du göra det?

– Ska bara ringa ett samtal.

Simone lägger på luren och blir sedan sittande på sängkanten en kort stund. Benjamin lever, det är det viktigaste. Han lever fastän det har gått flera dygn sedan han blev kidnappad. Det är ett mycket gott tecken. Det tyder på att den person som tagit honom inte i första hand är intresserad av att döda honom. Han har andra avsikter och kommer kanske att begära en lösensumma. Hon gör ett snabbt överslag över sina tillgångar. Vad äger hon egentligen? Bostadsrätten, bilen, lite konst. Galleriet förstås. Hon kan låna pengar. Det kommer att ordna sig. Hon är ingen rik människa, men hennes pappa kan sälja sommarhuset och sin lägenhet. De får flytta in allesammans i en hyreslägenhet, var som helst, det går bra, bara hon får tillbaka Benjamin, bara hon får ha sin pojke igen.

Simone ringer sin pappa men får inget svar. Hon talar in ett kort meddelande om att hon går ned till galleriet, sedan duschar hon snabbt, borstar tänderna, byter kläder och lämnar lägenheten utan att släcka efter sig.

Det är kallt ute, blåsigt och några minusgrader. Decembermorgonens mörker är fyllt av dövhet, sömnaktighet, kyrkogårdsstämning. En hund springer med kopplet släpande i vattenpölarna.

Så fort hon kommer fram till galleriet möter hon Ylvas blick genom glasdörren. Norén syns inte till, men på marken intill väggen ligger en tidning hopvikt som en Napoleonhatt. Ett grönaktigt ljus skimrar från en serie tavlor som Shulman har målat. Glänsande, akvariegröna oljemålningar. Hon går in och Ylva skyndar fram och omfamnar henne. Simone noterar att Ylva har glömt att färga håret svart som hon brukar, den grå utväxten går att ana i den raka mittbenan. Men hennes ansikte är slätt och välsminkat, munnen mörkröd som alltid. Hon har på sig en grå byxkjolkostym över svartvitrandiga strumpbyxor och klumpiga, bruna skor.

– Vad fint det håller på att bli, säger Simone och ser sig omkring. Du har gjort ett jättejobb.

– Tack, viskar Ylva.

Simone går fram till målningarna.

– Jag har inte sett dem så här, som de är tänkta, säger hon.

Jag har bara sett dem en och en.

Hon tar ytterligare ett steg närmare:

– Det är som om de rinner åt sidan.

Hon fortsätter ut i det andra rummet. Där står stenblocken med Shulmans grottmålningar på träställningarna.

– Han vill ha oljelampor här, säger Ylva. Jag har sagt att det är omöjligt, folk vill se vad det är de köper.

– Nej, det vill de inte.

Ylva skrattar.

– Så Shulman får som han vill?

– Ja, svarar Simone. Han får som han vill.

– Du kan säga det till honom själv.

– Vad då? frågar Simone.

– Han är på kontoret.

– Shulman?

– Behövde ringa några samtal sa han.

Simone blickar mot kontoret och Ylva harklar sig:

– Jag går och köper en lunchsmörgås ...

– Redan?

– Jag tänkte bara, säger Ylva med nedslagen blick.

– Gör det, säger Simone.

Simone är så orolig och ledsen att hon måste stanna och torka bort tårarna som börjat rinna över kinderna innan hon knackar på dörren och går in. Shulman sitter på kontorsstolen bakom skrivbordet och suger på en blyertspenna.

– Hur är det med dig? frågar han.

– Inte så bra.

– Jag har förstått det.

Det blir tyst mellan dem. Hon sänker ansiktet. En känsla av utsatthet, av att ha slipats ned till sköraste materia fyller henne. Läpparna rycker när hon stöter fram:

– Benjamin lever. Vi vet inte var han är eller vem som har tagit honom, men han lever.

– Det var bra nyheter, säger Shulman dämpat.

– Jävlar, viskar hon, vänder sig om och stryker med darrande hand bort tårarna ur ansiktet.

Shulman rör mjukt vid hennes hår. Hon drar sig undan utan att veta varför. Egentligen vill hon att han ska fortsätta. Hans hand faller ned. De ser på varandra. Han är klädd i sin svarta, mjuka kostym, en luva sticker fram över kavajkragen.

– Du har ninjadräkten på dig, säger hon och drar ofrivilligt på munnen.

– Shinobi, det riktiga ordet för ninja, har två betydelser, säger han. Det betyder ”dold person”, men också ”en som uthärdar”.

– Uthärdar?

– Det är kanske den svåraste konsten som finns.

– Ensam går det inte, inte för mig i alla fall.

– Ingen är ensam.

– Jag klarar inte av det här, viskar Simone. Jag håller på att gå sönder, måste sluta grubbla, jag har ingenstans att ta vägen. Jag går och tänker, bara något händer, jag skulle kunna slå mig själv i huvudet eller hoppa i säng med dig bara för att få bort den här paniken i mig ...

Hon avbryter sig tvärt.

– Det där, försöker hon säga. Det lät helt ... Jag ber om ursäkt, Sim.

– Vad väljer du i så fall? Hoppa i säng med mig eller slå dig själv i huvudet? frågar han leende.

– Inget av det, skyndar hon sig att svara.

Sedan hör hon hur det lät och försöker släta över:

– Jag menar inte, jag skulle gärna ...

Hon tystnar igen och känner hjärtat slå snabbt i bröstet.

– Vad då? frågar han.

Hon möter hans ögon.

– Jag är inte mig själv. Det är därför jag beter mig så här, säger hon bara. Jag känner mig fruktansvärt dum, ska du veta.

Hon slår ner blicken, känner hur det hettar i ansiktet och harklar sig lite:

– Jag måste ...

– Vänta, säger han och tar upp en genomskinlig burk ur sin väska.

Något som ser ut som tjocka, mörka fjärilar klättrar runt där inne. Det klickar inifrån glaset som ser immigt ut.

– Sim?

– Jag ville bara visa dig något fantastiskt.

Han håller upp burken mot henne. Hon betraktar de bruna kropparna, vingarnas pulver som smetats ut mot glaset, skräpet från puppornas rester. Fjärilarna stöter sina klövaktiga ben mot glaset, deras snablar går febrilt över varandras vingar och spröt.

– Jag trodde alltid att de var vackra när jag var liten, säger hon. Men det var innan jag verkligen fick syn på dem.

– De är inte vackra, de är grymma, ler Shulman och blir sedan allvarlig. Jag tror att det beror på metamorfosen.

Hon rör vid burken och nuddar hans händer som håller i burken.

– Beror grymheten på förvandlingen?

– Kanske, svarar han.

De betraktar varandra och är inte längre fokuserade på samtalet.

– Katastroferna förändrar oss, säger hon dröjande.

Han smeker hennes händer.

– Så måste det vara.

– Fast jag vill inte bli grym, viskar hon.

De står alldeles nära varandra. Shulman ställer försiktigt ned burken på bordet.

– Du ... säger han, böjer sig fram och kysser henne på munnen, bara kort.

Hon känner sig svag i benen, knäna darrar. Hans lena röst och värmen från hans kropp. Lukten ur den mjuka kavajen, en doft av sömn och sängkläder, av fina örter. Det känns som om hon har glömt den underbara lenheten från en smekning när hans hand går över hennes kind och runt nacken. Shulman ser på henne med ett leende i ögonen. Hon tänker inte längre på att springa bort från galleriet. Hon vet att det kanske bara är ett sätt att under ett kort ögonblick slippa ångesten som hamrar i bröstet, men det får det vara då, säger hon sig. Hon vill bara att detta ska fortsätta en liten stund till, hon vill bara få glömma allt det hemska. Hans läppar närmar sig hennes och den här gången besvarar hon kyssen. Andningen stegras och hon andas snabbt genom näsan. Känner hans händer kring ryggen, korsryggen, höfterna. Känslorna rusar över henne, det brinner i hennes sköte: en plötslig och blind längtan av att ta emot honom. Hon blir rädd för kraften i driften, backar undan och hoppas att han inte ser hur upphetsad hon har blivit. Hon stryker sig över munnen och harklar sig medan han vänder sig bort och hastigt försöker rätta till sina kläder.

– Någon kan komma, försöker hon säga.

– Vad ska vi göra? frågar Shulman och hon hör en darrning i hans röst.

Utan att svara tar hon ett steg mot honom och kysser honom igen. Hon har inga tankar längre, hon trevar efter hans hud under kläderna och känner hans varma händer över kroppen. Han smeker henne över ländryggen, hans händer söker sig innanför hennes kläder, tar sig ned mot hennes trosor, och när han känner hur våt hon är stönar han och pressar sin hårda penis mot hennes blygdben. Hon tänker att hon vill att de ligger med varandra här, stående mot väggen, mot skrivbordet, på golvet, som om ingenting annat betyder något, bara hon distraherar paniken några minuter. Hjärtat slår snabbt och benen skakar. Hon drar honom mot väggen, och när han pressar upp hennes ben för att tränga in i henne viskar hon bara åt honom att göra det, att skynda sig. I samma stund hörs klangen från klockan på dörren. Någon kommer in i galleriet. Parkettgolvet knakar och de släpper taget om varandra.

– Vi åker till mig, viskar han.

Hon nickar och känner att hon är röd om kinderna. Han stryker sig över munnen och lämnar kontoret. Hon står kvar, väntar en stund, tar stöd på skrivbordet, hela kroppen darrar. Hon rättar till kläderna och när hon kommer ut i galleriet står Shulman redan i dörren mot gatan.

– Ha en trevlig lunch, säger Ylva.

Simone ångrar sig när de sitter tysta i taxin till Mariagränd. Jag ringer och pratar med pappa, tänker hon, och sedan förklarar jag att jag är tvungen att gå. Blotta tanken på vad hon nu håller på med gör henne illamående av skuld, panik och upphetsning.

När de gått uppför den smala trappen, stannat på våning fem och han håller på att låsa upp dörren börjar hon fingra efter telefonen i väskan.

– Jag måste bara ringa min pappa, säger hon undanglidande.

Han svarar inte, går bara före henne in i den terrakottafärgade hallen och försvinner bort i korridoren.

Hon blir stående med kappan på, ser sig om i den dunkla hallen. Fotografier täcker väggarna och längs taket löper en nisch med uppstoppade fåglar. Shulman återvänder innan hon hinner slå numret till Kennet.

– Simone, viskar han. Vill du inte komma in?

Hon skakar på huvudet.

– En liten stund bara? frågar han.

– Okej.

Hon behåller kappan på när hon följer med honom till vardagsrummet.

– Vi är vuxna, vi gör vad vi vill, säger han och häller upp varsin kupa konjak till dem.

De skålar och dricker.

– Det var gott, säger hon lågt.

Den ena väggen består helt och hållet av fönster. Hon går fram och blickar ut över koppartaken på Södermalm och den mörka baksidan av en ljusreklam som föreställer en tandkrämstub.

Shulman kommer fram till henne, ställer sig bakom henne och lägger sina armar om henne.

– Har du förstått att jag är galen i dig? viskar han. Från första stund har jag varit det.

– Sim, jag vet bara inte ... jag vet inte vad jag håller på med, säger Simone hest.

– Måste du veta det, frågar Shulman leende och börjar dra iväg henne till sovrummet.

Hon följer med som om hon hela tiden har vetat detta. Hon har vetat att Shulman och hon ska gå in i ett sovrum tillsammans. Hon har velat det och det enda som har hållit henne tillbaka har varit att hon inte ville vara som sin mamma, som Erik, en lögnare som smusslar med telefonsamtal och sms. Hon har alltid tänkt att hon inte är en förrädare, att hon har haft en spärr mot otrohet, men nu finns det ingen som helst känsla av förräderi hos henne. Shulmans sovrum är mörkt, väggarna är täckta av något som ser ut som djupblått sidentyg, samma tyg som i långa draperier hänger för fönstren. Det korta, sneda midvinterljuset tränger sig in genom tygfibrerna som ett svagare mörker.

Med darrande händer knäpper hon upp sin kappa och slänger den på golvet. Shulman klär av sig naken och Simone kan se hur muskulöst rundade hans axlar är, hur hela hans kropp är täckt av mörkt hår. En sträng av tjockare, tätt lockigt hår går från blygden upp till naveln.

Han ser lugnt på henne med sina mörka, mjuka ögon. Hon börjar ta av sig kläderna, men drabbas med ens av en hisnande känsla av fruktansvärd ensamhet där hon står mitt i hans blickfång. Han ser det och sänker blicken, kommer närmare, böjer sig ned och sätter sig på knä. Hon ser hans hår lägga sig över hans axlar. Han följer en linje från hennes navel ned över höftbenet med fingret. Hon försöker le, men lyckas inte riktigt.

Han puttar mjukt ned henne på sängkanten och börjar dra ner hennes trosor, hon lyfter på stjärten, håller ihop benen och känner trosorna hasa ned och fastna lite kring hennes ena fot. Hon lutar sig bakåt, blundar, låter honom föra isär hennes lår, känner de varma kyssarna på magen, över höftbenen och ljumskarna. Hon flämtar och drar sina fingrar genom hans tjocka, långa hår. Hon vill att Shulman ska komma in i henne, längtar så att det dånar i henne. Fält av kroppsmörker simmar genom blodet, ansamlingar av hetta drar sugande och kittlande genom ljumskarna ned mot hennes sköte. Han lägger sig över henne, hon särar på benen och hör sig själv sucka när hon tar emot honom. Han viskar något som hon inte kan höra. Hon drar honom till sig och när hon känner hela hans tyngd över sig är det som om hon sänks ned i varmt, skvalpande vatten av glömska.

# 32

*Måndag eftermiddag den fjortonde december*

DAGERN ÄR ISANDE KALL och himlen hög och blå. Människor rör sig inbundet. Trötta barn är på väg hem från skolan. Kennet stannar till utanför Seven-Elevenbutiken på hörnet. De skyltar med ett erbjudande om kaffe och en lussekatt. Han går in och ställer sig i kön när telefonen ringer. Han ser på displayen att det är Simone, trycker på knappen med den gröna luren och svarar.

– Du har varit ute, Sixan?

– Jag var tvungen att gå till galleriet. Sedan fick jag ett ärende som ...

Hon tystnar tvärt.

– Jag hörde ditt meddelande precis, pappa.

– Har du sovit? Du låter ...

– Ja. Jo, jag sov lite.

– Bra, säger Kennet.

Han möter expeditens trötta ögon och pekar på skylten om erbjudandet.

– Har de spårat samtalet från Benjamin? frågar Simone.

– Jag har inte fått något svar ännu. Tidigast i kväll, sa de. Jag tänkte ringa dem nu.

Expediten ser på Kennet för att han ska välja vilken av lussekatterna han vill ha, och han pekar hastigt ut den som han tycker ser störst ut. Hon lägger den i en påse, tar emot hans skrynkliga tjugolapp och gestikulerar mot kaffeautomaten och muggarna. Han nickar, går förbi montern där korvarna rullar runt, och krånglar upp en mugg ur traven medan han fortsätter samtalet med Simone.

– Du pratade med Nicke igår? säger hon.

– Han var en jättefin grabb.

Kennet trycker på symbolen för svart kaffe.

– Fick du veta något om Wailord?

– Ganska mycket.

– Vad då?

– Vänta en sekund, säger Kennet.

Han tar bort den rykande kaffemuggen från apparaten, sätter på ett lock och går sedan med kaffet och påsen med bullen till ett av de små runda plastborden.

– Är du kvar? frågar han och sätter sig på en vickande stol.

– Ja.

– Jag tror att det här handlar om några killar som lurar Nicke på pengar och säger att de är pokémonfigurer.

Kennet ser en man med rufsigt hår som kör en modern barnvagn. En ganska stor flicka i rosa overall ligger och suger på en napp med ett trött leende.

– Har det här någonting med Benjamin att göra?

– Pokémonkillarna? Jag vet inte. Han försökte kanske stoppa dem, säger Kennet.

– Vi måste prata med Aida, säger Simone sammanbitet.

– Efter skolan, tänkte jag.

– Vad ska vi göra nu?

– Jag har en adress, faktiskt, säger Kennet.

– Till?

– Havet.

– Till havet? frågar Simone.

– Det är det enda jag vet.

Med spetsade läppar tar Kennet en klunk kaffe. Han bryter loss en bit av lussekatten och stoppar den hastigt i munnen.

– Var ligger havet?

– Nära Frihamnen, säger Kennet tuggande, ute på Loudden.

– Kan jag följa med?
– Är du klar?
– Om tio minuter.
– Jag ska hämta bilen, den står borta vid sjukhuset.
– Ring när du är här så kommer jag ner.
– Okej, hej då.

Han tar med sig muggen och resten av bullen och lämnar butiken. Luften är torr och mycket kylig. Några skolbarn går hand i hand. En cyklist sneddar över korsningen mellan bilarna. Kennet stannar vid övergångsstället och trycker på knappen till trafikljuset. Det känns som att han har glömt bort något viktigt, att han har sett något avgörande, men inte förstått att tolka det. Trafiken dånar hastigt förbi. Ett utryckningsfordon hörs avlägset. Han dricker lite kaffe genom öppningen i plastlocket och tittar på kvinnan som väntar på andra sidan gatan med en darrande hund i koppel. En lastbil passerar tätt framför Kennet och marken skakar av den stora tyngden. Han hör ett fnittrande skratt och hinner tänka att det låter tillgjort, innan han får en hård knuff i ryggen. Han tar flera steg ut i vägbanan för att inte förlora balansen, vänder sig om och ser en tioårig flicka titta på honom med uppspärrade ögon. Det måste vara hon som knuffat honom, hinner han tänka, det finns ingen annan där. I samma ögonblick hör han det skrikande bromsljudet från en bil och känner en ofattbar kraft vräka sig mot honom. En jättelik slägga slår undan hans ben. Det krasar till i nacken och med ens är kroppen bara mjuk och avlägsen och befinner sig i fritt fall och plötsligt mörker.

# 33

*Måndag eftermiddag den fjortonde december*

ERIK MARIA BARK sitter vid skrivbordet på sitt rum. Ett blekt ljus söker sig in genom fönstret mot sjukhusets tomma innergård. I en plastlåda med lock ligger resterna från en sallad. En tvåliters plastflaska med Coca-Cola står bredvid bordslampan med rosa skärm. Han betraktar det utskrivna fotografiet som Aida skickade till Benjamin: i mörkret formar det starka blixtskenet ett ljust rum av det vildvuxna gräset, häcken och baksidan av staketet. Trots att han tittar så nära han kan är det omöjligt att förstå vad bilden egentligen vill visa, vad dess objekt är. Han håller bilden intill ansiktet och försöker förstå om det ligger något i lövkorgen av plast.

Erik tänker att han ska ringa till Simone och be henne läsa upp brevet ordagrant, så att han får veta exakt vad Aida skrev till Benjamin och vad Benjamin svarade, men säger sig sedan att Simone inte ska behöva prata med honom. Han förstår inte varför han var elak och sa att han hade en affär med Daniella. Kanske bara för att han längtade efter att bli förlåten av Simone, och för att hon hade så nära till att misstro honom.

Plötsligt hör han i tankarna Benjamins röst igen, när han ringde från bilens bagageutrymme, hur han försökte vara stor, inte låta rädd. Erik tar en rosa kapsel Citadon ut träasken och sköljer ned den med kallt kaffe. Handen har börjat skaka så mycket att han har svårt att placera koppen på fatet igen.

Benjamin måste vara fruktansvärt rädd, tänker Erik, instängd i mörkret i en bil. Han ville höra min röst, visste ingenting, visste inte vem som tagit honom, inte vart han var på väg.

Hur lång tid kan det ta för Kennet att spåra samtalet? Erik känner en irritation över att ha lämnat ifrån sig uppdraget, men säger sig att om svärfadern kan hitta Benjamin så har ingenting annat någon betydelse.

Erik lägger handen på luren. Han måste ringa polisen och skynda på dem, tänker han. Han måste höra om de har kommit någon vart, om de spårat samtalet ännu, om de har någon misstänkt ännu. När han ringer upp och förklarar sitt ärende blir han felkopplad och måste ringa upp igen. Han hoppas på att få tala med Joona Linna, men bli kopplad till en polisassistent vid namn Fredrik Stensund. Han bekräftar att han håller i förundersökningen av Benjamin Barks försvinnande. Polisassistenten är mycket förstående och säger att han själv har tonårsbarn:

– Man oroar sig hela nätterna när de är ute, vet att man måste släppa taget, men ...

– Benjamin är inte ute och festar, säger Erik med stor tyngd.

– Nej, det har ju uppkommit vissa uppgifter som motsäger ...

– Han är kidnappad, avbryter Erik.

– Jag förstår hur det här måste kännas men ...

– Du kommer inte att prioritera sökandet efter Benjamin, fyller Erik i.

Det blir tyst, polisassistenten tar flera djupa andetag innan han börjar tala igen:

– Jag tar allvarligt på det du säger och jag kan lova att vi gör vårt bästa.

– Se då till att spåra samtalet, säger Erik.

– Vi håller på med det, svarar Stensund i en stramare ton.

– Snälla, avslutar Erik alldeles svagt.

Han blir sittande med telefonen i handen. De måste spåra samtalet, tänker han. Vi måste få en plats, en ring på en karta, en riktning, det är det enda vi har att gå på. Det enda Benjamin kunde berätta, var att han hade hört en röst.

Som under en filt, tänker Erik, men är osäker på om han minns rätt. Sa Benjamin verkligen att han hade hört en röst, en dämpad röst? Det var kanske bara ett mummel, ett ljud som påminde om en röst, inga ord, inga betydelser. Erik stryker sig över munnen, tittar på fotografiet och frågar sig om det ligger något i det höga gräset, men ser ingenting. När han sedan lutar sig bakåt och sluter ögonen dröjer bilden kvar: häcken och det bruna staketet blinkar rosa och den gulgröna kullen är mörkblå och långsamt glidande. Som ett tyg mot en natthimmel, tänker Erik och inser i samma stund att Benjamin sa något om ett hus, ett kråkslott.

Han öppnar ögonen och reser sig från stolen. Den dämpade rösten hade sagt någonting om ett kråkslott. Erik förstår inte hur han hade kunnat glömma bort det. Det var ju det Benjamin sa innan bilen stannade.

Medan han tar på sig ytterkläderna försöker han komma på var han har sett ett kråkslott. Det finns inte så många. Han minns ett han såg någonstans, det var norr om Stockholm, i närheten av Rosersberg. Han tänker snabbt: Eds kyrka, Runby, genom allén, över åsen, förbi kollektivet, ner till Mälaren. Innan man når fram till skeppssättningen vid Runsa borg ligger byggnaden på vänster sida, mot vattnet. Ett slags komprimerat slott av trä, med torn, verandor och excesser i snickarglädje.

Erik lämnar rummet, går snabbt genom korridoren, försöker erinra sig utflykten och minns att Benjamin var med i bilen. De hade tittat på skeppssättningen, en av de största vikingagravarna i Sverige. Stått mitt i ellipsen av stora gråstenar i det gröna gräset. Det var sensommar och mycket varmt. Erik kommer ihåg den stillastående luften och fjärilarna över gruset på parkeringsplatsen när de satte sig i den varma bilen och började köra tillbaka med nervevade fönster.

I hissen till garaget minns Erik att han efter några kilometer svängde in till vägkanten, stannade, pekade på kråkslottet och frågade Benjamin på skoj om han ville bo där.

– Var då?

– I kråkslottet, hade han sagt, men kommer inte längre ihåg vad Benjamin svarade.

Nu är solen på väg att gå ner, det sneda ljuset blixtrar i isen på vattenpölarna vid neurologens gästparkering. Grus på asfalten krasar under bildäcken när han svänger ut mot huvudentrén.

Erik förstår givetvis det osannolika i att Benjamin skulle syfta på just detta kråkslott, men det är inte omöjligt. Han kör norrut på Europaväg 4 medan det avtagande ljuset gör världen grumlig. Han blinkar för att se bättre. Först när blåtonerna framträder förstår hjärnan att det faktiskt håller på att skymma.

En halvtimme senare närmar han sig kråkslottet. Han har försökt få tag på Kennet fyra gånger för att få veta om han lyckats spåra Benjamins samtal, men ingen har svarat och Erik har inte heller lämnat något meddelande.

Himlen över den stora sjön behåller ett svagt sken medan skogen är fullständigt svart. Han kör långsamt på den smala vägen in i det lilla samhället som successivt har växt upp kring vattnet. Bilens strålkastare går över nybyggda villor, sekelskifteshus och små fritidsstugor, blixtrar till i några fönster och rinner över en infart med en trehjuling. Han saktar in och ser kråkslottet avteckna sig bakom en hög häck. Erik kör förbi ytterligare några hus och parkerar sedan vid vägkanten. Han lämnar bilen och börjar gå tillbaka, öppnar en grind till en tomt med en villa i mörkt tegel, går in på gräsmattan och rundar huset. En flaggstång piskas av sin lina. Erik kliver över staketet till nästa tomt, passerar en simbassäng som är övertäckt av knakande plast. Det stora fönsterpartiet i det låga huset mot sjön är svart. Stenläggningen är täckt av mörka löv. Erik skyndar på stegen, anar kråkslottet på andra sidan granhäcken och tränger sig igenom.

Den här tomten är mer skyddad för insyn än de andra, tänker han.

En bil passerar på vägen, strålkastarljuset belyser några träd och Erik tänker på Aidas märkliga fotografi. Det gula gräset och buskarna. Han närmar sig det stora trähuset och märker att det ser ut som om en blå eld brinner i ett av rummen.

Kråkslottet har höga, rikt spröjsade fönster med överskjutande tak som ser ut som virkad spets. Utsikten mot sjön måste vara underbar, tänker han. En högre, sexkantig tornbyggnad vid ena flygeln och två inglasade burspråk med torntak gör att huset ser ut som ett miniartyrslott i trä. Väggpanelen är i grunden liggande, men linjen bryts av falsk panel som skapar ett flerdimensionellt intryck. Dörren är inramad i snickarglädje: pelare av trä och ett spetsigt, vackert tak.

När Erik kommer fram till fönstret ser han att det blå ljuset kommer från en teve. Någon tittar på konståkning. Kamerorna följer svepande förflyttningar, spinnande hopp och snabba skridskoskär. Det blå ljuset flämtar över rummets väggar. I soffan sitter en tjock man i ett par grå gymnastikbyxor. Han petar upp sina glasögon och lutar sig bakåt igen. Han verkar vara ensam i rummet. Det står bara en kopp på bordet. Erik försöker se in i det angränsande rummet. Någonting rasslar svagt innanför glaset. Erik fortsätter till nästa fönster och tittar in i ett sovrum med en obäddad säng och stängd dörr. Skrynkliga näsdukar ligger bredvid ett vattenglas på nattygsbordet. På väggen hänger en karta över Australien. Det droppar på fönsterblecket. Erik följer ytterväggen till nästa fönster. Gardinerna är slutna. Det går inte att se något mellan dem, men det underliga rasslandet hörs igen, ihop med ett slags klickande ljud.

Han går vidare, rundar den sexkantiga tornbyggnaden och blickar därefter in i en matsal. Ett mörkt möblemang står mitt på det glänsande trägolvet. Någonting säger Erik att det mycket sällan används. Framför ett vitrinskåp ligger ett svart föremål på golvet. Ett gitarrfodral, tänker han. Ett rasslande ljud hörs. Erik lutar sig fram mot glaset, skärmar av speglingen från den grå himlen med händerna och ser en stor hund springa mot honom över golvet. Den dunsar mot fönstret, reser sig upp mot glasrutan och skäller. Erik ryggar tillbaka, snubblar över en kruka och går snabbt runt huset och väntar med bultande hjärta.

Hunden tystnar efter en stund, utomhusbelysningen tänds och släcks sedan åter.

Erik förstår inte vad han gör här, han känner sig fruktansvärt ensam, vet inte vad han ska ta sig till, förstår att det är lika bra att han åker tillbaka till rummet på Karolinska sjukhuset och börjar gå mot kråkslottets framsida och infart.

När han kommer runt huset ser han en människa i skenet från entrébelysningen. På trappan står den tjocke mannen med en dunjacka på sig. Hans ansikte blir omedelbart ängsligt när han får se Erik. Kanske hade han väntat sig skojande barn eller ett rådjur.

– Hej, säger Erik.

– Det här är privat egendom, ropar mannen med gäll röst.

Hunden börjar skälla bakom den slutna ytterdörren. Erik närmar sig och upptäcker att det står en gul sportbil på uppfarten. Den har bara två sittplatser och bagageutrymmet är uppenbart för litet för att rymma en människa.

– Är det din Porsche? frågar Erik.

– Ja, det är det.

– Har du fler bilar?

– Varför vill du veta det?

– Min son är försvunnen, svarar Erik allvarligt.

– Jag har inga fler bilar, säger mannen. Okej?

Erik skriver upp bilnumret.

– Kan du gå nu?

– Ja, svarar Erik och börjar gå mot grindarna.

Han står en stund i mörkret på vägen och tittar på kråkslottet innan han går tillbaka till sin bil. Han tar fram sin lilla träask med papegojan och infödingen, häller ut några små tabletter i handflatan, räknar dem med tummen, runda och hala, och tömmer dem sedan i munnen.

Efter en kort stunds tvekan slår han numret till Simone och hör signalerna gå fram. Han tänker att hon säkert är hemma hos Kennet, äter smörgåsar med salami och inlagd gurka. Signalerna slår sina utdragna hål i tystnaden. Erik föreställer sig lägenheten på Luntmakargatan i mörkret, hallen med ytterkläder, ljuslampetten på väggen, köket med det smala, långa ekbordet, stolarna. Posten ligger på dörrmattan, en hög av tidningar, räkningar, inplastade reklambroschyrer. När pipet kommer talar han inte in något meddelande, avbryter bara samtalet, vrider om nyckeln i tändningslåset, vänder bilen och börjar köra tillbaka mot Stockholm.

Det finns ingen som han kan åka till, tänker han och ser samtidigt ironin i detta. Han som ägnat så många år åt att forska om gruppdynamik och kollektiv psykoterapi är plötsligt isolerad och ensam. Det finns inte en enda människa som han kan vända sig till, som han skulle vilja tala med. Ändå var det kraften i det kollektiva som drev honom framåt i yrket. Han försökte förstå det faktum att människor som överlevt krig hade mycket lättare att bearbeta sina trauman än de som varit ensamma om samma slags övergrepp. Han ville veta hur det kom sig att individerna i en grupp som blivit torterad läkte sina sår bättre än ensamma människor. Vad är det i gemenskapen som lindrar oss, hade han frågat sig. Är det spegling, kanalisering, normalisering eller faktiskt solidaritet?

Ute i det gula ljuset på motorvägen slår han numret till Joona. Efter fem signaler lägger han på och provar mobilnumret istället.

– Ja, det är Joona, kommer det tankspritt.

– Hej, det är Erik. Ni har inte hittat Josef Ek?

– Nej, suckar Joona.

– Han verkar följa helt egna mönster.

– Jag har sagt det förut och jag tänker fortsätta att säga det,

Erik. Du borde acceptera beskydd.

– Jag har andra prioriteringar.

– Jag vet.

Det blir tyst.

– Benjamin har inte hört av sig igen? frågar Joona på sin sorgsna finlandssvenska.

– Nej.

Erik hör en röst i bakgrunden, kanske från teven.

– Kennet skulle spåra samtalet, men han …

– Jag hörde det, men det kan ta tid, säger Joona. Man måste skicka ut en tekniker till just de här växlarna, just den basstationen.

– Men då vet de ju åtminstone vilken station det handlar om.

– Det tror jag att operatören kan få fram direkt, svarar Joona.

– Kan du få fram det? Basstationen?

Det blir tyst en liten stund. Sedan hör han Joonas neutrala röst:

– Varför pratar du inte med Kennet?

– Det går inte att få tag på honom.

Joona suckar svagt.

– Jag ska kolla upp det, men hoppas inte för mycket.

– Vad menar du?

– Bara att det antagligen rör sig om en basstation i Stockholm och då säger det ju ingenting innan en tekniker preciserar positionen.

Erik hör honom göra något som låter som om han skruvar loss ett lock från en glasburk.

– Jag fixar lite grönt te åt mamma, säger Joona kort.

En vattenkran brusar och stängs av.

Erik håller andan en sekund. Han vet att Joona måste prioritera Josef Eks rymning, han vet att Benjamins fall inte på något sätt är unikt för polisen, en tonårspojke som försvunnit från hemmet är miltals från det arbete rikskriminalen brukar ägna sig åt. Men han måste fråga, han kan bara inte låta det vara.

– Joona, säger Erik. Jag vill att du tar fallet med Benjamins bortförande, jag vill det väldigt mycket, det skulle kännas ...

Han tystnar, käkarna värker, han har pressat samman dem hårt utan att ha märkt det själv.

– Både du och jag vet ju, fortsätter Erik, att det här inte är ett vanligt försvinnande. Någon injicerade Simone och Benjamin med bedövningsmedel för kirurgi. Jag vet att du prioriterar sökandet efter Josef Ek och jag förstår att Benjamin inte längre är ditt fall nu när kopplingen till Josef försvann, men kanske är det något mycket värre som har hänt ...

Han tystnar, alltför upprörd för att kunna fortsätta.

– Jag har berättat om Benjamins sjukdom, tvingar han fram. Om bara två dagar så är hans blod inte längre skyddat av faktorpreparatet som hjälper det att koagulera. Och om en vecka så kommer blodkärlen att vara så ansträngda att han kanske blivit förlamad eller så har han fått en hjärnblödning eller en blödning i lungorna när han hostat.

– Han måste komma tillrätta, säger Joona.

– Kan du hjälpa mig?

Erik sitter där med sin vädjan värnlöst hängande i luften. Det har ingen betydelse. Han går gärna ner på knä och ber om hjälp. Handen som håller telefonen är våt och hal av svett.

– Jag kan inte bara ta över en förundersökning från Stockholmspolisen, säger Joona.

– Han heter Fredrik Stensund, han verkar snäll, men han kommer inte att lämna sitt varma kontor.

– De vet nog vad de gör.

– Ljug inte för mig, säger Erik lågt.

– Jag tror inte att jag kan ta fallet, säger Joona tungt. Det finns ingenting att göra åt den saken. Men jag vill gärna försöka hjälpa dig. Du måste sätta dig ner och fundera på vem som kan ha tagit Benjamin. Det kan vara någon som bara fick syn på dig när du var på löpsedlarna. Men det kan också vara någon du känner. Om du inte har en misstänkt gärningsman, så har du heller inget fall, ingenting. Du måste tänka efter, gå igenom ditt liv, gång på gång på gång, alla du känner, alla Simone känner, alla Benjamin känner. Gå igenom grannar, släktingar, kollegor, patienter, konkurrenter, vänner. Finns det någon som har hotat dig? Som har hotat Benjamin? Försök att minnas. Det kan röra sig om en impulshandling och det kan vara planerat i många år. Fundera mycket noga, Erik. Hör av dig till mig sedan.

Erik öppnar munnen för att än en gång be Joona ta sig an fallet, men hinner inte säga något innan det klickar till i hans öra. Han sitter där i bilen och ser på den framrusande motorvägen med brännande ögon.

# 34

*Natten till den femtonde december*

DET ÄR KALLT OCH MÖRKT i hans övernattningsrum. Erik sparkar av sig skorna och känner lukten av fuktiga växter på sina ytterkläder när han hänger av sig. Han kokar huttrande upp vatten på sin kokplatta, gör en kopp te, tar två starkt dämpande tabletter och sätter sig sedan vid skrivbordet. Inga lampor är tända annat än arbetslampan på skrivbordet. Han ser rakt ut i det svarta täta glasmörkret där han anar sig själv som en skugga intill spegelbilden av ljuskäglan. Vem hatar mig, tänker han. Vem avundas mig, vem vill straffa mig, ta allt jag har ifrån mig, ta livet, det som lever i mig, vem vill krossa mig?

Erik reser sig från skrivbordet, tänder takbelysningen, börjar gå fram och tillbaka, stannar, sträcker sig efter telefonen och välter en plastmugg med vatten på bordet. En rännil tar sig långsamt fram mot Läkartidningen. Utan att kunna samla tankarna slår han Simones mobilnummer, talar in ett kort meddelande om att han skulle vilja titta i Benjamins dator igen och blir sedan tyst, förmår inte säga något mer.

– Förlåt, säger han lågt och slänger telefonen på bordet.

Hissen mullrar till i korridoren, han hör dörrarna plinga och glida upp, sedan ljudet av någon som drar en gnisslande sjukhussäng förbi hans dörr.

Tabletterna börjar samverka och han känner lugnet stiga uppåt som varm mjölk, en erinring, en rörelse inom sig, ett sug i magen, rakt igenom kroppen. Som att falla från hög höjd, först genom kylig och klar luft, sedan ned i varmt och syrerikt vatten.

– Kom igen nu, säger han till sig själv.

Någon har tagit Benjamin, gjort detta mot mig, det måste finnas fönster mot detta någonstans i mitt minne, tänker han.

– Jag ska hitta dig, viskar han.

Erik betraktar Läkartidningens uppblötta sidor. På ett fotografi lutar sig Karolinska institutets nya chef fram över ett skrivbord. Hennes ansikte är luddigt och mörkt av vatten. När Erik försöker ta bort tidningen märker han att den har klistrats fast i bordet. Baksidans annonsdel blir kvar, halvt bortslitna bokstäver om Global Health Conference. Han sätter sig på stolen och börjar kratsa loss resten av papperet med tumnageln, men hejdar sig mitt i rörelsen och tittar på bokstavskombinationen: e v A.

Upp ur minnet rullar en långsam våg, full av speglingar och facetter och sedan en helt tydlig bild av en kvinna som vägrar lämna tillbaka något som hon stulit. Han vet att hon heter Eva. Hennes mun är spänd med stänk av fradga på de smala läpparna. Hon skriker åt honom i kränkt vrede: Det är du som tar! Du tar och tar och tar! Vad fan skulle du säga om jag tog saker från dig? Hur tror du det skulle kännas? Hon döljer ansiktet i händerna och säger att hon hatar honom, hon upprepar det gång på gång, kanske hundra gånger innan hon lugnar ner sig. Hon är vit om kinderna, ögonen är rödkantade, hon tittar på honom, oförstående och utmattad. Han minns henne, han inser att han minns henne väl.

Eva Blau, tänker han. Han visste att han begick ett misstag när han accepterade henne som patient, han visste det redan från början.

Det är många år sedan nu. När han använde hypnos som en stark och verksam del av terapin. Eva Blau. Namnet kommer från den andra sidan av tiden. Innan han slutade hypnotisera. Innan han lovade att aldrig någonsin göra det igen.

Han hade trott så starkt på hypnosen. Han hade ju sett att om patienterna hypnotiserades inför varandra, så skulle det förbjudna övergreppet, brottet och känslan av kränkthet inte bli så knutet. Det skulle bli svårare att förneka och lättare att läka. Skulden skulle delas, förövaridentitet och offeridentitet upplösas. Man skulle inte längre anklaga sig själv för det som hänt om man befann sig i ett rum där alla andra också hade varit med om samma sak.

Varför hade Eva Blau blivit hans patient? Nu kan han inte minnas vad hennes smärta hade handlat om. Han mötte så många fruktansvärda öden. Människor med ödelagt förflutet kom till honom – ofta aggressiva, alltid rädda, tvångsmässiga, paranoida, inte sällan med stympningar och självmordsförsök i bakgrunden. Många kom in och stod framför honom med bara en tunn vägg bakom ryggen mot ett psykotiskt, schizofrent tillstånd. De hade blivit systematiskt misshandlade, torterade, skenavrättade, de hade förlorat sina barn, blivit utsatta för incest, våldtäkt, bevittnat ohyggligheter eller tvingats delta i dem.

Vad var det hon stal? frågar sig Erik. Jag anklagade henne för stöld, men vad var det hon stal?

Han får inte tag på minnet, reser sig, går några steg, stannar och blundar. Någonting mer hände, men vad? Hade det med Benjamin att göra? Vid ett tillfälle förklarade han för Eva Blau att han kunde leta efter en annan terapigrupp åt henne. Varför kommer han inte ihåg vad det var som hade hänt? Hade hon börjat hota honom?

Det enda han kan framkalla ur minnet är ett ganska tidigt möte här på kontoret: Eva Blau hade rakat bort allt hår och sminkade sig endast kring ögonen. Nu satt hon i soffan, knäppte upp blusen och visade på ett sakligt sätt sina vita bröst för honom.

– Du har varit hemma hos mig, sa Erik.

– Du har varit hemma hos mig, svarade hon.

– Eva, du har berättat om ditt hem, fortsatte han. Det är

en helt annan sak att bryta sig in.

– Jag bröt inte.

– Du slog sönder en fönsterruta.

– Stenen slog sönder fönstret, sa hon.

*

Nyckeln sitter i låset till dokumentskåpet och träribborna viker sig smidigt när Erik skjuter luckan nedåt och börjar leta. Någonstans här, tänker han. Jag vet att det finns någonting här om Eva Blau.

När hans patienter av en eller annan anledning agerar annorlunda än väntat, när de går utanför ramen för sitt tillstånd, brukar han alltid spara materialet kring dem i skåpet tills han har förstått sig på avvikelserna.

Det kan röra sig om en notering, en iakttagelse eller något kvarglömt föremål. Han flyttar undan papper, kollegieblock, lappar och kvitton med anteckningar. Blekta fotografier i en plastmapp, en extern hårddisk, några dagböcker från tiden då han trodde på fullständig öppenhet mellan patient och läkare, en teckning som ett traumatiserat barn gjorde en natt. Flera kassettband och videoband från föreläsningarna på KI. En bok av Hermann Broch full av minnesmarkeringar. Eriks händer stannar till. Det pirrar i fingertopparna. Runt ett VHS-band sitter ett papper med en brun gummisnodd. På kassettens rygg står det endast: Erik Maria Bark, band 14. Han drar loss papperet, vinklar lampan och igenkänner sin egen handstil: KRÅKSLOTTET.

Iskalla kårar löper uppför hans rygg och ut längs armarna. Håret reser sig i nacken och han hör plötsligt sitt armbandsur ticka. Det dånar i huvudet, hjärtat arbetar snabbt, han sätter sig på stolen, tittar på bandet igen, tar med darrande händer telefonen från bordet och ringer vaktmästeriet och ber om att få en VHS-bandspelare till rummet. Med blytunga fötter går han fram till fönstret igen, vinklar upp lamellerna till persiennerna och står sedan och betraktar innergårdens fuktiga snötäcke. Tunga flingor går snett och långsamt genom luften och landar på hans fönsterruta, förlorar sin färg och smälter av värmen från glaset. Han säger sig att det antagligen bara rör sig om tillfälligheter, konstiga sammanträffanden, men förstår samtidigt att några av pusselbitarna sannolikt kommer att passa med varandra.

Kråkslottet, detta enda ord på ett papper, har kraft nog att leda honom tillbaka till det förflutna. Till tiden då han fortfarande ägnade sig åt hypnos. Han vet det. Mot sin vilja måste han gå fram till ett mörkt fönster och försöka se vad som döljer sig bakom speglingarna, reflektionerna som har skapats av all den tid som förflutit.

Vaktmästaren knackar lågt på dörren. Erik öppnar, bekräftar beställningen och rullar sedan in ställningen med teven och den märkligt förlegade videobandspelaren.

Han petar in kassetten, släcker taklampan och sätter sig.

– Det här hade jag nästan glömt bort, säger han för sig själv och riktar fjärrkontrollen mot apparaten.

Bilden flimrar och ljudet sprakar och knackar ett tag, sedan hör han sin egen röst genom tevens högtalare. Han låter förkyld när han helt utan entusiasm rabblar upp plats, datum och klockslag och avslutar med:

– Vi har haft en kort paus men befinner oss fortfarande i ett posthypnotiskt tillstånd.

Det har gått mer än tio år, tänker han och ser hur stativet till kameran höjs. Bilden skakar och stillnar. Objektivet riktas mot en halvring med stolar. Sedan blir han själv synlig framför kameran. Han börjar ställa stolarna tillrätta. Det finns en lätthet i hans tio år yngre kropp, en fjädring i stegen som han vet att han inte längre har. På videoinspelningen är hans hår inte grått och de djupa fårorna i hans panna och längs kinderna finns inte.

Patienterna kommer fram, rör sig slött, sätter sig på stolarna. Några få talar dämpat med varandra. En av dem skrattar. Ansiktena på patienterna är svåra att urskilja, kvaliteten på videobandet dålig, de ser gryniga och bluddriga ut.

Erik sväljer hårt och hör sig själv med burkig röst förklara att det är dags att fortsätta sessionen. Några småpratar, andra sitter bara tysta. Det knarrar från en stol. Han ser sig själv stå vid väggen och föra ner några anteckningar i ett block. Plötsligt knackar det på dörren och Eva Blau kommer in. Hon är stressad, Erik urskiljer röda fläckar på hennes hals och kinder när han ser hur han tar emot hennes kappa, hänger upp den, visar henne fram till gruppen och kortfattat presenterar henne och önskar henne välkommen. De andra nickar avmätt, viskar kanske hej, ett par personer låtsas inte om henne, blickar ner i golvet istället.

Erik minns atmosfären i rummet: gruppen var påverkad av det första hypnosmomentet före pausen och var störd över att ha fått en ny medlem. De andra hade redan lärt känna varandra och börjat identifiera sig med varandras historier.

Gruppen bestod som mest av åtta personer och terapin gick ut på att under hypnos undersöka vars och ens förflutna, närma sig smärtpunkten. Hypnosen skedde alltid inför gruppen och ihop med gruppen. Tanken var att alla genom denna metod skulle bli mer än vittnen till varandras upplevelser, man skulle via hypnotisk öppenhet dela smärta och kunna sörja tillsammans som vid kollektiva katastrofer.

Eva Blau sätter sig på den tomma stolen, vänder ett kort ögonblick blicken rakt in i kameran och någonting blir vasst och fientligt i hennes ansikte.

Detta är kvinnan som bröt sig in i hans hem för tio år sedan, tänker han. Men vad var det hon stal och vad gjorde hon mer?

Erik ser hur han inleder andra delen av sessionen med att beröra den första och följa upp med fria, lekfulla associationer.

Det var ett sätt för dem att känna sig bättre till mods, känna att ett visst lättsinne var möjligt trots de mörka, avgrundsdjupa underströmmarna som hela tiden rörde sig långt inuti allt de sa, allt de gjorde. Han ställer sig framför gruppen.

– Vi börjar med tankar och associationer kring den första delen, säger han. Är det någon som vill kommentera den?

– Förvirrande, säger en ung, kraftig kvinna med mycket smink.

Sibel, tänker Erik. Hon hette Sibel.

– Frustrerande, fortsätter Jussi på norrländska. Alltså, jag hann bara öppna ögonen och klia mig i skallen innan det var över.

– Vad kände du? frågar Erik honom.

– Hår, svarar han leende.

– Hår? frågar Sibel och fnittrar.

– När jag kliade mig i skallen, förklarar Jussi.

Några av dem skrattar åt skämtet. En blek glädje anas i Jussis dystra ansikte.

– Ge mig associationer på hår, fortsätter Erik. Charlotte?

– Jag vet inte, säger hon. Hår? Kanske skägg ... nej.

– En hippie, en hippie på en chopper, fortsätter Pierre leende. Han sitter så här, tuggar Juicyfruit och glider ...

Eva reser sig plötsligt upp med ett slamrande ljud, hon protesterar mot övningen.

– Det här är ju bara barnsligheter, säger hon.

– Varför tycker du det? frågar Erik.

Eva svarar inte, men sätter sig ner igen.

– Pierre, vill du fortsätta, ber Erik.

Han skakar på huvudet, korsar sina pekfingrar mot Eva och låtsas att han tar skydd för henne.

Pierre viskar konspiratoriskt. Jussi lyfter handen mot Eva och säger något på norrländska.

Erik tycker sig höra vad han säger, famlar efter fjärrkontrollen, slår ned den på golvet så att batterierna åker ut.

– Det här är inte klokt, viskar han för sig själv och går ned på knä.

Med darrande händer trycker han på snabbspolningsknappen på apparaten och höjer sedan ljudvolymen när bandet börjar rulla igen.

– Det här är ju bara barnsligheter, säger Eva Blau.

– Varför tycker du det? frågar Erik och när hon inte svarar vänder han sig till Pierre och frågar om han vill fortsätta med sin association.

Han skakar på huvudet och korsar sina pekfingrar mot Eva.

– De sköt Dennis Hopper för att han var hippie, viskar han.

Sibel fnittrar och sneglar på Erik. Jussi harklar sig och lyfter handen mot Eva.

– I kråkslottet slipper du våra barnsligheter, säger han på sin tunga norrländska dialekt.

Alla blir tysta. Eva vänder sig mot mannen, det ser ut som om hon är på väg att reagera aggressivt, men något får henne att låta bli, kanske allvaret i hans röst och lugnet i hans blick.

Kråkslottet, dånar det i Eriks huvud. Samtidigt hör han sig själv förklara principerna för själva hypnosförfarandet, att de alltid börjar med gemensamma avslappningsövningar innan han övergår till att hypnotisera en eller ett par av dem.

– Och ibland, fortsätter Erik till Eva. Om jag känner att det fungerar, så försöker jag få ner hela gruppen i djup hypnos.

Erik tänker på hur bekant situationen är och ändå så fruktansvärt avlägsen, från en helt annan tid, innan han tog avstånd från hypnos. Han ser sig själv dra fram stolen, sitta framför halvcirkeln av människor, tala till dem, få dem att sluta ögonen och luta sig bakåt. Efter ett tag uppmanar han alla att sitta ordentligt på stolarna men fortsätta blunda. Han reser sig, talar med dem om avslappningen, går bakom deras ryggar, iakttar graden av vila hos var och en av dem. Deras ansikten blir mjukare och slappare, allt mindre medvetna, allt mer främmande för förställning och koketteri.

Erik ser hur han stannar bakom Eva Blau och lägger en tung hand på hennes axel. Det pirrar till i magen när han hör sig själv påbörja hypnosen, mjukt glida över i en brant induktion med dolda kommandon, helt säker på sin egen skicklighet, njutningsfullt medveten om sin speciella förmåga.

– Du är tio år, Eva, säger han. Du är tio år. Det här är en bra dag. Du är glad. Varför är du glad?

– För att mannen dansar och plaskar i vattenpölar, säger hon med nästan obefintliga ansiktsrörelser.

– Vem dansar?

– Vem? upprepar hon. Gene Kelly, säger mamma.

– Jaså, du tittar på *Singin' in the rain*?

– Mamma gör det.

– Inte du?

– Jo.

– Och du är glad?

Hon nickar långsamt.

– Vad händer?

Eva sluter munnen och sjunker ned med ansiktet.

– Eva?

– Min mage är stor, säger hon nästan ljudlöst.

– Din mage?

– Jag ser att den är jättestor, säger hon och tårarna börjar rinna.

– Kråkslottet, viskar Jussi. Kråkslottet.

– Eva, du ska lyssna på mig, fortsätter Erik. Du kan höra alla andra här i rummet, men det är bara min röst du ska lyssna på. Bry dig inte om vad de andra säger, det är bara min röst du ska bry dig om.

– Okej.

– Vet du varför din mage är stor? frågar Erik.

Hennes ansikte är slutet, bortvänt i någon tanke, något minne.

– Jag vet inte.

– Jo, jag tror att du vet, säger Erik stilla. Men vi tar det i din egen takt, Eva. Du behöver inte tänka på det nu. Vill du titta på teve igen? Jag följer med dig, alla följer med dig här, hela vägen, oavsett vad som händer, det är ett löfte. Vi har lovat det och du kan lita på det.

– Jag vill in i kråkslottet, viskar hon.

Erik sitter på övernattningsbritsen i rummet på sjukhuset, känner att han närmar sig sina egna rum, närmar sig det bortglömda, det förpassade.

Han gnuggar sig i ögonen, tittar på den flimrande teverutan och mumlar:

– Öppna dörren.

Han hör sig själv uttala siffror som försänker henne än djupare ner i hypnosen, han förklarar att hon alldeles snart ska göra som han säger, utan att tänka efter först, bara acceptera att hans röst leder henne rätt. Hon skakar svagt på huvudet och han fortsätter att räkna nedåt, låta siffrorna falla, tungt och sövande.

Bildkvaliteten försämras hastigt: Eva blickar upp med grumliga ögon, fuktar munnen och viskar:

– Jag ser dem ta en människa, de går bara fram och tar en ...

– Vem är det som tar en människa? frågar han.

Hon börjar andas oregelbundet.

– En man med hästsvans, jämrar hon sig. Han hänger upp den lilla ...

Bandet knastrar till och bilden försvinner.

Erik snabbspolar till slutet men bilden återkommer inte, halva bandet är förstört, raderat.

Han sitter sedan framför den svarta teverutan. Han ser sig själv blicka ut ur den djupa, mörka speglingen. Ser på samma gång sitt tio år äldre ansikte och ansiktet hos den han var då. Han tittar på videokassetten, band 14, och han tittar på gummisnodden och papperet med texten KRÅKSLOTTET.

# 35

*Tisdag morgon den femtonde december*

INNAN HISSDÖRRARNA sluter sig trycker Erik på knappen mer än tio gånger. Han vet att det inte går fortare, men han kan inte låta bli. Tanken på Benjamins ord från bilens mörker blandas med massor av konstiga minnesfragment som videofilmen grumlade upp. Återigen hör han Eva Blaus svaga röst om att en man med hästsvans hade tagit en människa. Men det var något lögnaktigt över hennes mun, något som drog i den.

Det dånar högt upp i hisstrumman medan korgen sjunker vinande nedåt.

– Kråkslottet, säger han och önskar gång på gång att det bara är ett sammanträffande, att Benjamins försvinnande inte har något med hans förflutna att göra.

Hissen stannar och dörrarna öppnas. Han skyndar sig igenom parkeringsgaraget och in i det trånga trapphuset. Två plan längre ner låser han upp en ståldörr och fortsätter genom den vita kulverten fram till en larmad dörr, håller knappen till porttelefonen intryckt en lång stund, får ett motvilligt svar, lutar sig fram och säger sitt ärende i mikrofonen. Ingen är välkommen hit, tänker han. I magasinet finns alla patientjournaler arkiverade, all forskning, alla experiment, redovisade tester, resonemangen kring neurosedyn och tvivelaktiga hälsoundersökningar. I hyllorna står tusentals pärmar där resultatet från åttiotalets hemliga provtagningar av HIV-misstänkta fall finns bevarade, tvångssteriliseringarna, tandexperimentet på debila, då den svenska tandvårdsreformen skulle sanktioneras. Man tvingade barnhemsbarn, sinnessjuka och gamlingar att sitta med sockermassa i munnarna tills deras tänder frättes sönder.

Dörren surrar och Erik går in i det oväntat varma ljuset. Det är något i belysningen som får magasinet att kännas trevligt, långt ifrån en fönsterlös håla djupt ner under marken.

Från vaktkuren hörs operamusik: porlande koloratur från en mezzosopran. Erik samlar sig, försöker hitta ett lugn i ansiktet, söker efter ett leende hos sig själv medan han går fram till kuren.

En kortväxt man med halmhatt på huvudet står med ryggen till och vattnar några blommor.

– Hej, Kurtan.

Mannen vänder sig om och ser sedan glatt överraskad ut:

– Erik Maria Bark, det var inte igår. Hur är det?

Erik vet inte riktigt vad han ska säga.

– Jag vet inte, svarar han ärligt. Det är en massa tråkigheter i min familj just nu.

– Jaså, ja, det ...

– Fina blommor, säger Erik för att slippa fler frågor.

– Penséer. Jag är tokig i dem. Conny gnällde om att ingenting skulle kunna blomma här nere. Skulle ingenting kunna blomma här? frågade jag. Titta på mig!

– Precis, svarar Erik.

– Jag installerade kvartslampor överallt.

– Oj då.

– Värsta solariet, skojar han och håller fram en tub med solskydd.

– Jag kan tyvärr inte stanna så länge.

– Men ta lite på näsan, säger Kurt, trycker ut en klick och håller fram den mot Eriks nästipp.

– Tack, men ...

Kurt sänker rösten och viskar med glittrande ögon:

– Ibland går jag runt här i bara kallingarna. Men det får du inte säga till någon.

Erik ler mot honom och känner ansträngningen i sitt eget ansikte. Det blir tyst och Kurt tittar på honom.

– För många år sedan, börjar Erik, så spelade jag in mina hypnossessioner.

– Hur länge sedan?

– Tio år ungefär, det är en serie VHS-band som …

– VHS?

– Ja, det var totalt omodernt redan då, fortsätter Erik.

– Alla videoband har digitaliserats.

– Bra.

– De finns i datorarkivet.

– Hur kommer jag in i det då?

Kurt ler och Erik ser hur vita tänder han har i sitt solbrända ansikte.

– Det kan liksom jag hjälpa dig med.

De går tillsammans till de fyra datorerna som står i en nisch vid hyllplanen.

Kurt klickar hastigt fram lösenord och bläddrar mellan mapparna med överförda inspelningar.

– Skulle banden stå i ditt namn? frågar han.

– Ja, det borde de, säger Erik.

– Det gör de inte, säger Kurt dröjande. Jag provar med hypnos.

Han knappar in ordet och gör en ny sökning.

– Där har vi lite, titta själv.

Ingen av träffarna berör Eriks dokumentation från terapin. Det enda som rör honom från den tiden är dokument om ansökningar och beviljade medel. Han skriver ordet ”kråkslottet” och gör en ny sökning, han provar namnet Eva Blau, även om hans grupp inte var inskriven som patienter på sjukhuset.

– Det finns ingenting, säger han trött.

– Alltså, det var rätt mycket strul med överföringarna, säger Kurt. En massa material blev förstört, all betamax och …

– Vem gjorde överföringarna?

Kurt vänder sig om mot honom och rycker beklagande på axlarna:

– Det var jag och Conny.

– Men de ursprungliga banden finns väl kvar någonstans, försöker Erik.

– Jag är ledsen, men jag har faktiskt ingen aning.

– Tror du att Conny vet någonting?

– Nej.

– Ring honom och fråga.

– Han är nere i Simrishamn.

Erik vänder sig bort och försöker tänka lugnt.

– Jag vet att rätt mycket makulerades av misstag, säger Kurt.

Erik stirrar på honom.

– Det här är helt unik forskning, säger han matt.

– Jag har sagt att jag är ledsen.

– Jag vet, jag menade inte ...

Kurt nyper av ett brunt blad från en blomma.

– Du slutade väl med hypnos? säger han. Visst gjorde du det?

– Ja, men nu behöver jag titta på ...

Erik tystnar, orkar inte fortsätta, vill bara återvända till rummet, ta en tablett och sova.

– Vi har alltid haft problem med tekniken här nere, fortsätter Kurt. Men varje gång vi påpekar det svarar de bara att vi får göra så gott vi kan. Ta det lugnt sa de när vi råkade radera ett helt decenniums lobotomiforskning. Gamla upptagningar, 16 millimeter, som överfördes till videoband på åttiotalet men som inte klarade sig in i datoråldern.

# 36

*Tisdag morgon den femtonde december*

TIDIGT PÅ MORGONEN ligger rådhusets stora skugga över polishusets fasad. Endast det högsta, centrala tornet badar i solljus. Under de första timmarna efter gryningen avkläds sedan polishuset hela sin skugga och skiner gult. Koppartaket blänker, det vackra smidet med inbyggda rännor och små borgar av koppar där nederbörden silas ner i stuprännorna övertäcks av skimrande kondensdroppar. Under dagen ligger ljuset kvar medan skuggorna från träden vrider sig som visare i klockor och först några timmar före skymningen blir fasaden åter grå.

Carlos Eliasson står vid sitt akvarium och ser ut genom fönstret när Joona knackar på hans dörr och öppnar den i en och samma rörelse.

Carlos rycker till och vänder sig om. Vid åsynen av Joona fylls hans ansikte som vanligt av motstridigheter. Det är med en blandning av blygsel, glädje och motvilja som han hälsar honom välkommen, slår ut med handen mot sin besöksstol och upptäcker att han fortfarande håller i burken med fiskmat.

– Jag såg precis att det hade snöat, säger han vagt och ställer ner burken bredvid akvariet.

Joona sätter sig och blickar ut genom fönstret. Ett tunt, torrt lager snö ligger glest över Kronobergsparken.

– Det kanske blir en vit jul, vem vet, ler Carlos försiktigt och tar plats på andra sidan skrivbordet. I Skåne där jag växte upp var det aldrig något väder alls på jularna. Det såg likadant ut hela tiden. En grå dager över fälten …

Carlos tystnar abrupt.

– Men det är inte för att diskutera vädret du har kommit, säger han strävt.

– Inte direkt.

Joona ger honom en lugn blick och lutar sig tillbaka:

– Jag vill ta över fallet med Erik Maria Barks försvunna pojke.

– Nej, svarar Carlos tvärt.

– Det var jag som började med ...

– Nej, Joona, du fick lov att följa det så länge det var kopplat till Josef Ek.

– Det är det fortfarande, svarar Joona envist.

Carlos reser sig upp, tar ett par otåliga steg och vänder sig mot Joona:

– Våra direktiv är solklara, resurserna är inte till för ...

– Jag tror att kidnappningen har en stark koppling till hypnosen av Josef Ek.

– Vad menar du nu? frågar Carlos irriterat.

– Att det inte kan vara en tillfällighet att Erik Maria Barks son försvann bara en vecka efter hypnosen.

Carlos sätter sig ned igen och han låter plötsligt mindre säker när han försöker framhärda:

– En grabb på rymmen är ingenting för Riks, det går bara inte.

– Han är inte på rymmen, säger Joona kort.

Carlos kastar en hastig blick på fiskarna, lutar sig fram och talar lägre:

– Bara för att du har lite dåligt samvete, Joona, kan jag inte låta dig ...

– Då begär jag förflyttning, säger Joona och reser sig upp.

– Till?

– Till den rotel som har fallet.

– Nu är du envis igen, säger Carlos och kliar sig upprört över hjässan.

– Men jag kommer att få rätt, ler Joona.

– Gud, suckar Carlos, ser på sina fiskar och skakar bekymrat på huvudet.

Joona börjar gå mot dörren.

– Vänta, ropar Carlos.

Joona hejdar sig och vänder sig om. Han höjer frågande ögonbrynen mot Carlos.

– Vi säger så här – du tar inte över fallet, det är inte ditt fall, men du får en vecka på dig att undersöka pojkens försvinnande.

– Bra.

– Så nu behöver du inte säga vad var det jag sa.

– Okej.

Joona tar hissen ned till sin korridor, han hälsar på Anja som vinkar åt honom utan att flytta blicken från datorskärmen, passerar Petter Näslunds rum där radion står på. En sportjournalist kommenterar damernas skidskytte med konstlad energi i rösten. Joona backar och går tillbaka till Anja.

– Har inte tid, säger hon utan att se på honom.

– Jo, det har du, säger han lugnt.

– Jag håller på med något väldigt viktigt.

Joona försöker se över hennes axel.

– Vad är det du arbetar med, frågar han.

– Ingenting.

– Vad är det där för något?

Hon suckar.

– Det är auktion. Jag har högsta budet just nu, men en annan idiot håller på och trissar upp priset hela tiden.

– Auktion?

– Jag samlar på Lisa Larson-figuriner, svarar hon kort.

– De där små tjocka lerbarnen?

– Det är konst, men sådant begriper väl inte du.

Hon tittar på skärmen.

– Det är snart över. Bara ingen annan bjuder över nu, så . . .

– Jag behöver hjälp av dig, envisas Joona. Något som har med ditt yrke att göra. Det är ganska viktigt, faktiskt.

– Vänta, vänta, vänta.

Hon håller avvärjande upp en hand mot honom.

– Ja, jag fick dem! Jag fick dem! Jag fick Amalia och Emma.

Hon stänger snabbt sidan.

– Okej, Joona, din gamle finne. Vad var det du ville ha hjälp med?

– Du ska ligga på teleoperatörerna och se till att jag har en lägesposition för samtalet som kom från Benjamin Bark i söndags. Jag vill ha klara besked om varifrån han ringde. Inom fem minuter.

– Gud, vad du är på dåligt humör, suckar Anja.

– Tre minuter, ändrar Joona. Din nätshopping kostar dig två minuter.

– Stick och brinn, säger hon mjukt när han lämnar rummet.

Han går till sitt kontor, stänger dörren och bläddrar igenom posten och läser ett vykort från Disa. Hon har åkt till London och säger att hon saknar honom. Disa vet att han avskyr bilder på schimpanser som spelar golf eller trasslar in sig i toalettpapper och lyckas därför alltid hitta kort på samma tema. Joona tvekar om han ska vända på vykortet eller bara slänga det, men är givetvis för nyfiken. Han vänder på kortet och ryser till av obehag. En bulldog med skepparkrans, sjömansmössa och snugga i munnen. Han ler åt Disas ansträngning och sätter upp kortet på anslagstavlan precis när telefonen ringer.

– Ja? svarar han.

– Jag har fått svar, säger Anja.

– Det gick fort, säger Joona.

– De sa att de hade haft tekniska problem, men att de redan hade ringt kommissarie Kennet Sträng för en timme sedan och berättat att basstationen låg i Gävle.

– I Gävle, upprepar han.

– De är inte riktigt färdiga ännu, sa de. Om en eller två dagar, i varje fall den här veckan, så kommer de att kunna säga exakt var Benjamin befann sig när han ringde.

– Du hade kunnat komma till mitt rum och berätta det, det är bara fyra meter hit från ...

– Jag är inte din hushållerska, eller hur?

– Nej.

Joona skriver Gävle på den tomma sidan i anteckningsblocket som ligger framför honom och tar sedan upp telefonen igen.

– Erik Maria Bark, svarar Erik omedelbart.

– Joona här.

– Hur går det? Har du fått fram något?

– Jag fick precis en ungefärlig position för samtalet.

– Var är han?

– Det enda vi har än så länge är att basstationen ligger i Gävle.

– Gävle?

– En bit norr om Dalälven och ...

– Jag vet var Gävle ligger, jag förstår bara inte, jag menar ...

Joona hör Erik röra på sig i rummet.

– Vi får en precisering i veckan, säger Joona.

– När?

– I morgon, hoppades de.

Han hör Erik sätta sig.

– Så då tar du fallet, gör du det? frågar han med spänd röst.

– Jag tar fallet, Erik, säger Joona kärvt. Jag kommer att hitta Benjamin.

Erik harklar sig och när hans röst åter är stadig förklarar han snabbt:

– Jag har funderat en del på vem som kan ha gjort det här, och jag har ett namn som jag vill att du spårar, hon var en patient till mig, Eva Blau.

– Blau? Som blå på tyska?

– Ja.

– Har hon hotat dig?

– Det är svårt att förklara.

– Jag ska genast göra en sökning på henne.

Det blir tyst i luren.

– Jag vill gärna träffa dig och Simone så fort som möjligt, säger Joona sedan.

– Jaha?

– Det gjordes aldrig någon rekonstruktion av brottet, eller hur?

– Rekonstruktion?

– Vi ska undersöka vilka som hade någon möjlighet att se Benjamins kidnappare. Är ni hemma om en halvtimme?

– Jag ringer Simone, säger Erik. Vi väntar på dig där.

– Bra.

– Joona, säger Erik.

– Ja?

– Jag vet ju att det brukar handla om timmar om man ska få tag i förövaren. Att det är det första dygnet som räknas, säger Erik sakta. Och nu har det gått …

– Tror du inte att vi hittar honom?

– Det är … Jag vet inte, viskar Erik.

– Jag brukar inte ha fel, svarar Joona lågt men med skärpa i rösten. Och jag tror att vi hittar din pojke.

Joona lägger på luren. Därefter tar han lappen med Eva Blaus namn och går in till Anja igen. Det luktar starkt av apelsin i hennes rum. En skål med olika citrusfrukter står vid datorn med rosa tangentbord och på ena väggen hänger en stor, blank plansch som visar en muskulös Anja som simmar fjäril i olympiska spelen.

Joona ler:

– Jag var safetyman i lumpen, skulle kunna simma en mil med signalflagga. Men fjäril, det har jag aldrig kunnat.

– Slöseri med energi, det är vad det är.

– Jag tycker att det är vackert – du såg ut som en simmande sjöjungfru, säger Joona.

Anjas röst avslöjar en viss stolthet när hon försöker förklara:

– Koordinationstekniken är ganska fordrande, det handlar om en motrytm och ... vem bryr sig?

Anja sträcker nöjt på sig och hennes stora byst nuddar nästan Joona där han står vid hennes skrivbord.

– Jo, säger han och tar fram lappen. Nu vill jag att du söker en person åt mig.

Anjas leende kallnar.

– Ja, jag anade att det var något du ville ha av mig, Joona. Det var lite för bra, lite för trevligt. Jag hjälpte dig med den där telemasten och så kom du in här med ditt snygga leende. Jag började nästan tro att du skulle bjuda ut mig på middag eller något, så ...

– Det ska jag, Anja. I sinom tid.

Hon skakar på huvudet och tar lappen ur Joonas hand:

– Ett personsök. Är det bråttom?

– Det är mycket bråttom, Anja.

– Men varför står du här och nojsar med mig då?

– Jag trodde du ville det ...

– Eva Blau, säger Anja fundersamt.

– Det är inte alls säkert att det är hennes riktiga namn.

Anja biter bekymrat i läpparna.

– Ett fingerat namn, säger hon. Det var inte mycket. Har du ingenting annat? Ingen adress eller något sådant?

– Nej, inte adress. Det enda jag vet är att hon var Erik Maria Barks patient på Karolinska universitetssjukhuset för tio år sedan, förmodligen bara några månader. Men du får kolla registren, inte bara de vanliga registren utan alla andra. Finns det någon Eva Blau som skrivit in sig på universitetet? Om hon har köpt en bil så finns hon i fordonsregistret. Eller har hon sökt visum någon gång, har hon lånekort på något bibliotek ...

föreningar, IOGT, jag vill att du tittar på skyddade identiteter också, brottsoffer ...

– Ja, ja, ge dig i väg nu, säger Anja, så att jag får arbeta någon gång.

*

Joona stänger av ljudboken där Per Myrberg med sin egenartade blandning av lugn och intensitet läser *Brott och straff* av Fjodor Dostojevskij. Han parkerar bilen vid Lao Wai, den vegetariska asiatiska restaurangen som Disa har tjatat på honom att besöka. Han kastar en blick in genom fönstret och slås av den asketiska, enkla skönheten över trämöblerna, bristen på onödigheter, avsaknaden av prydnadsföremål i lokalen.

När han ringer på hos Simone är Erik redan där. De hälsar på varandra och Joona redogör kort för vad han tänker göra.

– Vi ska rekonstruera kidnappningen så gott det går. Den enda av oss som verkligen var med när det hände är du, Simone.

Hon nickar sammanbitet.

– Så du får spela dig själv. Jag är förövaren och du Erik, du får vara Benjamin.

– Okej, säger Erik.

Joona tittar på klockan.

– Simone, vid vilken tid tror du att inbrottet skedde?

Hon harklar sig:

– Är inte säker ... men tidningen hade inte kommit ... så det var före fem. Och så hade jag varit uppe och druckit vatten och då var klockan två ... sedan låg jag vaken en stund ... så någon gång mellan halv tre och fem.

– Bra, då ställer jag klockan på halv fyra så får vi en genomsnittstid, säger Joona. Jag ska låsa upp dörren och smyga in till Simone i sängen, simulera att jag ger henne en spruta och sedan gå in till Benjamin – det är du, Erik – och där injicerar jag dig och drar ut dig ur rummet. Jag kommer att släpa dig längs hallgolvet och ut genom ytterdörren. Du är tyngre än din son, så vi får kompensera det tidsmässigt med någon minut. Simone, försök att röra dig på exakt samma sätt som du gjorde då. Lägg dig i samma position vid samma tidpunkt. Jag vill veta vad du såg, exakt vad du kunde se eller bara ana.

Simone nickar med blekt ansikte.

– Tack, viskar hon. Tack för att du gör det här.

Joona ser på henne med isgråa ögon:

– Vi ska hitta Benjamin.

Simone stryker snabbt handen över sin panna:

– Jag går till sovrummet, säger hon hest och ser Joona lämna lägenheten med nycklarna i handen.

Hon ligger under täcket när Joona kommer in. Han rör sig hastigt mot henne, springer inte, men är målmedveten. Det kittlar när han drar upp hennes arm och låtsas injicera henne. Samtidigt som hon möter Joonas blick där han står böjd över henne, minns hon hur hon vaknade av ett distinkt stick i armen, hur hon såg någon hastigt slinka ut genom dörren och ut i hallen. Blotta minnet får det att pirra obehagligt i armen där hon blev stucken. När Joonas ryggtavla försvinner, sätter hon sig upp, gnider i armvecket och går sakta upp. Hon kommer ut i hallen, kisar in i Benjamins rum och ser hur Joona lutar sig över sängen. Och plötsligt säger hon bara orden som om de hade ekat genom hennes minne:

– Vad gör ni? Får jag komma in?

Hon fortsätter tvekande fram till serveringsskåpet. Kroppen kommer ihåg hur den förlorade all kraft och föll. Hennes ben viker sig samtidigt som hon minns hur hon sjönk djupare och djupare ned i en svart stumhet som bara genomskars av allt kortare ljusglimtar. Hon halvsitter intill väggen och ser Joona släpa Erik i fötterna. Minnet spelar upp det ofattbara: hur Benjamin försökte hålla sig fast i dörrkarmen, hur hans huvud dunsade i tröskeln och hur han grep efter henne med allt svagare handrörelser.

När Erik släpas förbi Simone och deras blickar möts är det som om en gestalt av dimma eller ånga under ett alldeles kort ögonblick tar plats där i hallen. Hon ser Joonas ansikte underifrån. Det byts ut och en glimt av förövaren blinkar till i hennes medvetande. Ett skuggat ansikte och den gula handen om Benjamins ankel. Simones hjärta dunkar hårt när hon hör Joona släpa Erik ut i trapphuset och stänga dörren efter sig.

Ett obehag ligger kvar i hela lägenheten. Simone kan inte komma ifrån känslan av att ha blivit bedövad på nytt, hon är stum och trög i lemmarna när hon reser sig upp och väntar på att de ska komma tillbaka.

Joona drar Erik över våningsplanets repade marmorgolv och söker samtidigt runt med blicken, prövar vinklar och höjder för att leta efter platser där vittnen kan ha befunnit sig. Han försöker förstå hur långt ner i trappan han kan se och tänker att någon faktiskt hade kunnat stå kanske fem steg ner, tätt intill trappspindeln och iakttagit honom i denna stund. Han fortsätter mot hissen. Han har förberett sig och ställt upp dörren. När han böjer sig lite ser han sitt ansikte i dörrens blanka beslag och sedan den glidande väggen bakom. Joona släpar in den liggande Erik på hissgolvet. Mellan burens ramverk ser han dörren till höger, brevinkastet och namnskylten av mässing, men åt andra hållet bara en vägg. Taklampan på avsatsen skuggas av dörrposten. Längre in i hisskorgen riktar Joona blicken mot den stora hisspegeln, böjer och sträcker på sig, men ser ingenting. Fönstret i trappan är hela tiden dolt. Han upptäcker ingenting nytt när han blickar över axeln. Men plötsligt iakttar han något oväntat. I en viss vinkel kan han via den mindre, snedställda spegeln se rakt in i det ljusblänkande dörrögat på lägenheten som hela tiden verkat skymd. Han stänger hissdörren och noterar att spegelrutan fortfarande låter honom se rakt på dörren via hisspegeln. Om någon stod innanför den och såg ut genom dörrögat, tänker han, skulle den personen just nu se mitt ansikte klart och tydligt. Men flyttar han huvudet bara fem centimeter i någon riktning försvinner omedelbart sikten.

När de kommer ner reser sig Erik upp och Joona tittar på klockan.

– Åtta minuter, säger han.

De går tillbaka in i lägenheten. Simone står i hallen, det syns att hon precis har gråtit.

– Han hade diskhandskar på händerna, säger hon. Gula diskhandskar.

– Är du säker? frågar Erik.

– Ja.

– Då är det ingen idé att leta efter fingeravtryck, säger Joona.

– Vad ska vi göra? frågar hon.

– Polisen har redan knackat dörr, säger Erik dystert medan Simone borstar bort smuts och damm från hans rygg.

Joona tar fram ett papper.

– Ja, jag har listan här över vilka de talat med. De har givetvis koncentrerat sig på det här våningsplanet och lägenheterna under. Det är fem stycken som de inte har talat med ännu och en som ...

Han granskar lappen och ser att lägenheten snett bakom hissen är struken. Det var den dörren han såg via de båda speglarna.

– En lägenhet är helt struken, säger Joona. Det är den som ligger på andra sidan hissen.

– De var bortresta, säger Simone. Det är de fortfarande. Sex veckor i Thailand.

Joona tittar allvarligt på dem.

– Dags att knacka dörr, säger han kort.

Det står Rosenlund på dörren som hade full sikt in i hissen via speglarna. Den lägenhet som poliserna som utförde dörrknackningsoperationen inte brydde sig om, eftersom den var skymd och stod tom.

Joona böjer sig ned och kikar in genom brevlådan. Han ser ingen post eller reklam på dörrmattan. Plötsligt hör han ett svagt ljud längre inifrån lägenheten. Det är en katt som kommer tassande från ett angränsande rum och in i hallen. Katten stannar tvärt och ser avvaktande på Joona som håller upp brevlådan.

– Ingen lämnar en katt i sex veckor, säger Joona långsamt för sig själv.

Katten lyssnar med vaksam hållning.

– Du ser inte utsvulten ut, säger Joona till djuret.

Katten gäspar stort, hoppar upp på en stol i hallen och rullar ihop sig till en rund boll.

Den första Joona ska prata med är maken till Alice Franzén. Det var bara hon som öppnade när polisen knackade på förra gången. Paret Franzén bor på samma våningsplan som Simone och Erik. De har lägenheten mittemot hissen.

Joona ringer på och väntar. Han minns kort hur han som barn gått runt med majblommor i en kartong och någon gång med Lutherhjälpens sparbössa i papp. Känslan av främlingskap inför att blicka in i någon annans hem, olusten i ögonen på de som öppnade dörrarna.

Han ringer på igen. En kvinna i trettioårsåldern öppnar. Hon ser på honom med en avvaktande och reserverad min som får honom att tänka på katten i den tomma lägenheten.

– Ja?

– Joona Linna heter jag, säger han och visar sin legitimation. Jag skulle vilja tala med din man.

Hon kastar en hastig blick över axeln och frågar sedan:

– Jag vill veta vad det gäller först. Han är faktiskt rätt upptagen.

– Det gäller natten till lördagen den 12 december.

– Men det har ni ju redan frågat om, säger kvinnan irriterat.

Joona tittar snabbt på papperet i sin hand.

– Det står här att polisen har hört dig, men inte din make.

Kvinnan suckar surt.

– Jag vet inte om han har tid, säger hon.

Joona ler.

– Det tar bara någon minut, jag lovar.

Kvinnan rycker på axlarna och ropar sedan inåt lägenheten:

– Tobias! Det är polisen!

Efter en stund kommer en man gående med en handduk virad runt höfterna. Hans skinn ser ut att hetta, han är mycket starkt solbränd.

– Hej, säger han till Joona. Jag solade ...

– Trevligt, säger Joona.

– Nej, svarar Tobias Franzén. Det fattas ett enzym i min lever. Jag är dömd till att sola två timmar om dagen.

– Det är en annan sak, säger Joona torrt.

– Du ville fråga något.

– Jag vill veta om du har sett eller hört något ovanligt natten till lördagen den 12 december.

Tobias kliar sig på bröstkorgen. Det blir vita märken efter hans fingrar i den solbrända huden.

– Få se nu, det var då ja. Jag är ledsen, men jag kan verkligen inte minnas något särskilt. Jag kommer faktiskt inte ihåg.

– Okej, tack så mycket, säger Joona och böjer på huvudet.

Tobias sträcker sig efter dörrhandtaget för att stänga.

– En sak till.

Joona nickar mot den tomma lägenheten.

– Den här familjen, Rosenlund, börjar han.

– De är mycket trevliga, ler Tobias och huttrar till. Jag har inte sett dem på ett tag.

– Nej, de är bortresta. Vet du om de har någon städhjälp eller liknande?

Tobias skakar på huvudet. Han har blivit blek under solbrännan och fryser nu.

– Tyvärr, jag har ingen aning.

– Tack, säger Joona och ser Tobias Franzén stänga sin ytterdörr.

Han går till nästa namn på listan: Jarl Hammar, våningsplanet under Erik och Simone. En pensionär som inte var hemma när polisen knackade på.

Jarl Hammar är en mager man som uppenbarligen lider av Parkinsons sjukdom. Han är stramt klädd i cardigan och snusnäsduk runt halsen.

– Krim, upprepar Hammar med hes, nästan obefintlig röst och låter en blick, grumlig av starr, gå över Joona. Vad har krim med mig att göra?

– Jag vill bara ställa en fråga, säger Joona. Såg du möjligtvis något ovanligt här i huset eller på gatan natten till den 12 december?

Jarl Hammar lägger huvudet på sned och sluter ögonen. Efter ett kort ögonblick öppnar han dem igen och skakar på huvudet mot Joona.

– Jag har min medicin, säger han. Den gör att jag sover mycket tungt.

Joona skymtar en kvinna bakom Jarl Hammar.

– Och din hustru, frågar han. Kan jag få tala med henne?

Jarl Hammar ler snett.

– Min hustru Solveig var en underbar kvinna. Men hon har dessvärre gått under jord, dog för nästan trettio år sedan.

Den tunne mannen vänder sig om och lyfter en skakande arm mot en mörk skepnad längre in i lägenheten:

– Det är Anabella. Hon hjälper mig med städning och sådant. Tyvärr talar hon inte svenska, men i övrigt är hon säkert oklanderlig.

Den skugglika skepnaden kommer ut i ljuset när hon hör sitt namn nämnas. Anabella ser ut att vara från Peru, hon är i tjugoårsåldern, har stora koppärr på kinderna, bär sitt hår uppsatt i en slarvig tofs och är mycket kortväxt.

– Anabella, säger Joona mjukt. *Soy comisario de policía*, Joona Linna.

– *Buenos días*, svarar hon läspande och ser på honom med svarta ögon.

– *Tu limpias más departamentos aqui? En este edificio?*

Hon nickar, ger honom rätt, hon städar även andra lägenheter i det här huset.

– *Qué otros?* frågar Joona. Vilka andra?

– *Espera un momento*, säger Anabella och tänker efter en stund innan hon börjar räkna på fingrarna: *El piso de Lagerberg, Franzén, Gerdman, Rosenlund, el piso de Johansson también.*

– Rosenlund, säger Joona. *Rosenlund es la familia con un gato, no es verdad?*

Anabella ler och nickar. Hon städar lägenheten med katten.

– *Y muchas flores*, lägger hon till.

– Mycket blommor, säger Joona och ser henne nicka.

Joona frågar allvarligt om hon lade märke till något särskilt fyra nätter tidigare, då Benjamin försvann:

– *Notabas alguna cosa especial hace cuatros días? De noche …*

Anabellas ansikte blir stelt.

– *No*, säger hon snabbt och försöker dra sig in till Jarl Hammars lägenhet igen.

– *De verdad*, säger Joona snabbt. *Espero que digas la verdad, Anabella.* Jag väntar mig att du talar sanning.

Han upprepar att det är mycket viktigt, att det handlar om ett barn som försvunnit.

Jarl Hammar som stått bredvid och lyssnat hela tiden säger med sin skälvande hesa röst medan han håller upp ett par häftigt skakande händer:

– Du ska vara snäll mot Anabella, det är en mycket duktig flicka.

– Hon måste berätta för mig vad hon har sett, förklarar Joona sammanbitet och vänder sig till Anabella igen:

– *La verdad, por favor.*

Jarl Hammar ser hjälplös ut när några stora tårar faller från Anabellas mörka, glänsande ögon.

– *Perdón*, viskar hon. *Perdón, señor.*

– Var inte ledsen, Anabella, säger Jarl Hammar och vinkar till Joona. Kom in, jag kan inte låta henne stå i trappen och gråta.

De går in och sätter sig alla tre vid Jarl Hammars glänsande matsalsbord, han ställer fram en burk med pepparkakor, medan Anabella lågt berättar att hon inte har någonstans att bo, att hon varit hemlös i tre månader men lyckats gömma sig i trapphusen och förråden hos dem som hon städar hos. När hon fick nycklarna till Rosenlunds lägenhet för att ta hand om blommorna och katten kunde hon äntligen sköta sin hygien och sova tryggt. Hon upprepar gång på gång att hon inte har tagit någonting, att hon inte är en tjuv, hon har inte tagit mat, inte rört någonting och hon ligger inte i Rosenlunds sängar utan på mattan i köket.

Sedan ser Anabella allvarligt på Joona och säger att hon sover mycket lätt, det har hon gjort sedan hon var liten och ansvarade för sina småsyskon. Natten till torsdagen hörde hon ett ljud från trapphuset och blev rädd, hon samlade ihop sina saker, smög fram till ytterdörren och såg ut genom dörrögat.

– Hissdörren var uppställd, säger hon, men hon såg ingenting. Plötsligt hördes ljud, suckar och långsamma steg, det var som om en gammal, tung människa tog sig fram.

– Men inga röster?

Hon skakar på huvudet.

– *Sombras.*

Anabella försöker beskriva att hon sett hur skuggor rörde sig över golvet. Joona nickar och frågar:

– Vad såg du i spegeln? *Qué viste en el espejo?*

– I spegeln?

– Du kunde se in i hissen, Anabella, säger Joona.

Anabella tänker efter och sedan säger hon sakta att hon såg en gul hand.

– Och sedan, tillägger hon, efter en liten stund såg jag hennes ansikte.

– Var det en kvinna?

– *Sí, una mujer.* Ja, det var en kvinna.

Anabella förklarar att kvinnan hade en luva som kastade skugga över hennes ansikte, men ett kort ögonblick såg hon kinden och munnen.

– *Sin duda era una mujer*, upprepar Anabella. Utan tvekan var det en kvinna.

– Vilken ålder?

Hon skakar på huvudet. Hon vet inte.

– Lika ung som du?

– *Tal vez.* Kanske.

– Lite äldre? frågar Joona.

Hon nickar men säger sedan att hon inte vet, att hon bara såg kvinnan någon sekund och att ansiktet egentligen var dolt.

– *Y la boca de la señora?* visar Joona. Hur såg kvinnans mun ut?

– Glad.

– Såg hon glad ut?

– *Sí. Contenta.*

Joona lyckas inte få fram något signalement, han frågar om detaljer, vänder på frågorna, kommer med förslag, men det är uppenbart att Anabella har beskrivit allt hon sett. Han tackar henne och Jarl Hammar för hjälpen.

På väg uppför trapporna passar Joona på att ringa Anja. Hon svarar direkt.

– Anja Larsson, rikskrim.

– Anja, har du hittat något ännu om Eva Blau?

– Jag håller på, men så ringer du och stör mig hela tiden.

– Ber om ursäkt men det är bråttom.
– Jag vet, jag vet. Men jag har ingenting att ge dig just nu.
– Okej, ring så fort ...
– Sluta tjata, avbryter hon och lägger på.

# 37

*Onsdag förmiddag den sextonde december*

ERIK SITTER I BILEN bredvid Joona och blåser på kaffet i pappersmuggen. De kör förbi universitetet, Naturhistoriska riksmuseet. På andra sidan vägen, ned mot Brunnsviken lyser växthusen i det fallande mörkret.

– Är du säker på namnet? Eva Blau? frågar Joona.

– Ja.

– Det finns ingenting i någon telefonkatalog, ingenting i brottsregistret, ingenting i belastningsregistret, misstanke-registret eller vapenregistret, ingenting hos Skatteverket, folkbokföringen, eller bilregistret. Jag har låtit kolla alla länsstyrelseregister, landstingen, kyrkans register, Försäkringskassan, Migrationsverket. Det finns ingen Eva Blau i Sverige och det har aldrig funnits någon.

– Jag hade henne som patient, envisas Erik.

– Då måste hon heta något annat.

– Jag vet väl för fan vad mina . . .

Han tystnar, någonting fladdrade förbi, en skimrande aning om att hon kanske hade ett annat namn, men sedan försvinner det bara bort.

– Vad tänkte du säga? frågar Joona.

– Jag ska gå igenom mina papper, hon kanske bara kallades för Eva Blau.

Den vita vinterhimlen är låg och tät, det ser ut som om det skulle kunna börja snöa när som helst.

Erik dricker lite kaffe och känner sötman följas av den

kvardröjande beskan. Bilen svänger av mot ett villaområde i Täby. De rullar långsamt efter husen, längs frostiga trädgårdar med nakna fruktträd och små övertäckta bassänger, inglasade uterum med rottingmöbler, studsmattor med snö, kulörta ljusslingor i cypresserna, blå pulkor och parkerade bilar.

– Vart är vi på väg egentligen? frågar Erik plötsligt.

Små runda snöflingor far runt i luften, samlas på motorhuven mot vindrutetorkarna.

– Vi är nästan framme.

– Framme var?

– Jag hittade några andra personer med efternamnet Blau, svarar Joona leende.

Han svänger in framför ett fristående garage och stannar, men låter motorn gå på tomgång. Mitt på gräsmattan står en två meter hög Nalle Puh av plast med avskavd färg från den röda tröjan. Annars syns inga leksaker i trädgården. En gång av oregelbundna skifferplattor leder upp till det stora, gula trähuset.

– Här bor Liselott Blau, säger Joona.

– Vem är det?

– Ingen aning, men hon vet kanske någonting om Eva.

Joona ser Eriks tveksamma min och säger:

– Det är det enda vi har att gå på just nu.

Erik skakar på huvudet:

– Det är länge sedan och jag tänker aldrig på den där tiden, när jag höll på med hypnos.

Erik möter Joonas isgrå ögon:

– Det här kanske inte har någonting med Eva Blau att göra, säger han.

– Har du försökt minnas?

– Jag tror det, svarar Erik dröjande och tittar på kaffemuggen.

– Ordentligt?

– Kanske inte.

– Vet du om hon var farlig, Eva Blau? frågar Joona.

Erik blickar ut genom bilfönstret och ser att någon har tagit en tuschpenna och ritat dit huggtänder och elaka ögonbryn på Nalle Puh. Han dricker lite kaffe och minns plötsligt den dagen då han hörde namnet Eva Blau för första gången.

Han minns det nu.

Klockan var halv nio på morgonen. Solen strålade rakt in genom de dammiga fönstren. Jag hade haft nattjour och sovit på kontoret, tänker han.

*Tio år tidigare*

KLOCKAN VAR HALV NIO på morgonen. Solen sken rakt in genom de dammiga fönstren. Jag hade sovit på kontoret efter nattjouren, kände mig trött, men packade ändå sportväskan. Lasse Ohlson hade ställt in våra badmintonmatcher ett antal veckor. Han hade haft för mycket att göra, åkte fram och tillbaka mellan Oslo sjukhus och Karolinska sjukhuset, föreläste i London och skulle ta plats i styrelsen, men i förrgår hade han ringt och frågat om jag var beredd.

– Ja, för fan, hade jag svarat.

– Du är beredd på att få stryk, sa han utan sin vanliga spänst i rösten.

Jag hällde det sista kaffet i slasken, lämnade koppen i personalpentryt, sprang nedför trapporna och tog cykeln till gymnastikhallen. Lars Ohlson befann sig redan i det kalla omklädningsrummet när jag kom in. Han tittade upp och såg på mig med en nästan rädd blick, vände sig bort och drog på sig shortsen.

– Du ska få så mycket stryk att du inte kan sitta på en vecka, sa han och tittade till på mig.

Handen darrade när han låste skåpet.

– Du har haft mycket jobb, sa jag.

– Va? Ja, precis, det har varit ...

Han tystnade och satte sig tungt på bänken.

– Mår du bra? frågade jag.

– Absolut, svarade han. Och själv då?

– Jag ska träffa styrelsen på fredag.

– Just det, dina anslag är slut, det är alltid samma sak.

– Fast jag är inte speciellt orolig, sa jag. Jag menar, jag tror att det går bra, det händer ju saker med min forskning, det går framåt, jag har väldig fina resultat.

– Jag känner Frank Paulsson i styrelsen, sa han och reste sig.

– Gör du? Hur då?

– Vi gjorde lumpen tillsammans, uppe i Boden, han är skärpt och ganska öppen.

– Bra, sa jag lågt.

Vi lämnade omklädningsrummet och Lasse tog tag i min arm.

– Ska jag ringa honom och bara säga att de måste satsa på dig?

– Kan man göra så? frågade jag.

– Det är knappast tillåtet, men vad fan.

– Då är det nog bäst att låta bli, log jag.

– Men du måste ju få fortsätta med forskningen.

– Det kommer att ordna sig.

– Ingen får veta.

Jag tittade på honom och sa trevande:

– Fast det vore kanske dumt.

– Jag ringer Frank Paulsson i kväll.

Jag nickade och han gav mig leende ett lätt slag i ryggen.

När vi kom ut i den stora hallen, med sina ekon och gnisslande skor, frågade Lars plötsligt:

– Skulle du vilja ta över en patient som jag har?

– Varför då?

– Jag har bara inte riktigt tid med henne, svarade han.

– Fast jag har tyvärr fullt, sa jag.

– Okej.

Jag började stretcha i väntan på att bana fem skulle bli ledig. Lars trampade runt, strök sig över håret och harklade sig.

– Eva Blau skulle antagligen passa i din grupp, sa han. För hon knyter sig som fan kring ett trauma. Det är i alla fall vad jag tror, för jag kan inte ta mig igenom skalet, jag har inte gjort det en enda gång.

– Jag kommer gärna med råd om du ...

– Råd? avbröt han och sänkte rösten. Om jag ska vara ärlig så är jag klar med henne.

– Har det hänt någonting? frågade jag.

– Nej då, det är bara ... Jag trodde att hon var mycket sjuk, fysiskt alltså.

– Men det var hon inte, frågade jag.

Han log stressat och iakttog mig.

– Kan du inte bara säga att du tar henne? frågade han.

– Jag ska tänka på saken, svarade jag.

– Vi hörs om det senare idag, sa han snabbt.

Lasse joggade på stället, stannade, såg bort mot hallens entré med orolig blick, iakttog dem som anlände och lutade sig sedan mot väggen.

– Jag vet inte, Erik, men det skulle kännas jävligt bra om du tittade på Eva, jag skulle ...

Han tystnade och såg bort mot banan där två unga kvinnor som såg ut som läkarstudenter hade ett par minuter kvar av sin tid. När en av dem snubblade till och missade en enkel stoppboll fnös han och viskade:

– Kossa.

Jag tittade på klockan och rullade med axlarna. Lasse stod och bet på naglarna. Jag såg att han svettades under armarna. Hans ansikte hade åldrats, blivit magrare. Någon skrek utanför hallen och han ryckte till och blickade mot dörrarna.

Kvinnorna samlade ihop sina saker och lämnade banan småpratande.

– Nu spelar vi, sa jag och började gå.

– Erik, har jag någonsin bett dig ta över en patient?

– Nej, det är bara att jag har fullt upp.

– Om jag gör dina jourtimmar, sa han snabbt och iakttog mig.

– Det är ganska mycket, svarade jag undrande.

– Jag vet, men jag tänkte, du har ju familj och behöver vara hemma, sa han.

– Är hon farlig?

– Vad menar du? frågade han med ett osäkert leende och började peta på sin racket.

– Eva Blau? Är det din bedömning?

Han blickade mot dörren igen.

– Jag vet inte vad jag ska svara, sa han lågt.

– Har hon hotat dig?

– Jag menar ... alla patienter av det här slaget kan ju vara farliga, det är lite svårt att avgöra, men jag är säker på att du klarar av henne.

– Det gör jag nog, sa jag.

– Du tar henne? Säg att du gör det, Erik. Gör du det?

– Ja, svarade jag.

Han rodnade om kinderna, vände sig bort och började gå mot baslinjen. Plötsligt rann en strimma blod på insidan av hans lår, han torkade bort den med handen och tittade på mig. När han förstod att jag hade sett blodet mumlade han att han hade problem med ljumsken, ursäktade sig och lämnade banan haltande.

Jag hade precis kommit tillbaka till mitt mottagningsrum två dagar senare då det knackade på dörren. När jag öppnade stod Lasse Ohlson i korridoren, flera meter ifrån en kvinna med vit regnkappa på sig. Hon hade ett bekymrat uttryck i ögonen och var röd om näsan som om hon var förkyld. Hennes ansikte var smalt och vasst och hon var kraftigt sminkad med blå och rosa ögonskugga.

– Det här är Erik Maria Bark, sa Lasse. En mycket bra läkare, bättre än jag någonsin kan bli.

– Ni är tidiga, sa jag.

– Fungerar det? frågade han stressat.

Jag nickade och bad dem stiga på.

– Erik, jag hinner inte, svarade han lågt.

– Men det vore nog bra om du var med.

– Jag vet, men jag måste kila, sa han. Ring mig när som helst, jag tar emot det, mitt i natten, när som helst.

Han skyndade iväg och Eva Blau följde med mig in på rummet, stängde dörren efter sig och mötte sedan min blick.

– Är det här din? frågade hon plötsligt och höll fram en porslinselefant i sin darrande handflata.

– Nej, den är inte min, svarade jag.

– Men jag såg ju hur du tittade på den, sa hon med en försmädlig ton. Du vill ha den, eller hur?

Jag tog ett djupt andetag och frågade:

– Varför tror du att jag vill ha den?

– Vill du inte det?

– Nej.

– Vill du ha den här då? frågade hon och drog upp sin klänning.

Hon hade inga underbyxor på sig och könshåret var bortrakat.

– Eva, gör inte så, sa jag.

– Okej, sa hon med läppar som skälvde av nervositet.

Hon hade ställt sig alldeles för nära mig. Hennes kläder luktade starkt av vanilj.

– Ska vi sätta oss? frågade jag neutralt.

– På varandra?

– Du kan sitta i soffan, sa jag.

– I soffan?

– Ja.

– Då skulle du må, sa hon och slängde regnkappan på golvet, gick fram till skrivbordet och satte sig på min stol.

– Vill du berätta lite om dig själv? frågade jag.

– Vad är du intresserad av?

Jag undrade om hon trots sin hårda anspänning var en människa som skulle låta sig hypnotiseras med lätthet eller om hon skulle hålla emot, försöka förbli reserverad och iakttagande.

– Jag är inte din fiende, förklarade jag lugnt.

– Inte?

Hon drog ut en skrivbordslåda.

– Låt bli det där, sa jag.

Hon ignorerade mina ord och trevade vårdslöst bland papperen. Jag gick fram till henne, lyfte undan hennes hand, sköt igen lådan och sa bestämt:

– Du får inte göra så. Jag bad dig låta bli.

Hon såg trotsigt på mig och öppnade lådan igen. Utan att släppa mig med blicken drog hon ut en bunt papper och slängde den på golvet.

– Sluta, sa jag hårt.

Hennes läppar började darra. Ögonen fylldes av tårar.

– Du hatar mig, viskade hon. Jag visste det, jag visste att du skulle hata mig, alla hatar mig.

Hon lät plötsligt rädd.

– Eva, sa jag försiktigt. Det är ingen fara, sitt bara ner, du kan låna min stol om du vill eller sätta dig i soffan.

Hon nickade, reste sig från stolen och gick mot soffan. Så vände hon sig plötsligt om och frågade lågt:

– Får jag röra din tunga?

– Nej, det får du inte. Sätt dig ner nu, sa jag.

Hon satte sig äntligen ned men började genast skruva rastlöst på sig.

Jag märkte att hon höll något i handen.

– Vad har du där? frågade jag.

Hon gömde snabbt handen bakom ryggen.

– Kom och titta om du törs, sa hon med sin ton av skrämd fientlighet.

Jag kände några korta vågor av otålighet rusa fram genom

sinnet, men tvingade mig själv att låta alldeles lugn när jag frågade:

– Vill du berätta varför du är här hos mig?

Hon skakade på huvudet.

– Vad tror du? frågade jag.

Det ryckte i hennes ansikte.

– För att jag sa att jag hade cancer, viskade hon.

– Var du rädd för att du skulle ha cancer?

– Jag trodde att han ville att jag skulle ha det, sa hon.

– Lars Ohlson?

– De opererade mig i hjärnan, de opererade mig ett par gånger. Jag blev nedsövd. De våldtog mig medan jag sov.

Hennes blick mötte min och hon drog hastigt på munnen:

– Så nu är jag både gravid och lobotomerad.

– Vad menar du?

– Att det är bra, för jag längtar efter barn, en son, en pojke som ska suga på bröstet.

– Eva, sa jag. Varför tror du att du är här?

Hon tog fram handen bakom ryggen och öppnade den knutna näven. Handen var tom, hon vände på den flera gånger.

– Vill du undersöka min fitta? viskade hon.

Jag kände att jag var tvungen att lämna rummet eller kalla in någon. Eva Blau reste sig hastigt:

– Förlåt, sa hon. Förlåt, jag är bara rädd för att du ska hata mig. Snälla, hata mig inte. Jag vill stanna, jag behöver hjälp.

– Eva, lugna dig. Jag försöker bara föra ett samtal med dig. Det är meningen att du ska ingå i min hypnosgrupp, det vet du, det har Lars förklarat för dig. Han sa att du var positiv till det, att du ville det.

Hon nickade, sträckte ut handen och välte ned min kaffekopp på golvet.

– Förlåt, sa hon igen.

När Eva Blau hade gått samlade jag upp mina papper från golvet och satte mig vid skrivbordet. Det föll ett ljust regn utanför fönstret och jag tänkte på att Benjamin hade dagisutflykt idag och att både jag och Simone hade glömt att skicka med honom galonbyxorna som blivit tvättade.

Nu föll regnets klara, vita vatten över gator, gångvägar och lekplatser.

Jag funderade på om jag borde ringa dagis och be dem att låta Benjamin stanna kvar inomhus. Varje utflykt gav mig ångest. Jag tyckte inte ens om det faktum att han var tvungen att gå genom flera korridorer, nedför två trappor för att komma till matsalen. Jag såg för mig hur han blev knuffad av ivriga barn, hur någon slog upp en tung dörr på honom, hur han snubblade över skorna som stod i grusiga grupper utanför skogränsen. Jag ger honom hans sprutor, tänkte jag. Medicinen gör att han inte längre förblöder av ett litet sår, men han är fortfarande långt mer ömtålig än andra barn.

JAG MINNS SOLLJUSET nästa morgon, hur det gick genom de mörkgrå gardinerna. Simone låg naken och sov bredvid mig. Hennes mun var halvöppen, håret rufsigt, axlarna och brösten var täckta av små, ljusa fräknar. Huden knottrade sig plötsligt på armen. Jag drog täcket över henne. Benjamin hostade svagt. Jag hade inte märkt att han var här. Han smög ibland in på nätterna och lade sig på madrassen på golvet om han drömde mardrömmar. Jag brukade ligga i en obekväm ställning och hålla honom i handen tills han somnade om.

Jag såg att klockan var sex, vände mig på sidan, blundade och tänkte att det vore bra om jag fick sova ut.

– Pappa? viskade plötsligt Benjamin.

– Sov lite till, sa jag lågt.

Han satte sig upp på madrassen, tittade på mig och sa med sin ljusa, klara röst:

– Pappa, du låg på mamma i natt.

– Jaså, sa jag och kände hur Simone vaknade bredvid mig.

– Ja, du låg under täcket och gungade på henne, fortsatte han.

– Det låter tokigt, försökte jag säga i en lätt ton.

– Mm.

Simone fnittrade till och gömde huvudet under kudden.

– Jag drömde kanske något, sa jag svävande.

Nu skakade Simone av skratt under kudden.

– Drömde du att du gungade?

– Alltså …

Simone tittade upp med ett stort leende:

– Men svara då, sa hon med samlad röst. Drömde du att du gungade?

– Pappa?

– Det måste jag ha gjort.

– Men, fortsatte Simone skrattande, varför gjorde du det, varför låg du på mig när du …

– Nu äter vi frukost, avbröt jag.

Jag såg hur Benjamin grimaserade när han reste sig upp. Morgnarna var alltid värst. Lederna hade haft flera orörliga timmar och då uppstod ofta spontana blödningar.

– Hur känns det?

Benjamin tog stöd mot väggen för att kunna stå.

– Vänta, lille man, jag ska massera dig, sa jag.

Benjamin suckade när han lade sig ned i sängen och lät mig försiktigt böja och sträcka hans leder.

– Jag vill inte ha sprutan, sa han med ledsen röst.

– Inte idag, Benjamin, i övermorgon.

– Vill inte, pappa.

– Tänk på Lasse som har diabetes, sa jag. Han måste hålla på med sprutor varje dag.

– David behöver inte ta sprutor, klagade Benjamin.

– Men han kanske har något annat han tycker är jobbigt.

Det blev tyst.

– Hans pappa är död, viskade Benjamin.

– Ja, sa jag och masserade färdigt hans armar och händer.

– Tack pappa, sa Benjamin och reste sig försiktigt.

– Gubben min.

Jag kramade hans lilla smala kropp, men höll som vanligt tillbaka lusten att trycka honom hårt intill mig.

– Får jag titta på pokémon? frågade han.

– Fråga mamma, svarade jag och hörde Simone ropa ”fegis” från köket.

Efter frukosten satte jag mig i arbetsrummet framför Simones skrivbord, tog upp telefonen och slog numret till Lasse Ohlson. Hans sekreterare Jennie Lagercrantz svarade. Hon hade jobbat för honom i minst tjugo år. Jag småpratade med henne, berättade att jag hade min första sovmorgon på tre veckor, och bad sedan om att få växla några ord med Lasse.

– Vänta ett ögonblick, sa hon.

Om det inte redan var för sent så tänkte jag be honom att inte säga någonting om mig till Frank Paulsson i styrelsen.

Det klickade till i luren och efter några sekunder hördes sekreterarens röst:

– Lars kan inte ta emot några samtal just nu.

– Säg att det är jag som ringer.

– Det har jag redan gjort, sa hon stramt.

Jag lade på luren utan ett ord, slöt ögonen och förstod att någonting inte stod rätt till, att jag kanske hade blivit lurad, att Eva Blau antagligen var besvärligare eller farligare än vad Lasse Ohlson hade berättat.

– Jag klarar av det, viskade jag för mig själv.

Men sedan tänkte jag att hypnosgruppen kanske skulle förlora sin balans. Jag hade satt ihop en ganska liten grupp människor, både kvinnor och män, vars problem, sjukdomshistorik och bakgrund var fullständigt olika. Jag hade inte tagit hänsyn till om de var lätthypnotiserade eller inte. Det jag ville komma åt var kommunikationen, beröringen inom gruppen, deras utvecklande av relationen till sig själva och till andra. Många bar på en stor skuldbörda som hindrade dem från att ta kontakter, att fungera socialt. Man skyllde på sig själv för att man blivit våldtagen eller misshandlad. Man hade tappat kontrollen över sitt liv eller förlorat all tillit till världen.

Den senaste sessionen hade gruppen tagit ett steg djupare. Vi hade samtalat som vanligt innan jag gjorde ett försök att få ner Marek Semiovic i djup hypnos. Det hade inte varit så lätt med honom förut. Han hade varit ofokuserad och hela tiden värjt sig. Jag kände att jag inte hade hittat rätt ingång, att vi inte ens hade hittat en plats att börja på.

– Ett hus? En fotbollsplan? Ett skogsområde? föreslog jag.

– Jag vet inte, svarade Marek som vanligt.

– Fast vi måste börja någonstans, sa jag.

– Men var?

– Om du tänker dig en plats som du kommer att bli tvungen att återvända till för att förstå den du är nu, sa jag.

– Zenicas landsbygd, sa Marek neutralt. Zeničko-dobojski.

– Okej, bra, svarade jag och gjorde en notering. Vet du vad det var som hände där?

– Allting hände här, i en stor kåk av mörkt trä, nästan som ett slott, ett godsägarhus, med branta tak och små torn och verandor . . .

Nu hade hypnosgruppen blivit koncentrerad, alla lyssnade, alla förstod att Marek plötsligt bara hade öppnat ett antal inre dörrar.

– Jag satt i en fåtölj, tror jag, sa Marek dröjande. Eller på några kuddar, jag rökte i alla fall Marlboro medan . . . det måste ha varit hundratals flickor och kvinnor från min hemstad som passerade mig.

– Passerade?

– På några veckor . . . De kom in genom entrédörrarna och fördes uppför den stora trappan till sovrummen.

– Är det en bordell? frågade Jussi på sin kraftiga norrländska.

– Jag vet inte vad som hände där, vet nästan ingenting, svarade Marek lågt.

– Såg du aldrig rummen på övervåningen? frågade jag.

Han gnuggade ansiktet med händerna och drog sedan efter andan.

– Ett minne är så här, började han. Jag kommer in i ett litet rum och ser en lärarinna som jag hade på högstadiet, hon ligger bunden på en säng, naken med blåmärken på höfter och lår.

– Vad händer?

– Jag står precis innanför dörren med en sorts trästav i handen och ... Nu minns jag inte längre.

– Försök, sa jag lugnt.

– Det försvann.

– Är du säker?

– Jag orkar inte mer.

– Okej, du behöver inte, det räcker, sa jag.

– Vänta lite, sa han och satt sedan tyst en lång stund.

Han suckade, gnuggade sig i ansiktet och reste sig.

– Marek?

– Jag minns ingenting, sa han med gäll röst.

Jag gjorde några anteckningar och kände hur Marek iakttog mig.

– Jag minns inte, men allting hände i det här jävla huset, sa han.

Jag tittade på honom och nickade.

– Allt som är jag – det finns i det där trähuset.

– Kråkslottet, sa Lydia från sin plats bredvid honom.

– Precis, det var ett kråkslott, sa han och skrattade med ledset ansikte.

JAG SÅG PÅ KLOCKAN IGEN. Om en stund skulle jag träffa sjukhusledningen och presentera min forskning. Jag var tvungen att antingen utvinna nya medel eller börja avveckla både forskningen och terapin. Än så länge hade jag inte hunnit bli nervös. Jag gick till handfatet och sköljde ansiktet, stod en stund och betraktade mig själv i spegeln och försökte le innan jag lämnade badrummet. När jag låste dörren till mitt kontor såg jag att en ung kvinna stannade till i korridoren bara några steg ifrån mig.

– Erik Maria Bark?

Hon hade mörkt, tjockt hår i en knut i nacken och när hon log mot mig blev det djupa skrattgropar i kinderna. Hon var klädd i läkarrock och bar AT-legitimation på bröstet.

– Maja Swartling, sa hon och sträckte ut handen för att hälsa. Jag är en av dina största beundrare.

– Vad kan det bero på? frågade jag småleende.

Hon såg glad ut och doftade hyacinter, dvärgblommor.

– Jag vill delta i ditt arbete, sa hon utan omsvep.

– I mitt arbete?

Hon nickade och rodnade häftigt.

– Jag måste få det, sa hon. Det är otroligt spännande.

– Förlåt om jag inte riktigt lever upp till din entusiasm, men jag vet inte ens om det blir någon mer forskning, förklarade jag.

– Vad då?

– Mina anslag räcker bara året ut.

Jag tänkte på mitt förestående möte och försökte vänligt förklara:

– Det är fantastiskt att du intresserar dig för mitt arbete, jag vill gärna diskutera det här. Men just nu har jag ett viktigt möte som …

Maja flyttade sig undan.

– Förlåt, sa hon. Gud, förlåt.

– Vi kan prata på väg mot hissen, sa jag och log mot henne.

Hon verkade stressad av situationen. Hon rodnade igen och började gå bredvid mig.

– Tror du att det blir problem med anslagen? frågade hon oroligt.

Det var ett par minuter tills jag skulle träffa sjukhusstyrelsen. Att berätta om sin forskning – resultat, mål och tidsplan – för att äska nya medel var det vanliga förfarandet, men för mig kändes det alltid besvärligt eftersom jag visste att jag skulle stöta på problem på grund av de många fördomarna kring hypnos.

– Det är bara att de flesta fortfarande tycker att hypnos är flummigt och den stämpeln gör det ganska svårt att presentera ofullständiga resultat.

– Men om man läser alla dina rapporter så ser man ju otroligt fina mönster även om det är för tidigt att publicera någonting.

– Har du läst alla mina rapporter? frågade jag skeptiskt.

– Det var ganska mycket, svarade hon torrt.

Vi stannade framför hissdörrarna.

– Vad tycker du om idéerna kring engrammer? prövade jag henne.

– Du tänker på avsnittet med den skallskadade patienten?

– Ja, sa jag och försökte dölja att jag var överraskad.

– Intressant, sa hon. Att du går emot teorierna om hur minnet är utspritt över hjärnan.

– Har du några tankar om det?

– Ja, att du borde fördjupa synapsforskningen och koncentrera dig på amygdala.

– Jag är imponerad, sa jag och tryckte på hissknappen.

– Du måste få anslag.

– Jag vet, svarade jag.

– Vad händer om de säger nej?

– Jag får förhoppningsvis tid att avveckla terapin och hjälpa patienterna till andra former av behandling.

– Och forskningen?

Jag ryckte på axlarna.

– Jag söker mig kanske till andra universitet, om någon tar emot mig.

– Har du fiender i styrelsen? frågade hon.

– Det tror jag inte.

Hon lyfte handen och lade den mjukt på min arm medan hon log ursäktande. Hennes kinder blev ännu rödare.

– Du kommer att få pengar, för ditt arbete är banbrytande, de kan inte blunda för det, sa hon och såg mig djupt i ögonen. Om de inte ser det här så följer jag med dig till vilket universitet som helst.

Plötsligt undrade jag om hon stod och flirtade med mig. Det var något i hennes underdånighet, det mjuka, hesa tonfallet. Jag såg hastigt på hennes namnbricka för att vara säker på hennes namn: Maja Swartling, AT-doktor.

– Maja ...

– Du får inte avfärda mig, viskade hon lekfullt. Erik Maria Bark.

– Vi får tala mer om det här, sa jag när hissdörrarna gled isär.

Maja Swartling log så att smilgroparna syntes, hon förde ihop händerna under hakan, bugade djupt och skämtsamt och sa milt:

– Sawadee.

Jag kom på mig med att le för mig själv åt den thailändska hälsningen när jag åkte hissen upp till direktören. Det plingade till och jag lämnade hissen. Trots att dörren stod öppen knackade jag innan jag gick in. Annika Lorentzon satt och tittade ut genom panoramafönstren som erbjöd en vidunderlig utsikt långt över Norra begravningsplatsen och Hagaparken. I hennes ansikte syntes inte ett spår av de två flaskor vin jag hade hört att hon drack varje kväll för att kunna sova. Blodkärlen låg jämna och dolda under den femtioåriga hyn. Hon hade visserligen ett ytligt nätverk av rynkor under ögonen och i pannan, och hennes en gång så vackra hals- och haklinje, den som gjort henne till tvåa i en fröken Sverige-tävling för många år sedan, hade åldrats.

Simone skulle ha läxat upp mig för det här, tänkte jag. Hon skulle omedelbart ha sagt att det är en manlig härskarteknik att förringa en högre uppsatt kvinna genom att anmärka på hennes utseende. Ingen pratar om manliga chefers alkoholvanor, ingen skulle komma på tanken att säga att en manlig chef hade ett sladdrigt ansikte.

Jag hälsade på direktören och slog mig ned bredvid henne.

– Pampigt, sa jag.

Annika Lorentzon log stilla mot mig. Hon var solbränd och slank, hennes hår var tunt och sönderblonderat. Hon doftade inte parfym, utan snarare renlighet; en svag förnimmelse av exklusiv tvål omgav henne.

– Vill du ha? frågade hon och gjorde en gest mot några flaskor mineralvatten.

Jag skakade på huvudet och började undra var de andra befann sig. Styrelsen borde vara där nu, min klocka visade på fem minuter över tiden.

Annika reste sig upp och förklarade som om hon läste mina tankar:

– De kommer, Erik. De har bastudag idag, förstår du.

Hon log skevt:

– Ett sätt att slippa ha mig med på mötet. Listigt, eller hur?

I samma ögonblick öppnades dörren och fem män med högröda ansikten kom in. Deras kostymer var fuktiga på kragarna av vått hår och våta nackar, de ångade värme och after shave. De avslutade sina samtal utan brådska.

– Fast min forskning kommer att kosta, hörde jag Ronny Johansson säga.

– Det är klart, svarade Svein Holstein besvärat.

– Bara att Bjarne yrade om att de skulle skära ner lite, att räknenissarna ville justera ner forskningsbudgeten över hela fältet.

– Jag har också hört det, men det är ingenting att bry sig om, sa Holstein med låg röst.

Samtalen tonade ut när de kom in.

Svein Holstein gav mig ett kraftfullt handslag.

Ronny Johansson, läkemedelsrepresentanten i styrelsen, vinkade bara avmätt till mig och satte sig ned, samtidigt som landstingspolitikern Peder Mälarstedt tog min hand. Han log flämtande mot mig och jag såg att han fortfarande svettades ymnigt. Det rann nedför hårfästet.

– Är du en svettare? frågade han mig leende. Min fru hatar det. Men jag tror att det är nyttigt. Det är klart att det är nyttigt.

Frank Paulsson mötte knappt min blick, han nickade bara kort och höll sig sedan på andra sidan rummet. Efter att alla hade småpratat en stund klappade Annika mjukt i händerna och uppmanade styrelsen att sätta sig vid mötesbordet. De var bastutörstiga och öppnade genast flaskorna med mineralvatten som var placerade mitt på det stora, klargula plastbordet.

Jag blev stående helt stilla ett ögonblick och betraktade dem, dessa människor som hade hela min forskning i sina händer. Det var märkligt. Jag tittade på styrelsen och tänkte samtidigt på min patientgrupp. De var inneslutna i det här ögonblicket: deras minnen, upplevelser och bortträngningar låg som stillastående rökvirvlar i denna glaskula. Charlottes tragiskt vackra ansikte, Jussis tunga, ledsna kropp, Mareks stubbiga hjässa och vassa, skrämda blick, Pierres bleka vekhet, Lydia med sina klirrande smycken och rökelsedoftande kläder, Sibel med sina peruker och så den överneurotiska Eva Blau. Mina patienter var som ett slags hemliga spegelbilder av dessa kostymklädda, trygga och välbeställda män.

Ledamöterna satte sig tillrätta, viskade, skruvade på sig. Någon av dem skramlade med mynt i byxfickan. En annan gömde sig genom att försjunka i sin agenda. Annika tittade upp, log milt och sa sedan:

– Var så god, Erik.

– Min metod, började jag. Min metod går ut på att behandla psykiska trauman med hypnotisk gruppterapi.

– Så mycket har vi förstått, suckade Ronny Johansson.

Jag försökte göra en genomgång av det jag hittills hade gjort. Mina åhörare lyssnade förstrött, vissa betraktade mig, andra såg tungt ned i bordet.

– Jag måste tyvärr gå, sa Rainer Milch efter en stund och reste sig.

Han skakade hand med ett par av männen och lämnade sedan rummet.

– Ni har ju fått materialet i förväg, fortsatte jag. Det är ganska omfattande, jag vet, men det är nödvändigt, jag kunde inte korta ner det.

– Varför inte? frågade Peder Mälarstedt.

– För det är lite för tidigt att dra några slutsatser, förklarade jag.

– Men om vi hoppar två år framåt, sa han.

– Svårt att säga, men jag ser mönster, svarade jag trots att jag visste att jag inte borde gå in på detta.

– Mönster? Vad då för mönster?

– Vill du inte berätta vad du hoppas på? frågade Annika Lorentzon leende.

– Jag hoppas på att kartlägga de mentala spärrar som dröjer sig kvar i hypnosen, hur hjärnan i djup avslappning uppfinner nya metoder för att skydda individen från det som skrämmer den. Jag menar alltså – och det här är spännande – att när man närmar sig ett trauma, kärnan, det som är riktigt farligt … När det bortträngda minnet äntligen börjar flyta upp i hypnosen, så börjar personen gripa omkring sig i ett sista försök att skydda hemligheten och då – har jag börjat ana – drar personen in drömmaterial i minnesbilderna, bara för att slippa se.

– Slippa se själva situationen? frågade Ronny Johansson med plötslig nyfikenhet.

– Ja, eller egentligen inte … utan förövaren, svarade jag. Man ersätter förövaren med vad som helst, ofta ett djur.

Det blev tyst kring bordet.

Jag såg hur Annika Lorentzon, som hittills mest sett generad ut å mina vägnar, log stilla för sig själv.

– Kan det vara så? sa Ronny Johansson nästan viskande.

– Hur tydligt mönster är det här? frågade Mälarstedt.

– Tydligt, men inte fastslaget, svarade jag.

– Finns det någon liknande forskning internationellt? undrade Mälarstedt.

– Nej, svarade Ronny Johansson tvärt.

– Men jag vill veta, sa Holstein. Om det tar stopp där, vad är din bedömning, kommer patienten alltid att hitta nya skydd i hypnosen?

– Kan man komma vidare? frågade Mälarstedt.

Jag kände hur det hettade om kinderna, harklade mig lite och svarade:

– Jag tror att man kan gå ner under bilderna med djupare hypnos.

– Men patienterna?

– Jag tänkte också på dem, sa Mälarstedt till Lorentzon.

– Allt det här är förstås jävligt lockande, sa Holstein. Men jag vill ha garantier … Inga psykoser, inga självmord.

– Ja, fast . . .

– Kan du lova det? avbröt han.

Frank Paulsson satt bara och petade på etiketten på vattenflaskan. Holstein såg trött ut och tittade på klockan.

– Min prioritering är att hjälpa patienterna, sa jag.

– Och forskningen?

– Den är . . .

Jag harklade mig.

– Den är ändå en biprodukt, sa jag lågt. Det är så jag måste se det.

Några av männen kring styrelsebordet skiftade blickar.

– Bra svarat, sa Frank Paulsson plötsligt. Jag ger Erik Maria Bark mitt fulla stöd.

– Jag är fortfarande orolig för patienterna, sa Holstein.

– Allting står här, sa Frank Paulsson och pekade i kompendiet. Han har skrivit om det här, patienternas utveckling, det ser ju mer än lovande ut.

– Bara att det här är så pass ovanlig terapi, så pass vågat att vi måste vara säkra på att vi kan försvara den om något går fel.

– Ingenting kan egentligen gå fel, sa jag och kände hur jag rös till över ryggen.

– Erik, det är fredag och alla vill gå hem, sa Annika Lorentzon. Jag tror att du kan räkna med förnyade anslag.

De andra nickade instämmande och Ronny Johansson lutade sig bakåt och klappade i händerna.

SIMONE STOD I DET rymliga köket när jag kom hem. Hon fyllde bordet med matvaror ur fyra kassar: sparrisknippen, färsk mejram, kyckling, citron och jasminris. När hon fick se mig skrattade hon till.

– Vad är det? frågade jag.

Hon skakade på huvudet och sa med ett brett leende:

– Du skulle se dig själv.

– Vad då?

– Du ser ut som en liten unge på julafton.

– Är det så tydligt?

– Benjamin, ropade hon.

Benjamin kom in i köket med sitt medicinetui i handen. Simone dolde sin munterhet och pekade på mig.

– Titta, sa hon. Hur ser pappa ut?

Benjamin mötte min blick och jag såg hur han började le.

– Du ser glad ut, pappa.

– Det är jag, lille man. Det är jag.

– Har de hittat medicinen? frågade han.

– Vad då?

– Så att jag blir frisk, så att jag aldrig mer behöver sprutor, sa han.

Jag lyfte upp honom och kramade honom och förklarade att de inte hade hittat den där medicinen ännu, men att jag hoppades på att de snart skulle göra det, mer än någonting annat.

– Okej, sa han.

Jag släppte ner honom på golvet och såg Simones tankfulla ansikte.

Benjamin ryckte mig i byxbenet.

– Vad var det då? frågade han.

Jag förstod inte.

– Varför var du så glad, pappa?

– Det var bara pengar, svarade jag torrt. Jag har fått pengar till min forskning.

– David säger att du trollar.

– Jag trollar inte, jag hypnotiserar för att försöka hjälpa människor som är ledsna och rädda.

– Konstnärer? frågade han.

Jag skrattade och Simone såg förvånad ut.

– Varför säger du så? undrade hon.

– Du sa i telefon att de är rädda, mamma.

– Gjorde jag?

– Ja, förut, jag hörde det.

– Precis, jag sa det idag, det stämmer, det handlade om att konstnärer är rädda och nervösa när de visar upp sina tavlor, förklarade hon.

– Hur var förresten den där lokalen vid Berzelii park? frågade jag.

– Arsenalsgatan.

– Tittade du på den idag?

Simone nickade långsamt.

– Den var bra, sa hon. Jag skriver kontrakt i morgon.

– Jamen, varför har du inte sagt någonting? Grattis, Sixan!

Hon skrattade.

– Jag vet precis vad jag ska ha för premiärutställning, sa hon. En tjej som har gått konsthögskolan i Bergen, hon är helt fantastisk, gör stora ...

Simone avbröt sig av att det ringde på dörren. Hon försökte se vem det var genom köksfönstret innan hon gick och öppnade. Jag följde efter och såg henne genom den mörka hallen i dörröppningen som fylldes av dagsljus. När jag kom fram stod hon och blickade ut genom dörren.

– Vem var det? frågade jag.

– Ingen, det var ingen här, sa hon.

Jag tittade ut över buskarna mot gatan.

– Vad är det där? frågade hon plötsligt.

På trappan framför dörren låg en stav med ett handtag i ena änden och en liten träplatta i den andra.

– Konstigt, sa jag och tog upp det gamla redskapet.

– Men vad är det för något?

– En färla, tror jag, som man hade när man agade barn förr i tiden.

DET VAR DAGS FÖR en session med hypnosgruppen. Om tio minuter skulle de vara här. De sex vanliga och den nya kvinnan, Eva Blau. När jag drog på mig läkarrocken kände jag alltid en kort, hisnande upprymdhet, en scenisk närvaro. Det var som om jag var på väg upp på en estrad, in i skenet från en strålkastare. Känslan hade inte med fåfänga att göra, utan med den ytterst angenäma upplevelsen av att kunna förmedla koncentrerad expertis.

Jag tog mitt block och läste igenom noteringarna från förra sessionen, en vecka tidigare, när Marek Semiovic hade berättat om det stora trähuset på landsbygden i Zenica-Dobojs kanton.

Jag hade sedan fått ned Marek Semiovic i djupare hypnos än tidigare, han hade lugnt och sakligt beskrivit ett rum i källaren med cementgolv där han tvingades ge sina vänner och avlägsna släktingar elstötar. Men plötsligt vände han sig bara bort, bytte scenario, bortsåg från mina anvisningar och letade sig på eget bevåg upp ur hypnosen. Jag visste att det gällde att gå fram med små steg. Därför bestämde jag mig för att låta Marek vara ifred idag. Det var Charlottes tur att börja och sedan skulle jag kanske göra ett första försök med den nya kvinnan, Eva Blau.

Hypnosrummet var avsett att ge ett neutralt, lugnande intryck. Gardinerna var av obestämd, gulfärgad ton, golvet var grått, möblerna var enkla men bekväma, stolar och bord i björk, solljust trä med små bruna fräknar. Under en stol låg ett kvarglömt, blått skoskydd. Väggarna var tomma, sånär som på några litografier i allmänna färger.

Jag ställde stolarna i en halvcirkel och placerade stativet till videokameran så långt bort som möjligt.

Forskningen gjorde mig ivrig, jag var mycket nyfiken på vad som skulle bli synligt, men samtidigt blev jag allt mer övertygad om att denna nya form av terapi var bättre än någon jag tidigare utövat. Kollektivets betydelse var enorm vid behandling av trauman. Ensamhetens isolering förvandlades till en gemensam läkande process.

Jag låste fast kameran på stativet, kopplade in sladden, satte in ett nytt band, vitjusterade, zoomade in på en stolsrygg, ställde in skärpan och zoomade sedan ut igen. En av mina patienter kom in i rummet under tiden. Det var Sibel. Jag antog att hon hade väntat utanför sjukhuset sedan några timmar på att rummet skulle låsas upp och sessionen ta sin början. Hon satte sig ned på en av stolarna och började göra konstiga ljud inne i halsen, sväljande, kluckande. Med ett missnöjt leende rättade hon till den stora, ljuslockiga peruken som hon brukade bära vid våra möten och suckade sedan av ansträngningen.

Charlotte Cederskiöld kom in. Hon var klädd i en mörkblå trenchcoat med brett skärp hårt knutet kring den smala midjan. När hon drog av sig mössan föll hennes täta, kastanjebruna hår fram kring ansiktet. Hon var som alltid oerhört sorgsen och vacker.

Jag gick fram till fönstret, öppnade och kände den friska, mjuka vårvinden strömma över mitt ansikte.

När jag vände mig inåt igen hade även Jussi Persson kommit in i mottagningsrummet.

– Doktorn, sa han på sin lugna norrländska.

Vi skakade hand och sedan gick han och hälsade på Sibel. Han klappade sig på ölmagen och sa något som fick henne att rodna och fnittra. De småpratade lågt medan resten av gruppen anlände, det var Lydia, Pierre och Marek, som vanligt lite försenade.

Nu stod jag stilla och väntade på att de skulle känna sig redo. De var individer med en enda gemensam nämnare: traumatiserande övergrepp. Dessa övergrepp hade skapat en sådan förödelse i deras psyken att de, för att överleva, hade dolt övergreppet för sig själva. Ingen av dem var egentligen på det klara med vad som hänt dem, de var bara medvetna om att det fruktansvärda i det förflutna förstörde deras liv.

För det förflutna är inte dött, det förflutna är faktiskt inte ens förflutet, brukade jag citera författaren William Faulkner. Jag menade att varenda liten sak som hänt en människa följde med henne i nuet. Varje upplevelse påverkade varje val – och handlade det om traumatiska upplevelser så tog det förflutna nästan allt utrymme i nuet.

Jag hypnotiserade oftast hela gruppen samtidigt och valde varje gång ut en eller ett par av dem som jag gick längre med än de andra. På så vis hade vi hela tiden tillgång till två plan där vi kunde diskutera det skedda: hypnossuggestionens plan och medvetandets plan.

Jag hade upptäckt något i hypnosen. Först hade det bara varit en aning och sedan växte det till ett allt tydligare mönster. Det var en upptäckt som givetvis behövde bevisas. Jag var medveten om att jag kanske hoppades för mycket på min tes: förövaren till det avgörande traumat uppträder aldrig i form av sig själv under djuphypnos. Det går att hitta situationen, betrakta det skrämmande förloppet, men förövaren håller sig dold.

Nu satt alla på sina platser, men Eva Blau, min nya patient, hade inte kommit ännu. En välbekant oro rörde sig genom gruppen.

Charlotte Cederskiöld satt alltid längst bort. Hon hade tagit av sig kappan och var som vanligt ytterst elegant, klädd i ett sobert grått jumperset med ett brett, skimrande pärlhalsband kring den smäckra halsen. Hon bar en mörkblå plisserad kjol och mörka, täta strumpbyxor. Hennes skor var högblanka och låga. Då våra blickar möttes log hon försiktigt mot mig. När jag tog Charlotte till gruppen hade hon försökt ta sitt liv femton gånger. Sista gången hade hon skjutit sig i huvudet med makens älgstudsare, mitt i salongen i villan på Djursholm. Geväret hade sluntit och hon hade mist ena örat och en liten bit av kinden. Det syntes ingenting av det nu: hon hade genomgått ett par påkostade plastikoperationer och bytt frisyr till en slät, tät page som dolde öronprotesen och hörapparaten.

När jag såg Charlotte lägga huvudet på sned och artigt och respektfullt lyssna på de andras berättelser, blev jag alltid kall av oro. En vackert åldrad kvinna. Attraktiv, trots att det var något så oerhört trasigt hos henne. Jag var medveten om att jag inte förmådde hålla mig neutral inför den avgrund som jag anade inom henne.

– Sitter du bekvämt, Charlotte, frågade jag.

Hon nickade och svarade med sin välartikulerade, milda röst:

– Jag har det så bra, så bra.

– Idag ska vi undersöka Charlottes inre rum, förklarade jag.

– Mitt kråkslott, log hon.

– Exakt.

Marek flinade glädjelöst och otåligt mot mig när våra blickar möttes. Han hade varit på gymet och tränat hela morgonen, musklerna var överfyllda med blod. Jag såg på klockan. Det var dags att börja nu, vi kunde inte vänta längre på Eva Blau.

– Jag föreslår att vi sätter igång, sa jag.

Sibel reste sig hastigt och lade ett tuggummi i en pappersservett som hon slängde. Hon gav mig en skygg blick och sa:

– Jag är beredd, doktorn.

Avslappningen följdes av induktionens tunga, varma stege, upplösningen av viljor och gränser. Långsamt försatte jag dem i djupare trance, frammanade bilden av en blöt trätrappa som jag sakta förde dem nedför.

Den där speciella energin började gå mellan oss. En helt egenartad värme mellan mig och de andra. Min röst var först skärpt och artikulerad, men långsamt fallande. Jussi verkade orolig, han hummade och drog ibland aggressivt på munnen. Min röst styrde patienterna och mina ögon såg hur deras kroppar sjönk nedåt i stolen, hur deras ansikten plattades ut och fick det där egendomliga, grova uttrycket som de hypnotiserade alltid hade.

Jag rörde mig bakom dem, kände lätt på deras axlar, styrde dem hela tiden individuellt, räknade baklänges, steg för steg.

Jussi väste någonting för sig själv.

Marek Semiovics mun var öppen och en sträng saliv rann ut.

Pierre såg tunnare och vekare ut än någonsin. Lydias armar hängde slappa utefter stolskarmen.

– Fortsätt nerför trappan, sa jag lågt.

Jag berättade inte för styrelsen att också hypnotisören blev försänkt i en sorts trance. I mina ögon var det både oundvikligt och bra.

Jag hade aldrig förstått varför min egen trance, den som alltid pågick parallellt med patienternas hypnos, utspelade sig under vatten. Men jag tyckte om vattenbilden, den var tydlig och behaglig och jag hade vant mig vid att avläsa förloppets nyanser via den.

Medan jag sjönk ner i ett hav, såg mina patienter givetvis helt andra saker, de föll ner i sina minnen, i det förflutna, hamnade i barndomens rum, på ungdomens platser, i föräldrarnas sommarhus eller grannflickans garage. De visste inte att de för mig samtidigt befann sig djupt under vatten, långsamt fallande längs någon jättelik korallformation, djuphavssockel eller den skrovliga väggen till en kontinentalspricka.

I mina tankar sjönk vi nu vi tillsammans genom bubblande vatten.

Denna gång ville jag prova att ta med mig alla ganska djupt ner i hypnosen. Min röst räknade siffror, pratade om behaglig avslappning medan vattnet dånade i öronen på mig.

– Jag vill att ni sjunker ännu djupare, lite till, sa jag. Fortsätt nedåt, men långsammare nu, långsammare. Snart stannar ni, alldeles mjukt och stilla . . . lite djupare, lite till och nu stannar vi.

Hela gruppen stod i en halvcirkel mitt emot mig på en sandig havsbotten. Flack och vidsträckt som ett gigantiskt golv. Vattnet var ljust och svagt grönt. Sanden under våra fötter gick i små, regelbundna vågor. Rosa maneter flöt skimrande över oss. Plattfiskar yrde då och då upp sandmoln och pilade iväg.

– Vi är alla djupt nere nu, sa jag.

De öppnade ögonen och såg rakt på mig.

– Charlotte, idag är det din tur att börja, fortsatte jag. Vad är det du ser? Var befinner du dig?

Hennes mun rörde sig ljudlöst.

– Det finns ingenting här som är farligt, sa jag. Vi är hela tiden med dig bakom dig.

– Jag vet, sa hon entonigt.

Hennes ögon var varken öppna eller slutna. De kisade som en sömngångares, tomma och avlägsna.

– Du står utanför dörren, sa jag. Vill du gå in?

Hon nickade och håret rörde sig över hennes huvud med vattnets strömmar.

– Gör det nu, sa jag.

– Ja.

– Vad ser du? fortsatte jag.

– Jag vet inte.

– Har du gått in? frågade jag med en känsla av att ha för bråttom.

– Ja.

– Men du ser ingenting?

– Jo.

– Är det något konstigt?

– Jag vet inte, jag tror inte ...

– Beskriv det, sa jag snabbt.

Hon skakade på huvudet och små luftbubblor frigjordes från hennes hår och steg glittrande mot ytan. Jag förstod egentligen att jag gjorde fel, att jag inte var lyhörd, att jag inte ledde henne, utan försökte knuffa henne framåt, och ändå kunde jag inte låta bli att säga:

– Du är tillbaka i din farfars hus.

– Ja, svarade hon dämpat.

– Du står redan innanför dörren och fortsätter framåt.

– Jag vill inte.

– Ta bara ett steg.

– Kanske inte just nu, viskade hon.

– Du höjer blicken och tittar.

– Jag vill inte.

Hennes underläpp darrade.

– Ser du någonting som är konstigt? frågade jag. Någonting som inte borde vara där?

En hård rynka framträdde på hennes panna och jag insåg plötsligt att hon skulle släppa taget alldeles snart och bara slitas upp ur hypnosen. Det kunde vara farligt – det vore inte alls bra. Hon skulle kanske hamna i en djup depression om det gick för fort. Stora bubblor flöt ut ur hennes mun som en glänsande kedja. Ansiktet skimrade och blågröna stråk rann över hennes panna.

– Du behöver inte, Charlotte, du behöver inte titta, sa jag lugnande. Du kan öppna glasdörrarna och gå ut i trädgården om du vill.

Hon skakade i kroppen och jag förstod att det var för sent.

– Var alldeles lugn nu, viskade jag och sträckte fram en hand för att klappa henne.

Hennes läppar var vita och ögonen uppspärrade.

– Charlotte, vi ska försiktigt återvända till ytan tillsammans, sa jag.

Hennes fötter rev upp ett tätt sandmoln när hon flöt uppåt.

– Vänta, sa jag svagt.

Marek tittade på mig och försökte ropa någonting.

– Vi är redan på väg upp och jag kommer att räkna till tio, fortsatte jag medan vi hastigt steg mot ytan. Och när jag har räknat till tio öppnar ni ögonen och då kommer ni att må bra och …

CHARLOTTE DROG EFTER andan, reste sig vinglande från stolen, rättade till kläderna och tittade frågande på mig.

– Vi tar en kort paus, sa jag.

Sibel ställde sig sävligt upp och gick ut för att röka. Pierre följde efter henne. Jussi satt kvar på stolen, tung och slapp. Ingen av dem var vaken helt och hållet. Uppstigningen hade blivit för brant. Men eftersom vi skulle återvända nedåt alldeles snart så tänkte jag att det var bättre att behålla gruppen på denna grumliga medvetandenivå. Jag dröjde kvar på stolen, gnuggade mig i ansiktet och gjorde några anteckningar när Marek Semiovic kom fram.

– Bra gjort, sa han och drog torrt på munnen.

– Det blev inte som jag hade tänkt mig det, svarade jag.

– Jag tyckte att det var roligt, sa han.

Lydia närmade sig med sina klirrande smycken. Hennes hennafärgade hår glödde som koppartråd när hon gick rakt igenom en solstråle.

– Vad då? frågade jag. Vilket var det som var roligt?

– Att du satte överklasshoran på plats.

– Vad sa du? frågade Lydia.

– Jag pratar inte om dig, jag pratar …

– Fast du ska inte säga att Charlotte är en hora, för det är inte sant, sa Lydia mjukt. Eller hur, Marek?

– Okej, vad fan.

– Vet du vad en hora gör?

– Ja.

– Att vara en hora, fortsatte hon leende, det behöver inte vara dåligt, det är ett val man gör och det handlar om shakti, kvinnlig energi, kvinnlig makt.

– Precis, de vill ha makt, sa han ivrigt. Det är fan inte synd om dem.

Jag flyttade undan, tittade i mina anteckningar, men fortsatte ändå att lyssna till deras samtal.

– Det finns de som inte lyckas balansera sin chakra, sa Lydia stillsamt. Och de mår givetvis dåligt.

Marek Semiovic satte sig ner, såg orolig ut, slickade sig om läpparna och tittade till på Lydia.

– I kråkslottet hände det saker, sa han lågt. Jag vet det, men ...

Han tystnade och bet ihop tänderna så att käkmusklerna rörde sig.

– Det finns egentligen ingenting som är fel, sa hon och tog hans hand i sina.

– Varför kan jag inte minnas?

Sibel och Pierre kom in igen. Alla var tystlåtna och dämpade. Charlotte såg mycket bräcklig ut. Hon höll sina smala armar i kors över brösten med händerna på axlarna.

Jag bytte kassett i videokameran, rabblade upp tid och datum, och förklarade sedan att alla fortfarande befann sig i ett posthypnotiskt tillstånd. Jag tittade i sökaren, höjde stativet en aning och riktade om kameran. Sedan ställde jag i ordning stolarna och bad patienterna att ta plats igen.

– Kom och sätt er nu, det är dags att fortsätta, sa jag.

Plötsligt knackade det på dörren och Eva Blau kom in. Jag såg hur stressad hon var och gick fram till henne.

– Välkommen, sa jag.

– Är jag det? frågade hon.

– Ja, svarade jag.

Hon rodnade om halsen och kinderna när jag tog emot hennes kappa och hängde upp den. Jag visade henne till gruppen och drog fram en ny stol till halvcirkeln.

– Eva Blau var tidigare doktor Ohlsons patient, men ska i fortsättningen höra till vår grupp. Vi ska alla försöka få henne att känna sig välkommen.

Sibel nickade avmätt, Charlotte log vänligt och de andra hälsade skyggt på henne. Marek låtsades överhuvudtaget inte om henne.

Eva Blau satte sig på den tomma stolen och klämde fast händerna mellan låren. Jag gick tillbaka till min egen plats och inledde andra delen försiktigt:

– Sitt bekvämt, med fötterna i golvet, händerna i knäet. Första delen blev inte riktigt som jag hade tänkt den.

– Jag ber om ursäkt, sa Charlotte.

– Ingen ska be om ursäkt, allra minst du, det hoppas jag att du förstår.

Eva Blau iakttog mig oavbrutet.

– Vi börjar med tankar och associationer kring den första delen, sa jag. Är det någon som vill kommentera den?

– Förvirrande, sa Sibel.

– Frustrerande, sa Jussi. Alltså, jag hann bara öppna ögonen och klia mig i skallen innan det var över.

– Vad kände du? frågade jag honom.

– Hår, svarade han leende.

– Hår? frågade Sibel och fnittrade.

– När jag kliade mig i skallen, förklarade Jussi.

Några av dem skrattade åt skämtet.

– Ge mig associationer på hår, sa jag småleende. Charlotte?

– Jag vet inte, log hon. Hår? Kanske skägg . . . nej.

Pierre avbröt henne med sin ljusa röst:

– En hippie, en hippie på en chopper, sa han leende. Han sitter så här, tuggar Juicyfruit och glider . . .

Plötsligt reste sig Eva upp så häftigt att stolen slamrade till bakom henne.

– Det här är ju bara barnsligheter, sa hon upprört och pekade på Pierre.

Hans leende dog ut.

– Varför tycker du det? frågade jag.

Eva svarade inte, hon mötte bara min blick innan hon trumpet satte sig ned igen.

– Pierre, vill du fortsätta, bad jag lugnt.

Han skakade på huvudet, korsade sina pekfingrar mot Eva och låtsades att han tog skydd.

– De sköt Dennis Hopper för att han var hippie, viskade han konspiratoriskt.

Sibel fnittrade ännu högre och kikade förväntansfullt på mig. Jussi lyfte på handen och vände sig mot Eva Blau.

– I kråkslottet slipper du våra barnsligheter, sa han på sin tunga dialekt.

Rummet blev alldeles tyst. Jag tänkte på att Eva inte hade någon möjlighet att veta vad kråkslottet betydde för vår grupp, men lät det ändå vara.

Eva Blau vände sig mot Jussi och det såg ut som om hon tänkte skrika något åt honom, men han blickade bara tillbaka mot henne med ett så lugnt och allvarligt ansikte att hon hejdade sig och satte sig tillrätta igen.

– Eva, vi börjar med avslappningsövningar, andning och sedan hypnotiserar jag er en och en eller parvis, förklarade jag. Alla deltar givetvis hela tiden oavsett vilken medvetandenivå man befinner sig på.

Ett ironiskt leende drog över Evas ansikte.

– Och ibland, fortsatte jag. Om jag känner att det fungerar, så försöker jag få ned hela gruppen i djup hypnos.

Jag drog fram stolen, bad dem att sluta sina ögon och luta sig bakåt.

– Fötterna ska vila stadigt på golvet, händerna ska ligga i knäet.

Medan jag försiktigt förde dem djupare ner i avslappningen

tänkte jag att jag borde börja med att utforska Eva Blaus hemliga rum. Det var viktigt att hon ganska snart skulle bidra med något för att tas upp i gemenskapen. Jag räknade fallande och lyssnade till gruppens andhämtning, försänkte dem i lätt hypnos och lämnade dem sedan hängande precis under den silvriga vattenytan.

– Eva, nu vänder jag mig bara till dig, sa jag stilla. Du ska lita på mig, jag tar hand om dig under hypnosen, ingenting farligt kan hända. Du ska känna dig avslappnad och trygg, du ska lyssna på min röst och följa mina ord. Följ orden hela tiden spontant, utan att ifrågasätta dem på förhand, du ska befinna dig inuti flödet av ord, varken före eller efter, utan hela tiden mitt i ...

Vi sjönk genom grått vatten, skymtade resten av gruppen hängande med hjässorna mot den krusiga spegeln. Vi föll ner i det mörka djupet längs ett kraftigt rep, en tross med svajande trasor av tång.

Samtidigt stod jag i verkligheten bakom Eva Blaus stol med ena handen på hennes axel och talade lugnt och fallande. Det luktade rök ur hennes hår. Hon satt bakåtlutad, med ansiktet avslappnat.

I min egen trance var vattnet framför henne ömsom brunt, ömsom grått. Ansiktet låg i skugga, munnen var hårt sluten, en skarp rynka syntes mellan ögonbrynen, men blicken var fullständigt svart. Jag undrade vad jag skulle börja med. Egentligen visste jag väldigt lite om henne. Lasse Ohlsons journal innehöll nästan ingenting om hennes bakgrund. Jag skulle bli tvungen att utforska den på egen hand och bestämde mig för att pröva en försiktig ingång. Ofta visade det sig att lugn och glädje var den kortaste vägen in i det svåraste.

– Du är tio år, Eva, sa jag och gick runt stolarna för att kunna betrakta henne framifrån.

Hennes bröstkorg rörde sig knappt, hon andades med lugna, mjuka tag nere i magen.

– Du är tio år. Det här är en bra dag. Du är glad. Varför är du glad?

Eva plutade sött med munnen, log för sig själv och sa:

– För att mannen dansar och plaskar i vattenpölar.

– Vem dansar? frågade jag.

– Vem?

Hon var tyst ett litet tag.

– Gene Kelly, säger mamma.

– Jaså, sa jag. Du tittar på *Singin' in the rain*?

– Mamma gör det.

– Inte du? frågade jag.

– Jo, log hon och kisade med ögonen.

– Och du är glad?

Eva Blau rörde sitt huvud i en långsam nickning.

– Vad händer?

Jag såg hennes ansikte sakta sjunka mot bröstkorgen. Plötsligt spratt en egendomlig min över hennes läppar.

– Min mage är stor, sa hon tyst.

– Din mage?

– Jag ser att den är jättestor, sa hon med gråt i rösten.

Jussi andades pösande bredvid henne. I ögonvrån märkte jag att han rörde på läpparna.

– Kråkslottet, viskade han i sin lätta hypnos. Kråkslottet.

– Eva, du ska lyssna på mig, sa jag. Du kan höra alla andra här i rummet, men det är bara min röst du ska lyssna på. Bry dig inte om vad de andra säger, det är bara min röst du ska bry dig om.

– Okej, sa hon med ett nöjt ansiktsuttryck.

– Vet du varför din mage är stor? frågade jag.

Hon svarade inte. Jag betraktade henne rakt framifrån. Hennes ansikte var allvarligt, bekymrat, och blicken bortvänd i någon tanke, något minne. Plötsligt såg det ut som om hon försökte hålla tillbaka ett leende.

– Jag vet inte, svarade hon.

– Jo, jag tror att du vet, sa jag. Men vi tar det i din egen takt, Eva. Du behöver inte tänka på det nu. Vill du titta på teve igen? Jag följer med dig, alla här följer med dig, hela vägen, oavsett vad som händer, det är ett löfte. Vi har lovat det och du kan lita på det.

– Jag vill in i kråkslottet, viskade hon.

Jag tänkte att någonting inte stämde medan jag räknade fallande siffror och suggererade trappan som hela tiden ledde nedåt. Själv sveptes jag in i kroppsvarmt vatten när jag långsamt föll utmed klippan, djupare och djupare.

Eva Blau höjde hakan, fuktade munnen, sög in kinderna och viskade sedan:

– Jag ser dem ta en människa. De går bara fram och tar en människa.

– Vem är det som tar en människa? frågade jag.

Hon började andas oregelbundet. Hennes ansikte blev mörkare. Brunt vatten passerade grumligt framför henne.

– En man med hästsvans, han hänger upp den lilla människan i taket, jämrade hon sig.

Jag såg att hon höll ena handen hårt om trossen med böljande tång, benen rörde sig långsamt paddlande.

I ett hisnande kast var jag utanför hypnosen. Jag visste att Eva Blau bluffade, hon var inte försatt i hypnos. Jag förstod inte hur jag kunde veta det, men jag var helt säker. Hon hade värjt sig för mina ord, blockerat suggestionen. Min hjärna viskade iskallt: Hon ljuger, hon är inte det minsta hypnotiserad.

Jag såg henne kasta sig fram och tillbaka på stolen.

– Mannen drar och drar i den lilla människan, han drar för hårt …

Plötsligt mötte Eva Blau mina ögon och blev stilla. Ett långt flin drog ut hennes läppar.

– Var jag bra? frågade hon mig.

Jag svarade inte. Stod bara där och såg henne resa sig upp, ta kappan från kroken och sedan lugnt gå ut ur rummet.

JAG SKREV KRÅKSLOTTET på ett papper, vek det runt videoband nummer 14 och slog om en gummisnodd. Istället för att arkivera kassetten som vanligt tog jag med mig den till rummet. Jag ville analysera Eva Blaus lögn och min egen reaktion, men redan i korridoren insåg jag vad som hela tiden hade varit fel: Eva hade varit medveten om sitt ansikte, hon hade försökt vara söt, hon hade inte haft det slöa, oförställda ansiktet de hypnotiserade alltid har. Den som är försatt i hypnos kan le, men den ler inte sitt vanliga leende, utan ett sovande, slappt leende.

När jag kom till mitt kontor stod den unga läkarstudenten och väntade utanför min dörr. Jag överraskade mig själv genom att minnas vad hon hette: Maja Swartling.

Vi hälsade på varandra och innan jag hunnit låsa upp dörren sa hon snabbt:

– Förlåt att jag är så här efterhängsen. Men jag bygger en del av min avhandling på din forskning, och det är inte bara jag utan också min handledare som vill att själva objektet ska vara med.

Hon såg allvarligt på mig.

– Jag förstår, sa jag.

– Är det okej med några frågor? undrade hon till slut. Får jag lov att ställa några frågor till dig?

Hon hade med ens en blick som en liten flicka: klarvaken men osäker. Hennes ögon var mycket mörka, de skimrade svarta mot den ovanligt ljusa hyn. Håret glänste välborstat i sina flätade kransar. Hennes frisyr var gammeldags, men den klädde henne.

– Får jag det? frågade hon mjukt. Du anar inte hur jag kan tjata.

Jag märkte att jag stod och log mot henne. Det var något så friskt och ljust över henne att jag, utan att egentligen ha tänkt mig för, slog ut med händerna och förklarade att jag var beredd. Hon skrattade till och såg på mig med nöjd, dröjande blick. Jag låste upp och hon följde utan omsvep med mig in på rummet, satte sig i min besöksstol, tog fram ett pappersblock och en penna och såg sedan leende på mig.

– Vad är det du vill fråga mig?

Maja rodnade kraftigt och började tala, fortfarande med ett leende så brett att det verkade som om hon inte kunde hålla tillbaka det:

– Om vi börjar med praktiken … hur ser du på möjligheten för patienten att luras? Att de bara säger det de tror att du vill höra?

– Det hände faktiskt idag, log jag. En patient ville inte bli hypnotiserad, kämpade emot och blev givetvis inte hypnotiserad – men låtsades att hon var det.

Maja hade blivit lugnare, verkade mindre osäker. Nu lutade hon sig framåt, spetsade läpparna och frågade:

– Låtsades hon?

– Jag upptäckte det givetvis.

Hon höjde frågande ögonbrynen.

– Hur?

– Till att börja med finns det mycket tydliga yttre tecken på hypnotisk vila – det viktigaste är att ansiktet förlorar all tillgjordhet.

– Vill du utveckla det?

– Som vaken har även den mest avspända person ett samlat ansikte, munnen hålls ihop, musklerna i ansiktet samverkar, blicken och så vidare … men den hypnotiserade saknar allt detta, munnen öppnas, hakan sjunker, blicken är slö ... det går inte riktigt att beskriva, men man vet.

Det såg ut som om hon ville fråga något, så jag gjorde en paus. Hon skakade på huvudet och bad mig fortsätta.

– Jag har ju läst dina rapporter, sa hon. Och din hypnosgrupp består inte bara av offer, det vill säga någon som utsatts för ett övergrepp, utan också förövare, personer som utsatt andra för hemska saker.

– Det fungerar på samma sätt i det undermedvetna och ...

– Menar du ...

– Vänta, Maja ... och i det gruppterapeutiska sammanhanget är det faktiskt en tillgång.

– Intressant, sa hon och gjorde en anteckning. Jag vill återkomma till det, men vad jag skulle vilja veta är hur förövaren ser sig själv i hypnosen – du för ju fram tanken om att den drabbade ofta ersätter förövaren med något annat, ett djur.

– Jag har inte hunnit undersöka hur förövaren ser sig själv och vill inte hamna i spekulation.

Hon lade huvudet på sned:

– Men du har anat något?

– Jag har en patient som ...

Jag tystnade och började tänka på Jussi Persson, norrlänningen som bar sin ensamhet som en fruktansvärd, självförvållad tyngd.

– Vad skulle du säga?

– I hypnosen återvänder den här patienten till ett jakttorn, det är som om geväret styr honom, han skjuter rådjur och låter dem bara ligga. När han är vaken förnekar han rådjuren, men berättar att han brukar sitta i tornet och vänta på en björnhona.

– Det här säger han när han är vaken? log hon.

– Han har ett hus uppe i Västerbotten.

– Jaså, jag trodde att han bodde här, skrattade hon.

– Björnen är säkert på riktigt, sa jag. Det är fullt med björn där. Jussi har berättat att en stor hona dödade hans hund för några år sedan.

Vi satt tysta och tittade på varandra.

– Klockan är mycket, sa jag.

– Jag har många frågor kvar.

Jag slog ut med handen.

– Vi får träffas fler gånger.

Hon såg på mig. Jag blev plötsligt egendomligt varm i kroppen när jag märkte hur en tunn sky av rodnad trängde upp i hennes ljusa hy. Det låg något skälmskt mellan oss, en blandning av allvar och skrattlystnad.

– Får jag bjuda på ett glas som tack för besväret? Det finns en ganska trevlig libanesisk ...

Hon tystnade tvärt när telefonen ringde. Jag bad om ursäkt och svarade.

– Erik?

Det var Simone. Hon lät stressad.

– Vad är det? frågade jag.

– Jag ... jag är på baksidan, på cykelvägen. Det ser ut som om någon har brutit sig in hos oss.

En iskall rysning kröp över mig. Jag tänkte på färlan som hade legat utanför vår ytterdörr, det gamla straffredskapet med den runda träplattan.

– Vad är det som har hänt?

Jag hörde Simone svälja hårt. I bakgrunden lekte några barn, kanske befann de sig uppe på fotbollsplanen. En visselpipa ljöd och skrik hördes.

– Vad var det där? frågade jag.

– Ingenting, en skolklass, sa hon sammanbitet. Erik, fortsatte hon hastigt, Benjamins balkongdörr är uppbruten, fönstret är sönderslaget.

I ögonvrån såg jag hur Maja Swartling ställde sig upp och mimande frågade om hon skulle gå.

Jag nickade kort åt henne och ryckte beklagande på axlarna.

Hon råkade stöta till stolen som skrapade mot golvet.

– Är du ensam? frågade Simone.

– Ja, sa jag utan att veta varför jag ljög.

Maja vinkade och stängde dörren tyst efter sig. Jag kunde fortfarande känna hennes parfym som en enkel och fräsch ton.

– Bra att du inte gick in, fortsatte jag. Har du ringt polisen?

– Erik, du låter konstig, är det något som har hänt?

– Förutom att det kanske befinner sig en inbrottstjuv i vårt hus just nu? Har du ringt polisen?

– Ja, jag ringde pappa.

– Bra.

– Han sa att han skulle sätta sig i bilen direkt.

– Du måste gå längre bort, Simone.

– Jag står på cykelvägen.

– Ser du huset?

– Ja.

– Om du kan se huset så kan någon som befinner sig i huset se dig.

– Sluta, sa hon.

– Gå upp till fotbollsplanen, snälla – jag kommer hem.

JAG STANNADE BAKOM KENNETS smutsiga Opel, drog åt parkeringsbromsen, vred tändningsnyckeln och lämnade bilen. Kennet kom springande mot mig. Hans ansikte var sammanbitet.

– Var fan är Sixan? ropade han.

– Jag sa åt henne att vänta på fotbollsplanen.

– Bra, jag var rädd för ...

– Hon hade gått in annars, jag känner henne, hon brås på dig.

Han skrattade och gav mig en hård kram.

– Kul att se dig, grabben.

Vi började gå runt längan för att komma till baksidan. Simone stod bara en liten bit bort från vår tomt. Antagligen hade hon hela tiden bevakat den trasiga balkongdörren som ledde rakt ut på vår skuggiga uteplats. Hon tittade upp, lämnade cykeln och gick rakt fram och omfamnade mig hårt, tittade över min axel och sa:

– Hej, pappa.

– Jag går in, sa han allvarligt.

– Jag följer med, sa jag.

– Kvinnor och barn väntar utanför, suckade Simone.

Vi klev alla tre över den låga häcken av ölandstok, gick över gräset och uteplatsen med vitt plastbord och fyra plaststolar.

Glasskärvor täckte trappsteget och blecket. På den heltäckande mattan i Benjamins rum låg en stor sten bland skärvor och splitter. Vi fortsatte in och jag tänkte att jag inte fick glömma att berätta för Kennet om färlan, straffredskapet som vi hittade utanför vår dörr häromdagen.

Simone följde efter och tände Karlsson på taket-lampan i taket. Hennes ansikte blossade och det rödblonda håret låg i ringlande lockar över hennes axlar.

Kennet gick ut i korridoren, tittade in i sovrummet till höger och badrummet. Läslampan i teverummet var tänd. I köket låg en stol på golvet. Vi gick från rum till rum, men ingenting verkade fattas, ingenting var stulet. Någon hade varit på toaletten på undervåningen, toalettpapperet var utdraget över golvet. Kennet såg på mig med en underlig min.

– Har du ouppklarade affärer med någon, frågade han.

Jag skakade på huvudet.

– Inte vad jag vet, sa jag. Det är klart att jag möter en massa labila människor ... precis som du.

Han nickade.

– De har inte tagit någonting, sa jag.

– Pappa, är det vanligt, frågade Simone.

Kennet skakade på huvudet.

– Det är inte vanligt, inte om man slår sönder ett fönster. Någon ville att ni skulle veta att han eller hon har varit här.

Simone hade ställt sig i dörröppningen till Benjamins rum.

– Jag tycker att det ser ut som om någon har legat i hans säng, sa hon lågt. Vad heter den där sagan? Guldlock, eller hur?

Vi skyndade in i vårt sovrum och såg att någon hade legat i våra sängar med. Överkastet var neddraget och bäddningen tillskrynklad.

– Det här är jävligt konstigt, sa Kennet.

Det blev tyst ett litet tag.

– Redskapet, utbrast Simone.

– Just det, jag tänkte på det och så glömde jag bort det, sa jag och gick till hallen och hämtade färlan från hatthyllan.

– Vad fan är det där? frågade Kennet.

– Låg utanför vår dörr igår, sa Simone.

– Får jag se, sa Kennet.

– Det är en färla, tror jag, sa jag. Som man daskade barn med förr i tiden.

– Bra för disciplinen, log Kennet och kände på den.

– Jag tycker inte alls om det här, det är faktiskt obehagligt, sa Simone.

– Har ni varit utsatta för hot eller något som skulle kunna betraktas som hot?

– Nej, svarade hon.

– Men man kanske ska se det så, sa jag. Att någon tycker att vi behöver bestraffas. Jag har bara sett det som ett dåligt skämt för att vi daltar så mycket med Benjamin. Jag menar, om man inte känner till Benjamins sjukdom så kan vi nog verka ganska neurotiska.

Simone gick rakt fram till telefonen och ringde till förskolan för att höra att allt var bra med Benjamin.

*

På kvällen lade vi Benjamin tidigt, jag låg som vanligt bredvid honom och berättade hela handlingen i en afrikansk barnfilm som hette *Kirikou*. Benjamin hade sett filmen massor av gånger och ville nästan alltid att jag skulle berätta handlingen för honom när han skulle sova. Om jag glömde någon detalj så påminde han mig och om han fortfarande var vaken när jag kom till slutet fick Simone sjunga vaggvisor.

Efter att han somnat gjorde vi en kanna te och tittade på en videofilm. Vi satt i soffan och pratade om inbrottet, att ingenting blev stulet, att någon bara hade dragit ut en massa toalettpapper och legat i våra sängar.

– Kanske några ungdomar som behövde någonstans att knulla, sa Simone.

– Nej, de borde i så fall ha stökat till mer.

– Är det inte lite konstigt att grannarna inte märkte någonting, Adolfsson brukar inte missa mycket.

– Det var kanske han som gjorde det, föreslog jag.

– Knullade i vår säng?

Jag skrattade, drog henne intill mig och kände hur gott hon luktade, en ganska tung parfym utan någon insmickrande sötma. Hon tryckte sig mot mig och jag kände hennes slanka, pojkaktiga kropp mot min. Jag lät händerna glida innanför hennes lösa skjorta, över den lena huden. Brösten var varma, hårda. Hon stönade när jag kysste hennes hals; ett dån av het andedräkt strömmade in i mitt öra.

Vi klädde av oss i skenet från teven, hjälpte varandra med snabba, sökande händer, fumlade med plaggen, skrattade mot varandra och kysstes igen. Hon drog med mig till sovrummet och puttade ner mig i sängen med skämtsam stränghet.

– Är det dags för färlan nu? frågade jag.

Hon nickade och närmade sig mig, böjde nacken och lät håret släpa över mina ben, log med nedslagen blick medan hon flyttade sig uppåt. Lockarna föll fram över hennes smala, fräkniga axlar. Armmusklerna var spända när hon satte sig gränsle över mina höfter. Hon blev alldeles röd om kinderna när jag kom in i henne.

Under några sekunder fladdrade minnet av några fotografier förbi mina tankar. Jag hade tagit bilderna en gång på en strand i den grekiska arkipelagen. Det var ett par år innan Benjamin var född. Vi hade åkt buss längs kusten och klev av där vi tyckte att det såg vackrast ut. När vi förstod att stranden var helt öde struntade vi i badkläder. Vi åt varm vattenmelon i solskenet och låg sedan nakna på grunt, klart vatten och smekte och kysste varandra. Vi älskade kanske fyra gånger den där dagen på stranden, alltmer loja och varma. Simones hår var trassligt av saltvatten, hennes tunga, solstinna blick och inåtvända leende. De små, spända brösten, fräknarna, de ljust skära bröstvårtorna. Hennes platta mage, naveln, det rödbruna könshåret.

Nu lutade sig Simone framåt, över mig och började söka sin orgasm. Hon stötte bakåt, kysste mig på bröstet, på halsen. Hon andades snabbare, blundade, höll mig hårt om axlarna och viskade åt mig fortsätta:

– Fortsätt, snälla Erik, sluta inte ...

Simone rörde sig snabbare, tyngre, svettig om ryggen och stjärten. Hon stönade högt, fortsatte stöta bakåt, gång på gång, stannade med skälvande lår, fortsatte lite till, stannade kvidande, hon drog efter luft, fuktade munnen och tog stöd på mitt bröst med handen. Hon suckade till och såg mig i ögonen när jag började stöta i henne igen. Jag kämpade inte längre emot, utan sprutade min säd i tunga, ljuva spasmer.

JAG PARKERADE CYKELN vid neurologen och blev sedan stående en kort stund och lyssnade till fåglarnas brusande i träden, såg de vårljusa färgernas krökning genom lövmassorna från träddungarna. Jag tänkte på hur jag nyss hade vaknat bredvid Simone och sett in i hennes gröna ögon.

Mitt rum såg precis ut som jag hade lämnat det dagen före. Stolen där Maja Swartling suttit och intervjuat mig var fortfarande framdragen och min skrivbordslampa var tänd. Klockan var bara halv nio, jag hade gott om tid att gå igenom anteckningarna från gårdagens misslyckade hypnossession med Charlotte. Varför det hade blivit som det blev var lätt att förstå: jag hade forcerat förloppet och bara strävat efter målet. Det var ett klassiskt misstag och jag borde ha vetat bättre. Jag var alldeles för erfaren för att göra fel av det slaget. Det fungerar inte att tvinga en patient att se något hon absolut inte vill se. Charlotte hade gått in i rummet, men inte velat höja blicken. Det borde ha räckt för denna gång, det var modigt nog.

Jag bytte om till läkarrocken, desinficerade mina händer och funderade på patientgruppen. Jag var inte riktigt nöjd med Pierres roll i gruppen, den var en smula otydlig. Han sprang ofta efter Sibel eller Lydia, var verbal och skämtsam, men förhöll sig mycket passiv i hypnossituationerna. Han var frisör, uttalat homosexuell och ville bli skådespelare. Till det yttre levde han ett fullkomligt fungerande liv – förutom en återkommande detalj. Varje påsk reste han på charterresa tillsammans med sin mamma. Där låste de in sig på sitt hotellrum, drack sig berusade och hade samlag med varandra. Vad mamman inte visste om var att Pierre hamnade i djup depression med återkommande självmordsförsök efter varje resa.

Jag ville inte forcera mina patienter, jag ville att det skulle vara deras eget val att berätta något.

Det knackade på dörren. Innan jag hunnit svara, gled den upp och Eva Blau kom in. Hon gjorde en egendomlig min åt mig, som om hon försökte le utan att röra en ansiktsmuskel.

– Nej, tack, sa hon plötsligt. Du behöver inte bjuda på supé, jag har redan ätit, Charlotte är en fin person, hon lagar mat till mig, portioner för hela veckan som jag lägger i frysen.

– Det var snällt av henne, sa jag.

– Hon köper min tystnad, förklarade Eva kryptiskt och ställde sig bakom stolen där Maja suttit dagen innan.

– Eva, vill du berätta varför du har kommit hit?

– Inte för att suga din kuk, bara så att du vet det.

– Du behöver inte fortsätta i hypnosgruppen, sa jag lugnt.

Hon slog ned blicken.

– Jag visste att du hatade mig, mumlade hon.

– Nej, Eva, jag säger bara att du inte är tvungen att ingå i den här gruppen. Vissa människor vill inte bli hypnotiserade, vissa är inte speciellt mottagliga trots att de verkligen vill och vissa . . .

– Du hatar mig, avbröt hon.

– Jag säger bara att jag inte kan ha dig i den här gruppen om du absolut inte vill bli hypnotiserad.

– Det var inte meningen, sa hon. Men du får inte sticka kuken i munnen på mig.

– Sluta, sa jag.

– Förlåt, viskade hon och tog fram något ur väskan. Se här, du får den av mig.

Jag tog emot föremålet. Det var ett fotografi. Bilden föreställde Benjamin när han döptes.

– Gullig, eller hur, sa hon stolt.

Jag kände hur mitt hjärta började slå snabbt och hårt.

– Var har du fått det här ifrån? frågade jag.

– Det är min lilla hemlighet.

– Svara mig, Eva, var har du fått tag i ...

Hon avbröt mig i en retsam ton:

– Sköt dig själv och skit i andra, så ska du glad genom livet vandra.

Jag såg återigen på kortet. Det kom från Benjamins fotoalbum. Jag kände mycket väl igen det. På baksidan fanns till och med märken efter limmet vi hade satt fast det med. Jag tvingade mig själv att tala lugnt trots att pulsen dånade i tinningarna.

– Jag vill att du berättar för mig hur du fått tag i den här bilden.

Hon satte sig i soffan, knäppte sakligt upp blusen och visade sina bröst för mig.

– Stick in kuken då, sa hon, så blir du väl nöjd.

– Du har varit hemma hos mig, sa jag.

– Du har varit hemma hos mig, svarade hon trotsigt. Du tvingade mig att öppna dörren ...

– Eva, jag har försökt hypnotisera dig, det är inte samma sak som att bryta sig in.

– Jag bröt inte, replikerade hon snabbt.

– Du tog sönder vårt fönster ...

– Stenen tog sönder fönstret.

Jag blev alldeles matt och kände hur jag höll på att förlora besinningen och var på väg att reagera med vrede mot en sjuk och förvirrad människa.

– Varför tog du den här bilden från mig?

– Det är du som tar! Du tar och tar och tar! Vad fan skulle du säga om jag tog saker från dig? Hur tror du det skulle kännas?

Hon dolde ansiktet i händerna och sa att hon hatade mig,

hon upprepade det gång på gång, kanske hundra gånger innan hon lugnade ner sig.

– Du får förstå att jag blir arg på dig, sa hon sedan samlat. När du påstår att jag tar saker, jag gav ju dig en jättefin bild.

– Ja.

Hon log brett och slickade sig om läpparna.

– Du har fått någonting av mig, fortsatte hon. Nu vill jag ha någonting av dig.

– Vad vill du ha? frågade jag lugnt.

– Försök inte, sa hon.

– Säg bara vad ...

– Jag vill att du hypnotiserar mig, svarade hon.

– Varför lade du en färla utanför min ytterdörr, frågade jag.

Hon stirrade bara tomt på mig.

– Vad är en färla?

– Man agar barn med färlor, sa jag sammanbitet.

– Jag har inte lagt någonting utanför din dörr.

– Du lade en gammal ...

– Ljug inte, skrek hon.

Hon reste sig upp och gick fram till dörren.

– Eva, jag kommer att tala med polisen om du inte förstår var gränserna går, om du inte fattar att du måste låta mig och min familj vara ifred.

– Min familj då, sa hon.

– Nu lyssnar du på mig!

– Fascistsvin, skrek hon och lämnade rummet.

MINA PATIENTER SATT i en halvcirkel framför mig. Det hade varit lätt att hypnotisera dem denna gång. Vi hade sjunkit alldeles mjukt tillsammans genom kluckande vatten. Jag fortsatte arbetet med Charlotte. Hennes ansikte var så sorgligt avslappnat, ringarna under ögonen djupa, hakspetsen lite skrynklig.

– Förlåt, viskade Charlotte.

– Vem talar du med? frågade jag.

Hela hennes ansikte drogs ihop en kort stund.

– Förlåt, upprepade hon.

Jag väntade. Det var tydligt att Charlotte var djupt hypnotiserad nu. Hon andades tungt men tyst.

– Du vet att du är trygg hos oss, Charlotte, sa jag. Ingenting kan skada dig, du mår bra och känner dig behagligt avslappnad.

Hon nickade sorgset och jag visste att hon hörde mig, att hon följde mina ord utan att längre kunna skilja hypnosens realitet från verkligheten. I hennes djupa hypnotiska tillstånd var det som om hon betraktade en film där hon själv deltog. Hon var både publik och aktör, men inte delad i två, utan förenad i en.

– Var inte arg, viskade hon. Förlåt, snälla, förlåt. Jag ska trösta dig, jag lovar, jag ska trösta dig.

Jag hörde gruppen andas tungt omkring mig och förstod att vi var på plats i kråkslottet, att vi nått in i Charlottes farliga rum och jag ville att hon skulle stanna, jag önskade att hon skulle ha kraft nog att titta upp från golvet och se någonting, få en första anblick av det hon var så rädd för. Jag ville hjälpa henne, men tänkte inte forcera förloppet denna gång, inte upprepa misstaget från förra veckan.

– Det är kallt i farfars gymnastiksal, sa Charlotte plötsligt.

– Ser du något?

– Långa golvbrädor, en hink, en sladd, sa hon nästan ljudlöst.

– Ta ett steg bakåt, sa jag.

Hon skakade på huvudet.

– Charlotte, nu tar du ett steg tillbaka och lägger handen på dörrhandtaget.

Jag såg hennes ögonlock darra, några nya tårar sprängde fram genom ögonfransarna. Hon höll sina händer alldeles naket tomma i sitt sköte som en gammal gumma.

– Du känner handtaget och vet att du kan lämna rummet så fort du vill, sa jag.

– Får jag det?

– Du trycker ner handtaget och går ut.

– Det är nog det bästa, om jag bara lämnar ...

Hon blev tyst, höjde hakan och vände sedan långsamt på huvudet med barnslig, halvöppen mun.

– Jag stannar lite till, sa hon lågt.

– Är du ensam där inne?

Hon skakade på huvudet.

– Jag hör honom, mumlade hon, men jag kan inte se honom.

Hon rynkade pannan som om hon försökte urskilja något som låg i oskärpa.

– Det är ett djur här, sa hon plötsligt.

– Vad är det för ett djur? frågade jag.

– Pappa har en stor hund ...

– Är din pappa där?

– Ja, han är här, han står i hörnet, vid ribbstolarna, han är ledsen, jag ser hans ögon. Jag har gjort pappa illa, säger han. Pappa är ledsen.

– Och hunden?

– Hunden rör sig framför hans ben, nosar. Den närmar sig, går tillbaka. Nu står den helt tyst bredvid honom och flåsar. Pappa säger att hunden ska passa mig ... Jag vill inte det, den borde inte få det, den är inte ...

Charlotte drog häftigt efter andan. Hon riskerade att föras ut ur hypnosen om hon fortsatte för hastigt fram.

En fruktansvärd skugga drog över hennes ansikte och jag tänkte att det var bäst att gå upp ur trancen, upp ur det svarta havet. Vi hade hittat hunden – hon hade stannat kvar och tittat på den. Det var ett mycket stort framsteg. Tids nog skulle vi lösa frågan om vem hunden egentligen var.

När vi flöt upp genom vattenmassorna såg jag Marek skilja på läpparna och visa tänderna åt Charlotte. Lydia sträckte ut en hand genom ett mörkgrönt moln av tång och sjögräs, hon försökte nå att smeka Pierres kind, Sibel och Jussi blundade och for uppåt, vi mötte Eva Blau som hängde strax under ytan.

Vi var nästan vakna. Gränsen då verkligheten upplöstes för hypnosens påverkan var alltid otydlig och detsamma gällde motsatsen – sträckan tillbaka till medvetenhetens territorium.

– Vi tar en paus nu, sa jag och vände mig sedan till Charlotte. Känns det bra?

– Tack, sa hon och slog ner blicken.

Marek reste sig, bad Sibel om en cigarett och gick sedan ut tillsammans med henne. Pierre satt kvar bredvid Jussi. Han tittade i golvet och strök sig sedan hastigt över ögonen som om han gråtit. Lydia reste sig sakta, sträckte långsamt armarna över huvudet och gäspade. Jag tänkte att jag skulle säga några ord till Charlotte om att jag var glad över att hon hade valt att stanna en liten stund till i sitt kråkslott, men jag såg henne inte längre i rummet.

Jag tog min anteckningsbok för att göra några hastiga noteringar, men avbröts när Lydia kom fram till mig. Hennes smycken klirrade mjukt och jag kände hennes myskparfym när hon ställde sig intill mig och frågade:

– Är det inte min tur snart?

– Nästa gång, svarade jag utan att höja blicken från anteckningarna.

– Varför inte idag?

Jag lade ned pennan och mötte hennes blick.

– För att jag hade tänkt fortsätta med Charlotte och sedan Eva.

– Fast jag tyckte att Charlotte sa att hon skulle åka hem.

Jag log mot Lydia.

– Vi väntar och ser, sa jag.

– Men om hon nu inte kommer tillbaka, envisades Lydia.

– Okej, Lydia, visst.

Hon stod kvar och betraktade mig en kort stund när jag återigen tog upp pennan och började skriva.

– Jag är tveksam till att Eva kan gå ner i speciellt djup hypnos, sa Lydia plötsligt.

Jag lyfte åter blicken.

– För hon vill egentligen inte möta sin eterkropp, fortsatte hon.

– Eterkropp?

Hon log generat.

– Jag vet att du använder andra ord, sa hon. Men du förstår vad jag menar.

– Lydia, jag försöker hjälpa alla mina patienter, sa jag torrt.

Hon lade huvudet på sned.

– Men du kommer inte att lyckas, eller hur?

– Varför tror du inte det? frågade jag.

Hon ryckte på axlarna.

– Statistiskt sett så kommer någon av oss att ta sitt liv, ett par kommer att institutionaliseras och …

– Man kan inte resonera på det viset, försökte jag förklara.

– Jag kan det, avbröt hon. För jag vill höra till dem som klarar sig.

Hon tog ytterligare ett steg mot mig och fick en oväntad grymhet i blicken när hon sänkte rösten:

– Jag tror att Charlotte kommer att vara den som tar sitt liv.

Innan jag hann svara henne, suckade hon bara och sa:

– Hon har åtminstone inga barn.

Jag såg Lydia gå och sätta sig på sin stol. När jag kastade en blick på klockan förstod jag att det hade gått mer än femton minuter. Pierre, Lydia, Jussi och Eva hade återvänt till sina platser. Jag kallade in Marek som gick omkring i korridoren och pratade för sig själv. Sibel stod och rökte i dörren och fnittrade trött när jag bad henne komma in.

Lydia mötte nöjt min blick när jag till slut tvingades konstatera att Charlotte inte var tillbaka.

– Då så, sa jag och lade ihop mina händer. Nu fortsätter vi.

Jag såg deras ansikten framför mig. De var redo. Sessionerna var egentligen alltid bättre efter pausen, det var som om alla längtade tillbaka till djupet, som om ljuset och ljuden därnere viskande bjöd oss ned igen.

Induktionens effekt var omedelbar – Lydia försjönk i djup hypnos på bara tio minuter.

Vi föll och jag kände ljummet vatten gå över min hud. Det stora gråa blocket var täckt av koraller. Vajande i strömmarna rörde sig tentaklerna från deras polypkroppar. Jag såg varje detalj, varje självlysande, vibrerande färg.

– Lydia, sa jag. Var befinner du dig?

Hon slickade sig om de torra läpparna, lutade huvudet bakåt, ögonen var mjukt slutna, men hon hade ett irriterat drag över munnen och en rynka i pannan.

– Jag tar kniven.

Hennes röst var torr och raspig.

– Vad är det för slags kniv? frågade jag.

– Den tandade kniven på diskbänken, sa hon i en undrande ton och satt sedan tyst en stund med halvöppen mun.

– En brödkniv?

– Ja, log hon.

– Fortsätt.

– Jag skär glasspaketet i två delar. Tar med mig den ena halvan och en sked till soffan framför teven. Oprah Winfrey vänder sig mot doktor Phil. Han sitter i publiken och visar upp sitt pekfinger. Han har knutit en röd tråd kring fingret och ska precis berätta varför, när Kasper börjar skrika. Jag vet att han inte vill någonting, han försöker bara trotsa mig. Han skriker för att han vet att jag blir ledsen för det, för att jag inte står ut med dåligt beteende i mitt hus.

– Vad skriker han?

– Han vet att jag vill höra vad doktor Phil säger, han vet att Oprah gör mig glad ... Det är därför han skriker.

– Vad skriker han just nu?

– Det är två stängda dörrar mellan oss, sa hon. Men jag hör att han skriker fula ord åt mig. Han skriker fitta, fitta, fitta ...

Lydia var röd om kinderna och svett pärlades i hennes panna.

– Vad gör du? frågade jag.

Hon slickade sig om läpparna igen, hennes andetag var tunga.

– Jag höjer ljudet på teven, sa hon dämpat. Det dånar fram, appläderna skorrar, men det känns fel, det är inte längre bra. Jag tycker inte att det är roligt. Han har förstört min stund. Det är som det är, men jag borde förklara det för honom.

Hon log svagt med sammanpressade läppar, ansiktet var nästan vitt och vattnet skimrade i metalliska rullningar över hennes panna.

– Gör du det, frågade jag.

– Va?

– Vad gör du, Lydia?

– Jag ... jag går förbi grovköket och ner i gillestugan. Det hörs pip och konstiga surrande ljud från Kaspers rum, det ... jag förstår inte vad han har hittat på, vill ju bara gå upp igen och titta på teve, men jag fortsätter fram till dörren, öppnar och går in i ...

Hon tystnade. Vatten pressades ut genom de halvslutna läpparna.

– Du går in, upprepade jag. Vad är det du går in i, Lydia?

Hennes läppar rörde sig svagt. Luftbubblorna blänkte till och försvann upp.

– Vad ser du? frågade jag försiktigt.

– Kasper låtsas sova när jag kommer in, sa hon långsamt. Han har haft sönder fotografiet på mormor, han hade lovat att vara försiktig om han fick låna bilden, det är den enda jag har. Nu har han förstört den och ligger bara där och låtsas sova. Jag tänker att jag ska prata allvar med Kasper på söndag, det är då vi går igenom hur vi har betett oss mot varandra, jag undrar vad doktor Phil skulle ha gett mig för råd. Jag märker att jag fortfarande har skeden i handen, när jag tittar i den ser jag inte mig själv, utan en nallebjörn avspeglad i metallen, den måste hänga uppe i taket ...

Lydia drog plötsligt på munnen, smärtsamt. Hon försökte skratta, men det blev bara konstiga ljud. Hon försökte igen, men det lät inte som ett skratt.

– Vad gör du? frågade jag.

– Jag tittar, sa hon och vände blicken uppåt.

Plötsligt halkade Lydia av stolen och slog bakhuvudet i sitsen. Jag rusade fram. Hon satt på golvet, var fortfarande kvar i hypnosen, men inte längre djupt. Hon stirrade förvirrat på mig med rädda ögon och jag talade lugnande till henne.

JAG VET INTE VARFÖR jag kände att jag borde ringa Charlotte, någonting oroade mig. Kanske berodde det på att jag i hypnosen hade övertalat henne att stanna kvar i sitt kråkslott längre än vad hon egentligen tordes, att jag hade utmanat hennes stolthet och förmått henne att höja blicken och för första gången betrakta den stora hunden som rörde sig kring faderns ben. Hennes beteende, att lämna sessionen utan att förklara sig eller tacka som hon brukade, gjorde mig bekymrad.

Jag ångrade mig redan när jag slog hennes mobilnummer, men väntade ändå tills samtalet kopplades till röstbrevlådan innan jag lade på.

Efter en sen lunch på Stallmästaregården cyklade jag tillbaka till Karolinska sjukhuset. Vinden var sval men vårljuset strömmade längs gator och fasader.

Jag skakade av mig oron för Charlotte, tänkte att hon hade varit med om en så pass omskakande upplevelse att hon behövde vara i fred med sitt ansikte och sina känslor ett tag. Norra kyrkogårdens lövmassor kastades böljande i vinden och ljuset.

Kennet skulle hämta Benjamin idag, han hade lovat att låta honom åka polisbil från förskolan. Benjamin skulle sova över hos honom, eftersom jag skulle arbeta sent och Simone skulle gå på opera med några väninnor.

Jag hade lovat att låta den där unga läkarstudenten Maja Swartling göra sin andra intervju med mig. Nu märkte jag att jag såg fram emot att tala med henne, jag kände mig nöjd, för mina teorier hade ju i princip bekräftats av Charlotte.

Jag lämnade mottagningsrummet och gick nedför korridoren mot mitt rum. I sjukhusentrén var det tomt förutom några äldre kvinnor som väntade på färdtjänst. Det var vackert väder ute: en dager med blåsande stoft och bländande sol. Jag tänkte på att jag borde springa en runda i kväll så fort jag var färdig.

När jag kom till mitt kontor stod Maja Swartling redan vid dörren och väntade. Hennes fylliga och rödmålade läppar särades i ett brett leende och spännet i hennes kolsvarta hår gnistrade när hon bugade sig och frågade med sin vanliga skälmaktighet:

– Jag hoppas att doktorn inte har ångrat sig inför intervju nummer två.

– Självklart inte, sa jag och kände en pirrning inombords när jag stod intill henne och låste upp. Våra ögon möttes och jag såg ett oväntat allvar i hennes blick då hon passerade mig och gick in på rummet.

Plötsligt var jag medveten om min egen kropp, om mina fötter, om min mun. Hon rodnade när hon tog upp sin mapp med papper, pennan och anteckningsblocket.

– Vad har hänt sedan vi sågs senast? frågade hon.

Jag erbjöd Maja en kopp kaffe från pentryt och sedan började jag berätta om dagens lyckade session.

– Jag tror att vi har hittat Charlottes förövare, sa jag. Den som gjort henne så fruktansvärt illa att hon gång på gång försöker ta sitt eget liv.

– Vem är det?

– En hund, sa jag allvarligt.

Maja skrattade inte, hon var väl insatt och visste att en av mina teser, den mest vågade och mest iögonfallande, byggde på fabelns uråldriga struktur: människor i djurhamn är ett av de äldsta sätten att berätta om sådant som annars skulle vara otillåtet, för skrämmande eller lockande.

För mina patienter var det ett sätt att hantera det obegripliga i att den som skulle skydda och älska en, istället gjorde en illa på värsta tänkbara vis.

Det var mycket lätt, nästan försåtligt lätt för mig att prata med Maja Swartling. Hon var insatt men ingen expert, hon ställde intelligenta frågor och hon var en väldigt god lyssnare.

– Och Marek Semiovic? Hur går det med honom? frågade hon och sög lite på pennan.

– Du känner ju till hans bakgrund, han kom hit som flykting mitt i Bosnienkriget och fick egentligen bara hjälp för sina fysiska skador.

– Ja.

– Han är intressant för min forskning även om jag ännu inte riktigt förstår vad som händer, för på stort hypnotiskt djup hamnar han alltid i samma rum, samma minne, han är tvingad att tortera människor, människor han träffat, pojkar han lekt med, men sedan händer någonting.

– I hypnosen?

– Ja, han vägrar att gå vidare.

Maja antecknade någonting, bläddrade och tittade upp.

Jag valde att inte berätta om Lydia, att hon hade halkat av stolen under hypnosen, utan förklarade istället mina idéer om att den fria viljan i hypnosen bara begränsas av att man inte kan ljuga för sig själv.

Tiden gick och det hade blivit kväll. Korridoren låg tyst och öde utanför mitt rum.

Maja lade ihop sina saker i portföljen, drog sin sjal om halsen och reste sig upp.

– Tiden rusade verkligen iväg, sa hon ursäktande.

– Tack för idag, sa jag och räckte henne handen.

Hon tvekade, men sedan frågade hon:

– Får man bjuda på ett glas i kväll då?

Jag tänkte efter. Simone och hennes väninnor skulle gå och se *Tosca* på Folkoperan och komma hem sent. Benjamin sov över hos sin morfar och själv hade jag tänkt arbeta hela kvällen.

– Det skulle kunna gå, sa jag med en känsla av att jag begick en överträdelse.

– Jag vet ett litet ställe på Roslagsgatan, sa Maja. Det heter Peterson-Berger, är ganska enkelt, men jättetrevligt.

– Bra, sa jag bara, tog min jacka, släckte i kontoret och låste dörren efter oss.

Vi cyklade förbi Hagaparken, utmed Brunnsviken och ned till Norrtull. Det var nästan ingen trafik alls. Klockan var inte mer än halv åtta på kvällen. Våren darrade i de ljusa fågelrösterna i träden.

Vi parkerade cyklarna mittemot den lilla parken vid det gamla värdshuset Claes på Hörnet. När vi tillsammans gick in genom restaurangdörren och mötte värdinnans leende blickar, blev jag tveksam. Borde jag verkligen vara här? Vad skulle jag svara om Simone ringde och undrade vad jag gjorde? En våg av obehag vällde förbi och bort. Maja var en kollega, vi ville fortsätta vårt samtal och Simone var ändå ute med sina vänner i kväll, de satt förmodligen och drack vin på Folkoperans restaurang just nu.

Maja såg förväntansfull ut. Jag kunde inte riktigt förstå vad hon gjorde här med mig överhuvudtaget. Hon var strålande vacker, ung och utåtriktad. Jag var säkert femton år äldre än hon och gift.

– Jag älskar deras kycklingspett med spiskummin, sa hon och gick före mig till ett bord i den bortre delen av lokalen.

Vi slog oss ned och en kvinna kom genast med en kanna vatten till oss. Maja lutade ansiktet i handen, betraktade glaset och sa lugnt:

– Tröttnar vi på det här så kan vi faktiskt gå hem till mig.

– Maja, flirtar du med mig?

Hon skrattade och smilgroparna blev djupa.

– Min pappa sa alltid att jag var född sådan. En oförbätterlig flörtis, sa han.

Jag insåg att jag inte visste någonting om henne, hon som uppenbarligen hade fördjupat sig i allt jag hade gjort.

– Var din pappa också läkare? frågade jag nu.

Hon nickade.

– Professor Jan E. Swartling.

– Hjärnkirurgen? frågade jag imponerat.

– Eller vad man ska kalla det när någon vispar runt i en annan människas huvud, sa hon beskt.

Det var första gången leendet försvunnit ur hennes ansikte.

Vi åt maten och jag kände mig alltmer stressad över situationen, drack för fort och beställde in mer vin. Det var som om personalens blickar, deras självklara antagande att vi var ett par, gjorde mig nervös, obekväm. Jag hade blivit berusad, tittade inte ens på notan innan jag skrev under, knycklade bara ihop kvittot och missade papperskorgen vid garderoben. Ute på gatan, i den höga, ljumma vårkvällen, var jag helt inställd på att åka hem. Men Maja pekade på en port och frågade om jag ville komma upp, bara se hur hon hade det och dricka en kopp te.

– Maja, sa jag, du är oförbätterlig, din pappa har helt rätt.

Hon fnissade och lade sin arm under min.

Vi stod mycket nära varandra i hissen. Jag kunde inte låta bli att se på hennes fylliga, leende mun, de pärlvita tänderna, den höga pannan och det svarta, blanka håret.

Hon märkte det och strök mig försiktigt över kinden, jag böjde mig fram och var på väg att kyssa henne, men blev hejdad då hissen stannade med ett ryck.

– Kom, viskade hon och låste upp dörren.

Hennes lägenhet var väldigt liten men mycket trevlig. Väggarna var målade i en mild medelhavsblå färg och från det enda fönstret hängde vita linnegardiner. Kokvrån var fräsch, med vitt klinkergolv och en liten, modern gasspis. Maja gick in i kokvrån och jag hörde henne öppna en flaska vin.

– Jag trodde att vi skulle dricka te, sa jag när hon kom ut med flaskan och de två vinglasen i händerna.

– Det här är bättre för hjärtat, sa hon.

– Då så, svarade jag, tog emot ett glas och spillde vin på handen.

Hon torkade min hand med en kökshandduk, satte sig på den smala sängen och lutade sig tillbaka.

– Trevlig lägenhet, sa jag.

– Konstigt att ha dig här, log hon. Jag har beundrat dig så länge och ...

Plötsligt for hon upp.

– Jag måste ta kort på dig, ropade hon fnissande. Den fine doktorn hemma hos mig!

Hon hämtade sin kamera och blev koncentrerad.

– Se allvarlig ut, sa hon och tittade på mig i sökaren.

Hon fotograferade mig fnissande, uppmanade mig att posera, skojade och sa att jag var het, såg läcker ut, bad mig pluta med munnen.

– Otroligt sexigt, skrattade hon lättsamt.

– Blir det omslaget på Vouge?

– Om de inte väljer mig, sa hon och gav mig kameran.

Jag reste mig, kände att jag vinglade och tittade på henne i sökaren. Hon hade kastat sig bakåt på sängen.

– Du vinner, sa jag och tog en bild.

– Min brorsa kallade mig alltid för fläskfia, sa hon. Tycker du att jag är tjock?

– Du är otroligt vacker, viskade jag och såg henne sätta sig upp och dra jumpern över huvudet. Hon hade en ljusgrön sidenbehå över den fylliga bysten.

– Fota mig nu, viskade hon och knäppte upp sin behå.

Hon rodnade häftigt om kinderna och log. Jag ställde in sökaren, såg in i hennes djupt mörka, skimrande ögon, den leende munnen, de unga, rika brösten med ljusskära bröstvårtor.

Jag fotograferade henne medan hon poserade och vinkade åt mig att komma närmare.

– Jag ska ta en närbild, mumlade jag och satte mig på knä, kände hur det drog och dunkade av åtrå i mig.

Hon lyfte upp ett tungt bröst med handen. Kameran blixtrade. Hon viskade åt mig att komma närmare. Jag hade kraftig erektion, det värkte och stramade. Jag sänkte kameran, lutade mig fram och tog hennes ena bröst i min mun, hon tryckte det mot mitt ansikte, jag slickade och sög på den hårda bröstvårtan.

– Gud, viskade hon, gud så underbart.

Hennes hud var het, ångande. Hon knäppte upp sina jeans, drog ner och sparkade av sig dem. Jag reste mig upp, tänkte att jag inte fick ligga med henne, att jag inte kunde göra det, men tog kameran och fotograferade henne igen. Hon hade bara ett par tunna, ljusgröna trosor på sig.

– Kom nu, viskade hon.

Jag tittade på henne i sökaren igen, hon log stort och särade på benen mot mig. Det mörka könshåret anades på sidorna av trosornas gren.

– Vi får, sa hon.

– Jag kan inte, svarade jag.

– Det tror jag nog att du kan, log hon.

– Maja, du är farlig, du är så farlig, sa jag och lade ifrån mig kameran.

– Jag vet att jag är stygg.

– Men jag är en gift man, förstår du det.

– Tycker du inte att jag är vacker?

– Du är fantastiskt vacker, Maja.

– Vackrare än din fru?

– Sluta.

– Men du blir kåt av mig? viskade hon, fnittrade och blev sedan allvarlig.

Jag nickade, flyttade mig bakåt och såg henne le mycket nöjt.

– Jag får väl fortsätta att göra mina intervjuer?

– Absolut, sa jag och drog mig mot dörren.

Jag såg henne kasta en slängkyss, besvarade den, lämnade lägenheten, skyndade ned på gatan och tog min cykel.

*

På natten drömde jag att jag betraktade en stenrelief som föreställde tre nymfer. Jag vaknade av att jag sa något högt, så högt att jag hörde ekot av min egen röst i det tysta, mörka sovrummet. Simone hade kommit hem när jag sov, hon rörde på sig i sömnen bredvid mig. Jag var våt av drömsvett och alkoholen rusade fortfarande i mitt blod. Ett rengöringsfordon tog sig blinkande och bullrande förbi fönstret därute på gatan. Det var tyst i huset. Jag tog en tablett och försökte låta bli att tänka, men insåg vad som hade hänt kvällen före. Jag hade fotograferat Maja Swartling så gott som naken. Jag hade tagit bilder av hennes bröst, hennes ben, hennes vårgröna trosor. Men vi låg inte med varandra, upprepade jag för mig själv. Jag hade inte tänkt det, jag ville det inte, jag hade gått över gränsen, men jag hade inte bedragit Simone. Jag var klarvaken nu. Isande klarvaken. Vad var det med mig? Hur i all världen hade jag övertalats till att fotografera Maja naken? Hon var vacker, förförisk. Jag hade blivit smickrad av henne. Var det allt som behövdes? Jag insåg förvånat att jag hade hittat en verkligt svag punkt hos mig själv: jag var fåfäng. Ingenting inom mig kunde påstå att jag var kär i henne. Det var min fåfänga som trivdes så bra med henne.

Jag rullade runt i sängen och drog täcket över mitt ansikte och efter en stund sov jag tungt igen.

CHARLOTTE HADE INTE kommit till veckans session. Det var inte bra, jag skulle följa upp hennes resultat redan idag. Marek befann sig i djup hypnotisk vila. Han satt hopsjunken med tröjan stramande kring de kraftiga, tränade överarmarna och de överutvecklade ryggmusklerna. Huvudet var snaggat och täckt av ärr. Han tuggade långsamt med käkarna, höjde huvudet och såg på mig med sin tomma blick.

– Jag kan inte sluta skratta, sa han högt. För de här elstötarna får killen från Mostar att hoppa runt som en seriefigur.

Marek såg glad ut och gungade med huvudet.

– Killen ligger på betonggolvet, mörk av blod, andas snabbt, snabbt. Och så kryper han ihop och börjar gråta. Fan, jag skriker åt honom att stå upp, att jag dödar honom om han inte ställer sig upp, att jag ska köra in hela jävla bajonettkniven i arslet på honom.

Marek tystnade ett kort ögonblick. Sedan fortsatte han i samma ihåliga, lätta ton:

– Han reser sig, har svårt att stå, benen skakar, kuken har dragit ihop sig, han darrar, ber om förlåtelse, säger att han inte har gjort någonting fel. Jag går fram, tittar på hans blodiga tänder och ger honom en kraftig elstöt på halsen. Han stampar i golvet, fladdrar runt med uppspärrade ögon, slår huvudet i väggen flera gånger, benen spritter runt. Jag gapskrattar. Han glider åt sidan längs räcket, blod rinner ur munnen, och så sjunker han ihop på filtarna i hörnet. Jag ler mot honom, lutar mig fram, ger honom en ny stöt, men kroppen studsar bara som en död gris. Jag ropar mot dörren att det är slut på det roliga, men de kommer in med killens storebror, jag har träffat honom, vi jobbade ihop ett år på Aluminij, fabriken som låg borta vid ...

Marek tystnade, med darrande haka.

– Vad händer nu? frågade jag lågt.

Han satt tyst en stund innan han började tala igen:

– Golvet är täckt av grönt gräs, nu kan jag inte se killen från Mostar längre, det är bara en liten gräskulle där.

– Är inte det konstigt? frågade jag.

– Jag vet inte, kanske det, men jag ser inte rummet längre. Jag är ute, går över en sommaräng, gräset är fuktigt och kallt under mina fötter.

– Vill du återvända till det stora huset?

– Nej.

Försiktigt lyfte jag alla ur hypnosen, såg till att var och en av dem mådde bra innan jag påbörjade samtalet. Marek torkade bort tårarna från kinderna och sträckte på sig. Han hade stora svettfläckar under armarna.

– Jag var tvingad, det var deras grej ... De tvingade mig att tortera mina gamla kamrater, sa han.

– Vi vet, sa jag.

Han tittade på oss med en skygg, sökande blick.

– Jag skrattade för att jag var rädd, jag är inte sådan, jag är inte farlig, viskade han.

– Ingen dömer dig, Marek.

Han sträckte på sig igen och mötte min blick med ett stöddigt ansiktsuttryck.

– Jag gjorde hemska saker, sa han och kliade sig på halsen och skruvade på sig.

– Du var tvingad.

Marek slog ut med händerna.

– Men någonstans är jag så uppfuckad, sa han, att jag längtar tillbaka.

– Gör du det?

– Fan också, kved han. Jag snackar bara, jag vet inte, jag vet ingenting.

– Jag tror att du minns allting perfekt, bröt plötsligt Lydia in i samtalet med ett mjukt leende. Varför vill du inte berätta?

– Håll käften, skrek Marek och gick fram till henne medan han höjde sin hand.

– Sätt dig, ropade jag.

– Marek, du skriker inte åt mig, sa Lydia lugnt.

Han mötte hennes blick och stannade.

– Förlåt, sa han med ett osäkert leende, drog handen över hjässan ett par gånger och satte sig igen.

I pausen stod jag med en kaffemugg i handen och blickade ut genom det uppställda fönstret. Det var en mörk dag, regnet hängde tungt i luften. Vinden som strömmade in var kall och förde med sig en svag doft av löv. Mina patienter började sätta sig tillrätta i det stora terapirummet.

Eva Blau var helt klädd i blått, hon hade målat sina smala läppar med blått läppstift och målat ögonen med blå mascara. Hon verkade som vanligt orolig, lade sin kofta om axlarna och tog av den, om och om igen.

Lydia stod och pratade med Pierre, han lyssnade på henne medan hans ögon och mun drog ihop sig i smärtsamma, repetitiva tics.

Marek hade vänt ryggen mot mig. Hans kroppsbyggarmuskler ryckte medan han letade efter något i sin ryggsäck.

Jag reste mig upp och vinkade in Sibel som genast fimpade mot sin sko och lade ned cigaretten i paketet.

– Låt oss fortsätta, sa jag och tänkte att jag skulle göra ett nytt försök med Eva Blau.

EVA BLAUS ANSIKTE var spänt, ett retsamt leende låg över munnen, de blåmålade läpparna. Jag var vaksam på hennes manipulativa följsamhet. Hon ville inte känna sig tvingad, men jag hade en idé om hur jag skulle kunna betona hypnosens frivillighet för henne. Det var så tydligt att hon behövde hjälp att slappna av och börja sjunka.

När jag sa till gruppen att de skulle låta hakan sjunka till bröstet reagerade Eva omedelbart med ett stort leende. Jag räknade baklänges, jag kände fallet mot min rygg, hur vatten omslöt mig, men behöll hela tiden uppmärksamheten. Eva satt och sneglade på Pierre och försökte andas i samma takt som han.

– Ni sjunker långsamt, sa jag. Djupare ner i vila, i avslappning och behaglig tyngd.

Jag gick bakom mina patienter, såg deras bleka nackar och rundade ryggar, stannade vid Eva och lade en hand på hennes axel. Utan att öppna ögonen vände hon försiktigt upp ansiktet och plutade lite med munnen.

– Nu talar jag bara med Eva, sa jag. Jag vill att du förblir vaken, men hela tiden avslappnad. Du ska lyssna på min röst när jag talar till gruppen, men du ska inte bli hypnotiserad, du ska känna samma lugn, samma behagliga försjunkenhet, men du ska förbli vaken, hela tiden.

Jag kände hur hennes axlar slappnade av.

– Nu riktar jag mig till alla igen. Lyssna på mig. Jag kommer att räkna siffror, fortsatte jag, och för varje siffra sjunker vi djupare ner, längre ner i avslappning, men Eva, du följer bara med i tanken, du är hela tiden medveten och vaken.

Medan jag återvände till min plats räknade jag fallande serier och när jag satte mig på stolen framför dem kunde jag se att Evas ansikte var slött. Hon såg annorlunda ut. Det var nästan svårt att förstå att det var samma människa. Hennes underläpp hängde ner, den våta rosa insidan kontrasterade mot det blå läppstiftet och hon andades mycket tungt. Jag vände mig inåt, släppte taget och sjönk genom vatten i ett mörkt hisschakt. Vi befann oss i ett vrak eller ett översvämmat hus. En ström av svalt vatten mötte mig nerifrån. Luftbubblor och små bitar av tång strömmade förbi.

– Fortsätt ner, djupare, lugnare, manade jag försiktigt.

Efter kanske tjugo minuter stod vi alla djupt under vattnet på ett alldeles slätt stålgolv. Enstaka snäckor hade fått fäste på metallen. Små ansamlingar av alger syntes här och var. En vit krabba kröp över den platta ytan. Gruppen stod i en halvcirkel framför mig. Evas ansikte var blekt och försjunket undrande. Ett grått vattenljus böljade över hennes kinder, speglande och rinnande.

Hennes ansikte såg naket och nästan nunnelikt ut när hon var så djupt avslappnad. En salivbubbla bildades i öppningen till den slappa munnen.

– Eva, jag vill att du ska tala lugnt och dröja kvar vid det du ser.

– Jaha, mumlade hon.

– Berätta för oss andra, försökte jag. Var befinner du dig?

Hon såg plötsligt egendomlig ut. Det var som om hon själv blev förvånad över någonting.

– Jag har gått iväg, jag går på den mjuka stigen med tallbarr och långa kottar, viskade hon. Jag ska kanske gå till kanotklubben och titta in genom fönstret på baksidan.

– Gör du det nu?

Eva nickade och blåste upp kinderna som ett trumpet barn.

– Vad ser du?

– Ingenting, sa hon snabbt och slutet.

– Ingenting?

– Bara en liten sak ... som jag skriver med skolkrita på gatan utanför posten.

– Vad skriver du?

– Bara en struntsak.

– Du ser ingenting i fönstret?

– Nej ... bara en pojke, jag tittar på en pojke, sluddrade hon. Jättesöt, jättegullig. Han ligger i en smal säng, en bäddsoffa. En man med vit frottébadrock lägger sig ovanpå honom. Det ser bra ut. Jag tycker om att titta på dem, jag tycker om pojkar, vill ta hand om dem, pussa dem.

Efteråt satt Eva med ryckande mun och ögon som for fram och tillbaka över oss alla i gruppen.

– Jag var inte hypnotiserad, sa hon.

– Du var avslappnad, det fungerar lika bra, svarade jag.

– Nej, det fungerade dåligt, för jag tänkte inte på vad jag sa, jag sa bara olika saker, det betyder ingenting, det var bara fantasier.

– Finns inte kanotklubben på riktigt?

– Nej, svarade hon tvärt.

– Den mjuka stigen?

– Jag hittade bara på, sa hon med axelryckning.

Det var tydligt att hon var besvärad över att ha varit hypnotiserad, av att ha beskrivit sådant som hon hade varit med om på riktigt. Eva Blau var en person som aldrig annars berättade något om sig själv som hade med verkligheten att göra.

Marek spottade tyst i sin handflata när han märkte att Pierre satt och tittade på honom. Pierre rodnade och vände snabbt bort blicken.

– Jag har aldrig gjort något dumt mot pojkar, fortsatte Eva med högre röst. Jag är snäll, jag är en snäll människa och alla barn tycker om mig. Jag skulle gärna sitta barnvakt. Lydia, jag var hemma hos dig igår, men vågade inte ringa på.

– Gör inte om det, sa Lydia lågt.

– Vad då?

– Kom inte hem till mig, sa hon.

– Du kan lita på mig, fortsatte Eva. Charlotte och jag är redan bästisar. Hon lagar mat åt mig och jag plockar blommor som hon kan ha på bordet.

Det ryckte i Evas läppar när hon vände sig till Lydia igen:

– Jag har köpt en leksak till din pojke, Kasper, det är bara en liten sak, en rolig fläkt som ser ut som en helikopter och så kan man fläkta sig med propellern.

– Eva, sa Lydia mörkt.

– Den är absolut inte farlig, det går inte att göra illa sig på den, jag lovar.

– Du kommer inte hem till mig, sa Lydia. Hör du det?

– Inte idag, det går inte, jag ska hem till Marek, för jag tror att han behöver sällskap.

– Eva, du har hört vad jag har sagt, sa Lydia.

– Jag hinner ändå inte i kväll, log hon tillbaka.

Lydias ansikte blev vitt och stramt. Hon reste sig hastigt upp och lämnade rummet. Eva satt kvar och såg efter henne.

SIMONE HADE ÄNNU inte kommit när jag visades in. Vårt bord stod öde med sin lapp med våra namn i ett glas. Jag satte mig ned och funderade på att beställa en drink innan hon kom. Klockan var tio minuter över sju. Jag hade själv bokat bordet på restaurangen KB nere på Smålandsgatan. Det var min födelsedag idag och jag kände mig glad. Det var sällan vi hann gå ut nuförtiden, hon var upptagen med sitt galleriprojekt och jag med min forskning. När vi väl hade en gemensam kväll tillsammans valde vi oftast att stanna i soffan med Benjamin, framför en film eller ett tevespel.

Jag lät blicken gå över väggens kakofoni av bilder: smala, hemlighetsfullt leende män och frodiga kvinnor. Väggmålningen gjordes en kväll efter Konstnärsklubbens möte på övervåningen. Det var Grünewald, Chatam, Högfeldt, Werkmäster och de andra stora modernisterna som samarbetade. Simone visste förmodligen exakt hur den hade kommit till och jag log för mig själv när jag tänkte på hur hon skulle hålla en föreläsning för mig om hur dessa hyllade män hade trängt undan och utestängt de kvinnliga kollegorna.

Klockan var tjugo minuter över sju när jag fick in ett martiniglas med Absolut vodka, några stänk Noilly Prat och en lång virvel limeskal. Jag beslöt mig för att vänta med att ringa Simone och försökte låta bli att känna irritation.

Jag smakade på drinken och märkte jag att jag höll på att bli orolig. Motvilligt tog jag upp min telefon, slog Simones nummer och väntade.

– Simone Bark.

Hon lät disträ, det ekade om hennes röst.

– Sixan, det är jag. Var är du?

– Erik? Jag är i lokalen. Vi målar och ...

Det blev helt tyst i luren. Sedan hörde jag Simone stöna högt.

– Åh nej. Nej. Du får förlåta mig, Erik. Jag glömde helt bort det. Det har varit så otroligt mycket hela dagen, rörmokaren och elektrikern och ...

– Så du är kvar i lokalen?

Jag kunde inte dölja besvikelsen i rösten.

– Ja, jag är helt nedsölad med gips och målarfärg ...

– Vi skulle ju äta tillsammans, sa jag matt.

– Jag vet, Erik. Förlåt mig. Jag glömde bort det ...

– Vi fick i varje fall ett bra bord, tillade jag sarkastiskt.

– Det är ingen idé att du väntar på mig, suckade hon och fastän jag hörde hur ledsen hon var kunde jag inte låta bli att känna mig arg på hela situationen.

– Erik, viskade hon i luren. Förlåt mig.

– Det är okej, sa jag och lade på.

Det var inte värt att gå någon annanstans, jag var hungrig och befann mig på en restaurang. Snabbt vinkade jag åt mig kyparen och beställde in en silltallrik med öl till förrätt, knaperstekt ankbröst med tärnat fläsk och apelsinsky och ett glas Bordeaux till varmrätt och som avslutning en Gruyère Alpage med honung.

– Du kan ta bort det andra kuvertet, sa jag till kyparen som gav mig en beklagande blick när han hällde upp det tjeckiska ölet i mitt glas och dukade fram sill och knäckebröd.

Jag önskade att jag hade haft med mig mitt anteckningsblock åtminstone så att jag hade kunnat göra någon nytta medan jag åt.

Telefonen ringde plötsligt i min innerficka och en glädjefantasi om att Simone hade skojat med mig och var på väg in genom dörren dök upp och försvann igen som en rök.

– Erik Maria Bark, sa jag och hörde hur entonig min röst lät.

– Hej, det är Maja Swartling.

– Maja, ja hej, sa jag kort.

– Jag tänkte fråga ... Oj, vad skränigt det låter omkring dig, ringer jag olämpligt?

– Jag sitter på KB, sa jag. Det är min födelsedag, lade jag till utan att veta varför.

– Jamen grattis, det låter som om ni är många runt bordet.

– Det är bara jag, sa jag korthugget.

– Erik ... jag är ledsen för att jag försökte förleda dig. Jag skäms som en hund, förklarade hon lågt.

Jag hörde hur hon harklade sig i andra änden av luren och sedan försökte hon låta neutral när hon fortsatte:

– Jag tänkte fråga om du ville läsa utskrifterna från mina första samtal med dig. De är färdiga och jag är på väg att lämna in dem till min handledare, men om du vill läsa före honom så ...

– Lägg dem i mitt fack är du snäll, sa jag.

Vi tog farväl och jag slog i det sista ölet i glaset, tömde det och kyparen dukade av för att nästan omedelbart återkomma med ankbröstet och rödvinet.

Jag åt med en sorgsen tomhet, övermedveten om tuggandets och sväljandets mekanik, bestickens återhållna skrapningar mot tallriken. Drack mitt tredje glas vin och lät bilderna på väggen förvandlas till människorna i min patientgrupp. Den fylliga damen som behagfullt samlade sitt mörka hår i nacken så att de svällande brösten lyfte sig var Sibel. Den spensligt ängslige kostymklädde mannen var Pierre. Jussi stod gömd bakom en egendomlig, grå form och Charlotte satt vid ett runt bord, finklädd och uppsträckt i ryggen med Marek, som var klädd i barnslig kostym.

Jag vet inte hur länge jag suttit och stirrat på väggbilderna, när en andfådd röst plötsligt hördes bakom mig:

– Tack och lov att du är kvar!

Det var Maja Swartling.

Hon log stort och gav mig en kram som jag besvarade stelt.

– Grattis på födelsedagen, Erik.

Jag kände hur rent hennes tjocka svarta hår luktade, och en svag doft av jasmin gömde sig någonstans i hennes nackgrop.

Hon pekade på stolen mittemot mig.

– Får jag?

Jag tänkte att jag borde avvisa henne och förklara att jag lovat mig själv att inte träffa henne igen. Hon borde ha vetat bättre än att komma hit. Men jag tvekade, för trots allt var jag tvungen att erkänna att jag blivit glad över att få sällskap.

Hon stod där vid stolen och väntade på ett svar.

– Jag har svårt att säga nej till dig, sa jag och hörde samtidigt tvetydigheten. Jag menar bara ...

Hon satte sig, vinkade till sig kyparen och beställde in ett glas vin. Sedan tittade hon finurligt på mig och lade en ask framför min tallrik.

– Det är bara en liten sak, förklarade hon och blev ännu en gång blossande röd om kinderna.

– En present?

Hon ryckte på axlarna.

– Bara något rent symboliskt ... jag visste ju inte att du fyllde år förrän för tjugo minuter sedan.

Jag öppnade asken och upptäckte till min förvåning något som såg ut som en miniatyrkikare.

– Det är en anatomisk kikare, berättade Maja. Min farfarsfar uppfann den. Jag tror minsann att han fick nobelpriset – inte för kikaren, visserligen. Det var på den tiden bara svenskar och norrmän fick priset, tillade hon urskuldande.

– En anatomisk kikare, upprepade jag undrande.

– Hur som helst, den är rätt söt och väldigt antik. Det var en tramsig present, jag vet ...

– Men sluta, den är ...

Jag såg henne i ögonen, såg hur vacker hon var.

– Det var oerhört snällt av dig, Maja. Tusen tack.

Jag lade försiktigt ned kikaren i asken igen och stoppade den i fickan.

– Mitt glas är redan slut, sa hon förvånat. Ska vi ta in en flaska?

Klockan var mycket när vi bestämde oss för att gå vidare till Riche som låg helt nära Dramaten. Vi höll på att falla när vi skulle hänga in i garderoben, Maja stödde sig mot mig och jag tog fel på avståndet till väggen. När vi återfått balansen och mötte garderobiärens dystra, gravallvarliga ansikte, började Maja skratta så att jag fick leda henne in i ett hörn av lokalen.

Det var trångt och varmt. Vi drack varsin gin och tonic, stod tätt ihop, försökta tala och kysstes plötsligt häftigt. Jag kände hennes bakhuvud slå i väggen när jag tryckte mig mot henne. Musiken dånade, hon talade i mitt öra, upprepade att vi skulle åka hem till henne.

Vi rusade ut och satte oss i en taxi.

– Vi ska bara till Roslagsgatan, sa hon sluddrande. Roslagsgatan 17.

Chauffören nickade och svängde ut i taxifilen på Birger Jarlsgatan. Klockan var kanske två och himlen hade ljusnat. Husen som flimrade förbi var blekt grå som skuggor. Maja lutade sig mot mig och jag trodde att hon tänkte sova när jag kände hennes hand smeka mitt skrev. Jag fick omedelbart erektion och hon viskade ”oj då” och skrattade lågt mot min hals.

Jag var inte säker på hur vi kom upp i hennes lägenhet. Jag minns att jag stod i hissen och slickade hennes ansikte, kände smaken av salt och läppstift och puder, skymtade mitt eget berusade ansikte i den flammiga hisspegeln.

Maja stod i hallen, släppte sin jacka till golvet och sparkade av sig skorna. Hon drog med mig till sängen, hjälpte mig av med kläderna, fick av sig klänningen och de vita trosorna.

– Kom, viskade hon. Jag vill känna dig inuti mig.

Jag lade mig tungt mellan hennes lår och kände att hon var mycket våt, jag sjönk bara in i värmen och det hårt omslutande, kramande. Hon stönade i mitt öra, höll mig om ryggen, rörde mjukt på höfterna.

Vi låg med varandra slarvigt och berusat. Jag blev allt mer främmande för mig själv, alltmer ensam och stum. Jag närmade mig orgasm, tänkte att jag skulle dra mig ur, men gav istället bara efter för en krampaktig och snabb utlösning. Hon andades hastigt. Jag låg flämtande kvar, slaknade och gled ur henne. Mitt hjärta slog fortfarande hårt. Jag såg Majas läppar sära sig i ett märkligt leende som gjorde mig illa till mods.

Jag mådde illa, förstod inte längre vad som hade hänt, vad jag gjorde här.

Jag satte mig upp i sängen bredvid henne.

– Vad är det? frågade hon och smekte min rygg.

Jag skakade bort hennes hand.

– Sluta, sa jag kort.

Mitt hjärta dånade av ångest.

– Erik? Jag trodde . . .

Hon lät ledsen. Jag kände att jag inte kunde se på henne, jag var arg på henne. Det var naturligtvis mitt fel, det som hänt. Men det hade aldrig hänt om hon inte hade varit så pådrivande.

– Vi är bara trötta och fulla, viskade hon.

– Jag måste gå, sa jag med kvävd röst, tog mina kläder och raglade in på toaletten. Den var mycket liten och fylld med krämer, borstar, handdukar. På några krokar hängde en luddig morgonrock och en rosa rakapparat i ett mjukt, tjockt snöre. Jag vågade inte se på mitt eget ansikte när jag sköljde av mig över hennes handfat, tvättade mig med en ljusblå tvål som var formad som en ros och sedan darrande klädde på mig medan jag slog i väggen med armbågarna gång på gång.

När jag kom ut stod hon och väntade. Hon hade virat sitt lakan om sig och såg mycket ung och orolig ut.

– Är du arg på mig? frågade hon och jag såg hennes läppar darra som om hon var på väg att börja gråta.

– Jag är arg på mig själv, Maja. Jag borde aldrig, aldrig ...

– Men jag ville det, Erik. Jag är kär i dig, märker du inte det?

Hon försökte le mot mig men hennes ögon fylldes med tårar.

– Du får inte behandla mig som skit nu, viskade hon och sträckte ut handen för att röra vid mig.

Jag flyttade mig undan och sa att det här hade varit ett misstag i en mer avfärdande ton än jag velat.

Hon nickade och sänkte blicken. Hennes panna var rynkad och ledsen. Jag sa inte adjö, lämnade bara lägenheten och slog igen dörren efter mig.

Jag gick hela vägen till Karolinska sjukhuset. Kanske kunde jag få Simone att tro på att jag hade behövt vara ensam och sovit över i mitt arbetsrum.

PÅ MORGONEN TOG jag en taxi hem till huset i Järfälla från Karolinska sjukhuset. Det ilade i kroppen av dov vämjelse inför alkoholen jag hade druckit, äckel inför allt dumt prat jag hävt ur mig. Det fick inte vara sant att jag hade bedragit Simone. Det kunde inte vara sant. Maja var vacker och rolig men helt ointressant för mig. Så hur i all världen hade jag kunnat låta mig smickras till att gå i säng med henne?

Jag visste inte hur jag skulle kunna berätta det här för Simone, men det var nödvändigt, jag hade gjort ett misstag, det gör människor, men man kan faktiskt förlåta varandra om man pratar, förklarar.

Jag tänkte att jag aldrig skulle släppa Simone. Jag skulle bli sårad om hon bedrog mig, men jag skulle förlåta henne, jag skulle inte lämna henne för en sådan sak.

*

Simone stod i köket och hällde upp kaffe i en kopp när jag kom in. Hon hade på sig sin slitna, blekrosa sidenmorgonrock. Vi hade köpt den i Kina när Benjamin bara var ett år och hon och han hade följt med mig på konferens.

– Vill du ha, frågade hon.

– Ja, tack.

– Erik, jag är så ledsen för att jag glömde din födelsedag.

– Jag sov på Karolinska, förklarade jag och tyckte att den lögnaktiga klangen i min röst borde vara uppenbar för henne.

Hennes rödblonda hår föll ned över hennes ansikte, de bleka fräknarna skimrade dämpat. Utan ett ord gick hon till sovrummet och kom tillbaka med ett paket. Jag rev bort papperet med skämtsam ivrighet.

Det var en box med cd-skivor med bebopsaxofonisten Charlie Parker som innehöll samtliga inspelningar från hans andra besök i Sverige: två spelningar på Stockholms konserthus, två på Göteborgs, en konsert på Amiralen i Malmö och en efterföljande jamsession på Akademiska föreningen, spelningen på Folkets park i Helsingborg, på Jönköpings idrottshus, Folkets park i Gävle och slutligen på jazzklubben Nalen i Stockholm.

– Tack, sa jag.

– Hur ser din dag ut idag? frågade hon.

– Måste tillbaka till jobbet, sa jag.

– Jag tänkte, sa hon. Att vi kanske skulle äta något riktigt gott i kväll tillsammans här hemma.

– Gärna, sa jag.

– Det får inte bli för sent bara. I morgon kommer målarna redan vid sjutiden. Vad i all världen det ska vara bra för. Varför ska de alltid komma så tidigt?

Jag insåg att hon väntade sig ett svar, en reaktion eller ett medhållande.

– Man får ju alltid vänta ändå, mumlade jag.

– Precis, log hon och tog en klunk kaffe. Vad ska vi äta då? Kanske den där rätten med tournedos i portvin och korintsås, minns du den?

– Det var länge sedan, sa jag och kämpade för att inte låta gråtfärdig.

– Var inte arg på mig.

– Det är jag inte, Simone.

Jag försökte le mot henne.

När jag sedan stod i hallen med skorna på och precis var på

väg genom dörren kom Simone ut från badrummet. Hon höll något i handen.

– Erik, frågade hon.

– Ja?

– Vad är det här för något?

Hon höll i Majas anatomiska kikare.

– Jaså, den där. Det är en present, sa jag och hörde skevheten i min röst.

– Den verkar väldigt fin. Ser antik ut. Vem har du fått den av?

Jag vände mig bort för att slippa möta hennes blick.

– En patient, bara, sa jag och försökte låta tankspridd medan jag låtsades leta efter mina nycklar.

Hon skrattade häpet.

– Jag trodde inte att läkare fick ta emot saker av sina patienter. Är inte det oetiskt?

– Jag borde kanske lämna tillbaka den, sa jag och öppnade ytterdörren.

Simones blickar brände i min rygg. Jag borde ha talat med henne, men var för rädd för att förlora henne. Jag vågade inte, visste inte hur jag skulle börja.

*

Vi skulle inleda vår session om några minuter. Det luktade starkt av rengöringsmedel i korridoren. Ränder av fukt slingrade sig i långa banor där poleringsvagnen gått fram. Charlotte kom ifatt mig, jag hörde hennes steg långt innan hon började tala.

– Erik, sa hon försiktigt.

Jag stannade och vände mig om.

– Välkommen tillbaka.

– Förlåt för att jag bara försvann, sa hon.

– Jag har undrat hur du tog hypnosen.

– Jag vet inte, log hon. Jag vet bara att jag har känt mig gladare och säkrare den här veckan än jag gjort på många år.

– Det var vad jag hoppades.

Min telefon ringde, jag ursäktade mig och såg hur Charlotte försvann runt hörnet till nästa korridor. Jag tittade på displayen. Det var Maja. Jag svarade inte, tryckte bara bort hennes samtal och såg sedan att hon hade ringt flera gånger. Utan att förmå mig att lyssna av dem raderade jag alla meddelanden hon lämnat i röstbrevlådan.

När jag skulle gå in i terapirummet hejdades jag av Marek. Han spärrade dörren och log ett tomt, främmande leende mot mig.

– Vi har lite kul här inne, sa han.

– Vad håller du på med? frågade jag.

– Det är en privat fest.

Jag hörde någon skrika genom dörren.

– Släpp in mig, Marek, sa jag.

Han flinade:

– Men doktorn, det går inte just nu …

Jag knuffade mig in, dörren slog upp, Marek tappade balansen, höll sig fast i handtaget men hamnade ändå på golvet, sittande med ena benet utsträckt.

– Jag skojade ju bara, sa han. Det var ju bara ett skämt för i helvete.

Alla patienter stirrade på oss, frusna i sina rörelser. Pierre och Charlotte såg oroliga ut, Lydia tittade till på oss och vände sedan ryggen mot mig igen. En underlig stämning utgick från gruppen. Framför Lydia stod Sibel och Jussi. Sibels mun var öppen och det såg ut som om hennes ögon var fulla av tårar.

Marek reste sig och borstade av byxorna med handen.

Jag konstaterade att Eva Blau ännu inte hade kommit, gick till stativet och började arrangera kameran inför sessionen. Jag panorerade, zoomade in och testade mikrofonen genom hörlurarna. I kameralinsen såg jag Lydia le mot Charlotte och hörde henne samtidigt säga med ett glatt utrop:

– Precis! Det är alltid så med barn! Min Kasper, han pratar inte om annat, det är bara, bara Spindelmannen.

– Jag har förstått att alla är galna i honom just nu, log Charlotte.

– Kasper har ingen pappa, så Spindelmannen fungerar kanske som en manlig förebild, sa Lydia och skrattade så att det dånade i hörlurarna. Men vi har det bra, fortsatte hon. Vi skrattar mycket, även om det varit lite bråk den senaste tiden, det är som att Kasper är svartsjuk på allt jag gör, han vill förstöra mina saker, vill inte att jag ska prata i telefon, han slängde min favoritbok i toaletten, han skriker saker ... jag tänker att det måste ha hänt något, men han vill inte berätta.

Charlotte fick ett oroat uttryck i ansiktet, Jussi grymtade något och jag såg Marek göra en otålig gest mot Pierre.

När jag var färdig med kamerainställningarna gick jag fram till min stol och satte mig. Några ögonblick senare hade alla intagit sina platser.

– Vi fortsätter som förra gången, sa jag och log.

– Min tur, sa Jussi lugnt och började berätta om sitt kråkslott: föräldrahemmet uppe i Dorotea, södra Lappland. Med stora marker intill Sutme, där samerna ända in på sjuttiotalet levde i kåtor. Jag bor helt nära Djuptjärnen, berättade han. Sista biten går på gamla timmervägar. Om somrarna kommer ungdomar dit och badar. De tycker att det är spännande med Näcken.

– Näcken? frågade jag.

– Folk har sett honom sitta och spela fiol vid Djuptjärnen i mer än trehundra år.

– Men inte du?

– Nej, log han stort.

– Fast vad gör du där inne i skogen hela året, frågade Pierre småleende.

– Jag köper upp gamla bilar och bussar, reparerar dem och säljer vidare, det ser ut som ett skrotupplag på tomten.

– Är det ett stort hus? frågade Lydia.

– Nej, men grönt ... Farsan målade om kåken en sommar. En konstig ljusgrön färg blev det. Vet inte vad han tänkte, hade kanske fått färgen av någon.

Han tystnade och Lydia log mot honom.

Det var svårt att få ned gruppen i avslappning denna dag. Kanske var det jag som var disträ på grund av Maja, eller för att jag oroade mig över att ha reagerat alltför kraftigt på Mareks provokation. Men jag inbillade mig nästan att någonting hade hänt i gruppen, något som jag inte visste om. Det krävdes flera vändor fram och tillbaka mot djupet, innan jag kände hur vi alla föll likt tunga, ovala lod mot bråddjupet.

Jussis underläpp sköt fram, kinderna hängde.

– Jag vill att du tänker att du är i jakttornet, sa jag.

Jussi viskade någonting om rekylen mot axeln, ömheten som dröjde kvar.

– Sitter du i jakttornet nu? frågade jag.

– Det är frost i det höga ängsgräset, sa han tyst.

– Se dig omkring. Är du ensam?

– Nej.

– Vem är där?

– Ett rådjur rör sig i det svarta skogsbrynet. Hon skäller. Söker efter ungen.

– Men i tornet, är du ensam i tornet?

– Jag är alltid ensam med bössan.

– Du pratade om rekylen – har du redan skjutit? frågade jag.

– Skjutit?

Han gjorde en gest med huvudet som om han pekade ut en riktning.

– Ett djur är stilla, sa han lågt, sedan flera timmar, men det andra sparkar fortfarande i det blodiga gräset, tröttare och tröttare.

– Vad gör du?

– Jag väntar, det har redan börjat mörkna när jag ser en ny rörelse i skogsbrynet. Jag siktar på ena klöven, men ångrar mig, jag siktar på ett öra istället, på den lilla svarta nosen, knäet, nu kände jag rekylen igen, jag tror att jag sköt av benet.

– Vad gör du nu?

Jussi andades tungt och med långa mellanrum mellan andetagen.

– Jag kan inte gå hem ännu, sa han till slut. Så jag går till bilen, lägger bössan i baksätet och tar med mig spaden bort.

– Vad ska du göra med spaden?

Han gjorde en lång paus som om han begrundade min fråga. Sedan svarade han lågt:

– Jag gräver ned djuren.

– Vad gör du sedan? frågade jag.

– När jag är klar har det blivit helt mörkt, jag går till bilen, dricker kaffe ur termosmuggen.

– Vad gör du när du kommer hem?

– Hänger av mig i grovköket.

– Vad händer?

– Jag sitter på bänken framför teven, bössan ligger på golvet, han är laddad, men flera steg bort, framför gungstolen.

– Vad gör du, Jussi? Är det ingen hemma?

– Gunilla flyttade förra året. Farsan dog för femton år sedan. Jag är ensam med gungstolen och bössan.

– Du sitter på bänken framför teven, sa jag.

– Ja.

– Händer det någonting nu?

– Nu är han vänd mot mig.

– Vem? frågade jag.

– Bössan.

– Som ligger på golvet?

Han nickade och väntade. Det stramade kring hans mun.

– Gungstolen knarrar, sa han. Hon knarrar, men låter mig vara för den här gången.

Plötsligt var Jussis tunga ansikte mjukt igen, men blicken var fortfarande mycket glansig, avlägsen och inåtvänd.

Det blev dags för en paus. Jag lyfte dem ur hypnosen och växlade några ord med var och en. Jussi mumlade något om en spindel och slöt sig sedan. Jag gick på toaletten, Sibel försvann mot rökrummet och Jussi ställde sig som vanligt vid fönstret. När jag kom tillbaka hade Lydia tagit fram en burk saffransskorpor som hon bjöd runt.

– De är helt ekologiska, sa hon och gjorde en gest åt Marek att ta flera.

Charlotte log och åt en smula från ena kanten.

– Har du bakat dem själv? frågade Jussi med ett oväntat leende, som gav hans tunga, kraftiga ansikte en fin lyster.

– Det var nära att jag inte hann, sa Lydia och skakade leende på huvudet. Jag hamnade i ett bråk på en lekplats.

Sibel fnittrade högt och åt sin skorpa i ett par kraftiga tuggor.

– Det var Kasper. När vi gick till lekplatsen i morse som vi brukar, så var det en mamma som kom fram till mig och berättade att Kasper hade slagit hennes flicka i ryggen med en spade.

– Shit, viskade Marek.

– Jag blev alldeles kall när jag hörde det, sa Lydia.

– Hur gör man i situationer av det slaget? frågade Charlotte artigt.

Marek tog en skorpa till och lyssnade på Lydia med en min i ansiktet som fick mig att undra om han var förälskad i henne.

– Jag vet inte, jag förklarade för mamman att jag tog mycket allvarligt på det här, ja, jag var nog ganska upprörd faktiskt. Men hon sa att det inte var så farligt, att hon trodde att det varit en olyckshändelse.

– Det är klart, sa Charlotte. Barn leker ju så vilt.

– Men jag lovade att jag skulle prata med Kasper, att jag skulle ta tag i det här, fortsatte Lydia.

– Bra, nickade Jussi.

– Hon sa att Kasper verkade vara en jättegullig kille, sa Lydia leende.

Jag satte mig på min stol och bläddrade i anteckningsboken, ville gärna komma igång igen med hypnosen så fort som möjligt. Det var Lydias tur igen.

Hon mötte min blick och log försiktigt. Alla var tysta, förväntansfulla och jag påbörjade mitt arbete. Det vibrerade av vår andning i rummet. En mörk tystnad, tätare och tätare, följde våra hjärtslag. Vi sjönk med varje utandning. Efter induktionen ledde mina ord dem nedåt och efter ett tag vände jag mig mot Lydia:

– Du går djupare, sjunker försiktigt, du är mycket avslappnad, armarna är tunga, benen är tunga och ögonlocken tunga. Du andas långsamt och lyssnar till mina ord utan att ställa motfrågor, du är omsluten av mina ord, du är trygg och följsam: Lydia, du befinner dig just nu tätt intill det du inte vill tänka på, det som du aldrig talar om, som du vänder dig bort ifrån, det som alltid ligger dolt vid sidan av det varma ljuset.

– Ja, svarade hon suckande.

– Du är där nu, sa jag.

– Jag är mycket nära.

– Var är du i denna stund, var befinner du dig?

– Hemma.

– Hur gammal är du?

– Trettiosju.

Jag betraktade henne. Speglingar och reflexer drog över hennes höga, släta panna, den lilla nätta munnen och den nästan sjukligt vitbleka hyn. Jag visste att hon hade fyllt trettiosju år för två veckor sedan. Hon hade inte flyttat sig långt bakåt i tiden som de andra, utan bara några få dagar.

– Vad händer? Vad är det som är fel? frågade jag.

– Telefonen . . .

– Vad är det med telefonen?

– Den ringer, den ringer igen, jag lyfter luren och lägger på direkt.

– Du kan vara lugn, Lydia.

Hon såg trött ut, kanske bekymrad.

– Maten kommer att kallna, sa hon. Jag har gjort mjölksyrade grönsaker, linssoppa och bakat bröd. Tänkte äta framför teven, men det går visst inte ...

Hennes haka darrade och blev sedan lugn.

– Jag väntar en stund, vinklar upp persiennerna och tittar ut på gatan. Ingen är där, ingenting hörs. Jag sätter mig vid köksbordet och äter lite hett bröd med smör, men har ingen aptit. Jag går ner till gillestugan igen, det är som vanligt kyligt där, jag sitter i den gamla lädersoffan och blundar. Jag måste samla mig, jag måste samla krafter.

Hon tystnade, remsor av sjögräs föll och kom mellan oss.

– Varför måste du samla krafter? frågade jag.

– För att orka ... för att orka resa mig, gå förbi den röda rislampan med kinesiska tecken och brickan med doftljus och slipade stenar. Golvbräderna som sviktar och knarrar under plastmattan ...

– Är det någon där? frågade jag Lydia lågt, men ångrade mig genast.

– Jag tar käppen, trycker ner bubblan i mattan för att kunna öppna dörren, andas lugnt och går in och tänder lampan, sa hon. Kasper blinkar i ljuset men ligger kvar. Han har kissat i hinken. Det luktar starkt. Han har den ljusblå pyjamasen på sig. Han andas snabbt. Jag petar på honom med käppen genom gallret. Han kvider till, flyttar sig lite och sätter sig upp i buren. Jag frågar om han har ändrat sig och han nickar ivrigt. Jag skjuter in hans tallrik med mat. Bitarna av torsk har skrumpnat ihop och mörknat. Han kryper fram och äter och jag blir glad och ska precis säga att det är bra att vi förstår varandra när han kräks på madrassen.

Lydias ansikte stramade i en plågad grimas.

– Jag som trodde att ...

Läpparna var spända, mungiporna drogs ner.

– Jag trodde att vi var färdiga, men ...

Hon skakade på huvudet.

– Jag fattar bara inte ...

Hon slickade sig om munnen.

– Begriper du hur det känns för mig? Gör du det? Han säger förlåt. Jag upprepar att det är söndag i morgon, slår mig själv i ansiktet och skriker åt honom att titta.

Charlotte betraktade Lydia genom vattnet med rädda ögon.

– Lydia, sa jag, nu ska du lämna källaren, utan att vara rädd eller arg, du ska känna dig lugn och samlad. Jag ska långsamt lyfta dig ur denna djupa avslappning, upp till ytan, upp till klarhet och tillsammans ska vi tala om det du precis berättade, bara du och jag, innan jag lyfter de andra ur hypnosen.

Hon morrade lågt, trött.

– Lydia, lyssnar du på mig?

Hon nickade.

– Jag kommer att räkna baklänges och när jag kommer till ett, då öppnar du ögonen och är helt vaken och medveten, tio, nio, åtta, sju, du stiger mjukt mot ytan, är alldeles avslappnad och behaglig i kroppen, sju, sex, fem, fyra, du ska snart öppna ögonen, men sitta kvar på stolen, tre, två, ett ... nu öppnar du ögonen och är helt vaken.

Våra ögon möttes. Lydias ansikte hade fått något hoptorkat över sig. Det här var ingenting jag hade räknat med. Jag var fortfarande alldeles kall av det hon hade berättat. Om sekretesslagen måste vägas mot uppgiftsskyldigheten var det här ett solklart fall där tystnadsplikten inte längre var giltig eftersom en tredje part helt uppenbart var i fara.

– Lydia, sa jag. Förstår du att jag måste kontakta de sociala myndigheterna?

– Varför?

– Det du berättade gör mig tvungen.

– På vilket sätt?

– Förstår du inte det?

Lydias läppar drogs bakåt.

– Jag har inte sagt någonting.

– Du beskrev hur ...

– Håll käften med dig, klippte hon av. Du känner inte mig, du har ingenting med mitt liv att göra, du har ingen rätt att lägga dig i vad jag gör i mitt eget hem.

– Jag misstänker att ditt barn ...

– Du håller bara käften, skrek hon och lämnade rummet.

JAG HADE PARKERAT intill en hög granhäck hundra meter från Lydias stora trähus på Tennisvägen i Rotebro. Socialsekreteraren hade gått med på min begäran att få följa med vid det första hembesöket. Min polisanmälan hade tagits emot med viss skepsis, men givetvis lett till en förundersökning.

En röd Toyota körde förbi mig och stannade utanför huset. Jag lämnade bilen och gick fram till den korta, kraftiga kvinnan och hälsade.

Ur brevlådan stack det upp blöta reklamblad från Clas Ohlson och Elgiganten. Den låga grinden stod öppen. Vi fortsatte uppför gången mot huset. Jag lade märke till att det inte fanns några leksaker i den vanvårdade trädgården. Ingen sandlåda, ingen gunga i det gamla äppelträdet, ingen cykel med stödhjul på uppfarten. Persiennerna var nerdragna i alla fönster. Döda krukväxter hängde i amplar. En skrovlig stentrappa ledde upp till ytterdörren. Jag tyckte att jag anade en rörelse bakom den gula, ogenomskinliga fönsterrutan. Socialsekreteraren ringde på. Vi väntade, men ingenting hände. Hon gäspade och tittade på klockan, ringde på igen och kände sedan på handtaget. Dörren var olåst. Hon öppnade och vi tittade in i en liten hall.

– Hallå? ropade socialsekreteraren. Lydia?

Vi gick in, tog av oss skorna och fortsatte genom en dörr till en korridor med rosa tapeter på väggarna och tavlor på mediterande människor med starka ljussken kring sina huvuden. En rosa telefon låg på golvet bredvid ett hallbord.

– Lydia?

Jag öppnade en dörr och såg en smal trappa ned till en källare.

– Det är här nere, sa jag.

Socialsekreteraren följde mig utför trappan och ned till gillestugan med en gammal skinnsoffa och ett bord vars skiva utgjordes av bruna kakelplattor. På en bricka stod några doftljus bland slipade stenar och glasbitar. En djupröd rislampa med kinesiska tecken hängde från taket.

Med bultande hjärta försökte jag öppna dörren till det andra rummet, men den fastnande mot en stor bubbla i plastmattan. Jag tryckte ned bubblan med foten och gick in, men det fanns ingen bur där inne. Mitt på golvet stod istället en upp och nedvänd cykel med avtaget framhjul. Reparationsutrustningen låg bredvid en blå låda av hårdplast. Gummilappar, klister, hylsnycklar. En av de blanka hakarna var inkilad under kanten till däcket och spänd mot ekrarna. Plötsligt knakade det i taket och vi förstod att någon gick rakt över golvet i rummet ovanför. Utan att växla ett ord skyndade vi uppför trappan. Dörren till köket stod på glänt. Jag såg att det låg brödskivor och smulor på det gula linoleumgolvet.

– Hallå? ropade socialsekreteraren.

Jag gick in och såg att kylskåpsdörren var öppen. I det bleka skenet från belysningen stod Lydia med nedslagen blick. Först efter några sekunder upptäckte jag kniven i hennes hand. Det var en lång, tandad brödkniv. Armen hängde slappt efter hennes sida. Knivbladet glimmade darrande intill låret.

– Du får inte vara här, viskade hon och tittade plötsligt på mig.

– Okej, sa jag och flyttade mig baklänges mot dörren.

– Ska vi sätta oss och prata lite? frågade socialsekreteraren neutralt.

Jag öppnade dörren mot korridoren och såg att Lydia närmade sig långsamt.

– Erik, sa hon.

När jag började stänga dörren såg jag att Lydia sprang emot mig. Jag rusade genom hela korridoren till hallen, men dörren var låst. Lydias snabba steg närmade sig. Ett jämrande läte hördes från henne. Jag slet upp en annan dörr och snubblade in i ett teverum. Lydia ryckte upp dörren och följde efter mig. Jag krockade med en fåtölj, fortsatte fram till balkongdörren, men det gick inte att rubba handtaget. Lydia sprang med kniven mot mig, jag tog skydd bakom matsalsbordet, hon följde efter mig, jag fortsatte runt, flyttade mig undan.

– Det är ditt fel, sa hon.

Socialsekreteraren sprang in i rummet. Hon var mycket andfådd.

– Lydia, sa hon strängt. Nu slutar du upp med de här dumheterna.

– Allt är hans fel, sa Lydia.

– Vad menar du? frågade jag. Vilket är mitt fel?

– Det här, svarade Lydia och drog kniven över sin hals.

Hon såg mig i ögonen medan blod skvätte ned över hennes förkläde och nakna fötter. Munnen darrade. Kniven föll till golvet. Ena handen trevade efter stöd. Hon sjönk ned och blev sittande på ena höften som en sjöjungfru.

ANNIKA LORENTZON LOG besvärat. Rainer Milch sträckte sig fram över bordet och hällde upp Ramlösa med ett raspande ljud av kolsyra. Hans manschettknapp blixtrade till i kungsblått och guld.

– Du förstår nog varför vi ville prata med dig så fort som möjligt, sa Peder Mälarstedt och rättade till slipsen.

Jag såg på mappen som de räckt mig. Där stod att Lydia hade lämnat in en anmälan mot mig. Hon hävdade att jag hade drivit henne till självmordsförsöket genom att pressa henne att erkänna påhittade saker. Hon anklagade mig för att ha haft henne som ett försöksdjur och planterat in falska minnen i hennes huvud under djuphypnos, att jag från första början hade trakasserat henne hänsynslöst och cyniskt inför de andra tills hon var helt nedbruten.

Jag tittade upp från papperen.

– Det här är inte ett skämt, eller hur?

Annika Lorentzon vände bort blicken. Holsteins mun var öppen och hans ansikte var fullständigt uttryckslöst när han sa:

– Det är din patient, det är allvarliga saker hon påstår.

– Jamen, det är ju helt uppenbart lögner, sa jag upprört. Det finns ingen möjlighet att plantera in minnen under hypnos, jag kan leda dem fram till ett minne, men inte minnas åt dem ... det är som en dörr, jag leder dem fram till dörrar, men jag kan inte öppna dörrarna på egen hand.

Rainer Milch såg allvarligt på mig.

– Bara misstanken skulle kunna rasera all din forskning, Erik, så du förstår nog allvaret i det här.

Jag skakade irriterat på huvudet:

– Hon berättade en sak om sin son som jag bedömde som så allvarlig att jag var tvungen att kontakta de sociala myndigheterna. Att hon skulle reagera på det här viset var ...

Ronny Johansson avbröt mig abrupt:

– Men hon har ju inte ens några barn, det står här.

Han knackade på mappen med ett långt finger. Jag fnös högt och fick en egendomlig blick från Annika Lorentzon.

– Erik, det gynnar dig inte direkt att vara arrogant i det här läget, sa hon lågt.

– När någon står och ljuger rakt upp och ned, log jag argt.

Hon lutade sig fram över bordet.

– Erik, sa hon långsamt, hon har aldrig haft några barn.

– Har hon inga barn?

– Nej.

Det blev tyst i rummet.

Jag såg bubblorna i mineralvattnet stiga mot ytan.

– Jag förstår inte, hon bor kvar i sitt barndomshem, försökte jag förklara så lugnt jag kunde. Alla detaljerna stämde, jag kan inte tro ...

– Du kan inte tro, avbröt Milch. Men du hade fel.

– De kan inte ljuga på det sättet under hypnos.

– Hon var kanske inte hypnotiserad?

– Jo, det var hon, jag märker det, ansiktet förändras.

– Det spelar ingen roll nu, skadan är redan skedd.

– Om hon inte har några barn, jag vet inte, fortsatte jag. Hon talade kanske om sig själv, jag har aldrig varit med om det, men kanske bearbetade hon ett eget barndomsminne på det här viset.

Annika avbröt mig:

– Det kan vara som du säger, absolut, men faktum kvarstår att din patient har gjort ett allvarligt suicidförsök som hon skyller på dig. Vi föreslår att du tar tjänstledigt medan vi undersöker den här historien.

Hon log blekt mot mig.

– Det kommer att ordna sig, Erik, det är jag säker på, sa hon mjukt. Men just nu måste du bara stiga åt sidan tills vi har rett ut alltihop. Vi har helt enkelt inte råd att låta tidningarna gotta sig i det här.

Jag tänkte på mina andra patienter, på Charlotte, Marek, Jussi, Sibel, Pierre och Eva. De var inte människor som jag kunde lämna från en dag till en annan, de skulle känna sig svikna, lurade.

– Jag kan inte, sa jag lågt. Jag har inte gjort något fel.

Annika klappade mig på handen:

– Det kommer att ordna sig, Lydia Evers är uppenbarligen labil och förvirrad, det viktigaste nu är att vi agerar enligt boken. Du begär ledigt från själva hypnosverksamheten medan vi gör en intern bedömning av händelserna. Jag vet att du är en bra läkare, Erik, jag är som sagt säker på att du är tillbaka med din grupp redan ... hon ryckte på axlarna, kanske redan om ett halvår.

– Ett halvår?

Jag reste mig upprört upp.

– Jag har patienter, de litar på mig. Jag kan inte bara lämna dem.

Annikas mjuka leende försvann som när man blåser ut ett ljus. Hennes ansikte blev slutet och hon fick en irriterad ton i rösten när hon sa:

– Din patient har krävt ett omedelbart förbud för din verksamhet. Hon har dessutom lämnat in en polisanmälan mot dig. Det är inga småsaker för oss, vi har investerat i din verksamhet och skulle det visa sig att din forskning inte har hållit måttet måste vi vidta åtgärder.

Jag visste inte vad jag skulle svara utan fick bara lust att skratta åt alltihop.

– Det här är absurt, var det enda jag fick fram.

Sedan vände jag mig om för att gå ut därifrån.

– Erik, ropade Annika efter mig. Förstår du inte att det här är en bra chans?

Jag hejdade mig.

– Men ni kan väl inte tro på det där skitpratet om planterade minnen?

Hon ryckte på axlarna:

– Det är inte det viktiga. Det viktiga är att vi följer reglerna. Ta tjänstledigt från själva hypnosverksamheten, se det som ett erbjudande om förlikning. Du kan fortsätta din forskning, du kan arbeta i lugn och ro, bara du inte praktiserar hypnosterapi medan vi gör vår undersökning ...

– Vad menar du egentligen? Jag kan inte erkänna något som inte är sant.

– Det kräver jag inte heller.

– Det låter så. En begäran om tjänstledighet kommer ju att se ut som om jag erkänner.

– Säg att du begär tjänstledigt, beordrade hon stramt.

– Det här är för fan idiotiskt, skrattade jag och lämnade rummet.

DET VAR SENT PÅ eftermiddagen. Solen glänste i vattenpölarna efter en kort skur, det luktade skog, våt jord och murkna rötter ur marken när jag sprang spåret runt sjön medan jag funderade på Lydias agerande. Jag var ju fortfarande säker på att hon talat sanning under hypnosen – men inte på vilket sätt. Vilken sanning hade hon egentligen sagt? Antagligen beskrev hon ett verkligt, konkret minne, men placerade minnet i fel tid. I hypnosen är det ännu mer påtagligt att det förflutna inte är förflutet, upprepade jag för mig själv.

Jag fyllde lungorna med den kyligt friska försommarluften och spurtade den sista biten hem genom skogen. När jag kom ned på vår gata såg jag en stor, svart bil stå parkerad intill vår uppfart. Två män väntade rastlöst utanför bilen. Den ene speglade sig i den blanka billacken medan han med snabba rörelser rökte en cigarett. Den andre tog några fotografier på vårt hus. De hade inte sett mig ännu. Jag saktade in och undrade om jag skulle kunna vända precis när de upptäckte mig. Mannen med cigaretten trampade snabbt ut glöden med foten, den andre vände hastigt kameran mot mig. Jag var fortfarande andfådd när jag närmade mig dem.

– Erik Maria Bark? frågade mannen som hade stått och rökt.

– Vad vill ni?

– Vi är från kvällstidningen Expressen.

– Expressen?

– Yes, vi skulle vilja ställa några frågor till dig om en av dina patienter ...

Jag skakade på huvudet.

– Det är ingenting jag diskuterar med utomstående.

– Nähä.

Mannens blick gled över mitt rödbrusiga ansikte, min svarta löpartröja, de bylsiga byxorna och toppluvan. Jag hörde fotografen som stod bakom honom hosta. En fågel sköt fram i luften ovanför oss, dess kropp gled i en perfekt båge avspeglad i biltaket. Över skogen såg jag himlen tätna och mörkna. Kanske skulle det bli mer regn i kväll.

– Din patient är intervjuad i morgondagens tidning. Hon säger ganska allvarliga saker om dig, sa journalisten kort.

Jag mötte hans blick. Han hade ett ganska sympatiskt ansikte. Medelålders, en smula lönnfet.

– Du har en chans att bemöta det nu, tillade han lågt.

Fönstren i vårt hus var mörka. Simone var säkert kvar i stan, i sin gallerilokal. Benjamin befann sig fortfarande på förskolan.

Jag log mot mannen och han sa uppriktigt:

– Annars kommer hennes version gå i tryck oemotsagd.

– Jag skulle aldrig drömma om att uttala mig om en patient, förklarade jag långsamt, gick förbi de båda männen mot uppfarten, låste upp ytterdörren, gick in och blev sedan stående i hallen medan jag hörde dem köra iväg.

*

Telefonen ringde redan klockan halv sju nästa morgon. Det var Karolinska sjukhusets chef Annika Lorentzon.

– Erik, Erik, sa hon med pressad röst. Har du läst tidningen?

Simone satte sig upp i sängen bredvid mig, hon gav mig en orolig blick och jag gjorde en avvärjande gest och gick sedan ut i hallen.

– Gäller det hennes anklagelser, så förstår väl alla att det är lögn …

– Nej, avbröt hon gällt. Alla förstår inte det. Många ser henne som en försvarslös, svag och sårbar människa, en kvinna som har blivit utsatt för en synnerligen manipulativ och oseriös läkare. Den mannen som hon har litat allra mest på, anförtrott sig åt, har förrått och utnyttjat henne. Det är vad som står i tidningen.

Jag hörde henne andas häftigt i luren. Hon lät hes och trött när hon fortsatte.

– Det här skadar ju hela vår verksamhet, det förstår du väl.

– Jag skriver en replik, sa jag kort.

– Det räcker inte, Erik. Jag är rädd att det inte räcker.

Hon gjorde en kort paus, sedan sa hon med entonig röst:

– Hon tänker stämma oss.

– Det vinner hon aldrig, fnös jag.

– Du förstår fortfarande inte allvaret i det här, eller hur, Erik?

– Vad säger hon då?

– Jag föreslår att du går och köper tidningen. Sedan bör du nog sätta dig ned och fundera på hur du ska bemöta det här. Du är kallad till styrelsen idag klockan 16:00.

När jag såg mitt ansikte över löpsedlarna var det som om mitt hjärta saktade ned. Det var en närbild på mig i toppluva och tröja, jag var rödbrusig i ansiktet och såg nästan apatisk ut. Jag klev av cykeln på darrande ben, köpte tidningen och fortsatte hem. Mittuppslaget pryddes av en maskerad bild av Lydia där hon satt hopkurad med en nallebjörn i famnen. Hela inslaget handlade om hur jag, Erik Maria Bark, hade hypnotiserat henne och använt henne som ett försöksdjur och förföljt henne med påståenden om övergrepp och brott. Hon hade enligt reportern gråtit och förklarat att hon inte var intresserad av något skadestånd. Pengar skulle aldrig kunna ersätta henne för det hon hade varit med om. Hon hade blivit helt nedbruten och erkänt saker som jag lagt i hennes mun under djup hypnos. Kulmen på mina förföljelser kom när jag stormade in i hennes hus och uppmanade henne att begå självmord. Hon hade bara velat dö, sa hon, det var som om hon varit med i en sekt där jag var ledaren och att hon inte haft en egen vilja. Det var först när hon legat på sjukhuset som hon äntligen vågade börja ifrågasätta min behandling av henne. Nu krävde hon att jag aldrig mer skulle få lov att göra så mot andra människor.

På nästa sida fanns en bild på Marek från patientgruppen. Han höll med Lydia och sa att min verksamhet var fullständigt livsfarlig och att jag var besatt av att hitta på sjuka saker som de sedan tvingades erkänna under hypnos.

Längre ned på sidan hade experten Göran Sörensen uttalat sig. Jag hade aldrig hört talas om mannen förut. Men här satt han och dömde ut hela min forskning, han jämställde hypnos med seans och antydde att jag förmodligen drogade mina patienter för att få dem att göra som jag ville.

Det blev tomt och tyst i mitt huvud. Jag hörde klockan på köksväggen ticka, hörde bruset från en och annan bil som passerade ute på vägen. Dörren öppnades och Simone kom in. När hon läst tidningen var hennes ansikte likblekt.

– Vad är det som händer? viskade hon.

– Jag vet inte, sa jag och kände att jag var helt torr i munnen.

Jag satt där och stirrade ut i tomma intet. Tänk om jag hade haft fel i mina teorier? Tänk om hypnos inte fungerade på djupt traumatiserade människor? Tänk om det var så, att min vilja att hitta mönster påverkade deras minnen. Jag trodde inte att det var möjligt för Lydia att se ett barn i hypnosen som inte fanns. Jag hade varit övertygad om att hon beskrev ett riktigt minne, men nu började jag känna mig förvirrad.

*

Det var en egendomlig sak att gå den korta sträckan genom entrén till hissen upp mot Annika Lorentzons rum. Ingen i personalen ville se mig i ögonen. När jag passerade folk jag kände och brukade umgås med, såg de bara stressade och beklämda ut, vände bort sina ansikten och skyndade iväg.

Till och med lukten i hissen var främmande. Det luktade ruttna blommor och jag kom att tänka på begravningar, regn, avsked.

När jag gick ut ur hissen slank Maja Swartling hastigt förbi mig. Hon låtsades inte om mig. I dörröppningen till Annika Lorentzons rum stod Rainer Milch och väntade. Han flyttade sig undan och jag gick in och sa hej.

– Erik, Erik, slå dig ned, sa Rainer.

– Tack, jag står hellre, sa jag kort men ångrade mig. Jag undrade fortfarande vad i all världen Maja Swartling hade gjort hos styrelsen. Kanske hade hon kommit dit för att försvara mig. Hon var ju faktiskt en av de få som hade verklig, grundlig kunskap om min forskning.

Annika Lorentzon stod vid fönstret på andra sidan rummet. Jag tänkte att det var både oartigt och egendomligt av henne att inte hälsa mig välkommen. Istället stod hon där med armarna kring kroppen och stirrade sammanbitet ut genom fönstret.

– Vi gav dig en stor chans, Erik, sa Peder Mälarstedt.

Rainer Milch nickade.

– Men du vägrade backa, sa han, du vägrade gå undan frivilligt medan vi gjorde vår undersökning.

– Jag kan tänka om, sa jag lågt. Jag kan …

– Det är för sent nu, avbröt han. Vi hade behövt försvara oss med det i förrgår, idag vore det bara patetiskt.

Annika Lorentzon öppnade munnen.

– Jag … sa hon svagt utan att vända sig om mot mig. Jag ska sitta i Rapport i kväll och förklara hur vi har kunnat låta dig hållas.

– Men jag har inte gjort något fel, sa jag. Att en patient

kommer med befängda anklagelser kan väl inte rubba åratals forskning, otaliga behandlingar som faktiskt alltid har varit oklanderliga ...

– Det är inte bara en patient, avbröt Rainer Milch. Det är flera stycken. Dessutom har vi nu hört en expert uttala sig om din forskning ...

Han skakade på huvudet och tystnade.

– Är det den där Göran Sörensen eller vad han hette? frågade jag irriterat. Honom har jag aldrig hört talas om och han vet uppenbarligen ingenting.

– Vi har en kontakt som har studerat ditt arbete i flera år, förklarade Rainer Milch och kliade sig på halsen. Hon säger att du vill väldigt mycket, men att du bygger nästan alla teser på luftslott. Du har inga bevis och du bortser hela tiden från patienternas bästa för att få rätt.

Jag stod mållös.

– Vad heter er expert? frågade jag till slut.

De svarade inte.

– Heter hon möjligtvis Maja Swartling?

Annika Lorentzons ansikte blev rött.

– Erik, sa hon och vände sig äntligen om mot mig. Du är avstängd från och med idag. Jag vill inte ha dig på mitt sjukhus längre.

– Mina patienter då, jag måste se till...

– De blir förflyttade, avbröt hon mig.

– De kommer att må dåligt av ...

– Det är i så fall ditt fel, sa hon med höjd röst.

Det var helt tyst i rummet. Frank Paulsson stod med ansiktet bortvänt, Ronny Johansson, Peder Mälarstedt, Rainer Milch och Svein Holstein satt med uttryckslösa ansikten.

– Då så, sa jag tomt.

För bara några veckor sedan hade jag stått i samma rum och fått nya medel. Nu var allt slut, i ett enda slag.

När jag kom ut på området framför entrén närmade sig några

människor mig. En mycket lång, blond kvinna höll fram en mikrofon mot mitt ansikte.

– Hej, sa hon friskt. Jag tänkte be dig att kommentera att en annan av dina patienter, en kvinna vid namn Eva Blau, blev intagen förra veckan för psykiatrisk tvångsvård.

– Vad pratar du om?

Jag vände mig bort men fotografen följde efter med tevekameran. Den svarta glansen från objektivet sökte mig. Jag tittade på den blonda kvinnan, såg hennes namnskylt på bröstet, Stefanie von Sydow, såg hennes vita, virkade mössa och handen som vinkade till sig kameran.

– Tror du fortfarande att hypnos är en bra behandlingsform? frågade hon.

– Ja, svarade jag.

– Så du kommer att fortsätta?

DET VITA LJUSET FRÅN de höga sjukhusfönstren i slutet av korridoren var avspeglade i det våttorkade golvet på Södersjukhusets avdelning för sluten psykiatrisk vård. Jag passerade en lång rad låsta dörrar med gummilister och avskavd färg, stannade till vid rumsnumret B39 och såg att mina skor hade efterlämnat torra spår i den blänkande hinnan på golvet.

Hårda dunsar hördes från ett avlägset rum, svag gråt och sedan tystnad. Jag stod en stund och försökte samla tankarna innan jag knackade på dörren, tog upp nyckeln, förde in den i låset, vred och gick in.

Jag drog med mig en doft av bonvax in i ångorna av svett och uppkastningar i det dunkla patientrummet. Eva Blau låg på sängen med ryggen mot mig. Jag gick fram till fönstret och försökte få in ljus, ville lyfta rullgardinen en aning, men fjädringen kärvade. I ögonvrån såg jag att Eva började vända på sig. Jag drog till i rullgardinen, men tappade taget och den for upp med en hård smäll.

– Förlåt, sa jag, jag ville bara få in lite ...

I det plötsliga och skarpa ljuset satt Eva Blau med bittert nerdragna mungipor och tittade på mig med drogad blick. Mitt hjärta slog snabbt. Evas nästipp var avskuren. Kutryggig satt hon med ett blodigt förband om handen och stirrade på mig.

– Eva, jag kom så fort jag fick veta, sa jag.

Hon dunkade försiktigt sin knutna hand mot magen. Det runda såret efter den avskurna näsan lyste rött i hennes plågade ansikte.

– Jag försökte hjälpa er, sa jag. Men jag börjar förstå att jag har haft fel i nästan allt, jag trodde att jag var något viktigt på spåret, att jag förstod hur hypnosen fungerade, men det gjorde jag inte, jag förstod ingenting och jag är ledsen för att jag inte kunde hjälpa er, inte en enda av er.

Hon strök sig med baksidan av handen över näsan och det började rinna blod från såret över hennes mun.

– Eva? Varför har du gjort så här mot dig själv? frågade jag.

– Det var du, du, det är ditt fel, skrek hon plötsligt. Allt är ditt fel, du har förstört mitt liv, tagit allt jag har!

– Jag förstår att du är arg på mig för att ...

– Håll käften, avbröt hon. Du förstår ingenting. Mitt liv är förstört och jag ska förstöra ditt. Jag kan vänta på min tur, jag kan vänta hur länge som helst, men jag kommer att hämnas.

Sedan skrek hon bara rakt ut, med vidöppen mun, hest och vettlöst. Dörren slogs upp och doktor Andersen kom in.

– Du skulle ju vänta utanför, sa han med skärrad röst.

– Jag fick nyckeln av sköterskan, så jag tänkte ...

Han drog ut mig i korridoren, stängde och låste om Eva.

– Patienten är paranoid och ...

– Nej, det tror jag inte, avbröt jag leende.

– Det är min bedömning, av min patient, sa han.

– Ja, förlåt.

– Hundratals gånger varje dag kräver hon att vi ska låsa hennes dörr och låsa in nyckeln i nyckelskåpet.

– Ja, fast ...

– Och hon har sagt att hon inte vittnar mot någon, att vi kan utsätta henne för elchocker och våldtäkt, men hon berättar ingenting. Vad har du egentligen gjort med dina patienter? Hon är rädd, fruktansvärt rädd. Det är inte klokt att du gick in ...

– Hon är arg på mig, men inte rädd för mig, avbröt jag med höjd röst.

– Jag hörde henne skrika, sa han.

Efter besöket på SÖS och mötet med Eva Blau tog jag bilen till tevehuset och bad om att få träffa Stefanie von Sydow, journalisten på Rapport som försökt få mig att göra ett uttalande tidigare på dagen. Receptionisten ringde upp en redaktionsassistent och lämnade över telefonen till mig. Jag sa att jag ställde upp på en intervju om de var intresserade. Efter en liten stund kom assistenten ner. Hon var en ung, kortklippt kvinna med intelligent blick.

– Stefanie kan ta emot dig om tio minuter, sa hon.

– Bra.

– Jag ska visa dig till sminket.

NÄR JAG KOM HEM efter den korta intervjun var hela radhuset mörkt. Jag ropade, men ingen svarade. Simone satt i soffan mitt framför den avstängda teven på övervåningen.

– Har det hänt någonting? frågade jag. Var är Benjamin?

– Han är hos David, svarade hon tonlöst.

– Är det inte dags för honom att komma hem – vad har du sagt?

– Ingenting.

– Men vad är det? Tala med mig, Simone.

– Varför ska jag det? Jag vet inte vem du är, sa hon.

Jag kände oron stiga i kroppen, närmade mig och försökte stryka undan håret från hennes ansikte.

– Rör mig inte, snäste hon och flyttade undan huvudet.

– Vill du inte prata?

– Vill? Det är inte min sak, sa hon. Du borde ha pratat, du borde inte ha låtit mig hitta bilderna själv, borde inte ha låtit mig känna mig som en idiot.

– Vad pratar du om för bilder?

Hon öppnade ett ljusblått kuvert och hällde ut några fotografier: Jag såg mig själv posera i Maja Swartlings lägenhet och sedan en serie bilder på henne iklädd bara ett par ljusgröna trosor. Det mörka håret låg i testar över de breda, vita brösten. Hon såg glad ut, rodnade under ögonen. Ett antal fotografier var mer eller mindre suddiga närbilder på ett bröst. På en av bilderna låg hon med låren brett isär.

– Sixan, jag ska försöka …

– Jag orkar inte med fler lögner, avbröt hon. Inte just nu i alla fall.

Hon slog på teven, bytte till Aktuellt och hamnade mitt i rapporteringen från hypnosskandalen. Annika Lorentzon på Karolinska universitetssjukhuset ville inte kommentera fallet under pågående utredning, men när den pålästa journalisten tog upp de enorma anslag som styrelsen nyligen beviljat Erik Maria Bark blev hon pressad.

– Det var ett misstag, sa hon lågt.

– Vilket var ett misstag, menar du?

– Erik Maria Bark är tillsvidare avstängd.

– Bara tillsvidare?

– Han kommer inte att få hypnotisera fler gånger på Karolinska sjukhuset, sa hon.

Sedan såg jag mitt eget ansikte i bild, jag satt i tevestudion med rädd blick.

– Kommer du att fortsätta hypnotisera på andra sjukhus? frågade journalisten.

Jag såg ut som om jag inte förstod hennes fråga och skakade nästan omärkligt på huvudet.

– Erik Maria Bark, tror du fortfarande att hypnos är en bra behandlingsform? frågade hon.

– Jag vet inte, svarade jag svagt.

– Kommer du att fortsätta?

– Nej.

– Aldrig?

– Jag kommer aldrig mer att hypnotisera någon, svarade jag.

– Är det ett löfte? frågade journalisten.

– Ja.

# 38

*Onsdag förmiddag den sextonde december*

ERIK RYCKER TILL och handen som håller muggen gör en motrörelse och skvätter ut kaffe över kavajen och skjortmanschetten.

Joona tittar undrande på honom, drar fram en servett ur lådan med Kleenex ovanpå bilens instrumentbräda.

Erik blickar ut genom fönstret på det stora gula trähuset, trädgården och gräsmattan med den enorma Nalle Puh-dockan med ditritade huggtänder.

– Är hon farlig? frågar Joona.

– Vem?

– Eva Blau?

– Kanske, svarar Erik. Jag menar, hon kan mycket väl göra farliga saker.

Joona stänger av motorn, de kopplar loss sina säkerhetsbälten och öppnar dörrarna.

– Räkna inte med för mycket bara, säger Joona på sin melankoliska finlandssvenska. Liselott Blau har kanske ingenting med Eva att göra.

– Nej, svarar Erik drömmande.

De går uppför gången av flat, gråsvart skiffer. Små runda snöflingor, nästan som hagel, men inte av is, utan av snö, virvlar runt i luften. Det liknar en vit slöja om man höjer blicken, ett mjölkaktigt dis framför det stora trähuset.

– Men vi måste vara försiktiga, säger Joona. För det här kan faktiskt vara kråkslottet.

Hans symmetriska, vänliga ansikte lyser upp i ett svagt leende. Erik stannar till mitt på gången. Han känner att det blöta tyget kring handleden har blivit kallt. Det luktar gammalt kaffe om honom.

– Kråkslottet är ett hus i forna Jugoslavien, säger Erik. Det är en lägenhet i Jakobsberg och en gymnastiksal i Stocksund, ett ljusgrönt hus uppe i Dorotea och så vidare.

Han kan inte låta bli att le när han möter Joonas undrande blick.

– Kråkslottet är inte ett specifikt hus, det är en term, förklarar Erik. Hypnosgruppen kallade det för kråkslottet ... platsen där övergreppet hade ägt rum.

– Jag tror att jag förstår, säger Joona. Var fanns Eva Blaus kråkslott?

– Det är det som är problemet, säger Erik. Hon var den enda som inte hittade fram till sitt kråkslott. Hon beskrev aldrig någon central plats, till skillnad från de andra.

– Det är kanske här, säger Joona och pekar mot huset.

De fortsätter med stora steg uppför skiffergången. Erik trevar i fickan efter asken med papegojan. Han mår illa, det är som om han fortfarande är omtöcknad av sina minnen. Han kliar sig hårt i pannan, vill ta en tablett, han längtar efter en tablett, vad som helst, men vet att han måste var fullständig klar i huvudet nu. Han måste sluta med tabletter, det går inte längre, han kan inte gömma sig längre, han måste hitta Benjamin innan det är för sent.

Erik trycker in knappen till ringklockan, hör den tunga klangen genom massivt trä och måste tvinga sig själv att inte slita upp dörren, rusa in och ropa på Benjamin. Joona har handen innanför jackan. Dörren öppnas efter en stund av en ung kvinna med glasögon, rött hår och ansamlingar av små ärr på båda kinderna.

– Vi söker Liselott Blau, säger Joona.

– Det är jag, svarar hon avvaktande.

Joona tittar på Erik och förstår att den rödhåriga kvinnan inte är den kvinna som kallade sig för Eva Blau.

– Vi letar egentligen efter Eva, säger han.

– Eva? Vilken Eva? Vad gäller saken? frågar kvinnan.

Joona visar sin polislegitimation och frågar om de får komma in en stund. Hon vill inte släppa in dem och Joona ber henne att ta på sig en jacka och komma ut istället. Några minuter senare står de på den hårda, frostiga gräsmattan och talar med rykande ånga framför munnarna.

– Jag bor ensam, säger hon.

– Det är ett stort hus.

Kvinnan ler smalt:

– Jag har det gott ställt.

– Är Eva Blau en släkting till dig?

– Jag känner inte till någon Eva Blau har jag sagt.

Joona visar tre bilder på Eva som han har skrivit ut från den konverterade videoupptagningen, men den rödhåriga kvinnan skakar bara på huvudet.

– Titta ordentligt, säger Joona allvarligt.

– Säg inte åt mig vad jag ska göra, snäser hon.

– Nej, men jag ber dig att ...

– Jag betalar din lön, avbryter hon långsamt. Det är mina skattepengar som betalar din lön.

– Titta på bilden igen är du snäll, säger han.

– Jag har aldrig sett henne.

– Det är viktigt, förklarar Erik.

– För er kanske, säger kvinnan. Men inte för mig.

– Hon kallar sig för Eva Blau, fortsätter Joona. Blau är ett ganska ovanligt namn i Sverige.

Erik ser plötsligt en gardin röra sig på övervåningen. Han rusar upp mot huset och hör de båda andra ropa efter honom. Han springer in genom dörren, genom hallen, blickar runt, ser den breda trappan och kliver med stora steg uppför den.

– Benjamin, ropar han och stannar.

Korridoren sträcker sig i båda riktningarna med dörrar till sovrum och badrum.

– Benjamin? säger han lågt.

Golvet knarrar någonstans. Han hör hur den rödhåriga kvinnan kommer inrusande på undervåningen. Erik försöker förstå i vilket fönster han såg gardinen fladdra till, går snabbt till höger mot dörren längst bort i korridoren. Han försöker öppna den, men känner att den är låst. Erik böjer sig och tittar in genom nyckelhålet. Nyckeln sitter i, men han tycker sig ana en rörelse av mörka speglingar i metallen.

– Öppna dörren, säger han med höjd röst.

Den rödhåriga kvinnan har börjat gå uppför trappan.

– Du får inte vara här inne, ropar hon.

Erik tar ett steg bakåt, sparkar upp dörren och går in. Rummet är tomt: en stor obäddad säng med rosa lakan, blekrosa heltäckande matta och garderobsdörrar med röktonade speglar. En kamera på ett stativ är riktad mot sängen. Han går fram och öppnar garderoben, det finns ingen där, han vänder sig runt, tittar på de tunga gardinerna, fåtöljen och böjer sig sedan ner och ser en människa krypa ihop i mörkret under sängen: rädda, skygga ögon, smala lår och nakna fötter.

– Kom ut, säger han strängt.

Han sträcker sig in, får tag om en ankel och drar fram en naken yngling. Pojken försöker förklara något, han talar snabbt och intensivt med Erik på ett språk som låter som arabiska medan han drar på sig ett par jeans. Täcket rör sig i sängen, en annan pojke tittar fram och säger något i en hård ton till kamraten som genast tystnar. I dörren står den rödhåriga kvinnan och upprepar med darrande röst att han ska låta hennes vänner vara.

– Är de minderåriga? frågar Erik.

– Ut ur mitt hus, säger hon rasande.

Den andre pojken har svept in sig i täcket. Han tar fram en cigarett och betraktar Erik leende.

– Ut! skriker Liselott Blau.

Erik går genom korridoren och nedför trappan. Kvinnan följer efter honom, skriker med hes röst att han ska dra åt helvete. Erik lämnar huset och följer skiffergången. Joona väntar på uppfarten med det dragna vapnet dolt intill kroppen. Kvinnan stannar i dörren.

– Ni får inte göra så här, ropar hon. Det är inte tillåtet, polisen måste ha domstolsbeslut för att gå in så här.

– Jag är inte polis, ropar Erik tillbaka.

– Men ... jag tänker anmäla det här.

– Gör det om du vill, säger Joona. Jag kan ta emot anmälan, för jag är som sagt polis.

# 39

*Onsdag eftermiddag den sextonde december*

INNAN DE KOMMER ut på Norrtäljevägen svänger Joona in till vägkanten. En lastbil med flaket fyllt av dammande stenkross passerar. Han tar fram en papperslapp från jackfickan och läser:

– Jag har fem till Blau i Stockholmsområdet, tre i Västerås, två i Eskilstuna och en i Umeå.

Han viker ihop papperet igen och ler uppmuntrande mot Erik.

– Charlotte, säger Erik lågt.

– Det fanns ingen Charlotte, säger Joona och tar bort en fläck på backspegeln.

– Charlotte Cederskiöld, svarar Erik. Hon var snäll mot Eva. Jag tror att Eva fick låna ett rum av henne på den tiden.

– Var hittar vi Charlotte tror du?

– Hon bodde i Stocksund för tio år sedan, men ...

Joona har redan slagit numret till polisen.

– Hej, Anja. Ja, tack det samma. Vet du, jag behöver telefonnummer och adress till en Charlotte Cederskiöld. Hon bor i Stocksund, eller gjorde det förut i varje fall. Ja, tack. Okej, vänta, säger han, får upp en penna och skriver på ett kvitto. Tack så mycket.

Han slår på det vänstra blinkerljuset och svänger ut på körbanan igen.

– Bodde hon kvar? frågar Erik.

– Nej, men vi hade tur ändå, säger han. Hon bor i närheten av Rimbo.

Erik känner att det hugger till i magtrakten av oro. Han vet inte varför hennes flytt från Stocksund känns skrämmande, kanske borde han tolka det omvänt.

– Husby säteri, säger Joona och trycker in en skiva i cd-spelaren.

Han mumlar att det är mammas musik och höjer försiktigt ljudet.

– Sarja Varjus, ropar han.

Han skakar sorgset på huvudet och sjunger med:

– Dam dam da da di dum ...

Det ekar av den sorgsna musiken i hela bilen. När sången är slut sitter de tysta en kort stund, sedan säger Joona med nästan förvånad röst:

– Jag tycker inte om finsk musik längre.

Han harklar sig ett par gånger.

– Det var en fin sång tycker jag, säger Erik.

Joona ler och ger honom en snabb sidoblick:

– Mamma var med när hon blev tangodrottning i Seinäjoki ...

När de lämnar den breda och hårt trafikerade Norrtäljevägen och svänger av på väg 77 vid Sätuna faller ett hårt, snöblandat regn över bilen. Det mörknar österöver och gårdarna som de passerar blir långsamt allt dunklare i skymningen.

Joona trummar på instrumentbrädan. Den elektriskt upphettade luften strömmar susande ut ur ventilerna. Erik känner hur hans fötter blir fuktiga av den egendomliga värmen i bilen.

– Nu ska vi se, säger Joona för sig själv och fortsätter genom det lilla samhället och in på en rak smal väg efter frostiga åkrar. Långt bort syns ett stort vitt hus bakom ett högt stängsel. De parkerar utanför de öppna grindarna och går den sista biten upp mot huset. En ung kvinna i skinnjacka står och krattar grusgången. Hon ser rädd ut när de närmar sig. Runt hennes ben springer en golden retriever.

– Charlotte, ropar kvinnan. Charlotte.

En kvinna kommer gående runt det väldiga huset släpande en svart sopsäck efter sig. Hon är klädd i rosa dunväst och tjock grå tröja, slitna jeans och gummistövlar.

Charlotte, tänker Erik. Det är verkligen Charlotte.

Borta är den slanka, svala kvinnan med eleganta kläder och välvårdad, kort page. Den människa som går dem till mötes ser helt annorlunda ut. Hennes hår är långt och helt grått i en tjock fläta. Ansiktet är fullt av skrattrynkor och alldeles osminkat. Hon är vackrare än någonsin, tänker Erik. När hon får syn på honom går det som ett hett bloss över hennes ansikte. Hon ser först helt häpen ut och sedan börjar hon le stort.

– Erik, säger hon och hennes röst är oförändrad: djup, artikulerad och varm.

Hon släpper sopsäcken och tar hans händer.

– Är det du? Så underbart att få se dig igen.

Hon hälsar på Joona och sedan står hon stilla en kort stund och betraktar dem. En kraftig kvinna öppnar ytterdörren och tittar på dem. Hon är tatuerad på halsen och bär en bylsig, svart munkjacka.

– Behöver du hjälp? ropar hon.

– Vänner till mig, ropar Charlotte och vinkar avvärjande.

Charlotte ser leende efter den stora kvinnan när hon stänger dörren igen.

– Jag har ... jag gjort säteriet till ett kvinnohus. Det finns så gott om plats, så jag tar emot kvinnor som behöver komma bort eller vad man ska säga. Jag låter dem bo här, vi lagar mat tillsammans, sköter stället ... tills de känner att de vill göra något eget igen, det är faktiskt mycket okomplicerat alltsammans.

– Det låter bra, säger Erik.

Hon nickar och gör en gest mot dörren som för att bjuda med dem in.

– Charlotte, vi måste få tag på Eva Blau, säger Erik. Minns du henne?

– Visst minns jag henne. Hon var min första gäst här. Jag hade rummen i flygeln och …

Hon avbryter sig.

– Konstigt att du nämnde henne, börjar hon om. Eva ringde till mig för bara någon vecka sedan.

– Vad ville hon?

– Hon var arg, säger Charlotte.

– Ja, suckar Erik.

– Varför var hon arg? frågar Joona.

Charlotte drar efter andan. Erik hör hur det blåser genom de kala trädgrenarna, han ser att någon har försökt bygga en snögubbe av den lilla snön som fallit.

– Hon var arg på Erik.

Han känner hur det kryper i honom när han tänker på Eva Blaus vassa ansikte, den aggressiva rösten, de klippande ögonen och avskurna nästippen.

– Du lovade att inte hypnotisera fler gånger, men plötsligt, för en vecka sedan, börjar du igen. Det var på varenda löpsedel, de talade om det i teve. Naturligtvis var det många som blev upprörda.

– Jag var tvungen, säger Erik. Men det var bara ett undantag.

Hon tar hans hand i sin.

– Du hjälpte mig, viskar hon. Den gången då jag såg … minns du?

– Jag minns, säger Erik lågt.

Charlotte ler mot honom.

– Det räckte, jag gick in i kråkslottet, höjde blicken och såg dem som gjort mig illa.

– Jag vet.

– Det hade aldrig skett utan dig, Erik.

– Fast jag …

– Någonting i mig blev helt här inne, säger hon med en gest mot hjärtat.

– Var är Eva nu? frågar Joona.

Charlotte rynkar pannan lätt.

– När hon blev utskriven flyttade hon till en lägenhet i Åkersberga centrum och gick med i Jehovas vittnen. Den första tiden hade vi en hel del kontakt. Jag hjälpte henne med pengar, men sedan tappade vi bort varandra. Hon trodde att hon var förföljd, pratade mycket om att söka skydd, om att det onda var ute efter henne.

Charlotte blir stående framför Erik.

– Du ser ledsen ut, säger hon.

– Min son är försvunnen, Eva är vårt enda spår.

Charlotte ser bekymrat på honom.

– Må det ordna sig.

– Vad heter hon – vet du det? frågar Erik.

– På riktigt, menar du? Det säger hon inte till någon, hon vet kanske inte ens själv.

– Okej.

– Men hon kallade sig för Veronica nu när hon ringde.

– Veronica?

– Veronicas svetteduk, det är därifrån.

De omfamnar varandra kort och sedan skyndar Erik och Joona tillbaka till bilen. När de kör söderut, i riktning mot Stockholm, pratar Joona återigen i telefon. Han ber om hjälp att hitta en Veronica i Åkersberga centrum och en adress till Jehovas vittnen, församlingen eller Rikets sal.

Erik hör Joona tala medan ett slags tung utmattning fyller hans huvud. Han tänker på hur minnena hade rusat fram genom honom och känner sina ögon sakta sluta sig.

– Ja, Anja, jag skriver, hör han Joona säga. Västra Banvägen ... vänta, Stationsvägen 5, okej, tack.

Som om tiden har knutit en svans kring sig själv och fångat sin egen tåt, vaknar Erik till när de kör i en lång nedförsbacke längs en golfbana.

– Vi är snart framme, säger Joona.

– Jag somnade, säger Erik mest till sig själv.

– Eva Blau ringde Charlotte samma dag som du figurerade på landets alla löpsedlar, funderar Joona.

– Och nästa dag blev Benjamin kidnappad, säger Erik.

– För att någon fick syn på dig.

– Eller för att jag bröt mitt löfte att aldrig hypnotisera igen.

– I så fall är det mitt fel, säger Joona.

– Nej, det var …

Erik tystnar, han vet inte riktigt vad han ska säga.

– Jag är ledsen, säger Joona med blicken på vägen.

De passerar en lågprisaffär med sönderslagna rutor. Joona kisar i backspegeln. En kvinna med slöja går och sopar upp glasskärvorna på marken.

– Jag vet inte vad som hände med Eva när jag hade henne som patient, säger Erik. Hon skadade sig själv och blev alldeles paranoid, gav mig och min hypnos skulden för allting, jag borde aldrig ha tagit emot henne i gruppen, jag borde inte ha hypnotiserat någon.

– Men Charlotte hjälpte du, invänder Joona.

– Det verkar så, säger Erik tyst.

Precis efter cirkulationsplatsen passerar de ett järnvägsspår, svänger till vänster vid idrottsplatsen, kör över en å och stannar vid de stora grå bostadshusen.

Joona pekar på handskfacket.

– Kan du ge mig pistolen igen.

Erik öppnar luckan och räcker över det tunga vapnet. Joona kontrollerar loppet och magasinet och ser till att pistolen är säkrad innan han stoppar den i fickan.

De skyndar sig över parkeringsplatsen och passerar gården med gungor, sandlåda och klätterställning.

Erik pekar ut riktningen mot porten, höjer blicken och ser blinkande ljusslingor och parabolantenner på nästan alla balkonger.

En gammal kvinna står med sin rollator innanför den låsta

dörren till trapphuset. Joona knackar och vinkar glatt. Hon tittar på dem och skakar på huvudet. Joona visar sin polislegitimation i fönstret, men hon skakar bara på huvudet igen. Erik letar i fickorna och hittar ett kuvert med kvitton som han skulle lämna till lönekontoret. Han går fram till fönsterrutan, knackar och visar upp kuvertet. Kvinnan går då genast fram till dörren och trycker på knappen för det elektriska låset.

– Är det posten? frågar hon knarrande.

– Expressbrev, svarar Erik.

– Här är det så mycket gråt och skrik, viskar kvinnan in mot väggen.

– Vad sa du? frågar Joona.

Erik tittar på namntavlan och hittar Veronica Andersson på första våningen. Den trånga trappan är målad med stora signaturer i röd sprejfärg. Det luktar illa från sopnedkastet. De stannar utanför dörren med namnet Andersson och ringer på. Leriga spår från barnstövlar leder både uppför och nedför trappan.

– Ring på igen, säger Erik.

Joona öppnar brevinkastet och ropar att han har ett brev från Vakttornet till henne. Erik ser hur kommissariens huvud stöts tillbaka som av en tryckvåg.

– Vad är det?

– Jag vet inte, men jag vill att du väntar utanför, säger Joona med stressad blick.

– Nej, svarar Erik.

– Jag går in ensam.

Ett glas går i golvet bakom någon av dörrarna på den första våningen. Joona tar fram ett etui med två tunna stålföremål. Det ena är böjt i spetsen och det andra liknar en mycket smal nyckel.

Som om Joona avläst Eriks tankar mumlar han att det är helt i sin ordning att ta sig in i en lägenhet utan domstolsbeslut på husrannsakan.

– Det räcker med goda skäl enligt den nya författningssamlingen, säger han.

Han har precis fört in det första instrumentet i nyckelhålet när Erik sträcker fram en hand och känner på dörren. Den är inte låst. En kraftig stank väller ut när dörren svänger upp. Joona drar sitt vapen och gör en skarp gest åt Erik att vänta utanför.

Erik hör sitt hjärta slå i bröstet, hör blodet susa i öronen. Tystnaden är så fruktansvärt illavarslande. Benjamin finns inte här. Lamporna i trapphuset slocknar och mörkret rör sig rullande mot honom. Det är inte alldeles svart, men hans ögon har svårt att hitta fasta punkter.

Joona står plötsligt framför honom.

– Jag tror att du måste komma med mig in, Erik, säger han.

De går in och Joona tänder taklampan. Dörren till badrummet står vidöppen. Lukten av förruttnelse är outhärdlig. I det repiga badkaret utan vatten ligger Eva Blau. Ansiktet är svullet och flugor kryper kring munnen och surrar i luften. Den blå blusen har hasat upp; magen är utspänd och blågrön. Längs båda hennes armar löper djupa svarta snitt. Blustyget och det blonda håret är fastkletat i det koagulerade blodet. Hennes hud är blekgrå och ett tydligt brunt nätverk av ådror syns över hela kroppen. Det stillastående blodet har ruttnat i sitt system av vener. Ansamlingar av små gula flugägg syns i hennes ögonvrår och kring näsöppningarna och munnen. Blodet har svämmat upp ur avrinningsbrunnen och runnit ut på den lilla badrumsmattan. Fransarna och kanten har mörknat. En blodig kökskniv ligger i karet bredvid kroppen.

– Är det hon? frågar Joona.

– Ja. Det är Eva.

– Hon har varit död minst en vecka, säger han. Buken har hunnit svullna upp ordentligt.

– Jag förstår det, svarar Erik.

– Så det var inte hon som tog Benjamin, konstaterar Joona.

– Jag måste fundera, säger Erik. Jag trodde …

Han blickar ut genom fönstret och ser den låga tegelbyggnaden på andra sidan järnvägsspåret. Eva kunde se Rikets sal från sitt fönster. Han tänker att det antagligen gjorde henne tryggare.

# 40

*Torsdag förmiddag den sjuttonde december*

SIMONE KÄNNER PLÖTSLIGT en droppe blod tränga fram ur underläppen. Hon har bitit sig själv utan att märka det. All energi går åt till att avstyra tankarna. Pappa har blivit påkörd av en bil, nu ligger han här i ett skuggigt rum på Sankt Görans sjukhus sedan ett par dagar tillbaka och ingen har ännu kunnat avgöra hur svårt skadad han är. Det enda hon vet är att smällen hade kunnat döda honom. En stålhård kula av huvudvärk rullar i hennes huvud. Hon har förlorat Erik, hon kanske har förlorat Benjamin och nu är det möjligt att hon förlorar sin pappa också.

Hon vet inte för vilken gång i ordningen det är, men för säkerhets skull tar hon återigen upp sin mobil, kontrollerar att den fungerar och lägger den sedan i väskans ytterfack, där hon lätt ska få tag i den om den mot förmodan skulle börja ringa.

Sedan lutar hon sig över sin pappa och rättar till hans filt. Han sover, men det hörs inte ett ljud. Kennet Sträng är förmodligen den ende mannen i världen som inte för oväsen när han sover, det har hon tänkt många gånger.

Han har ett kritvitt bandage kring pannan. Under bandaget kryper en mörk skugga fram, det är ett blåmärke som sträcker sig över ena kinden. Han ser annorlunda ut: den kraftiga blodutgjutningen, den svullna näsan och mungipan som bara hänger ned.

Men han är inte död, tänker hon. Han lever, det gör han. Och Benjamin lever med, det vet hon, det måste han göra.

Simone tar några steg fram och tillbaka i rummet. Hon tänker på hur hon häromdagen hade kommit hem från Sim Shulman och pratat med sin pappa i telefonen precis innan olyckan skedde. Han hade sagt att han hittat Wailord, han skulle åka till en plats som hette havet. Det var någonstans ute på Loudden.

Simone ser på sin pappa igen. Han sover tungt.

– Pappa?

Hon ångrar sig genast. Han vaknar inte, men en plågad min far som en sky över hans sovande ansikte. Simone känner försiktigt på såret på underläppen. Hennes blick faller på en adventsljusstake. Hon ser på sina skor i de blåa plastskydden. Hon tänker på en eftermiddag för många år sedan då hon och Kennet såg mamman vinka och sedan försvinna i sin gröna lilla Fiat.

Simone ryser, huvudvärken slår tungt mot tinningarna. Hon drar koftan tätare omkring sig. Plötsligt hör hon Kennet stöna lågt.

– Pappa, säger hon som ett litet barn.

Han öppnar ögonen. De verkar grumliga, inte riktigt vakna. Ena ögonvitan är täckt av blod.

– Pappa, det är jag, säger Simone. Hur är det med dig?

Hans blick irrar förbi henne. Hon blir plötsligt rädd att han inte kan se.

– Sixan?

– Jag är här, pappa.

Hon sätter sig försiktigt bredvid honom och tar hans hand. Hans ögon stänger sig igen, ögonbrynen drar ihop sig som om han hade ont.

– Pappa, frågar hon lågt, hur mår du?

Han försöker komma åt att klappa henne på handen, men orkar inte riktigt.

– Jag är snart på benen, rosslar han. Oroa dig inte.

Det blir tyst. Simone försöker hålla undan sina tankar, försöker styra bort huvudvärken, försöker parera den framrusande oron. Hon vet inte om hon vågar pressa honom i det här tillståndet, men paniken tvingar henne att göra ett försök.

– Pappa? frågar hon lågt. Minns du vad vi talade om precis innan du blev påkörd?

Han kisar trött mot henne och skakar på huvudet.

– Du sa att du visste var Wailord var någonstans. Du pratade om havet, minns du det? Du sa att du skulle åka ut till havet.

Kennets ögon glimmar till, han gör en ansats att sätta sig upp, men sjunker stönande ned igen.

– Pappa, berätta för mig, jag måste veta var det är någonstans. Vem är Wailord? Vem är det?

Han öppnar munnen, hakan skakar när han viskar:

– Ett ... barn ... det är ... ett barn ...

– Vad säger du?

Men Kennet har slutit ögonen och tycks inte längre höra henne. Simone går fram till fönstret och ser ut över sjukhusområdet. Hon känner hur det drar kallt. En smutsig rand löper utmed glaset. När hon andas mot det, ser hon ett kort ögonblick avtrycket av någons ansikte i imman. Någon annan har stått precis där och lutat sig mot glaset.

Kyrkan som ligger på andra sidan vägen är mörk, gatlyktorna speglas i de svarta bågfönstren. Hon tänker på att Benjamin skrev till Aida att hon inte fick släppa iväg Nicke till havet.

– Aida, säger hon lågt. Jag åker och pratar med Aida och den här gången ska hon berätta allt för mig.

*

Det är Nicke som öppnar när Simone ringer på hos Aida. Han tittar undrande på henne.

– Hej, säger hon.

– Jag har fått nya kort, berättar han ivrigt.

– Vad roligt, säger hon.

– Det är några tjejkort, men många jättestarka.

– Är din syster hemma, frågar Simone och klappar Nicke på armen.

– Aida! Aida!

Nicke springer in i hallmörkret och försvinner bort i lägenheten.

Simone står och väntar. Så hör hon ett egendomligt pumpande ljud, något klirrar svagt och efter en stund ser hon en mager, kutryggig kvinna komma emot henne. Hon drar en liten vagn efter sig där det sitter en syrgastub fastmonterad. Från tuben går en slang till kvinnan, den pumpar in syre i hennes näsborrar genom tunna, genomskinliga plaströr.

Kvinnan knackar på sitt bröst med en smal knytnäve.

– Em ... fysem, väser hon och sedan drar hennes rynkiga ansikte ihop sig i en hes, ansträngd hostattack.

När hon äntligen tystnat gör hon en gest åt Simone att komma in. De går tillsammans genom den långa, mörka hallen tills de kommer in i ett vardagsrum som är fyllt av tunga möbler. På golvet, mellan ett stereorack med glasdörr och den låga tevebänken, leker Nicke med sina pokémonkort. I den bruna soffan, inklämd mellan två stora palmväxter, sitter Aida.

Simone känner knappt igen henne. Hon är helt osminkad. Ansiktet är näpet och mycket ungt, hela hon ser späd ut. Håret är blankborstat och samlat i en noggrann hästsvans.

Hon sträcker ut handen mot ett cigarettpaket och tänder en cigarett med darrande händer samtidigt som Simone kommer in i rummet.

– Hej, säger Simone. Hur är det med dig?

Aida rycker på axlarna. Det ser ut som om hon gråtit. Hon drar ett bloss och lyfter upp ett grönt fat mot cigarettglöden som om hon är rädd att tappa aska på möblerna.

– Sätt ... dig ... väser mamman åt Simone som slår sig ned i en av de breda fåtöljerna som trängs intill soffan, bordet och palmerna.

Aida askar i det gröna fatet.

– Jag kommer precis från sjukhuset, säger Simone. Min pappa har blivit påkörd. Han var på väg till havet, till Wailord.

Nicke reser sig plötsligt häftigt upp. Hans ansikte är illrött.

– Wailord är arg, så arg, så arg.

Simone vänder sig till Aida som sväljer hårt och sedan sluter ögonen.

– Vad handlar det här om? frågar Simone. Wailord? Vad är det frågan om?

Aida fimpar, sedan säger hon med ostadig röst:

– De har försvunnit.

– Vilka?

– Ett gäng som var dumma mot oss. Nicke och mig. De var hemska, de skulle märka mig, de skulle göra ett ...

Hon tystnar och ser på sin mamma som gör ett fnysande ljud.

– De skulle göra ett bål ... av mamma, säger Aida långsamt.

– Skit ... kukar ... väser mamman från den andra fåtöljen.

– De använder namn från pokémon, de heter Azelf, Magmortar eller Lucario. De byter ibland, man förstår inte.

– Hur många är de?

– Jag vet inte, kanske bara fem, svarar hon. De är småungar, den som är äldst är som jag, den minsta är säkert bara sex år. Men de bestämde att alla som bodde här skulle ge dem något, säger Aida och möter för första gången Simones blick. Hennes ögon är bärnstensbruna, vackra, klara, men fulla av rädsla. Småungarna fick ge bort godis, pennor, fortsätter hon med sin tunna röst. De tömde spargrisarna för att slippa stryk. Andra gav dem sina grejer, mobiler, Nintendospel. De fick min jacka, de fick cigaretter. Och Nicke, honom bara slog de, tog allt han hade, de var så dumma mot honom.

Hennes röst dör ut och tårar tränger fram i hennes ögon.

– Har de tagit Benjamin? frågar Simone rakt ut.

Aidas mamma viftar med handen:

– Den ... pojken ... är ... inte ... bra ...

– Svara mig, Aida, säger Simone häftigt. Du svarar mig nu!

– Gapa ... inte åt min ... dotter, väser mamman.

Simone skakar på huvudet åt henne och säger en gång till, ännu skarpare:

– Du ska berätta vad du vet nu, hör du det!

Aida sväljer hårt.

– Jag vet inte så mycket, säger hon till slut. Benjamin gick emellan, sa att vi inte skulle ge de här killarna någonting. Wailord blev som galen, han sa att det var krig, krävde oss på massor av pengar.

Hon tänder en ny cigarett, tar skakande ett bloss, askar försiktigt i det gröna fatet och fortsätter sedan:

– När Wailord fick veta att Benjamin var sjuk gav han ungarna nålar för att de skulle rispa honom ...

Hon tystnar och rycker på axlarna.

– Vad hände? frågar Simone otåligt.

Aida biter sig i läpparna, drar bort en flaga från tungan.

– Vad hände?

– Wailord slutade bara, viskar hon. Plötsligt var han borta. De andra ungarna har jag sett, de gav sig på Nicke häromdagen. Nu följer de en som kallar sig för Ariandos, men de är bara förvirrade och desperata sedan Wailord försvann.

– När var det, när försvann Wailord?

– Jag tror, Aida tänker efter, jag tror att det var förra onsdagen. Alltså tre dagar innan Benjamin försvann.

Hennes mun börjar darra.

– Wailord har tagit honom, viskar hon. Wailord har gjort något fruktansvärt med honom. Nu vågar han inte visa sig ...

Hon börjar gråta hårt och krampaktigt, Simone ser hennes mamma resa sig mödosamt upp, ta cigaretten ur hennes hand och långsamt fimpa den i det gröna fatet.

– Jävla ... missfoster, väser mamman och Simone har inte någon aning om vem mamman syftar på.

– Vem är Wailord? frågar hon igen. Du måste berätta för mig vem han är.

– Jag vet inte, skriker Aida. Jag vet inte!

Simone tar fram fotografiet av gräsplätten och buskarna mot det bruna staketet som hon hittade i Benjamins dator.

– Titta på det här, säger hon hårt.

Aida ser på utskriften med slutet ansikte.

– Vad är det här för plats? frågar Simone.

Aida rycker på axlarna och ger sin mamma en kort blick.

– Ingen aning, säger hon tonlöst.

– Men det är ju du som har skickat fotografiet till honom, invänder Simone irriterat. Det kom ju från dig, Aida.

Flickans blick glider undan och söker sig återigen till mamman som sitter med den pysande syrgastuben vid fötterna.

Simone viftar med papperet framför hennes ansikte.

– Titta på det, Aida. Titta igen. Varför skickade du det här till min son?

– Det var bara på skoj, viskar hon.

– På skoj?

Aida nickar.

– Typ, skulle du vilja bo här, säger hon svagt.

– Jag tror inte på dig, konstaterar Simone sammanbitet. Nu säger du sanningen!

Mamman reser sig upp igen och viftar åt henne:

– Din tattare ... ut ur mitt hus nu ...

– Varför ljuger du? frågar Simone och möter äntligen Aidas blick.

Flickan ser oändligt ledsen ut.

– Förlåt, viskar hon med liten röst. Förlåt.

När Simone är på väg därifrån möter hon Nicke. Han står i mörkret i hallen och gnuggar sig i ögonen.

– Jag har ingen kraft, jag är en värdelös pokémon.

– Du har visst kraft, säger Simone.

# 41

*Torsdag middag den sjuttonde december*

NÄR SIMONE KOMMER in i Kennets sjukrum sitter han upp i sängen. Hans ansikte har fått lite mer färg och han ser ut som om han vetat att hon skulle kliva över tröskeln just då.

Simone går fram, böjer sig ned och lägger försiktigt sin kind mot hans.

– Vet du vad jag drömde, Sixan? frågar han.

– Nej, ler hon.

– Jag drömde om min far.

– Om farfar?

Han skrattar lågt.

– Kan du tänka dig det? Han stod i verkstaden, svettig och glad. Pojken min, sa han bara. Alltså, jag kan fortfarande känna den där diesellukten ...

Simone sväljer. Det sitter en hård, värkande klump i hennes hals. Kennet skakar försiktigt på huvudet.

– Pappa, viskar Simone. Pappa, minns du vad vi talade om precis innan du blev påkörd?

Han ser allvarligt på henne och plötsligt är det som om en glöd tänts i hans skarpa, kärva blick. Han försöker resa sig upp, men rör sig för häftigt och faller tillbaka ned i sängen.

– Hjälp mig, Simone, säger han otåligt. Vi har bråttom, jag kan inte vara kvar här.

– Minns du vad som hände, pappa?

– Jag minns allt.

Han drar handen över ögonen, harklar sig igen och räcker sedan fram sina händer.

– Ta tag i mig, beordrar han och den här gången, när Simone håller emot, lyckas han sätta sig upp i sängen och svinga benen över kanten.

– Jag behöver mina kläder.

Simone skyndar till skåpet och hämtar hans kläder. Hon sitter på knä och trär på hans strumpor på fötterna när dörren öppnas och en ung läkare kommer in.

– Jag måste härifrån, säger Kennet vresigt till mannen innan han ens hunnit in i rummet.

Simone reser sig upp.

– Hej, säger hon och skakar hand med den unge läkaren. Jag heter Simone Bark.

– Ola Tuvefjäll, säger han och ser generad ut när han vänder sig till Kennet som står och knäpper byxorna.

– Hej du, säger Kennet och stoppar ned skjortan innanför byxlinningen. Jag är ledsen att vi inte kan stanna, men vi befinner oss i en akutsituation.

– Jag kan inte tvinga dig att bli kvar här, säger läkaren samlat, men du borde verkligen själv förstå att vara försiktig med tanke på hur hårt slaget mot huvudet var. Du kanske känner dig bra nu, men du ska veta att komplikationer kan uppstå om en minut, om en timme, de kanske visar sig först i morgon.

Kennet går till handfatet och blaskar kallt vatten över sitt ansikte.

– Ledsen, som sagt, säger han och rätar på sig. Men jag måste åka till havet.

Läkaren tittar undrande efter dem när de skyndar genom korridoren. Simone försöker berätta om besöket hos Aida. När de väntar på hissen ser hon att Kennet måste ta stöd mot väggen.

– Vart ska vi någonstans? frågar Simone och för en gångs skull protesterar inte Kennet när hon sätter sig i förarsätet. Han tar bara plats bredvid henne, knäpper på sig säkerhetsbältet och kliar sig på pannan under bandaget.

– Du måste berätta för mig vart vi ska, säger hon när han inte svarar. Hur kommer man dit?

Han ger henne en underlig blick.

– Till havet, jag ska tänka efter.

Han lutar sig bak mot sätet, sluter ögonen och blir tyst ett tag. Hon börjar tänka att hon har gjort ett misstag, hennes pappa är ju uppenbarligen sjuk, han måste komma tillbaka till sjukhuset. Då öppnar han ögonen igen och säger kortfattat:

– Du kör ut på Sankt Eriksgatan, över bron och tar till höger på Odengatan. Rakt ned till Östra station, där följer du Valhallavägen österut, ända till Filmhuset, där du tar av på Lindarängsvägen. Den går ända fram till hamnen.

– Vem behöver GPS? ler Simone när hon tar sig ut på Sankt Eriksgatans stökiga trafikled ned mot Västermalmsgallerian.

– Jag undrar, säger Kennet tankfullt men tystnar sedan.

– Vad då?

– Jag undrar om föräldrarna har förstått något.

Simone ger honom en hastig sidoblick medan bilen passerar Gustav Vasa kyrka. Hon får en glimt av ett långt led av barn klädda i kåpor. De bär ljus i händerna och går långsamt in genom kyrkporten.

Kennet harklar sig:

– Jag undrar om föräldrarna har förstått vad deras barn ägnar sig åt.

– Utpressning, övergrepp, våld och hot, svarar Simone trött. Mammas och pappas små älsklingar.

Hon tänker på den där gången då hon åkte till Tensta, till tatueringsstället. De där barnen som höll en flicka över räcket. De hade inte alls varit rädda, istället var de hotfulla, farliga. Hon tänker på hur Benjamin hade försökt hindra henne från att gå fram till pojken på tunnelbanestationen. Nu förstår hon att han måste ha varit en av dem. Han hörde antagligen till dem som hade pokémonnamn.

– Vad är det för fel på människor? frågar hon retoriskt ut i luften.

– Jag råkade inte ut för en olyckshändelse, Sixan. Jag blev utknuffad framför en bil, svarar Kennet med skärpa i rösten. Och jag såg vem det var som gjorde det.

– Blev du utknuffad? Vem . . .

– Det var en av dem, det var ett barn, en flicka.

Elljusstakarnas låga trianglar lyser i de svarta fönstren i Filmhuset. Det ligger vått slask över vägbanan när Simone svänger ut på Lindarängsvägen. Över Gärdet hänger svullna, tunga moln, det ser ut som om ett rejält tövädersregn snart kommer att falla över hundägarna och deras lyckliga djur.

Loudden är en udde strax öster om Stockholms frihamn. Precis i slutet av 1920-talet gjordes udden till oljehamn, med nästan hundra cisterner. Området omfattar låg industribebyggelse, vattentorn och containerhamn, bergrum och kajer.

Kennet tar fram det knyckliga visitkortet som han hittade i barnets plånbok.

Louddsvägen 18, säger han och gör en gest åt Simone att stanna bilen. Hon svänger in på ett asfalterat område som kringgärdas av höga metallnät.

– Vi går den sista lilla biten, säger Kennet och lossar sitt säkerhetsbälte.

De rör sig mellan enorma cisterner och ser tunna trappor vrida sig som serpentiner kring de cylinderformade byggnaderna. Rost tränger fram mellan de böjda och hopsvetsade plåtarna, från trappornas fästen och skyddsräcken.

Det regnar nu, glest och kallt. När dropparna träffar metallen uppstår en hård och smutsig klang. Alldeles snart kommer det att skymma och då ser de ingenting längre. Smala vägar har bildats mellan stora, staplade containrar, gula, röda och blå. Det finns inga gatlyktor någonstans, bara cisterner, lastkajer, låga kontorsbaracker och närmare vattnet den enkla kajbebyggelsen med kranar, ramper, pråmar och torrdockor. En smutsig Ford pickup står parkerad utanför ett lågt skjul i vinkel till en stor lagerlokal av korrugerad aluminiumplåt. På den mörka glasrutan till skjulet sitter självhäftande bokstäver, halvt bortskavda: Havet. De mindre bokstäverna under har skrapats loss, men det går fortfarande att läsa ordet i dammet: dykarklubb. Den tunga bommen hänger bredvid dörren.

Kennet väntar ett kort ögonblick, lyssnar och drar sedan försiktigt upp dörren. Det är mörkt på det lilla kontoret. Allt som finns är ett skrivbord, några fällstolar med plastsitsar och ett par rostiga syrgastuber. På väggen hänger en bucklig plansch på exotiska fiskar i smaragdgrönt vatten. Det är uppenbart att dykarklubben inte längre håller till här, den har kanske upphört, gått i konkurs eller flyttat.

Det börjar svirra bakom ett fläktgaller och den inre dörren klickar till. Kennet håller ett finger för munnen. Tydliga steg hörs. De skyndar sig fram, öppnar och blickar in i en stor lagerlokal. Någon springer i mörkret. Simone försöker se något. Kennet går nerför en ståltrappa, tar upp jakten men skriker plötsligt rakt ut.

– Pappa? ropar Simone.

Hon kan inte se honom, men hör hans röst. Han svär och ropar åt henne att ta det försiktigt.

– De har spänt upp taggtråd.

Det rasslar metalliskt över betonggolvet. Kennet har börjat springa igen. Simone följer efter, kliver över taggtråden, fortsätter in i den stora lokalen. Luften är kall och fuktig. Det är mörkt och svårt att orientera sig. Snabba steg hörs längre bort.

Ljus från strålkastaren på en containerkran faller in genom ett smutsigt fönster. Simone ser någon stå intill en gaffeltruck. Det är en pojke med mask för ansiktet, en grå mask av tyg eller kartong. Han håller ett järnrör i handen, trampar rastlöst för sig själv och kryper ihop.

Kennet närmar sig honom, går hastigt utmed hyllorna.

– Bakom trucken, ropar Simone.

Pojken med mask rusar fram och kastar metallröret mot Kennet. Det flyger spinnande genom luften och passerar precis över hans huvud.

– Vänta, vi vill bara prata med dig, ropar Kennet.

Pojken öppnar en ståldörr och springer ut. Det dånar till och ljus faller in. Kennet är redan framme vid dörren.

– Han kommer undan, väser han.

Simone följer efter, kommer ut, men halkar omkull på den blöta lastbryggan och känner lukten av sopor. Hon tar sig upp igen och ser sin pappa rusa utmed kajkanten. Snöblasket har gjort marken hal och när Simone skyndar efter dem är det nära att hon glider ut över kanten. Hon springer och ser de två gestalterna framför sig och bråddjupet bredvid sig. Det svarta, halvfrusna vattnets krossade issörja slår mot kajen.

Hon vet att om hon skulle snava och ramla i så skulle det inte ta lång tid innan det iskalla vattnet paralyserade henne, hon skulle sjunka som en sten med den tjocka kappan och stövlarna fulla av svart vintervatten.

Hon kommer att tänka på den där journalisten som blev dödad tillsammans med sin väninna när hon körde utför kajkanten. Bilen sjönk som en mjärde rakt ned i vattnet, svaldes av det lösa bottenslammet och försvann. Cats Falk, så hette hon, tänker Simone.

Hon är andfådd och darrar av stress och ansträngning. Ryggen är genomblöt av regnet.

Det verkar som om Kennet har tappat bort pojken. Han står dubbelvikt och väntar på henne, bandaget har lossnat kring hans huvud och han flämtar av andfåddhet. En rännil blod rinner från hans näsa. Det låter rivande från hans lungor. På marken ligger en ansiktsmask av papp. Den är halvt upplöst av regnet och när vinden får tag i den spritter den till och blåser över kanten.

– Jävlars helvetes skit, säger Kennet när hon kommer fram till honom.

De söker sig inåt igen medan det blir allt mörkare omkring dem. Regnet har avtagit men istället har det börjat blåsa hårt. Vinden tjuter kring de stora plåtbyggnaderna. De passerar en avlång torrdocka och Simone hör vinden sjunga mörkt, entonigt där nerifrån. Traktordäck hänger i rostiga kättingar efter kanten som lejdare. Hon blickar ner i det väldiga, utsprängda hålet. En enorm bassäng utan vatten, med skrovliga bergväggar, förstärkta med betong och armerade med stålband. Femtio meter ner syns ett gjutet betonggolv med stora plintar.

En presenning slår i vinden och ljuset från en kran flämtar över torrdockans lodräta väggar. Simone ser plötsligt att någon sitter bakom en betongplint långt där nere.

Kennet märker att hon stannar till och vänder sig frågande om. Utan att säga något pekar hon ned mot torrdockan.

Den hopkurade gestalten flyttar sig bort från ljuset.

Kennet och Simone rusar mot den smala trappan efter väggen. Gestalten reser sig upp och börjar springa mot något som ser ut som en dörr därnere. Kennet håller sig i räcket, springer nedför de branta stegen, halkar men återfår balansen. Det luktar tungt och skarpt av metall, rost och regn. De fortsätter nedåt tätt intill väggen. Hör fotstegen eka i torrdockans djup.

Nere på botten är det blött, Simone känner det kalla vattnet tränga in i sina stövlar, hon fryser.

– Vart tog han vägen? ropar hon.

Kennet skyndar mellan plintarna som är till för att hålla fartyget på plats när vattnet pumpas bort. Han pekar mot den plats där pojken försvann. Det finns ingen dörr, som de trodde, utan en sorts ventil. Kennet kikar in, men ser ingenting. Han är andfådd, torkar sig om pannan och halsen.

– Kom ut nu, flämtar han. Det får vara nog nu.

Ett raspande ljud hörs, tungt och rytmiskt. Kennet börjar krypa in i ventilen.

– Var försiktig, pappa.

Någonting knakar och sedan börjar det gnissla från slussporten. Plötsligt pyser det öronbedövande och Simone förstår vad som håller på att hända.

– Han släpper in vattnet, ropar hon.

– Det finns en stege här inne, hör hon Kennet vråla.

Med ett fruktansvärt tryck sprutar tunna strålar iskallt vatten in i torrdockan genom den minimala springan mellan slussdörrarna. Det fortsätter att knaka metalliskt och dörrarna glider isär ytterligare. Vatten störtar ner. Simone rusar mot trappan, vattnet stiger, hon kämpar sig fram i knädjupt, isande vatten. Ljuset från lyftkranen fladdrar över de knaggliga väggarna. Vattnet är strömt, går i starka virvlar och drar henne bakåt. Hon stöter emot ett stort metallbeslag och känner hur foten domnar bort av smärta. Svart vatten dånar ner i tunga sjok. Hon gråter nästan när hon når den branta trappan och börjar klättra. Efter några steg vänder hon sig om. Hon kan inte se sin pappa i mörkret. Vattnet har stigit över ventilen i väggen. Det knakar skrikande. Hon skakar i kroppen, fortsätter uppåt. Andningen bränner i lungorna. Så hör hon hur dånet av det rasande vattnet avtar alltmer. Portarna sluter sig åter och vattenflödet upphör. Hon har förlorat känseln i handen som håller i metallräcket. Kläderna är tunga och stramar över låren. Simone kommer upp och ser Kennet på andra sidan av torrdockan. Han vinkar mot henne och leder en pojke i riktning mot den gamla dykarklubben.

Simone är genomblöt, händerna och fötterna är stelfrusna. De väntar på henne vid bilen. Kennets blick är underlig, frånvarande. Och pojken står bara framför honom med hängande huvud.

– Var är Benjamin? skriker Simone redan innan hon kommer fram.

Pojken säger ingenting, Simone tar tag i hans axlar och vänder honom runt. Hon blir så överraskad när hon ser hans ansikte att hon kvider till.

Pojkens näsa är avskuren.

Det ser ut som om någon har försökt sy ihop såret, men i all hast, utan medicinsk kunnighet. Hans blick är fullständigt apatisk. Vinden tjuter, de går alla tre till bilen där Simone sätter på motorn för att få upp värmen. Rutorna immar snabbt igen. Hon hittar lite choklad som hon bjuder pojken på. Det är helt tyst i bilen.

– Var är Benjamin? frågar Kennet.

Pojken ser ned i sitt knä. Han tuggar chokladen och sväljer hårt.

– Nu berättar du allting – hör du det? Ni har slagit andra barn, tagit deras pengar.

– Jag finns inte, jag har slutat, viskar han.

– Varför misshandlade ni andra barn? frågar Kennet.

– Det bara blev så när vi . . .

– Blev så? Var är de andra?

– Vet inte, hur ska jag kunna veta, de kanske har nya gäng nu, säger pojken. Jerker har det, har jag förstått.

– Är du Wailord?

Pojkens mun darrar till.

– Jag har slutat nu, säger han svagt. Jag lovar att jag har slutat.

– Var är Benjamin? frågar Simone gällt.

– Jag vet inte, säger han hastigt. Jag ska aldrig mer göra honom illa, jag lovar.

– Lyssna på mig, fortsätter Simone. Jag är hans mamma, jag måste få veta.

Men hon avbryts av att pojken börjar gunga fram och tillbaka, han gråter skärande och säger om och om igen:

– Jag lovar, lovar . . . jag lovar . . . lovar, lovar . . .

Kennet lägger handen på Simones arm.

– Vi får åka in med honom, säger han ihåligt. Han måste få hjälp.

# 42

*Torsdag kväll den sjuttonde december*

I KORSNINGEN MELLAN Odengatan och Sveavägen släppte Kennet av Simone och körde sedan den korta vägen till Astrid Lindgrens barnsjukhus.

En läkare undersökte omedelbart pojkens allmäntillstånd och fattade beslut om att lägga in honom för vård och observation. Han led både av vätskebrist och undernäring, hade infekterade sår på kroppen och några lättare förfrysningar av tår och fingrar. Pojken som kallat sig för Wailord hette egentligen Birk Jansson och bodde i Husby hos en fosterfamilj. De sociala myndigheterna var inkopplade och pojkens vårdnadshavare kontaktade. När Kennet skulle gå därifrån började Birk gråta och förklarade att han inte ville bli lämnad ensam.

– Stanna, snälla, viskade han och höll handen för nästippen.

Kennet kände hur pulsen slog hammarlikt, överansträngt. Han blödde fortfarande näsblod efter språngmarschen när han hejdade sig i dörren.

– Jag kan vänta här med dig, Birk, på ett villkor, sa han.

Han satte sig ned i en grön stol bredvid pojken.

– Du måste berätta allt för mig om Benjamin och hans försvinnande.

Kennet satt där med stigande yrsel och försökte få pojken att tala under de två timmar det tog för socialsekreteraren att komma, men det enda som han verkligen fick klart för sig, var att någon skrämt Birk så mycket att han slutade trakassera Benjamin. Han verkade inte ens känna till Benjamins försvinnande.

När Kennet gick hörde han socialsekreteraren och psykologen diskutera en placering på ungdomshemmet Lövsta i Sörmland.

I bilen ringer Kennet till Simone och frågar om hon kommit hem ordentligt. Hon svarar att hon har sovit en stund och funderar på att hälla upp en stadig grappa.

– Jag åker och pratar med Aida, säger Kennet.

– Fråga henne om bilden på gräset och staketet – det är någonting som inte stämmer med den.

Kennet parkerar bilen i Sundbyberg på samma plats där han ställde den förra gången, ganska nära korvkiosken. Det är kallt ute och några glesa snöflingor glider ned i framsätet när han öppnar bildörren mot Aidas och Nickes hus. Han ser dem genast. Flickan sitter på parkbänken vid den asfalterade gångvägen bakom huset som leder ned till Ulvsundasjöns smala svans. Aida betraktar sin bror. Nicke visar något för henne, det ser ut som om han släpper ut det ur sina händer på marken och sedan fångar det igen. Kennet blir stående en kort stund och tittar på dem. Det är något i deras sätt att ty sig till varandra som får dem att verka så ensamma, övergivna. Klockan är nästan sex på kvällen, strimmor av stadsljuset speglas i den mörka sjön långt bort mellan bostadshusen.

Kennet känner yrseln sudda blicken ett kort ögonblick. Försiktigt korsar han den hala vägen och går ned mot sjön över det rimfrostbrända gräset.

– Hej på er, säger han.

Nicke tittar upp.

– Det är du, ropar han och springer fram och kramar Kennet. Aida, säger han uppjagat, Aida, det är han, han som är så gammal!

Flickan ger Nicke ett blekt, oroligt leende. Hennes nästipp är rödfrusen.

– Benjamin? frågar hon. Har ni hittat honom?

– Nej, inte ännu, säger Kennet medan Nicke skrattar och fortsätter att krama och hoppa runt honom.

– Aida, ropar Nicke, han är så gammal att de tog hans pistol …

Kennet sätter sig ned på bänken bredvid Aida. Träden står täta och lövlösa i mörka klungor omkring dem.

– Jag kom för att berätta att Wailord är omhändertagen.

Aida vänder ett skeptiskt ansikte mot honom.

– De andra är identifierade, säger han. Det var fem stycken pokémon, eller hur? Birk Jansson har erkänt alltihop, men han har ingenting med Benjamins försvinnande att göra.

Nicke har stannat upp vid Kennets ord och står bara och gapar.

– Du har besegrat Wailord? säger han.

– Japp, säger Kennet barskt. Han är borta.

Nicke börjar dansa runt på gångbanan. Hans väldiga kropp ångar av värme i den kalla luften. Plötsligt stannar han upp och betraktar Kennet:

– Du är den starkaste pokémon, du är Pikachú! Du är Pikachú!

Nicke kramar lyckligt Kennet och Aida skrattar med överraskat ansikte.

– Men Benjamin? frågar hon.

– Det var inte de som tog honom, Aida. De kanske har gjort mycket dumheter, men de har inte tagit Benjamin.

– Det måste vara de, det måste vara de.

– Jag tror faktiskt inte det, säger Kennet.

– Men …

Kennet tar fram utskriften från Benjamins dator, fotot som Aida skickade.

– Nu måste du berätta för mig vad det här är för en plats, säger han vänligt men strängt.

Hon blir blek och skakar på huvudet.

– Jag har lovat, säger hon tyst.

– Inga löften gäller vid livsfara, hör du det.

Men hon pressar ihop läpparna och vänder bort ansiktet. Nicke kommer fram och tittar på papperet.

– Det var hans mamma som gav honom det, säger han glatt.

– Nicke!

Aida tittar argt på brodern.

– Men det var det ju, säger Nicke indignerat.

– När ska du lära dig att hålla tyst, säger Aida.

Kennet hyssjar dem.

– Har Sixan gett Benjamin det här fotot? Vad menar du, Nicke?

Men Nicke tittar ängsligt på Aida som om han väntar på att få tillstånd att svara på frågan. Hon skakar på huvudet mot honom. Kennet känner hur det värker i huvudet där han slog sig, ett hårt och ihärdigt bultande.

– Svara mig nu, Aida, säger han med tillkämpat lugn. Jag lovar dig att det är fel att tiga i det här läget.

– Men fotot har ingenting med det här att göra, säger hon plågat. Jag lovade Benjamin att inte berätta för någon enda människa vad som än hände.

– Nu säger du vad fotografiet föreställer!

Kennet hör sin egen röst skrällande eka mellan husen. Nicke ser rädd och ledsen ut. Aida pressar envist ihop munnen ännu mer. Kennet tvingar sig att lugna sig igen. Han hör själv hur ostadig han låter på rösten när han försöker förklara:

– Aida, lyssna noga. Benjamin kommer att dö om vi inte hittar honom. Han är mitt enda barnbarn. Jag kan inte låta en enda ledtråd passera utan att undersöka den.

Det blir alldeles tyst. Så vänder sig Aida mot honom och säger uppgivet, med gråt i rösten:

– Nicke sa som det var.

Hon sväljer hårt innan hon fortsätter:

– Det är hans mamma som har gett honom det där fotot.

– Vad menar du?

Kennet ser på Nicke som ger honom några ivriga nickningar.

– Inte Simone, säger Aida. Utan hans riktiga mamma.

Kennet känner hur ett illamående kommer rusande upp mot strupen. Det gör plötsligt intensivt ont i hela bröstkorgen, han försöker ta några djupa andetag och hör sitt hjärta slå tungt och hårt i kroppen. Han hinner tänka att han håller på att få en hjärtattack när smärtan viker undan igen.

– Hans riktiga mamma? frågar han.

– Ja.

Aida tar fram cigarettpaketet ur ryggsäcken, men hinner inte tända någon förrän Kennet milt tar paketet ifrån henne.

– Du får inte röka, säger han.

– Varför det?

– Du är inte arton år.

Hon rycker på axlarna.

– Okej, jag bryr mig ändå inte, säger hon kort.

– Bra, säger Kennet och känner sig ofattbart trögtänkt.

Han söker i minnet efter fakta kring Benjamins förlossning. Bilderna fladdrar förbi: Simones ansikte, rödgråtet efter ett missfall, och sedan den där midsommaren då hon varit klädd i ett stort, blommigt klänningstält, hon hade varit höggravid. Och han hälsade på dem på BB, hon visade plutten, här är plutten, sa hon och log med darrande läppar. Benjamin, ska han heta, lyckans son.

Kennet gnider hårt sina ögon, kliar sig under bandaget och frågar:

– Vad heter hans ... riktiga mamma då?

Aida ser ut över sjön.

– Jag vet inte, svarar hon entonigt. Det är sant. Men hon berättade Benjamins riktiga namn för honom. Hon kallade honom hela tiden för Kasper. Hon var snäll, hon väntade alltid på honom efter skolan, hon hjälpte honom med läxorna och jag tror att han fick pengar av henne. Hon var så ledsen över att hon hade tvingats skiljas från honom.

Kennet håller upp fotot:

– Och det här, vad är det här?

Aida kastar en kort blick på utskriften.

– Det är familjegraven. Benjamins riktiga familjs grav, hans släkt ligger där.

# 43

*Torsdag kväll den sjuttonde december*

DAGENS FÅ LJUSA TIMMAR är redan förbi och nattmörkret har åter sänkt sig över staden. Adventsstjärnor lyser i nästan alla fönster på andra sidan gatan. En mättad doft av druvor ångar från konjakskupan med den italienska grappan som står på det låga vardagsrumsbordet. Simone sitter mitt på parkettgolvet och tittar på några skisser. Efter att ha blivit avsläppt i korsningen mellan Sveavägen och Odengatan hade hon gått hem, tagit av sig de blöta kläderna, svept in sig i en filt och lagt sig. Hon somnade på soffan och vaknade inte förrän Kennet ringde. Sedan hade Sim Shulman kommit.

Nu sitter hon på golvet i bara underkläderna, dricker grappa så att det bränner i magen och lägger skisserna på rad. Fyra linjerade ark som presenterar en konstinstallation han planerar för Tensta konsthall.

Shulman talar med konsthallens curator i sin telefon. Han går runt i rummet medan han pratar. Parkettgolvet som knakar under honom tystnar plötsligt. Simone märker att han har flyttat sig så att han kan se in mellan hennes lår. Hon känner det tydligt. Hon samlar ihop skisserna, tar konjakskupan och dricker lite, utan att låtsas om Shulman. Hon särar en aning på låren och föreställer sig hur hans blick brännande söker sig in. Han talar långsammare nu, vill avsluta samtalet. Simone lägger sig ned på rygg och blundar. Hon väntar på honom och känner den pirrande hettan från skötet, blodtillströmningen, den långsamma oljigheten. Shulman har slutat tala. Han närmar sig och hon fortsätter att blunda, särar lite på benen. Hör dragkedjan i hans gylf öppnas. Plötsligt känner hon hans händer om höfterna. Han rullar över henne på mage, drar upp henne på knä, hasar ner trosorna kring låren och kommer in i henne bakifrån. Hon är inte riktigt förberedd. Hon ser sina egna händer framför sig, med utspärrade fingrar på ekparketten. Naglarna, ådrorna på handryggen. Hon håller emot för att inte falla framåt när han stöter i henne. Hårt och ensamt. Den tunga doften från grappan får henne att må illa. Hon skulle vilja be Shulman att sluta, att göra på ett annat sätt, hon skulle vilja börja om i sovrummet, närvarande, på riktigt. Han suckar tungt och ejakulerar i henne, drar sig ur och går till badrummet. Hon hasar upp trosorna och ligger kvar på golvet. En egendomlig kraftlöshet är hela tiden på väg att ta över, släcka ned hennes tankar, hennes hopp, hennes glädje. Hon bryr sig inte längre om någonting som inte har med Benjamin att göra.

Först när Shulman har duschat färdigt och kommer ut med en handduk om höfterna reser hon sig. Hon känner hur ömma hennes knän är, försöker le när hon passerar honom och låser dörren till badrummet efter sig. Det svider i slidan när hon ställer sig i duschen. En fruktansvärd känsla av ensamhet väller över henne samtidigt som det varma vattnet blöter igenom håret, rinner nedför nacken, axlarna och ryggen. Hon tvålar in sig och tvättar sig noga, sköljer länge och vänder ansiktet mot det mjuka vattenflödet.

Genom dånet i öronen hör hon burkiga dunsar och förstår att det knackar på badrumsdörren.

– Simone, ropar Shulman. Din telefon ringer.

– Va?

– Din telefon.

– Svara, säger hon och stoppar vattenflödet.

– Nu ringer det på dörren också, ropar han.

– Jag kommer.

Hon tar ett nytt badlakan från skåpet och torkar sig. Badrummet är fyllt av varm ånga. Hennes underkläder ligger på det fuktiga klinkergolvet. Spegelns yta är täckt av imma och hon anar sig själv som ett grått spöke utan ansiktsdrag, en gestalt av lera. Det susar konstigt genom fläktgallret invid taket. Simone vet inte varför alla hennes sinnen blir spända som inför en stor fara, varför hon försiktigt, alldeles ljudlöst låser upp badrumsdörren och kikar ut. En skrämmande tystnad strålar mot henne från lägenheten. Någonting är fel. Hon undrar om Shulman har gått sin väg, men törs inte ropa.

Plötsligt hör hon ett viskande samtal. Kanske från köket, tänker hon. Men vem viskar han med? Hon försöker slå den skrämmande känslan ifrån sig, men lyckas inte. Golvet knirrar och i glipan till badrumsdörren ser Simone någon passera hastigt i korridoren utanför badrummet. Det är inte Shulman, utan en mycket mindre människa, en kvinna med bylsiga gymnastikkläder. Kvinnan återvänder från hallen och Simone hinner inte dra sig undan. Deras ögon möts i den smala öppningen, kvinnan stelnar till och Simone ser hennes blick vidgas av rädsla. Kvinnan skakar snabbt på huvudet åt henne och fortsätter genom korridoren till köket. Hennes gymnastikskor lämnar blodspår på golvet. Simone genomströmmas av en skräckfylld panik, hjärtat slår snabbt och hon förstår att hon måste bort från lägenheten, bara bort. Hon öppnar badrumsdörren och smyger ut i korridoren i riktning mot hallen. Hon försöker förflytta sig ljudlöst, men hör sin egen andhämtning och golvet som knarrar under hennes tyngd.

Någon pratar för sig själv och river runt bland besticken i kökslådorna. Det rasslar och klirrar vasst.

Genom mörkret ser Simone något stort och buckligt på hallgolvet. Det tar några sekunder för henne att förstå vad det är hon står framför. Shulman ligger på rygg framför ytterdörren. Blod pumpar ut ur ett sår i halsen. Trötta kaskader pulserar fram. Den mörkröda pölen täcker nästan hela golvet. Shulman stirrar upp i taket med darrande ögonlock. Munnen är öppen och slapp. Bredvid hans hand, bland skorna på dörrmattan, ligger hennes telefon. Hon tänker att hon måste ta den, springa ut ur lägenheten och larma polis och ambulans. Det förvånar henne att hon inte fick någon impuls att skrika när hon såg Shulman. Kanske borde hon säga något, tänker hon och hör plötsligt steg i korridoren. Den unga kvinnan kommer tillbaka, hon darrar i kroppen, biter sig hela tiden i läpparna och försöker behålla sitt lugn.

– Vi kommer inte ut, dörren är låst med nyckel, viskar kvinnan.

– Vem är det som ...

– Min lillebror, avbryter hon.

– Men varför ...

– Han tror att det var Erik som han dödade, han såg inte, han tror ...

En kökslåda går i golvet med en kraftig skräll.

– Evelyn? Vad håller du på med? ropar Josef Ek. Kommer du någon gång?

– Göm dig, viskar kvinnan.

– Var är nycklarna? frågar Simone.

– Han har dem i köket, säger hon och skyndar tillbaka till köket.

Simone smyger genom den långa gången och in i Benjamins rum, hon andas flämtande, försöker stänga munnen, men får inte tillräckligt med luft. Golvet knarrar under henne, men Josef Ek pratar hela tiden med hög röst inne i köket och verkar inte märka någonting. Hon går fram till Benjamins dator och slår på den, hör hur det börjar knarra och susa från fläkten när hon skyndar tillbaka, och precis när hon slinker in i badrummet hörs välkomstmelodin från operativsystemet.

Med dunkande hjärta väntar hon några sekunder, lämnar badrummet, blickar runt i den tomma gången och skyndar sedan in i köket. Ingen är där. Golvet är täckt av bestick och blodiga skoavtryck.

Hon hör de båda syskonen röra sig i Benjamins rum. Josef svär för sig själv och några böcker vräks i golvet.

– Titta under sängen, ropar Evelyn med rädd röst.

Det dunsar till, backen med mangaböcker rivs ut och Josef fräser att det inte finns någon där.

– Hjälp till, säger han.

– I garderoben, föreslår hon snabbt.

– Vad fan är det här? skriker Josef.

Dörrnyckeln ligger på ekbordet, Simone tar den och springer så tyst hon kan tillbaka till hallen.

– Vänta, Josef, hör hon Evelyn ropa. Han är kanske i den andra garderoben.

Ett glas krossas och tunga fotsteg dunsar genom korridoren.

Simone kliver över Shulmans kropp. Hans fingertoppar rör sig svagt. Hon för in den långa nyckeln i säkerhetslåset. Hennes hand skakar kraftigt.

– Josef, ropar Evelyn desperat. Titta i sovrummet! Jag tror att han är i sovrummet!

Simone vrider nyckeln och hör låsmekanismen klicka när Josef Ek rusar in i hallen och stirrar på henne. Det rosslar morrande i hans lungor. Simone famlar med vredet, slinter, får runt det. Josef har en förskärare i handen. Han tvekar och börjar sedan gå mot henne med snabba steg. Simones händer skakar så mycket att hon inte får ner handtaget. Den unga kvinnan rusar in i hallen, slänger sig kring Josef ben och försöker hålla honom kvar, hon skriker åt honom att vänta. Med en slapp rörelse gör han ett snitt över Evelyns huvud med kniven, utan att titta. Hon kvider till. Han fortsätter framåt och Evelyn tappar taget om hans ben. Simone får upp dörren och snubblar ut i trapphuset, badlakanet glider av henne, Josef närmar sig, men hejdar sig och betraktar hennes nakna kropp. Bakom honom ser Simone hur Evelyn med en snabb rörelse sveper runt med handen i blodet som runnit ut på golvet från Shulman. Hon smetar in sitt ansikte och sin hals och sjunker sedan ihop.

– Josef, jag blöder, skriker hon. Älskling …

Hon hostar och tystnar, ligger på rygg som om hon vore död. Josef har vänt sig mot henne, ser hennes nerblodade kropp.

– Evelyn? säger han med rädd röst.

Han återvänder till hallen och när han lutar sig över henne ser Simone plötsligt kniven i Evelyns hand. Hur den skjuter upp som från en primitiv fälla. Bladet går med stor kraft rakt in mellan två av Josefs revben och han blir fullständigt lugn i kroppen. Han lägger huvudet på sned, sjunker ner på sidan och förblir stilla.

# 44

*Fredag tidig morgon den artonde december*

KENNET PASSERAR TVÅ kvinnliga poliser i korridoren på Danderyds sjukhus som viskar intensivt med varandra. I rummet bakom dem ser han en ung flicka sitta på en stol och stirra ut i luften. Hennes ansikte är nedstänkt med blod, håret ser ut att vara fullt av torkat blod. Svarta klumpar ligger över den vita halsen och bröstkorgen. Hon sitter med fötterna lätt inåtvända, omedvetet och barnsligt. Han antar att det är Evelyn Ek, seriemördaren Josef Eks syster. Som om hon hörde honom uttala hennes namn i sina tankar lyfter hon blicken och ser rakt på honom. I hennes ögon finns ett sådant egendomligt uttryck – en blandning av smärta och chock, ånger och triumf – att det nästan ser obscent ut. Kennet vänder instinktivt bort sitt ansikte med känslan av att ha skådat in i något privat, tabubelagt. Han ryser och säger sig hastigt att han kan vara glad över att han är pensionerad, över att inte behöva vara den som går in till Evelyn Ek, drar fram stolen och sätter sig ned för att förhöra henne. Det hon har att berätta om uppväxten med Josef Ek borde ingen människa behöva bära med sig genom livet.

En uniformerad man med grått, avlångt ansikte står vakt utanför den stängda dörren till Simones rum. Kennet känner igen honom från de aktiva åren, men har först svårt att minnas hans namn.

– Kennet, säger mannen. Allt väl?

– Nej.

– Jag har förstått det.

Kennet minns plötsligt hans namn, Reine, och att hans fru dog mycket oväntat precis när de hade fått sitt första barn.

– Reine, säger Kennet. Vet du hur Josef tog sig in till systern?

– Det verkar som att hon bara släppte in honom.

– Frivilligt?

– Inte direkt.

Och så berättar Reine att Evelyn förklarat för honom att hon hade vaknat mitt i natten, gått fram till ytterdörren och tittat genom dörrögat på polismannen, Ola Jacobsson, som satt i trappan och sov. Vid avlösningen hade hon hört honom berätta för kollegan att han hade småbarn hemma. Hon hade inte velat väcka honom, utan återvänt till soffan och ännu en gång tittat igenom bilderna i fotoalbumet som Josef hade lagt ned i hennes kartong. Bilderna var obegripliga glimtar ur ett liv som för länge sedan var försvunnet. Hon lade ned albumet i kartongen igen och funderade på om det var möjligt för henne att byta namn och flytta utomlands. När hon gick fram till fönstret och tittade ut genom persienngliporna, tyckte hon att hon såg någon stå nere på trottoaren. Hon drog genast tillbaka huvudet, väntade en stund och tittade sedan ut igen. Det snöade kraftigt och hon kunde inte längre se någon. Gatlyktan som hängde mellan husen skakade i den kraftiga vinden. Huden hade knottrat sig på henne och hon hade smugit fram till ytterdörren, lagt örat mot träet och lyssnat. Det kändes som om det stod någon precis utanför dörren. Det fanns en lukt omkring Josef. En lukt av vrede, av brinnande kemikalier. Nu tyckte plötsligt Evelyn att hon kände den lukten, hon inbillade sig kanske, men stod ändå kvar vid dörren, utan att våga titta ut genom dörrögat.

Efter en stund lutade hon sig fram och viskade mot dörren:

– Josef?

Det var tyst därute. Hon skulle just gå tillbaka in i lägenheten när hon hörde honom viska från andra sidan dörren:

– Öppna nu.

Hon försökte låta bli att snyfta när hon svarade:

– Ja.

– Trodde du att du skulle komma undan?

– Nej, viskade hon.

– Du ska bara göra som jag säger.

– Jag kan inte ...

– Titta ut genom dörrögat, avbröt han.

– Jag vill inte.

– Gör det ändå.

Darrande hade hon lutat sig fram mot dörren. Genom linsens vidvinkel såg hon trapphuset. Polismannen som somnat satt kvar i trappan men nu spred sig en mörk pöl av blod under honom på trappavsatsen. Ögonen var slutna, men han andades fortfarande snabbt. Evelyn såg hur Josef gömde sig i ytterkanten av dörrögats runda bild. Han tryckte sig mot väggen, men kastade sig sedan upp och slog handen hårt mot dörrögat. Evelyn ryggade bakåt och snubblade på sina skor i tamburen.

– Öppna dörren, sa han. Annars dödar jag polisen, jag ringer på hos grannarna och dödar dem. Jag börjar med den här dörren, här bredvid.

Evelyn resignerade ett kort ögonblick, hon orkade inte mer. Hennes hopp släcktes ut när hennes förnuft sa henne att hon aldrig skulle undkomma Josef. Med darrande händer låste hon upp dörren och släppte in sin lillebror. Hennes enda tanke var att hon hellre skulle dö än låta honom döda någon annan igen.

Reine förklarar förloppet så gott han kan utifrån det han fått veta. Han antar att Evelyn ville hjälpa den skadade polisen och hindra nya mord, att det var därför hon öppnade dörren.

– Jacobsson kommer att klara sig, säger han. Hon räddade honom genom att lyda sin bror.

Kennet skakar på huvudet.

– Vad är det med alla människor, säger han.

Reine kliar sig trött i pannan.

– Hon räddade livet på din dotter, säger han.

Kennet knackar försiktigt på dörren till Simones rum och öppnar den sedan på glänt. Gardinerna är fördragna och lamporna släckta. Han kisar in i mörkret. På en soffa skymtar han något som skulle kunna vara hans dotter.

– Simone, frågar han lågt.

– Jag är här, pappa.

Rösten kommer från soffan.

– Vill du ha det så här mörkt? Ska jag tända?

– Jag orkar inte, pappa, viskar hon efter ett tag. Jag orkar inte.

Kennet går tassande över golvet, sätter sig i soffan och lägger armarna om sin dotter. Hon börjar snyfta hårt och hjärtskärande.

– En gång, viskar han och klappar henne, när jag passerade ditt dagis med min patrullbil, såg jag dig stå på gården där. Du stod med ansiktet mot stängslet och bara grät. Snor rann från näsan, du var blöt och smutsig och personalen gjorde ingenting för att trösta dig. De stod bara och pratade med varandra, helt likgiltiga.

– Vad gjorde du? viskar Simone.

– Jag stannade bilen och gick till dig.

Han ler för sig själv i mörkret.

– Du slutade gråta på direkten, tog min hand och följde med mig.

Han tystnar.

– Tänk om jag bara kunde ta dig i handen och gå hem med dig nu.

Hon nickar, lutar huvudet mot honom och frågar sedan:

– Har du hört något om Sim?

Han stryker henne över kinden och undrar ett kort ögonblick

om han ska säga sanningen eller inte. Läkaren hade bryskt förklarat att Shulman förlorat alldeles för mycket blod. Han var allvarligt hjärnskadad. Det finns ingen räddning. Han kommer aldrig mer att vakna ur koman.

– De vet inte riktigt ännu, säger han försiktigt. Men …

Han suckar.

– Det ser inte bra ut, älskling.

Hon skakar av snyftningar.

– Jag orkar inte, jag orkar inte, gråter hon.

– Så ja, så ja … Jag har ringt Erik. Han är på väg.

Hon nickar.

– Tack, pappa.

Han klappar henne igen.

– Jag orkar verkligen inte mer, viskar Simone.

– Gråt inte, vännen.

Hon gråter högt och jämrande.

– Jag orkar inte mer …

I samma ögonblick öppnas dörren och lampan tänds av Erik. Han går rakt över golvet, sätter sig på Simones andra sida och säger:

– Tack gode gud att du klarade dig.

Simone trycker sitt ansikte mot hans bröstkorg.

– Erik, säger hon halvkvävt i hans ytterrock.

Han stryker henne över huvudet. Han ser mycket trött ut, men hans blick är klar och skarp. Hon tänker att han luktar hemma, han luktar hennes familj.

– Erik, säger Kennet allvarligt. Du behöver få veta något viktigt. Du också, Simone. Jag pratade med Aida alldeles nyss.

– Säger hon någonting? frågar Simone.

– Jag ville berätta för dem om att vi hade tagit Wailord och de andra, säger Kennet. Jag ville inte att de skulle gå runt och vara rädda längre.

Erik ser frågande på honom.

– Det är en lång historia, vi tar den när vi har tid, men …

Kennet drar efter andan och säger med kärv, trött röst:

– Någon har kontaktat Benjamin några dagar innan han försvann. Hon utgav sig för att vara hans riktiga, biologiska mamma.

Simone gör sig fri från Erik och ser på Kennet, hon stryker snoret från näsan och frågar med en röst som blivit ljus och känslig av allt gråtande:

– Hans riktiga mamma?

Kennet nickar:

– Aida berättade att den här kvinnan har gett honom pengar, hjälpt honom med läxor.

– Det här är inte klokt, viskar Simone.

– Hon gav honom till och med ett annat namn.

Erik tittar på Simone, sedan ser han på Kennet och ber honom fortsätta:

– Jo, säger Kennet, Aida berättade att den där kvinnan som sa att hon var hans mamma, hon hävdade att hans riktiga namn var Kasper.

Simone ser Eriks ansikte stelna och hon känner en rusning av oro som plötsligt gör henne klarvaken.

– Vad är det, Erik? frågar hon.

– Kasper? frågar Erik. Kallade hon honom för Kasper?

– Ja, bekräftar Kennet. Aida ville inte berätta något först, hon hade visst lovat Benjamin att ...

Han avbryter sig. Erik har blivit alldeles vit i ansiktet och det ser nästan ut som att han ska svimma. Han reser sig, tar ett par steg bakåt, är nära att snubbla över bordet, går in i en fåtölj och lämnar sedan rummet.

# 45

*Fredag morgon den artonde december*

ERIK SPRINGER NERFÖR trapporna till sjukhusets foajé, tränger sig fram genom en grupp ungdomar med blommor, störtar över det smutsiga golvet, förbi en gammal man i rullstol. De blöta mattorna plaskar under hans fötter när han knuffar upp dörrarna till huvudentrén. Han fortsätter nedför stentrappan utan att bry sig om vattenpölarna och den bruna snömodden, springer förbi en buss, rakt över gatan, genom de låga buskarna och in på gästparkeringen. Han har redan nyckeln i handen när han rusar mot sin bil längs raden av smutsiga fordon. Han låser upp, sätter sig, startar och backar ut så häftigt att bilens sida skrapar mot den närmsta bilens kofångare.

Andhämtningen är fortfarande upprörd när han svänger västerut på Danderydsvägen. Han håller så hög hastighet han kan, men sänker farten när han närmar sig Edsbergs skola, passerar långsamt och tar upp telefonen och ringer Joona.

– Det är Lydia Evers, nästan skriker han.

– Vem?

– Lydia Evers har tagit Benjamin, fortsätter han allvarligt. Jag har berättat om henne, hon som anmälde mig.

– Vi kollar upp henne, säger Joona.

– Jag är på väg dit.

– Ge mig en adress.

– Ett hus på Tennisvägen i Rotebro, jag kommer inte ihåg numret, men huset är rött och ganska stort.

– Vänta på mig någonstans i...

– Jag åker direkt.

– Gör ingenting dumt nu.

– Benjamin dör om han inte får sin medicin.

– Vänta på mig...

Erik avslutar samtalet, ökar hastigheten genom Norrviken efter järnvägsspåret mot den långsmala sjön, gör en vårdslös omkörning vid jästfabriken och känner pulsen ticka i tinningen när han svänger ner vid Coop Forum.

Han letar sig in i villaområdet, parkerar intill samma granhäck som han stod vid för tio år sedan när han och socialsekreteraren skulle göra sitt hembesök hos Lydia. När han ser på huset inifrån bilen kan han nästan känna sin egen närvaro där tio år tidigare. Han minns hur det inte hade funnits några tecken på ett barn, inga leksaker i trädgården, ingenting som tydde på att Lydia var mamma. Å andra sidan hade de knappt hunnit se sig omkring i huset. De hade bara gått nedför trappan till källaren och tillbaka, sedan hade Lydia kommit störtande efter honom med kniven i handen. Han erinrar sig hur hon hade sett ut när hon drog bladet över sin hals utan att släppa honom med blicken.

Inte mycket har förändrats på denna plats. Pizzerian har ersatts av en sushibar och stora studsmattor med höstlöv och snö står i alla trädgårdar. Erik låter nyckeln sitta kvar i tändningslåset, lämnar bara bilen och springer uppför sluttningen. Han går hastigt den sista biten, öppnar grinden och fortsätter in i trädgården. Fuktig snö ligger i det höga, gula gräset. Istappar blänker under den trasiga hängrännan. Döda krukväxter gungar i sina amplar. Erik rycker i dörren och känner att den är låst. Han tittar under dörrmattan. Några gråsuggor skyndar bort från den blöta rektangeln på betongtrappan. Hjärtat slår snabbt i bröstet. Erik trevar med fingrarna under träräcket, men hittar ingen nyckel. Han går runt till baksidan, tar en kantsten från rabatten och slänger den mot altandörrens ruta.

Det yttersta glaset går sönder och stenen dunsar tillbaka ner i gräset. Han tar upp den igen och kastar den hårdare. Hela fönsterrutan slås ut. Erik skyndar fram, öppnar dörren och går in i ett sovrum där väggarna är fulla med tavlor på änglar och den indiska gurun Sai Baba.

– Benjamin, skriker han. Benjamin.

Han ropar efter sin son trots att han ser att huset är övergivet: allt är mörkt och stillastående, luktar instängt, gammalt tyg och damm. Han skyndar i riktning mot hallen, öppnar dörren till källartrappan och möts av en häftig stank. En tung lukt av aska, förkolnat trä och bränt gummi. Han rusar ner, snubblar på ett trappsteg, stöter axeln mot väggen och återfår balansen. Lamporna fungerar inte, men i ljuset från de högt placerade fönstren ser han att gillestugan är eldhärjad. Golvet knastrar under honom. Mycket är svart, men vissa möbler verkar fortfarande intakta. Bordet med skiva av kakelplattor är bara lite sotigt, medan doftljusen på brickan har smält. Erik letar sig fram till dörren som leder in i det andra källarutrymmet. Den sitter löst i gångjärnen och insidan är fullständigt förkolnad.

– Benjamin, säger han med rädd röst.

Aska virvlar upp i hans ansikte och han blinkar med svidande ögon. Mitt på golvet står resterna från vad som ser ut att ha varit en bur stor nog att rymma en människa.

– Erik, ropar någon där uppifrån.

Han stannar till och lyssnar. Det knakar i väggarna. Förbrända delar från takplattorna faller. Han går långsamt mot trappan. Hundskall hörs avlägset.

– Erik!

Det är Joonas röst. Han befinner sig i huset. Erik går uppför trappan. Joona tittar på honom med oroligt ansikte.

– Vad har hänt?

– Det har brunnit i källaren, svarar Erik.

– Ingenting annat?

Erik gör en otydlig gest nedåt mot källaren:

– Resterna av en bur.

– Jag har en hund med mig.

Joona skyndar sig genom korridoren till hallen och öppnar dörren. Han vinkar åt den uniformerade hundföraren, en kvinna med sitt mörka hår i en hård fläta. Den svarta labradoren följer henne tätt. Hon hälsar på Erik med en nickning, ber dem vänta utanför, och sätter sig sedan framför hunden och talar med den. Joona försöker få med sig Erik ut, men ger upp när han förstår att han inte kommer att lyckas.

Den blanka, svarta hunden rör sig ivrigt genom huset, nosar ihärdigt, andas snabbt, söker vidare. Hundens mage rör sig flämtande. Systematiskt avsöker djuret rum efter rum. Erik står kvar i hallen. Han mår illa, känner plötsligt att han måste kräkas och lämnar huset. Två polismän står och pratar utanför en piketbuss. Erik går ut genom grindarna, fortsätter på trottoaren i riktning mot sin bil, stannar och tar upp den lilla asken med papegojan och infödingen. Han står med den i handen och går sedan fram till en dagvattenbrunn och tömmer ned innehållet mellan gallren. Han är kallsvettig över pannan, fuktar munnen som om han vill säga något efter en lång tystnad och släpper sedan ner själva asken och hör plasket när den når vattenytan.

När han återvänder till trädgården står Joona kvar utanför huset. Han möter Eriks blick och skakar på huvudet. Erik går in. Hundföraren sitter på knä och klappar labradoren på halsen och det lösa skinnet bakom öronen.

– Har ni varit nere i källaren? frågar Erik.

– Det är klart att vi har, svarar hon utan att titta på honom.

– I det inre rummet?

– Ja.

– Hunden kanske inte får upp vittringen för all aska.

– Rocky kan markera ett lik under vatten, på sextio meters djup, säger hon.

– Och levande människor?

– Fanns det något här så hade Rocky hittat det.

– Men ni har inte varit ute ännu, säger Joona som har kommit in bakom Erik.

– Jag visste inte att vi skulle det, säger hundföraren.

– Det ska ni, svarar Joona kort.

Hon rycker på axlarna och reser sig upp igen.

– Kom då, säger hon med mörk, grumlig röst till labradoren. Kom då. Ska vi gå ut och titta? Ska vi gå ut och titta?

Erik följer med dem ut, nedför trappan och runt huset. Den svarta hunden skyndar fram och tillbaka över det vildvuxna gräset, nosar kring vattentunnan där en ogenomskinlig hinna av is har bildats på ytan, söker kring de gamla fruktträden. Himlen är mörk och oklar. Erik ser att grannen har tänt de färgglada ljusslingorna i ett träd. Det är kallt i luften. Poliserna har gått och satt sig inne i piketbussen. Joona håller sig hela tiden nära kvinnan och hunden, pekar då och då ut någon riktning. Erik följer efter dem till baksidan av huset. Plötsligt igenkänner han kullen längst bort i trädgården. Det är platsen på bilden, tänker han. Fotografiet som Aida skickade till Benjamin innan han försvann. Erik andas tungt. Hunden nosar kring komposten, fortsätter till kullen, nosar kring den, flåsar, går ett varv runt den, sniffar i de låga buskarna och baksidan av det bruna staketet, återvänder, skyndar vidare runt en lövkorg och fram till en liten örtträdgård. Små pinnar med fröpåsar på anger vad som planterats på de olika raderna. Den svarta labradoren gnyr oroligt och lägger sig sedan mitt på den lilla åkern. Alldeles platt på den blöta, uppluckrade jorden. Hundens kropp skakar av upphetsning och hundförarens ansikte ser mycket ledset ut när hon berömmer honom. Joona vänder tvärt, kommer springande, han ställer sig framför Erik, släpper inte fram honom till åkern. Erik har ingen aning om vad han skriker, vad han försöker göra, men Joona får med sig honom bort från platsen och ut från trädgården.

– Jag måste få veta, säger Erik med darrande röst.

Joona nickar och säger lågt:

– Hunden har markerat att det finns ett lik från en människa i jorden.

Erik sjunker ner på trottoaren mot ett elskåp, fötterna, benen, hela kroppen försvinner för honom, han ser poliserna lämna piketbussen med varsin spade och sluter sedan ögonen.

*

Erik Maria Bark sitter ensam i Joona Linnas bil och blickar ut genom vindrutan längs Tennisvägen. De svarta trädkronorna fångar upp ljuset från den hängande vägbelysningen. Svarta, spretiga grenar mot en mörk vinterhimmel. Munnen är torr, ansiktet och huvudet värker. Han viskar något för sig själv, lämnar sedan bilen, kliver över plastbanden som spärrar av området och fortsätter därefter runt huset i det höga, frostiga gräset. Joona står och tittar på de uniformerade männen med spadar. De arbetar under sammanbiten tystnad, med nästan mekaniska rörelser. Hela den lilla åkern är urgrävd. Den är nu bara ett stort, rektangulärt hål. På ett plastskynke ligger jordiga klädtrasor och benbitar. Ljudet från spadarna fortsätter, metallen slår mot sten, spadtagen upphör och poliserna rätar på ryggarna. Erik närmar sig långsamt, med tunga motvilliga steg. Han ser Joona vända sig om och le med hela sitt trötta ansikte.

– Vad är det? viskar Erik.

Joona går honom till mötes, söker hans blick och säger:

– Det är inte Benjamin.

– Vem är det?

– Kroppen har legat här i minst tio år.

– Ett barn?

– Kanske fem år, svarar Joona och ryser till över ryggen.

– Så Lydia hade en son ändå, säger Erik dämpat.

# 46

*Lördag förmiddag den nittonde december*

DET SNÖAR TÄTT OCH VÅTT, en hund rusar fram och tillbaka på en rastplats intill polishuset. Hunden skäller ivrigt inför snöfallet, rör sig lyckligt bland flingorna, tuggar i luften och ruskar på sin päls. Åsynen av djuret får Eriks hjärta att kramas ihop. Han har glömt hur det är att bara få finnas, inser han. Han har glömt hur det är att inte oavbrutet tänka på ett liv utan Benjamin.

Han mår illa och händerna skakar av abstinens. Han har inte tagit en enda tablett på nästan ett dygn och har inte sovit någonting under natten.

När han går till polishusets stora entré tänker han på de gamla kvinnovävarna som Simone visade honom en gång på en utställning om kvinnohantverk. De hade varit som bilder av himlen under sådana här dagar: mulna, täta, luddigt grå.

Simone står i korridoren utanför förhörsrummet. När hon får se Erik komma, går hon honom till mötes och tar hans händer. Av någon anledning gör den gesten honom tacksam. Hon ser blek och samlad ut.

– Du behöver inte vara med, viskar hon.

– Kennet sa att du ville det, svarar han.

Hon nickar svagt.

– Jag är bara så ...

Hon tystnar och harklar sig lite.

– Jag har varit arg på dig, säger hon samlat.

Hennes ögon är fuktiga och rödkantade.

– Jag vet, Simone.

– Du har i alla fall dina piller, säger hon vasst.

– Ja, svarar han.

Hon vänder sig bort från honom och står sedan och stirrar ut genom fönstret. Erik ser hennes smala kropp, armarna som ligger hårt kring varandra, slutna runt överkroppen. Hon är knottrig om huden, det blåser kallt från ventilerna under fönstret. Dörren öppnas till förhörsrummet och en kraftig kvinna i polisuniform ropar lågt in dem.

– Varsågoda, ni kan komma in nu.

Hon ler mjukt med rosablänkande läppar.

– Jag heter Anja Larsson, säger hon till Erik och Simone. Det är jag som ska ta upp vittnesmålet.

Kvinnan räcker fram sin välvårdade, runda hand. Hennes naglar är långa, målade i rött nagellack med glittrande överkant.

– Jag tyckte att det gav lite julstämning, säger hon glatt om naglarna.

– Fint, svarar Simone disträ.

Joona Linna sitter redan i rummet. Han har hängt av sig kavajen på stolsryggen. Det blonda håret är rufsigt och ser otvättat ut. Han har inte rakat sig. När de slår sig ned mitt emot honom ger han Erik en allvarlig, tankfull blick.

Simone harklar sig lågt och tar en klunk ur vattenglaset. När hon ställer ned det igen nuddar hon Eriks hand. Deras blickar möts och han ser henne forma ett ljudlöst ”förlåt” med läpparna.

Anja Larsson ställer den digitala bandspelaren på bordet mellan dem, trycker på inspelningsknappen, kontrollerar att den röda lampan lyser och redogör därefter kortfattat för tid, datum och vilka personer som är närvarande i rummet. Sedan gör hon en kort paus, lägger huvudet på sned och säger med ljus, vänlig röst:

– Okej Simone, vi vill gärna höra dina ord om vad det var

som skedde i förrgår kväll hemma i din lägenhet på Luntmakargatan.

Simone nickar, tittar till på Erik och slår sedan ner blicken.

– Jag ... jag var hemma och ...

Hon tystnar.

– Var du ensam? frågar Anja Larsson.

Simone skakar på huvudet.

– Sim Shulman var hos mig, säger hon neutralt.

Joona antecknar något i sitt kollegieblock.

– Kan du säga hur du tror att Josef och Evelyn Ek tog sig in hos er? frågar Anja Larsson.

– Jag vet inte riktigt, för jag duschade, säger Simone långsamt och blir ett kort ögonblick alldeles röd i ansiktet. Rodnaden försvinner nästan omedelbart men lämnar kvar en levande glans i hennes kinder.

– Jag stod i duschen när Sim ropade åt mig att det ringde på dörren ... Nej, vänta, han ropade åt mig att det ringde i min mobiltelefon.

Anja Larsson upprepar:

– Du stod i duschen och hörde Sim Shulman ropa att det ringde i din mobiltelefon.

– Ja, viskar Simone. Jag bad honom svara.

– Vem var det som ringde?

– Jag vet inte.

– Men han svarade?

– Jag tror det, jag är nästan säker på det.

– Vad var klockan då? frågar plötsligt Joona.

Simone rycker till som om hon inte har lagt märke till honom förut, som om hon inte känner igen hans finlandssvenska röst.

– Jag vet inte, svarar hon urskuldande med ansiktet vänt mot honom.

Han ler inte, utan insisterar:

– Ungefär.

Simone rycker på axlarna och säger svävande:

– Fem.

– Inte fyra? frågar Joona.

– Vad menar du?

– Jag vill bara veta, svarar han.

– Ni vet ju redan det här, säger Simone till Anja.

– Fem alltså, säger Joona och skriver ned klockslaget.

– Vad gjorde du innan du duschade? frågar Anja. Det är lättare att komma ihåg tider om man går igenom hela dagen.

Simone skakar på huvudet, hon ser mycket trött ut, nästan slö. Hon tittar inte på Erik. Han sitter tyst bredvid henne med hårt bultande hjärta.

– Jag visste inte, säger han plötsligt och tystnar igen.

Hon ser hastigt på honom. Han öppnar munnen igen:

– Jag visste inte att du och Shulman hade ...

Hon nickar.

– Jo, Erik. Så var det.

Han tittar på henne, på poliskvinnan och på Joona.

– Förlåt att jag avbröt, stammar han.

Med en överseende ton vänder sig Anja till Simone igen.

– Fortsätt, berätta för oss vad som hände, Sim Shulman ropade att det ringde ...

– Han gick ut i hallen och ...

Simone tystnar och sedan rättar hon sig ännu en gång:

– Nej, så var det inte. Jag hörde Sim säga ”Och nu ringer det på dörren också” eller något i den stilen. Jag duschade färdigt, torkade mig, öppnade försiktigt dörren och fick se ...

– Varför försiktigt? frågar Joona.

– Vad då?

– Varför öppnade du dörren försiktigt och inte som vanligt?

– Jag vet inte, jag kände, det var någonting i luften, det kändes hotfullt ... Jag kan inte förklara det ...

– Hade du hört någonting?

– Jag tror inte det.

Simone stirrar framför sig.

– Fortsätt, ber Anja.

– Jag såg en flicka genom dörrglipan. En ung kvinna stod i korridoren, hon tittade på mig, verkade rädd och gjorde ett tecken åt mig att gömma mig.

Simone rynkar pannan.

– Jag gick till hallen och fick se Sim ... ligga där på golvet ... det var så mycket blod och det kom hela tiden mer, hans ögon darrade och han försökte röra händerna ...

Simones röst blir grumlig och Erik märker att hon kämpar för att inte gråta. Han skulle vilja trösta sin hustru, stötta henne, ta hennes hand eller omfamna henne. Men han vet inte om hon skulle stöta bort honom eller bli arg om han försökte.

– Ska vi ta en paus? frågar Anja mjukt.

– Jag ... jag ...

Simone avbryter sig och lyfter med häftigt skakande händer vattenglaset till sina läppar. Hon sväljer hårt och stryker sig över ögonen.

– Ytterdörren var låst, det var säkerhetslåset, fortsätter hon med stadigare röst. Flickan sa att han hade nyckeln i köket, så jag smög in i Benjamins rum och satte på datorn.

– Du satte på datorn. Varför då? frågar Anja.

– Jag ville att han skulle tro att jag var där inne, att han liksom skulle höra ljudet från datorn och rusa dit.

– Vem pratar du om?

– Josef, svarar hon.

– Josef Ek?

– Ja.

– Hur visste du att det var han?

– Det gjorde jag inte då.

– Jag förstår, sa Anja. Fortsätt.

– Jag satte på datorn och gömde mig sedan i badrummet. När jag hörde hur de gick in till Benjamins rum smög jag till köket och tog nyckeln. Flickan försökte hela tiden lura Josef att leta på olika ställen för att fördröja honom, jag kunde höra dem, men jag tror att jag råkade stöta till tavlan i hallen, för plötsligt kom Josef efter mig. Flickan försökte stoppa honom, hon hängde kring hans ben och ...

Hon sväljer hårt.

– Jag vet inte, han fick loss henne. Och då låtsades flickan att hon hade blivit skuren, hon målade sig med blodet från Sim, lade sig ned och spelade död.

Det blir tyst ett ögonblick. Simone låter som om hon har svårt att andas.

– Fortsätt, Simone, uppmanar Anja lågt.

Simone nickar och berättar kort:

– Josef såg henne, gick tillbaka och när han böjde sig ner så stack hon honom med kniven i sidan.

– Såg du vem som knivskar Sim Shulman?

– Det var Josef.

– Såg du det?

– Nej.

Det blir tyst i rummet.

– Evelyn Ek räddade mitt liv, viskar Simone.

– Är det något du vill tillägga?

– Nej.

– Då tackar jag för ditt samarbete och förklarar förhöret avslutat, rundar kvinnan av och sträcker ut en frostglittrande hand för att stänga av inspelningsknappen.

– Vänta, säger Joona. Vem var det som ringde?

Simone tittar yrvaket på honom. Det är som om hon hade glömt bort honom igen.

– Vem ringde till dig på mobilen?

Hon skakar på huvudet.

– Jag vet inte, jag vet inte ens vart mobilen tog vägen, jag ...

– Det är ingen fara, säger Joona lugnt. Vi hittar den.

Anja Larsson väntar en stund, ser frågande på dem och stänger sedan av bandspelaren.

Utan att titta på någon reser sig Simone från stolen och går sakta ut genom dörren. Erik nickar hastigt åt Joona och följer sedan efter henne.

– Vänta, säger han.

Hon stannar och vänder sig om.

– Vänta, jag vill bara ...

Han tystnar, ser hennes nakna, sårbara ansikte, de bleka, korkfärgade fräknarna, den breda munnen och de ljusa, gröna ögonen. Utan ett ord omfamnar de varandra, trötta och ledsna.

– Såja, säger han. Såja.

Han kysser hennes hår, det rödblonda, lockiga håret.

– Jag vet ingenting längre, viskar hon.

– Jag kan höra om de har ett rum så att du får vila.

Hon lösgör sig sakta från honom och skakar på huvudet.

– Jag ska leta rätt på min mobiltelefon, säger hon allvarligt. Jag måste få veta vem som ringde när Shulman svarade.

Joona kommer ut från förhörsrummet med kavajen hängande över ena axeln.

– Är telefonen här på polishuset? frågar Erik.

Joona nickar mot Anja Larsson som är på väg mot hissarna en bit bort i korridoren.

– Det borde Anja veta, svarar han.

Erik ska just rusa efter henne, när Joona gör en hejdande gest med handen. Han tar upp sin mobil och slår ett kortnummer.

De ser kvinnan stanna upp och svara.

– Vi behöver några papper av dig, min skatt, säger Joona i en lätt ton.

Med en trumpen min vänder hon sig om och de börjar gå henne till mötes.

– Anja var en riktig atlet när hon började här, säger han. En otrolig simmare, fjäril, hon kom åtta i OS borta i...

– Vad är det för papper du vill ha? Toapapper? ropar Anja.

– Bli inte sur för...

– Du snackar för mycket skit.

– Jag skryter bara lite om dig.

– Ja, ja, säger hon småleende.

– Har du förteckningen över föremålen som vi har tagit till labbet?

– Den är inte färdig – du får åka ner och kolla.

De följer med henne tillbaka till hissarna. Vajern dånar ovanför och hisskorgen knarrar när de åker ner. Anja kliver av på våning två och vinkar till dem precis när dörrarna stängs.

I expeditionen på entréplanet sitter en lång man som påminner Erik om en släkting. De går hastigt genom en korridor med dörrar, anslagstavlor och brandsläckare i plexiglaslådor. I laboratorieavdelningen är det betydligt ljusare och de flesta är klädda i läkarrockar. Joona skakar hand med en mycket tjock man som presenterar sig som Erixon och visar dem vägen till ett annat rum. På ett bord med stålskiva ligger en massa föremål uppradade. Erik känner igen dem. Två köksknivar med svarta fläckar som ligger i två olika metallskålar. Han ser en bekant handduk, hallmattan, flera par skor och Simones mobiltelefon i en plastficka. Joona pekar på telefonen:

– Vi vill titta på den, säger han. Är den färdig?

Den tjocke mannen går fram till listan som sitter uppsatt intill föremålen. Han ögnar igenom papperet och säger dröjande:

– Jag tror det. Ja, mobilen är färdig utvändigt.

Joona tar upp telefonen ur plastfickan, torkar av den på lite papper och räcker obekymrat över den till Simone. Hon knappar koncentrerat fram samtalslistan, mumlar något, lägger handen över munnen och kväver ett rop när hon ser på displayen.

– Det... det är Benjamin, stammar hon. Det sista samtalet kom från Benjamin.

De trängs över mobilen. Benjamins namn blinkar ett par gånger innan batteriet i mobilen tar slut.

– Pratade Shulman med Benjamin? frågar Erik med höjd röst.

– Jag vet inte, svarar hon ynkligt.

– Men det var väl han som svarade? Det är bara det jag undrar.

– Jag stod i duschen och jag tror att han tog telefonen innan han ...

– Du ser väl för fan om samtalet är missat eller om ...

– Det var inte missat, avbryter hon. Men jag vet inte om Sim hann höra eller säga något innan han öppnade dörren för Josef.

– Det är inte meningen att låta arg, säger Erik med tillkämpat lugn. Men vi måste få veta om Benjamin sa någonting.

Simone vänder sig till Joona:

– Lagras inte alla mobilsamtal nuförtiden? frågar hon.

– Det kan ta veckor att få fram, svarar han.

– Men ...

Erik lägger en hand på Simones arm och säger:

– Vi måste prata med Shulman.

– Det går ju inte, han är i koma, säger hon upprört. Jag har ju sagt att han är i koma.

– Följ med mig, säger Erik till Simone och lämnar rummet.

# 47

*Lördag eftermiddag den nittonde december*

SIMONE SITTER BREDVID Erik i bilen, tittar till på honom ibland och vänder sedan blicken ut genom vindrutan. Vägen med den bruna slasksträngen i mitten susar bort och undan. Bilarna rör sig framför dem i ändlösa, blinkande led. Gatlyktorna flimrar monotont förbi. Hon säger ingenting om skräpet i baksätet och på golvet kring hennes ben: tomma vattenflaskor, läskedrycksburkar, en pizzakartong, tidningar, muggar, servetter, tomma chipspåsar och godispapper.

Erik kör mjukt i riktning mot Danderyds sjukhus där Sim Shulman ligger i koma, och han vet exakt vad han ska göra när han kommer fram. Han kastar en blick på Simone, hon har magrat och hennes mungipor är neddragna, ledsna och oroliga. Själv känner han sig nästan skrämmande fokuserad. Han ser händelserna de senaste dagarna som isande klara och tydligt belysta. Han tycker sig förstå omständigheterna kring det som har hänt honom och hans familj. Innan de passerar Kräftriket börjar han förklara för Simone.

– När vi förstod att det inte kunde vara Josef som tagit Benjamin så sa Joona till mig att söka i minnet, säger han rakt ut i tystnaden i bilen. Och jag började leta mig tillbaka i det förflutna efter någon som skulle vilja hämnas på mig.

– Vad hittade du? frågar Simone.

I ögonvrån ser han hur hon vrider sitt ansikte mot honom. Han vet att hon är beredd att lyssna.

– Jag hittade hypnosgruppen som jag lämnade ... Det är

bara tio år sedan, men jag tänker aldrig på dem, det har varit så avslutat, säger han. Men nu när jag försökte minnas, då var det som om gruppen aldrig hade försvunnit, som om den bara hade stått lite vid sidan av och väntat.

Erik ser hur Simone nickar. Han fortsätter tala, försöker förklara teorierna han hade haft kring hypnosgruppen, spänningarna som funnits mellan personerna, balansgången han själv hade gjort och förtroendet som brustit.

– När jag hade misslyckts med allt lovade jag att aldrig mer hypnotisera.

– Ja.

– Men så bröt jag löftet för att Joona övertygade mig om att det var det enda sättet att rädda Evelyn Ek.

– Tror du att det beror på det, att du hypnotiserade honom, som allting har hänt oss?

– Jag vet inte ...

Erik tystnar och säger sedan att det kan ha väckt ett slumrande hat, ett hat som kanske bara behärskats av löftet han gav om att aldrig mer hypnotisera.

– Du minns Eva Blau? fortsätter han. Hon pendlade in och ut ur ett psykotiskt tillstånd. Du vet att hon hotade mig, sa att hon skulle förstöra mitt liv.

– Jag förstod aldrig varför, säger Simone lågt.

– Hon var rädd för någon, jag betraktade det som paranoia, men nu är jag nästan säker på att hon blev hotad på riktigt av Lydia.

– Även paranoida personer kan vara förföljda, säger Simone.

Erik svänger in mot Danderyds blåa, utspridda sjukhusområde. Regn slår mot vindrutan.

– Det var kanske till och med Lydia som skar henne i ansiktet, säger han nästan för sig själv.

Simone rycker till.

– Var hon skuren i ansiktet? frågar hon.

– Jag trodde att hon hade gjort det själv, det är ju det vanliga, säger Erik. Jag tänkte att hon skar av nästippen på sig själv i ett desperat behov av att känna något annat, att slippa det som var smärtsamt på riktigt ...

– Vänta, vänta lite, avbryter Simone upprört. Var hennes näsa avskuren?

– Nästippen.

– Jag och pappa hittade en pojke med avskuren nästipp. Har pappa berättat det? Någon hade hotat pojken, skrämt honom och gjort illa honom för att han hade trakasserat Benjamin.

– Det är Lydia.

– Är det hon som har kidnappat Benjamin?

– Ja.

– Vad vill hon?

Erik ser allvarligt på henne.

– Du känner redan till en del av det här, säger han. Lydia erkände under hypnos att hon hade sin son Kasper instängd i en bur i källaren och tvingade honom att äta rutten mat.

– Kasper? upprepar Simone.

– När ni berättade vad Aida hade sagt, att en kvinna kallade Benjamin för Kasper, så visste jag att det var Lydia. Jag åkte till hennes hus i Rotebro och bröt mig in, men det var ingen där, det var övergivet.

Han kör snabbt utefter raderna av parkerade bilar, men det är överfullt, så han svänger ut med bilen igen och kör mot entrén.

– Det hade brunnit i källaren men självslocknat, fortsätter Erik. Jag antar att branden var anlagd, men resterna från en stor bur fanns fortfarande kvar.

– Men det fanns ju ingen bur, säger Simone. Det var ju bevisat att hon aldrig hade haft något barn.

– Joona tog dit en likhund som hittade tio år gamla rester från ett barn i trädgården.

– Gud, viskar Simone.

– Ja.

– Det var ju då ...

– Jag tror att hon dödade barnet i källaren när hon förstod att hon hade blivit avslöjad, säger Erik.

– Så du hade rätt hela tiden, viskar Simone.

– Det verkar så.

– Vill hon döda Benjamin?

– Jag vet inte ... Hon tycker antagligen att det var mitt fel, alltihop. Hade jag inte hypnotiserat henne så hade hon kunnat behålla barnet.

Erik tystnar och tänker på Benjamins röst när han ringde honom. Hur han hade försökt att inte låta rädd, och hur han talat om kråkslottet. Det måste ha varit Lydias kråkslott han menade. Det var ju där hon själv hade vuxit upp, det var där hon hade begått sina övergrepp och förmodligen själv hade utsatts för övergrepp. Om hon inte tog Benjamin till kråkslottet kan hon ha tagit honom vart som helst.

Han ställer bilen framför huvudentrén till Danderyds sjukhus, bryr sig inte om att låsa eller betala parkeringsavgift. De skyndar bara förbi den dystra och snöfyllda fontänen, passerar några huttrande rökare i morgonrockar, springer in genom de pysande dörrarna och tar hissen till avdelningen där Sim Shulman ligger.

Det luktar tungt av alla blommor i rummet. Stora, doftande buketter står i vaser i fönstret. En bunt med kort och brev från bestörta vänner och kollegor ligger på bordet.

Erik tittar på mannen i sjukhussängen, de insjunkna kinderna, näsan, ögonlocken. Magens alltför regelbundna rörelse följer respiratorns suckande rytm. Han befinner sig i ett permanent vegetativt tillstånd, hålls vid liv av apparaterna i rummet och kommer aldrig att klara sig utan dem. En andningskanyl har förts in i luftröret genom ett snitt på halsens framsida. Han får näring via en witzelfistel, en sond rakt in i magsäcken med stopplatta på buken.

– Simone, du ska tala med honom när han vaknar och ...

– Det går inte att väcka honom, avbryter hon med gäll röst. Han är i koma, Erik, hjärnan är skadad av blodförlusten, han kommer aldrig att vakna, han kommer aldrig att tala igen.

Hon torkar tårar från kinderna.

– Vi måste få veta vad Benjamin sa till ...

– Sluta, ropar hon och börjar gråta häftigt.

En sjuksyster tittar in, ser Erik hålla om Simones skakande kropp och lämnar dem ifred.

– Jag ska ge honom en spruta med zolpidem, viskar Erik in i hennes hår. Det är ett kraftigt sömnmedel som kan väcka personer ur ett komatöst tillstånd.

Han känner hur hon skakar på huvudet.

– Vad pratar du om?

– Det fungerar bara en liten stund.

– Jag tror inte på dig, säger hon tvekande.

– Sömnmedlet saktar ner de överaktiva processerna i hjärnan som orsakar hans koma.

– Vaknar han då? Menar du det?

– Han kommer aldrig att bli frisk, han är svårt hjärnskadad, Sixan, men med det här sömnmedlet kommer han kanske att vakna till några sekunder.

– Vad ska jag göra?

– Ibland kan patienter som får det här medlet säga några ord, ibland bara titta.

– Det här är inte tillåtet – eller hur?

– Jag tänker inte be om lov, jag tänker bara göra det och du måste prata med honom när han vaknar.

– Skynda dig, säger hon.

Erik går snabbt iväg för att hämta den utrustning han behöver. Simone ställer sig vid Shulmans säng och tar hans hand. Hon ser på honom. Hans ansikte är lugnt. De mörka, kraftiga dragen nästan utslätade av avslappning. Den vanligen så ironiska, sensuella munnen är intetsägande. Inte ens hans allvarsamma rynka sitter mellan de svarta ögonbrynen. Hon smeker sakta hans panna. Tänker att hon ska fortsätta att ställa ut hans verk, att en riktigt bra konstnär aldrig kan dö.

Erik kommer tillbaka in i rummet. Utan ett ord går han fram till Shulman, och med ryggen mot dörren hasar han sakligt upp ärmen på hans sjukhusskjorta.

– Är du beredd? frågar han.

– Ja, svarar hon. Jag är beredd.

Erik tar fram sprutan, kopplar den till den intravenösa katetern och sprutar sedan sakta in den gulaktiga vätskan. Oljigt blandar den sig med den klara vätsketillförseln och försvinner ned mot nålen i armvecket och in i Shulmans blodomlopp. Erik stoppar sprutan i fickan, knäpper upp sin jacka och flyttar sedan elektroderna från Shulmans bröst till sitt eget, tar klämman från hans pekfinger och fäster vid sitt eget och ställer sig sedan att iaktta Shulmans ansikte.

Det händer absolut ingenting. Shulmans mage höjs och sänks regelbundet och mekaniskt med hjälp av respiratorn.

Erik är torr i munnen och känner sig frusen.

– Ska vi gå? frågar Simone efter ett tag.

– Vänta, viskar Erik.

Armbandsuret tickar långsamt. I fönstret släpper en blomma sakta ett kronblad. Det frasar till när det lägger sig på golvet. Några regndroppar träffar rutan. De hör en kvinnas skratt någonstans ifrån ett avlägset rum.

Ett konstigt pysande kommer inifrån Shulmans kropp, som en svag vind genom ett halvslutet fönster.

Simone känner hur svett rinner från armhålorna nedför hennes kropp. Hon känner sig klaustrofobiskt fast i situationen. Egentligen skulle hon vilja rusa ut från rummet, men hon kan inte längre slita blicken från Shulmans hals. Kanske inbillar hon sig det, men hon tycker plötsligt att den kraftiga pulsådern på hans hals tickar snabbare. Erik andas tungt och när han lutar sig över Shulman ser hon att han verkar nervös, han biter sig i underläppen och tittar på klockan igen. Ingenting händer.

Respiratorn pyser metalliskt. Någon passerar utanför dörren. Hjulen under en vagn gnisslar förbi och sedan blir det åter tyst i rummet. Det enda ljudet kommer från maskinens rytmiska arbete.

Plötsligt hörs ett svagt krafsande läte. Simone förstår inte vad det kommer ifrån. Erik har tagit ett par steg åt sidan. Det krafsande lätet fortsätter. Simone inser att det måste komma från Shulman. Hon närmar sig honom och ser att hans pekfinger rör sig mot det spända lakanstyget. Hon känner pulsen öka och ska precis säga något till Erik när Shulman öppnar ögonen. Han stirrar rakt på henne med en underlig blick. Munnen dras ut i en rädd grimas. Tungan rör sig trögt och saliv rinner nerför hakan på honom.

– Det är jag, Sim. Det är jag, säger hon och tar hans hand i sina händer. Jag ska fråga dig några mycket viktiga saker.

Shulmans fingrar darrar långsamt. Hon vet att han ser henne, så rullar plötsligt hans ögon bakåt, munnen stramar och ådrorna i hans tinningar buktar kraftigt.

– Du svarade i min telefon när Benjamin ringde, minns du det?

Erik, som har Shulmans elektroder på sitt bröst, ser på skärmen hur hans egen hjärtrytm stegras. Shulmans fötter vibrerar under lakanet.

– Sim, hör du mig? frågar hon. Det är Simone. Hör du mig, Sim?

Hans ögon återvänder, men glider omedelbart åt sidan. Snabba steg hörs i korridoren utanför dörren, en kvinna ropar något.

– Du svarade i min telefon, upprepar hon.

Han nickar svagt.

– Det var min son, fortsätter hon. Det var Benjamin som ringde …

Hans fötter börjar skaka igen, ögonen rullar bakåt och tungan glider ut ur munnen.

– Vad sa Benjamin? frågar Simone.
Shulman sväljer, tuggar långsamt, ögonlocken sjunker ner.
– Sim? Vad sa han?
Han skakar på huvudet.
– Sa han ingenting?
– Inte ... väser Shulman.
– Vad sa du?
– Inte Benja ... säger han nästan ljudlöst.
– Sa han ingenting? frågar Simone.
– Inte han, säger Shulman med en ljus och rädd röst.
– Vad då?
– Ussi?
– Vad säger du nu? frågar hon.
– Jussi ringde ...
Shulmans mun darrar.
– Var befann han sig? frågar Erik. Fråga var Jussi befann sig.
– Var någonstans var han? frågar Simone. Vet du det?
– Hemma, svarar Shulman ljust.
– Var Benjamin där också?
Shulmans huvud välter åt sidan, munnen blir slapp och hakan veckar sig. Simone ser stressat på Erik, hon vet inte vad hon ska göra.
– Var Lydia där? frågar Erik.
Shulman tittar upp, ögonen glider åt sidan.
– Var Lydia där? frågar Simone.
Shulman nickar.
– Sa Jussi någonting om ...
Simone tystnar när Shulman börjar kvida. Hon klappar honom mjukt på kinden och han ser henne plötsligt i ögonen.
– Vad har hänt? frågar han alldeles klart och sjunker sedan ner i koma igen.

# 48

*Lördag eftermiddag den nittonde december*

ANJA KOMMER IN I Joona Linnas rum och räcker tyst över en mapp och en kopp glögg åt honom. Han tittar upp på hennes runda, rosa ansikte. För ovanlighetens skull ler hon inte mot honom.

– De har identifierat barnet nu, förklarar hon kort och pekar på mappen.

– Tack, säger Joona.

Det finns två saker han avskyr, tänker han och betraktar den bruna kartongmappen. Det ena är att tvingas ge upp ett fall, att backa bort från oidentifierade kroppar, olösta våldtäkter, rån, misshandelsfall och mord. Och det andra han avskyr, fast på ett helt annat sätt, är när de olösta fallen får sina lösningar, för när de gamla gåtorna besvaras är det sällan på ett sätt som man önskat.

Joona Linna öppnar mappen och läser. Där står att barnkroppen som hittades i Lydia Evers trädgård var en pojke. Han var fem år då han bragtes om livet. En fraktur i hjässan orsakad av ett trubbigt föremål tros vara dödsorsaken. Dessutom har man funnit ett antal läkta och halvläkta skador på skelettet som tyder på upprepad misshandel av grövre slag. Prygel har rättsläkaren skrivit med ett frågetecken. Misshandel, så grov att den orsakat benbrott och sprickor i skelettet. Det är framför allt ryggen och armarna som tycks ha blivit utsatta för våld med ett tungt föremål. Flera bristsymptom på skelettet tyder dessutom på att barnet har svultit.

Joona ser ut genom fönstret en kort stund. Det här kan han inte vänja sig vid, och han har sagt sig själv att den dagen han vänjer sig vid det kommer han att sluta som kriminalkommissarie. Han drar handen genom det tjocka håret, sväljer tungt och återvänder sedan till läsningen.

Barnet är alltså identifierat. Han hette Johan Samuelsson och anmäldes försvunnen för tretton år sedan. Mamman, Isabella Samuelsson, hade enligt sin egen utsaga, befunnit sig i sin trädgård tillsammans med sonen när telefonen ringde inne i huset. Hon hade inte tagit med sig pojken in för att svara, och någon gång under de tjugo, trettio sekunder som hon lyft luren, konstaterat att det inte var någon där och lagt på igen, hade barnet försvunnit.

Johan var två år då han försvann.

Han var fem år då han dödades.

Därefter låg hans kvarlevor i Lydia Evers trädgård i tio år.

Lukten av glögg ur koppen är plötsligt kväljande. Joona ställer sig upp och öppnar fönstret på glänt. Han blickar ned på polishusets innergård, de spretiga trädkvistarna vid häktet, den blanka, våta asfalten.

Lydia hade barnet hos sig i tre år, tänker han. Tre års hemlighållande. Tre års misshandel, svält och rädsla.

– Är du okej, Joona? frågar Anja och sticker in huvudet genom dörren.

– Jag åker och pratar med föräldrarna, säger han.

– Niklasson kan säkert göra det, säger Anja.

– Nej.

– De Geer?

– Det här är mitt fall, säger Joona. Jag åker ...

– Jag förstår.

– Kan du kolla upp några adresser åt mig så länge?

– Men gubben min, svarar hon leende. Såklart jag kan.

– Det rör sig om Lydia Evers, jag skulle vilja veta var hon har vistats de senaste tretton åren.

– Lydia Evers? upprepar hon.

Han känner sig mycket tung i sinnet då han tar på sig pälsmössan och vinterjackan och ger sig iväg för att meddela Isabella och Joakim Samuelsson att deras son Johan tyvärr har hittats.

Anja ringer honom när han kör ut genom tullarna.

– Det gick fort, säger han och försöker verkligen låta glad, men det går inte nu heller.

– Älskling, jag arbetar faktiskt med det här, kvittrar Anja.

Han hör henne dra efter andan. En flock svarta fåglar lyfter från en snötäckt åker, de ser ut som tunga droppar i hans ögonvrå. Han får lust att svära högt när han tänker på de två bilderna på Johan som fanns i mappen. På den ena bilden är han en gapskrattande kille med håret på ända, klädd i polisdräkt. Och på den andra: benrester upplagda på ett metallbord, prydligt försedda med nummerlappar.

– Vilket jävla helvete, muttrar han för sig själv.

– Hörru du!

– Förlåt Anja, det var en annan bil bara ...

– Okej, okej. Men jag tycker faktiskt inte om svordomar.

– Nej, jag vet, säger han trött utan att orka delta i gnabbet.

Anja verkar äntligen förstå att han inte är på humör att skoja, så hon säger bara helt neutralt:

– Huset där Johan Samuelssons kvarlevor hittades är Lydia Evers föräldrahem. Hon växte upp där och det har alltid varit hennes enda adress.

– Har hon inte någon familj? Föräldrar? Syskon?

– Vänta, jag läser innantill. Det verkar inte så ... Pappan har aldrig varit känd och mamman lever inte mer. Det verkar som om hon inte ens hade vårdnaden om Lydia särskilt länge.

– Inga syskon? frågar Joona igen.

– Nej, säger Anja och han hör henne bläddra i papper. Jo, förresten, ropar hon. Hon hade en lillebror, men han verkar ha dött tidigt.

– Då var Lydia ... hur gammal var hon då?

– Hon var tio år.

– Har hon alltid bott i det där huset?

– Nej, det har jag aldrig sagt, invänder Anja. Hon har bott på ett annat ställe med, flera gånger faktiskt ...

– Vilket då? frågar Joona tålmodigt.

– Ulleråker, Ulleråker, Ulleråker.

– Mentalsjukhuset?

– Det heter psykiatrisk klinik. Men ja.

I samma ögonblick svänger Joona in på den lilla vägen i Saltsjöbaden där föräldrarna till Johan Samuelsson fortfarande bor. Han ser genast deras hus, ett falurött 1700-talshus med sadeltak. En sliten lekstuga står i trädgården och bakom den kulliga tomten anar man det svarta, tunga vattnet.

Joona drar händerna över ansiktet innan han kliver ut ur bilen. Han hatar det här. Den krattade grusgången är prydligt kantad av kullerstenar. Han går fram till dörren och ringer på, väntar, höjer handen och ringer på igen. Till slut hör han någon ropa innanför dörren.

– Jag öppnar.

Låset rasslar och en tonårsflicka puttar upp dörren. Hon är svartmålad kring ögonen och har färgat håret lila.

– Hej, säger hon undrande och stirrar på Joona.

– Jag heter Joona Linna, säger han. Jag kommer från Rikskriminalpolisen. Är din mamma och pappa hemma?

Flickan nickar och vänder sig om för att ropa. Men en medelålders kvinna står redan längst bort i hallen och stirrar på Joona.

– Amanda, säger hon med rädd röst. Fråga honom ... fråga honom vad han vill.

Joona skakar på huvudet.

– Jag vill inte gärna stå på farstubron och säga det jag har att säga. Kan jag komma in?

– Ja, viskar mamman.

Joona tar ett kliv in och stänger ytterdörren. Han ser på flickan vars underläpp har börjat darra. Sedan ser han på mamman, Isabella Samuelsson. Hennes händer är tryckta över bröstet och ansiktet är likblekt. Joona drar efter andan och förklarar lågt:

– Jag är väldigt, väldigt ledsen. Vi har hittat kvarlevorna av Johan.

Mamman trycker sin knytnäve mot munnen och ett kvidande ljud hörs. Hon tar stöd mot väggen, men halkar och sjunker ned på golvet.

– Pappa, skriker Amanda, pappa!

En man kommer nedspringande för trappan. När han får se sin fru sitta på golvet och gråta saktar han in. Det är som om all färg försvinner från hans läppar, hans ansikte. Han ser på sin hustru, sin dotter och sedan Joona.

– Det är Johan, säger han bara.

– Vi har hittat kvarlevorna, svarar Joona dämpat.

De sätter sig i vardagsrummet. Flickan håller om sin mamma som gråter förtvivlat. Pappan verkar fortfarande egendomligt lugn. Joona har sett det förut. Dessa män – och ibland kvinnor, även om det inte är så vanligt – som inte tycks reagera nämnvärt, som fortsätter att tala och ställa frågor, som får en särskild klang i sin röst, en tomhet när de förhör sig om detaljerna.

Joona vet att det inte är likgiltighet. Det är kamp. Det är ett förtvivlat försök att förlänga ögonblicket innan smärtan kommer.

– Hur hittade ni honom? viskar mamman mellan gråtattackerna. Var hittade ni honom?

– Vi sökte efter ett annat barn hos en som var misstänkt för människorov, säger Joona. Vår hund fick upp vittringen ... hon markerade i trädgården ... han, Johan har varit död i tio år, enligt rättsläkarens utlåtande.

Joakim Samuelsson tittar upp.

– Tio år?

Han skakar på huvudet.

– Men, viskar han, det är ju tretton år sedan Johan försvann från oss.

Joona nickar och känner sig helt utmattad när han förklarar:

– Vi har anledning att tro att personen som tog ert barn höll honom fången i tre år ...

Han tittar ned i sitt knä, han anstränger sig för att låta lugn när han blickar upp igen:

– Johan var fången i tre år, fortsätter han. Innan förövaren bragte honom om livet. Han var fem när han dog.

Nu brister pappans ansikte. Hans järnhårda försök att vara lugn krossas i ändlösa skärvor som på en tunn glasskiva. Det är mycket plågsamt att se. Han stirrar på Joona medan ansiktet drar ihop sig och tårarna börjar rinna nedför hans kinder, in i hans öppna mun. Grova, hemska snyftningar river i luften.

Joona ser på hemmet, betraktar de inramade bilderna på väggarna. Känner igen fotot från mappen av den lille tvåårige Johan i polisdräkt. Ser en konfirmationsbild av flickan. Där är ett fotografi av föräldrarna, de skrattar och håller upp en nyfödd bebis. Han sväljer och väntar. Han hatar verkligen detta. Men det är inte färdigt.

– Det är en sak till som jag måste få veta, säger han och ger sig till tåls ännu ett ögonblick för att de ska samla sig tillräckligt för att uppfatta vad han säger.

– Jag måste fråga er om ni någonsin har hört talas om en kvinna vid namn Lydia Evers?

Mamman skakar förvirrat på huvudet. Pappan blinkar till ett par gånger och säger sedan snabbt:

– Nej, aldrig.

Amanda viskar:

– Är det hon ... är det hon som tog min storebror?

Joona ser allvarligt på henne.

– Vi tror det, svarar han.

När han reser sig upp är hans handflator våta av svett och

svetten rinner utefter sidorna på kroppen.

– Jag beklagar, säger han igen. Jag är verkligen, verkligen ledsen.

Han lägger sitt visitkort på bordet framför dem och lämnar telefonnumret till en kurator och en stödgrupp.

– Ring mig om ni kommer att tänka på något eller om ni bara vill prata.

Han börjar gå när han plötsligt ser pappan resa sig upp i ögonvrån:

– Vänta ... jag måste veta. Har ni tagit fast henne nu? Har ni tagit henne?

Joona biter ihop käkarna när han vänder sig om och slår ut med händerna:

– Nej, vi har inte tagit henne ännu. Men vi spårar henne. Snart har vi henne. Jag har henne snart, det vet jag.

Joona slår numret till Anja så fort han klivit in i bilen igen. Hon svarar på första signalen.

– Gick det bra? frågar hon.

– Det går aldrig bra, svarar Joona sammanbitet.

Det blir tyst i luren ett kort ögonblick.

– Ville du något särskilt? frågar Anja svävande.

– Ja, säger Joona.

– Du vet att det är lördag.

– Mannen ljuger, fortsätter Joona. Han känner Lydia. Han sa att han aldrig hört talas om henne, men han ljög.

– Hur vet du att han ljög?

– Hans ögon, hans ögon när jag frågade. Jag har rätt i det här.

– Jag tror dig, du har alltid rätt. Eller hur?

– Ja, det har jag.

– Om man inte tror dig får man stå ut med att du kommer och säger ”vad var det jag sa”.

Joona ler för sig själv.

– Du känner mig vid det här laget, hör jag.

– Ville du säga något annat än att du hade rätt?

– Ja, att jag åker ut till Ulleråker.

– Nu? Du vet att det är julbord i kväll?

– Är det i kväll?

– Joona, säger Anja förmanande. Det är personalfest, julbord på Skansen. Inte har du glömt det?

– Måste man komma? frågar Joona.

– Det måste man, svarar Anja bestämt. Och du ska sitta bredvid mig, eller hur?

– Bara du inte blir för närgången efter några snapsar.

– Det tål du.

– Vill du vara en liten ängel, ringa Ulleråker och se till så att det finns någon där jag kan prata med om Lydia, så ska du få göra nästan vad du vill med mig, säger Joona.

– Gud, jag ringer, jag ringer, ropar Anja glatt och lägger på.

# 49

*Lördag eftermiddag den nittonde december*

KLUMPEN I JOONA LINNAS mage har nästan försvunnit när han växlar upp till femman och susar fram över slasket på Europaväg 4 mot Uppsala. Ulleråkers psykiatriska anstalt är fortfarande i drift, trots de stora besparingarna i psykvården som kallades för reformer i början av 1990-talet, då ett stort antal psykiskt sjuka människor förväntades klara sig själva efter att ha levt på institution i hela sina liv. De erbjöds boenden som de snabbt vräktes från eftersom de aldrig någonsin hade betalt räkningar eller hållit reda på spisar och dörrar själva. De institutionaliserade minskade, men de hemlösa ökade i samma antal. Den stora finanskrisen slog till som en följd av de nyliberala vägvalen och plötsligt hade landstingen inga resurser för att fånga upp dessa människor igen. Idag finns det bara ett par psykiatriska anstalter kvar i drift i Sverige och Ulleråker är en av dem.

Anja har som vanligt gjort ett bra arbete. När Joona kommer in genom huvudentrén ser han redan på blicken hos flickan i receptionen att han är väntad.

Hon säger bara:

– Joona Linna?

Han nickar och visar sin polislegitimation.

– Doktor Langfeldt väntar på er. En trappa upp, första rummet till höger i korridoren.

Joona tackar och börjar gå uppför den breda stentrappan. Avlägset hör han dunsar och rop. Det luktar cigarettrök och ljudet från en teve hörs någonstans ifrån. Fönstren är gallerförsedda. Därute ligger en kyrkogårdsliknande park med nerregnade, svartnande buskar, fuktskadade spaljéer där kvistiga växter slingrar sig. Det ser dystert ut, tänker Joona och säger sig att en plats av det här slaget egentligen inte är till för att man ska tillfriskna – det är en plats för förvaring. Han kommer upp till trappavsatsen och ser sig omkring. På vänster sida, innanför en glasdörr, ligger en lång, smal korridor. Han funderar en kort stund på var han har sett den förut, tills han inser att den nästan är en identisk kopia av Kronobergshäktet. Rader av låsta dörrar, hängande metallhandtag. Låsinsatserna. En äldre kvinna i långklänning kommer ut genom en av dörrarna. Hon stirrar stint på honom genom glasrutan. Joona nickar kort åt henne och öppnar sedan dörren till den andra korridoren. Där luktar det starkt av rengöringsmedel, en frän lukt som påminner om klorin.

Doktor Langfeldt står redan och väntar i dörren när Joona kommer till hans rum.

– Är det polisen? frågar han retoriskt och sträcker ut en bred, köttig hand mot Joona. Hans handslag är överraskande mjukt, kanske det mjukaste handslag Joona någonsin känt.

Doktor Langfeldt rör inte en min när han med en sparsam gest säger:

– Varsågod och kom in i mitt rum.

Doktor Langfeldts kontor är förvånansvärt stort. Tunga bokhyllor fyllda av samma sorts pärmar täcker väggarna. Rummet är helt utan prydnadsföremål, helt utan tavlor eller fotografier. Den enda bilden i rummet är en barnteckning som hänger på dörren. Det är en huvudfoting tecknad i grön och blå krita. Barn som är i treårsåldern brukar rita människor på det sättet. Direkt från ett ansikte – med ögon, näsa och mun – sticker det ut armar och ben. Antingen kan man se det som att huvudfotingarna saknar kropp, eller så är huvudet den kropp de har.

Doktor Langfeldt går fram till sitt skrivbord som nästan fullständigt är täckt av papperstravar. Han flyttar undan en telefon av äldre modell från besöksstolen och gör ytterligare en återhållen handrörelse åt Joona, som tolkar den som en uppmaning att slå sig ned.

Doktorn ser betänksamt på honom, hans ansikte är tungt och fårat och det är något livlöst över hans drag, nästan som om han lider av ansiktsförlamning.

– Tack för att du tog dig tid, säger Joona. Det är ju helg och ...

– Jag vet vad du vill fråga om, avbryter doktorn. Du vill ha information om Lydia Evers. Min patient.

Joona öppnar munnen, men doktorn håller upp en hand för att hejda honom.

– Jag förutsätter att du har hört talas om tystnadsplikt och sekretessbelagd information rörande sjukdom, fortsätter Langfeldt, och dessutom ...

– Jag kan lagen, avbryter Joona. Om brottet som undersöks skulle ge mer än två års fängelse som påföljd så ...

– Ja ja ja, säger Langfeldt.

Läkarens blick är inte undanglidande, den är bara livlös.

– Jag kan förstås kalla in dig till förhör, säger Joona mjukt. Åklagaren förbereder i denna stund en häktningsframställan på Lydia Evers. Då kommer vi givetvis också att beordra fram patientjournalen.

Doktor Langfeldt trummar med fingrarna mot varandra och slickar sig om munnen.

– Det är just det, säger han. Jag vill bara ...

Han avbryter sig.

– Jag vill helt enkelt få en garanti.

– En garanti?

Langfeldt nickar.

– Jag vill att mitt namn hålls utanför den här historien.

Joona möter Langfeldts blick och inser med ens att den där

livlösheten i själva verket är återhållen rädsla.

– Det kan jag inte lova, säger han strävt.

– Om jag ber dig?

– Jag är envis, förklarar Joona.

Doktorn lutar sig tillbaka. Det rycker lätt i hans mungipor. Det är det enda tecknet på nervositet eller liv överhuvudtaget han har visat hittills.

– Vad är det du vill veta? frågar han.

Joona lutar sig framåt och svarar:

– Allt, jag vill alltid veta allt.

En timme senare går Joona Linna ut ur doktorns rum. Han kastar en hastig blick in i den motsatta korridoren, men kvinnan i långklänning är borta, och när han skyndar nedför stentrappan märker han att det har hunnit bli helt mörkt, av parken och spaljéerna syns ingenting längre. Flickan i receptionen har tydligen gått hem för dagen. Disken är tom och ytterdörren låst. Det är alldeles tyst i hela byggnaden trots att Joona vet att anstalten rymmer hundra patienter.

Han huttrar när han kliver in i sin bil igen och svänger ut från den stora parkeringsplatsen framför anstalten.

Det är en sak som stör honom. Något som undslipper honom. Han försöker erinra sig punkten då det började störa honom.

Doktorn hade tagit fram en pärm, identisk med de andra pärmarna som fyllde hyllorna. Han hade knackat lätt på framsidan och sagt:

– Här är hon.

Fotografiet på Lydia visade en ganska vacker kvinna med midjelångt, hennafärgat hår och en underligt leende blick: ett raseri strömmade under den vädjande ytan.

Första gången som Lydia togs in för behandling var hon bara tio år. Orsaken till omhändertagandet var att hon hade dödat sin lillebror, Kasper Evers. En söndag hade hon krossat hans skalle med en träkäpp. För doktorn hade hon förklarat att hennes mamma hade tvingat henne att uppfostra brodern. Kasper var Lydias ansvar när mamman arbetade eller sov, det var hennes uppgift att tukta honom.

Lydia togs omhand, modern dömdes till fängelse för barnmisshandel, Kasper Evers blev tre år gammal.

– Lydia förlorade sin familj, viskar Joona och sätter igång vindrutetorkarna när en mötande buss stänker ned hans bil fullständigt.

Doktor Langfeldt behandlade bara Lydia med starkt ångestdämpande psykofarmaka och överhuvudtaget ingen terapi. Han ansåg att hon handlat under stort tvång från modern. Med hans utlåtande placerades Lydia på ett öppet boende för ungdomsbrottslingar. När hon fyllde arton år försvann hon ur registren. Hon flyttade till sitt gamla hem och bodde där tillsammans med en pojke hon träffat på ungdomshemmet. Fem år senare dyker hon upp i papperen igen när hon överlämnas till sluten psykiatrisk vård, enligt en numera upphävd lag, för att vid upprepade tillfällen ha slagit ett barn på en lekplats.

Doktor Langfeldt mötte henne för andra gången och nu blev hon hans patient på anstalten med särskild utskrivningsprövning.

Doktorn hade berättat, med sträv och distanserad röst, att Lydia hade gått till en lekplats, valt ut ett särskilt barn, en pojke i femårsåldern, som hon lockat undan från de andra och sedan slagit. Hon hade kommit till lekplatsen flera gånger innan de fick tag på henne. Den sista misshandeln hade varit så grov att barnets tillstånd var livshotande.

– Lydia satt instängd på Ulleråkers psykiatriska klinik i sex år. Hon gick i behandling hela den tiden, förklarade Langfeldt och log glädjelöst. Hon var exemplarisk. Det enda problemet med henne var att hon ständigt bildade allianser med andra intagna. Hon skapade grupper omkring sig. Grupper som hon avkrävde fullständig lojalitet.

Hon bildar familj, tänker Joona nu och svänger av mot Fridhemsplan när han plötsligt minns personalfesten på Skansen. Han överväger att bara låtsas som om han glömt bort det, men inser att han är skyldig Anja att åka dit.

Langfeldt hade slutit ögonen och masserat tinningarna när han fortsatte:

– Efter sex år utan några incidenter fick Lydia börja med permissioner.

– Inga incidenter alls? frågade Joona.

Langfeldt tänkte efter.

– Det var en sak som hände, men den kunde aldrig bevisas.

– Vad var det som hände?

– Det var en patient som skadades i ansiktet. Hon hade klippt sig själv i ansiktet, hävdade hon, men det ryktades om att det var Lydia Evers som gjort det. Som jag minns det var det bara skvaller, det fanns inte något allvar i det.

Langfeldt hade höjt ögonbrynen som om han nu ville komma vidare med sin redovisning.

– Fortsätt, sa Joona.

– Hon fick flytta tillbaka till sitt föräldrahem. Hon gick på behandling fortfarande, hon fortsatte att sköta sig. Det fanns inget skäl, sa doktorn, det fanns verkligen inget skäl att tvivla på att hon menade allvar med att hon ville bli frisk. Efter två år var det dags för Lydia att slutföra sin behandling. Hon valde en terapiform som var på modet vid den tiden. Hon gick i gruppterapi hos ...

– Erik Maria Bark, fyllde Joona i.

Langfeldt nickade.

– Det verkar som om det där med hypnos inte var så nyttigt för henne, sa han drygt. Det slutade med att Lydia gjorde ett självmordsförsök. Hon hamnade hos mig för tredje gången ...

Joona Linna avbröt doktorn:

– Berättade hon för dig om sammanbrottet?

Langfeldt skakade på huvudet:

– Så vitt jag förstår var det den där hypnotisörens fel allt-ihop.

– Är du medveten om att hon erkände mord på ett barn för Erik Maria Bark? frågade Linna strävt.

Langfeldt ryckte på axlarna.

– Jag hörde det, men en hypnotisör kan väl få folk att erkänna vad som helst, antar jag.

– Så du tog inte hennes erkännande på allvar? frågade han.

Langfeldt log smalt.

– Hon var ett vrak, det gick inte att överhuvudtaget föra ett samtal med henne. Jag fick ge henne elchocker, tung neurolep-tika – det var ett stort arbete att få henne att hålla ihop igen överhuvudtaget.

– Så du försökte inte ens undersöka om det fanns någon grund för hennes erkännande?

– Jag antog att det rörde sig om skuldkänslor för lillebrodern, svarade Langfeldt strängt.

– När släppte du ut henne? frågade han.

– För två månader sedan, sa Langfeldt. Hon var utan tvekan frisk.

Joona reste sig och blicken föll åter på den enda bilden i doktor Langfelts rum, huvudfotingen som hängde på dörren. Ett gående huvud, tänkte han plötsligt. Bara hjärna, inget hjärta.

– Det där är du, sa Joona och pekade på teckningen. Eller hur?

Doktor Langfeldt såg förvirrad ut när Joona lämnade rum-met.

*

Klockan är fem på eftermiddagen och solen har gått ned två timmar tidigare. Det är kallt i luften och beckmörkt. Dimmigt ljus kommer från glesa gatlyktor. Nedanför Skansen anas staden som rökiga ljusfläckar. I bodarna skymtar glasblåsare och silversmeder. Joona går genom julmarknaden. Eldar brinner, hästar frustar, kastanjer rostas. Barn springer i en stenlabyrint, några av dem står och dricker varm choklad. Musik hörs, familjer dansar ringdans kring en hög gran på den runda dansbanan.

Telefonen ringer och Joona stannar framför ett marknadsstånd med korv och renkött.

– Ja, Joona.

– Erik Maria Bark här.

– Hej.

– Jag tror att Lydia har tagit med sig Benjamin till Jussis kråkslott, det ligger någonstans utanför Dorotea, i Västerbottens län, i Lappland.

– Du tror det?

– Jag är nästan säker, svarar Erik sammanbitet. Det går inga fler plan idag. Du behöver inte följa med, men jag har bokat tre biljetter till i morgon bitti.

– Bra, säger Joona. Kan du skicka ett sms med alla uppgifter om den här Jussi så kontaktar jag Västerbottenpolisen.

När Joona går längs en av de smala grusvägarna ned mot restaurang Solliden hör han barnskratt bakom sig och ryser till. Den gula, vackra restaurangen är prydd med ljusslingor och grankvistar. I matsalen har man dukat upp julmat på fyra gigantiska långbord och så fort Joona kommer in ser han sina arbetskamrater. De har slagit sig ned intill de väldiga fönstren som erbjuder en fantastisk utsikt över Nybrovikens vatten och Södermalm, med nöjesparken Gröna Lund på ena sidan och Vasamuseet på andra.

– Här är vi, ropar Anja.

Hon ställer sig upp och vinkar. Joona känner att han blir glad över hennes entusiasm. Han har fortfarande en obehaglig, krypande känsla i kroppen efter besöket hos doktorn på Ulleråker.

Han hälsar och sätter sig sedan ned bredvid Anja. Carlos Eliasson sitter mittemot honom. Han har en tomteluva på huvudet och nickar glatt åt Joona.

– Vi har redan snapsat, säger han förtroligt och hans vanligen gulbleka hy rodnar friskt.

Anja försöker krångla in sin hand under Joonas arm, men han reser sig upp och förklarar att han måste hämta mat.

Han går mellan borden av pratande, ätande människor och tänker att han verkligen inte kan få fram den rätta julbordsstämningen. Det är som om delar av honom fortfarande sitter i vardagsrummet hos Johan Samuelssons föräldrar. Eller som om han ännu rör sig på Ulleråkers psykiatriska anstalt, uppför stentrappan och fram till den låsta dörren som vetter mot den långa häktesliknande korridoren.

Joona tar en tallrik ur traven, ställer sig i kön till sillen och betraktar sina arbetskamrater på avstånd. Anja har pressat in sin runda, guppiga kropp i en röd angoraklänning. Hon har fortfarande vinterstövlarna på sig. Petter pratar intensivt med Carlos, han har nyrakat huvud och hjässan blänker svettig under ljuskronorna.

Joona lägger upp matjessill, senapssill och inlagd sill och blir sedan stående. Han tittar på en kvinna från ett annat sällskap. Hon bär en ljusgrå, snäv klänning och leds till godisbordet av två flickor med fina frisyrer. En man i brungrå kostym skyndar efter dem med en mindre flicka i röd klänning.

Potatisen är slut i den lilla mässingskastrullen. Joona väntar en god stund innan en servitris kommer med en skål och fyller på med nykokt potatis. Favoriträtten, den finska kålrotslådan, syns inte till någonstans. Joona balanserar sin tallrik mellan de poliser som nu är inne på den fjärde sittningen. Vid bordet skrålar fem kriminaltekniker *Helan går* med de små, spetsiga glasen höjda. Joona sätter sig och känner genast Anjas hand på benet. Hon ler mot honom.

– Du minns att du skulle låta mig tafsa på dig, skojar hon,

lutar sig framåt och viskar högt: Jag vill dansa tango med dig i kväll.

Carlos hör henne och ropar:

– Anja Larsson, du och jag ska dansa tango!

– Jag ska dansa med Joona, säger hon bestämt.

Carlos lägger huvudet på sned och sluddrar:

– Jag tar en kölapp.

Anja plutar med läpparna och smakar på sitt öl.

– Hur var det på Ulleråker? frågar hon Joona.

Han gör en grimas och Anja berättar om en faster som inte var speciellt sjuk, men som medicinerades tungt för att det var bekvämast för personalen.

Joona nickar och ska just ta en bit av den kallrökta laxen när han hejdar sig. Nu minns han vad det var för viktigt han fått veta av Langfeldt.

– Anja, säger han. Jag behöver en polisrapport.

Hon fnissar till.

– Inte nu, väl, säger hon.

– I morgon då, men så tidigt som möjligt.

– Vad är det för rapport?

– Det är ett misshandelsfall. Lydia Evers blev gripen för att ha misshandlat ett barn på en lekplats.

Anja har tagit fram en penna och skriver på kvittot som ligger framför henne.

– Det är söndag i morgon, jag har sovmorgon, säger hon missnöjt.

– Du får strunta i det.

– Dansar du med mig då?

– Jag lovar, viskar Joona.

Carlos sitter på en stol i garderoben och sover. Petter och hans sällskap har tagit sig in till stan för att fortsätta kvällen på Café Opera. Joona och Anja har lovat att se till så att Carlos kommer hem ordentligt. I väntan på taxin passar de på att gå ut i den kalla luften. Joona leder Anja upp på dansbanan och varnar henne för den tunna ishinnan han tycker sig känna på träet under dem.

De dansar och Joona nynnar mjukt:

– Milloin, milloin, milloin ...

– Gift dig med mig, viskar Anja.

Joona svarar inte, han tänker på Disa och hennes vemodiga ansikte. Han tänker på deras vänskap under alla dessa år, hur han har tvingats göra henne besviken. Anja försöker nå upp och slicka honom i örat och han flyttar försiktigt sitt huvud lite längre ifrån henne.

– Joona, kvider Anja. Du dansar så bra.

– Jag vet, viskar han och svänger henne runt.

Det luktar brasved och glögg omkring dem, Anja trycker sig allt närmare honom och han tänker på att det kommer att bli svårt att leda Carlos hela vägen ned till taxihållplatsen. Snart måste de börja ta sig ned mot rulltrappan.

I samma stund ringer telefonen i hans ficka. Anja stönar högt av besvikelse när han flyttar sig undan och svarar:

– Joona Linna.

– Hej, säger en pressad röst. Det är jag. Joakim Samuelsson. Du var hos oss tidigare idag ...

– Ja, jag vet vem du är, säger Joona.

Han tänker på hur Joakim Samuelssons pupiller hade vidgats när han frågade om Lydia Evers.

– Jag undrar om vi skulle kunna ses, säger Joakim Samuelsson. Det är en sak jag vill berätta.

Joona tittar på klockan. Hon är halv tio på kvällen.

– Kan vi ses nu? frågar Joakim och tillägger omotiverat att hans hustru och dotter har åkt till svärföräldrarna.

– Det går bra, säger Joona. Kan du komma till polishuset, ingången mot Polhemsgatan om tre kvart?

– Ja, säger Joakim och låter oändligt trött.

– Ledsen, min gumma, säger Joona till Anja som står och

väntar på honom mitt på dansbanan. Men det blir ingen mer tango i kväll.

– Det är du som borde vara ledsen, svarar hon surt.

– Jag tål inte sprit, suckar Carlos när de börjar leda honom ned mot rulltrapporna och utgången.

– Kräks inte, säger Anja bryskt, för då begär jag löneförhöjning.

– Anja, Anja, säger Carlos sårat.

*

Joakim sitter i en vit Mercedes på andra sidan gatan, mitt emot entrén till Rikspolisstyrelsen. Kupébelysningen är tänd och hans ansikte är trött och ensamt i det dystra ljuset. När Joona knackar på bilrutan rycker han till som om han varit djupt försjunken i tankar.

– Hej, säger han och öppnar dörren. Kom in och sätt dig.

Joona sätter sig på passagerarsätet. Han väntar. Det luktar vagt av hund inne i bilen. Över baksätet ligger en hårig filt utbredd.

– Vet du, säger Joakim, när jag tänker på mig själv, på hur jag var när Johan föddes, så är det som att tänka på en fullständig främling. Jag hade en rätt trasslig uppväxt, satt på ungdomsanstalt och var fosterbarn ... Men när jag träffade Isabella, då skärpte jag mig, började plugga på allvar. Jag tog ingenjörsexamen samma år som Johan föddes. Jag kommer ihåg att vi reste på semester, jag hade aldrig varit på semester förut, vi åkte till Grekland och Johan hade precis lärt sig gå och ...

Joakim Samuelsson skakar på huvudet.

– Det är längesedan. Han liknade mig väldigt mycket ... samma ...

Det blir tyst inne i bilen. En råtta, gråfuktig och vaggande, kilar längs den mörka trottoaren intill de skräpfyllda buskarna.

– Vad ville du berätta för mig? frågar Joona efter en stund.

Joakim gnuggar ögonen.

– Är du säker på att det är Lydia Evers som gjorde det här? frågar han med svag röst.

Joona nickar.

– Jag är mycket säker, säger han.

– Då så, viskar Joakim Samuelsson och vänder sitt trötta, fårade ansikte mot Joona.

– Jag känner henne, säger han enkelt. Jag känner henne mycket väl. Vi satt på ungdomsanstalt tillsammans.

– Kan du förstå skälet till att hon tog Johan?

– Ja, säger Joakim Samuelsson och sväljer hårt. Där, på anstalten ... Lydia var bara fjorton år när de upptäckte att hon var gravid. De blev förstås skiträdda, så de tvingade henne till abort. Det skulle tystas ner, men ... Det blev en massa komplikationer, en svår infektion i livmodern som spred sig till äggstockarna, men hon fick penicillin och blev frisk.

Joakims händer darrar när han lägger dem på ratten.

– Jag flyttade ihop med Lydia efter anstalten. Vi bodde i hennes hus i Rotebro och försökte få barn, hon var helt besatt av det. Men det gick inte. Så hon beställde tid hos en gynekolog för en undersökning. Jag glömmer aldrig när hon kom tillbaka från besöket och berättade att hon var steril efter den där aborten.

– Det var du som gjorde henne gravid på anstalten, säger Joona.

– Ja.

– Så du var skyldig henne ett barn, säger Joona nästan för sig själv.

# 50

*Söndag morgon den tjugonde december, fjärde advent*

DET SNÖAR TÄTT, TÄTT. Drivor av snö har lagt sig över Arlandas terminalbyggnader. Landningsbanorna sopas gång på gång av bilar som kommer och återvänder. Erik står vid det stora fönstret och ser på ett band av resväskor som rullas upp och in i ett stort, färggrant plan.

Simone kommer med kaffe och ett fat med lussekatter och pepparkakor. Hon ställer ned de två kaffekopparna framför Erik och nickar sedan ut genom den väldiga rutan som vetter mot flygplanen. De betraktar ett led av flygvärdinnor som är på väg upp i ett plan. De har alla röda tomteluvor på sig och verkar överdrivet besvärade av slasket under sina skor.

På fönsterbrädet i flygplatskafeterian står en mekanisk tomte och rör rytmiskt på höfterna. Batteriet verkar vara på väg att ta slut, rörelserna blir alltmer spasmiska, ryckande. Erik möter Simones blick. Hon höjer ironiskt ögonbrynen vid åsynen av den juckande tomten.

– De bjöd oss på bullarna, säger hon och stirrar ut i tomma luften och sedan minns hon. Fjärde advent, det är fjärde advent idag.

De ser på varandra utan att veta vad de ska säga. Plötsligt rycker Simone till och ser plågad ut.

– Vad är det? frågar Erik.

– Faktorpreparatet, säger hon kvävt. Vi glömde ... om han är där, om han lever ...

– Simone, jag ...

– Det har gått för lång tid ... han kommer inte att kunna stå på benen ...

– Simone, jag har det, säger Erik. Jag har tagit med mig det.

Hon ser på honom med röda ögon.

– Är det sant?

– Kennet påminde mig, han ringde från sjukhuset.

Simone tänker på hur hon hade kört Kennet hem, sett honom kliva ur bilen och sedan falla framstupa rakt ned i snömodden. Hon trodde att han snubblat, men när hon sprang ut för att dra upp honom var han knappt kontaktbar. Hon hade kört honom till sjukhuset där de burit in honom på bår, hans reflexer hade varit svaga och hans pupiller reagerade långsamt. Läkaren trodde att det rörde sig om en kombination av efterverkningar från hjärnskakningen och fruktansvärd överansträngning.

– Hur är det med honom? frågar Erik.

– Han sov igår när jag var där, men doktorn verkar inte tycka att det är någon större fara.

– Bra, säger Erik, tittar på den mekaniska tomtefiguren och tar sedan utan ett ord den röda julservetten och hänger över den.

Servetten vaggar rytmiskt fram och tillbaka, som ett spöke. Simone börjar skratta, smulor av pepparkaka flyger ut på Eriks jacka.

– Förlåt, kvider hon, det ser så sjukt ut bara. En galen sextomte som ...

Hon får ett nytt skrattanfall och viker sig dubbel vid bordet. Sedan börjar hon gråta. Efter ett tag tystnar hon, snyter sig, torkar av ansiktet och fortsätter att dricka sitt kaffe.

Det börjar rycka kring hennes mun igen i samma ögonblick som Joona Linna kommer fram till dem vid bordet.

– Umeåpolisen är på väg dit nu, säger han utan omsvep.

– Har du radiokontakt med dem? frågar Erik genast.

– Inte jag, de är i förbindelse med ...

Joona tystnar tvärt när han får se servetten som hänger över den dansande tomten. Ett par bruna plaststövlar sticker fram under papperskanten. Simone vrider bort huvudet, hennes kropp börjar skaka av skratt eller gråt eller en blandning av båda. Det låter som om hon håller på att sätta i halsen. Erik reser sig hastigt och drar med sig henne därifrån.

– Släpp mig, säger hon mellan konvulsionerna.

– Jag vill bara hjälpa dig, Simone. Kom, vi går ut.

De öppnar en dörr mot en balkong och står i den kyliga luften.

– Det blir bättre nu, tack, viskar hon.

Erik stryker av snön från räcket och lägger hennes ena handled mot den kalla metallen.

– Snart har det blivit bättre, upprepar hon. Snart ... bättre.

Hon sluter ögonen och vacklar till. Erik fångar henne. Han ser Joona söka dem med blicken där inne i kafeterian.

– Simone, hur är det? viskar Erik.

Hon kisar mot honom.

– Ingen tror på mig när jag säger att jag är så trött.

– Jag är också trött, jag tror på dig.

– Du har ju dina tabletter, eller hur?

– Ja, svarar han utan en tanke på att försvara sig.

Simones ansikte skrynklar ihop sig och Erik känner plötsligt varma tårar rinna nedför sina kinder. Kanske beror det på att han har slutat med alla tabletter som han inte har något inre skydd längre, att allt är värnlöst, öppet.

– Hela den här tiden, fortsätter han med skälvande läppar. Jag har bara tänkt en enda sak: han får inte vara död.

De står helt stilla och omfamnar varandra. Snön faller i stora duniga flingor över dem. Ett gråblänkande flygplan lyfter långt borta med ett tungt dånande. När Joona knackar på glasrutan till avsatsen rycker de båda till. Erik öppnar och Joona kommer ut. Han harklar sig.

– Jag tänkte att ni skulle få veta att vi har identifierat kroppen vid Lydias hus.

– Vem var det?

– Det var inte Lydias barn ... Pojken försvann från sin familj för tretton år sedan.

Erik nickar och väntar. Joona suckar tungt:

– Rester av exkrement och urin visar att ...

Han skakar på huvudet.

– Visar att barnet levde där ganska lång tid, förmodligen i tre år, innan han bragtes om livet.

Det blir tyst. Snön faller susande och mörk över dem. Flygplanen ryter avlägset på väg upp i himlen.

– Du hade med andra ord rätt, Erik ... Lydia hade ett barn i en bur som hon betraktade som sitt.

– Ja, svarar Erik ljudlöst.

– Hon dödade pojken när hon förstod vad hon hade berättat under hypnos, vad det innebar, vad det skulle innebära.

– Jag trodde faktiskt att jag hade fel, jag har accepterat det, säger Erik dovt och ser ut över den vintriga landningsbanan.

– Var det därför du slutade? frågar Joona.

– Ja, svarar han.

– Du trodde att du hade fel och lovade att aldrig mer hypnotisera, säger Joona.

Simone stryker sig darrande över pannan.

– Lydia fick syn på dig när du bröt löftet. Hon fick syn på Benjamin, säger hon lågt.

– Nej, hon måste ha följt oss hela tiden, viskar Erik.

– Lydia släpptes från Ulleråker för två månader sedan, säger Joona. Hon närmade sig Benjamin försiktigt – kanske hölls hon tillbaka av ditt löfte att aldrig mer hypnotisera.

Joona tänker att Lydia tyckte att Joakim Samuelsson var skyldig till aborten som ledde till sterilitet på ungdomshemmet, därför tog hon hans son, Johan. Och sedan tyckte Lydia att Eriks hypnos var orsaken till att hon tvingades döda Johan, därför tog hon Benjamin när Erik började hypnotisera igen.

Eriks ansikte är gravallvarligt, hårt och slutet. Han öppnar munnen för att förklara att han antagligen räddade Evelyns liv genom att bryta sitt löfte, men avstår när en polisassistent kommer ut till dem.

– Vi måste gå nu, säger mannen kort. Planet lyfter om tio minuter.

– Har du pratat med polisen uppe i Dorotea? frågar Joona.

– Det går inte att få kontakt med patrullen som åkte till huset, svarar polisen.

– Varför inte det?

– Jag vet inte, men de säger att de har försökt i femtio minuter.

– Vad fan, då måste de ju skicka förstärkning, säger Joona.

– Jag sa det, men de ville avvakta.

När de börjar gå det korta avståndet till flygplanet som väntar på att ta dem med upp till södra Lappland, till Vilhelmina flygplats, känner Erik plötsligt en kort och egendomlig lättnad: hela denna tid hade han rätt.

Han lyfter ansiktet mot snöfallet. Det yr och virvlar, lätt och tungt på samma gång. Simone vänder sig om och tar hans hand.

# 51

*Torsdag den sjuttonde december*

BENJAMIN LIGGER PÅ golvet och lyssnar till hur gungstolens böjda medar knarrar klistrigt mot plastmattans glansiga yta. Det gör mycket ont i hans leder nu. Gungstolen vaggar långsamt fram och tillbaka. Det knarrar och vinden går över plåttaket. Plötsligt sjunger den grova fjädern på dörren mot farstun metalliskt. Tunga fotsteg hörs genom gången. Någon stampar av stövlarna. Benjamin höjer huvudet, men hundkopplet stramar till kring hans hals när han försöker se vem som kommer in i rummet.

– Ligg, mumlar Lydia.

Han sänker huvudet till golvet, känner åter ryamattans långa, sträva fransar mot kinden och den torra doften av damm i näsan.

– Det är fjärde advent om tre dagar, säger Jussi. Vi borde baka pepparkakor.

– Söndagarna är till för tuktan och ingenting annat, säger Lydia och fortsätter gunga.

Marek flinar till åt något, men tystnar tvärt.

– Skratta du, säger Lydia.

– Det var ingenting.

– Jag vill att min familj ska vara glad, säger Lydia dämpat.

– Det är vi, svarar Marek.

Golvet är kallt, det drar kyligt efter väggarna, dammtussarna bland sladdarna bakom teven rullar runt. Benjamin är fortfarande bara klädd i sin pyjamas. Han tänker på när de kom till Jussis kråkslott. Redan då var det snö på marken och sedan dess har det snöat, tinat och frusit på igen. Han leddes av Marek genom en fordonspark framför huset, mellan gamla, översnöade bussar och uppallade bilvrak. Han gick i snön med nakna, brännande fötter. Det var som att gå i en vallgrav mellan de stora, snötäckta bilarna på gårdsplanen. Det var tänt i huset och Jussi kom ut på förstutrappan med älgstudsaren över armen, men när han fick syn på Lydia var det som om all kraft rann ur honom. Hon var inte väntad, inte välkommen, men han skulle inte göra motstånd, bara underkasta sig hennes vilja, foga sig som boskap fogar sig. Han skakade bara på huvudet när Marek gick fram och tog geväret ifrån honom. Sedan hördes steg i farstun och så kom Annbritt ut. Jussi hade mumlat att hon var hans sambo, att de borde låta henne gå. När Annbritt såg hundkopplet om Benjamins hals blev hon vit i ansiktet och försökte vända tillbaka in i huset och stänga dörren. Marek hindrade henne genom att stoppa in gevärspipan i dörrspringan och småleende fråga om de fick stiga på.

– Ska vi prata om julmaten? frågar nu Annbritt med osäker röst.

– Viktigast är sillen och pressyltan, säger Jussi.

Lydia suckar irriterat. Benjamin blickar upp på den guldfärgade takfläkten med fyra guldfärgade lampor. Skuggorna från de stillastående bladen ser ut som en grå blomma på den vitmålade masoniten.

– Pojken ska väl ha köttbullar, säger Jussi.

– Vi får se, svarar Lydia.

Marek spottar i en blomkruka och blickar ut i mörkret.

– Man börjar bli hungrig, säger han.

– Vi har mycket älg och rådjur i frysen, svarar Jussi.

Marek går till bordet, petar i brödkorgen, bryter av en bit knäckebröd och stoppar den i munnen.

När Benjamin tittar upp rycker Lydia i kopplet. Han hostar och lägger sig ner igen. Han är hungrig och trött.

– Jag behöver snart min medicin, säger han.

– Du klarar dig fint, svarar Lydia.

– Jag behöver en spruta i veckan och det har gått mer än en vecka sedan ...

– Tyst med dig.

– Jag dör om jag inte ...

Lydia rycker så hårt i kopplet att Benjamin kvider till av smärta. Han börjar gråta och hon rycker igen för att få honom att tystna.

Marek slår på teven, det sprakar, en avlägsen röst pratar. Kanske är det en sportsändning. Marek bläddrar mellan kanalerna utan att få någon bild och stänger sedan av.

– Jag skulle ha tagit med mig teven från det andra huset, säger han.

– Det finns inga kabelkanaler häruppe, säger Jussi.

– Du är en idiot, säger Lydia.

– Varför fungerar inte parabolen? frågar Marek.

– Jag vet inte, svarar Jussi. Det blåser rätt mycket ibland, den har väl hamnat på sniskan.

– Fixa den då, säger Marek.

– Gör det själv!

– Sluta tjafsa, säger Lydia.

– Det är bara skit på teve ändå, muttrar Jussi.

– Jag gillar Let's dance, säger Marek.

– Får jag gå på toa? frågar Benjamin lågt.

– Kissa gör du utanför, säger Lydia.

– Okej, svarar han.

– Ta ut honom, Marek, säger Lydia.

– Jussi gör det, svarar han.

– Han kan väl gå själv, säger Jussi. Han kan inte rymma, det är fem minusgrader och långt till ...

– Följ med honom, avbryter Lydia. Jag ser efter Annbritt så länge.

Benjamin blir yr av att sätta sig upp. Han ser att Jussi har tagit över kopplet från Lydia. Benjamins knän är stela och en sprängande smärta skjuter upp i låren när han börjar gå. Varje steg är outhärdligt, men han biter ihop käkarna för att vara tyst. Han vill inte störa Lydia, inte reta henne.

I korridoren hänger diplom på väggarna. Ljuset kommer från en vägglampa av mässing med frostade glaskupor. En plastkasse från Ica med texten kvalitet, omtanke, service står på det korkfärgade plastgolvet.

– Jag måste skita, säger Jussi och släpper kopplet. Vänta i farstun när du kommer tillbaka.

Jussi tar sig om magen, försvinner pustande in på toaletten och låser efter sig. Benjamin blickar tillbaka, ser Annbritts kraftiga, runda rygg genom dörrglipan och hör Marek prata om grekisk pizza.

På en krok i korridoren hänger Lydias skogsgröna täckjacka. Benjamin letar igenom hennes fickor, hittar nycklarna till huset, en guldfärgad portmonnä och sin egen mobiltelefon. Hjärtat börjar slå snabbare när han ser att telefonens batteri är tillräckligt laddat för åtminstone ett samtal. Han smyger genom den självstängande dörren till farstun, förbi dörren till skafferiet och ut i den bedövande kylan. Mottagningen är dålig. Han fortsätter barfota en bit på den skottade snögången som leder ner till vedförrådet. I mörkret anar han de runda snöformationerna över de gamla bussarna och bilarna på gårdsplanen. Hans händer är stela och skakar av kölden. Det första nummer han hittar är Simones mobilnummer. Han ringer det och lägger darrande telefonen mot örat. Han hör de första sprakande signalerna gå fram när dörren till huset öppnas. Det är Jussi. De ser på varandra. Benjamin kommer inte på tanken att dölja telefonen. Han borde kanske springa, men vet inte vart han ska ta vägen. Jussi går med stora kliv mot honom, hans ansikte är blekt och uppjagat.

– Är du klar? frågar han med hög röst.

Jussi fortsätter fram till Benjamin, ser honom i ögonen, det är en överenskommelse, han tar telefonen ifrån honom och fortsätter ner mot vedboden, precis när Lydia kommer ut från huset.

– Vad håller ni på med? frågar hon.

– Jag hämtar några klampar till, ropar Jussi och gömmer telefonen innanför jackan.

– Jag är klar, säger Benjamin.

Lydia står kvar i dörren och släpper in Benjamin i huset.

Så fort Jussi kommer in i vedboden tittar han på telefonen och ser att det står ”mamma” på den ljusblå displayen. Trots kylan känner han doften av trä och kåda. Boden är nästan svart. Det enda ljuset kommer från telefonen. Jussi lägger telefonen till örat och hör i samma stund att någon svarar.

– Hallå, säger en man. Hallå?

– Är det Erik? frågar Jussi.

– Nej, det här är ...

– Jag heter Jussi, kan du ta ett meddelande till Erik, det är viktigt, vi är här uppe, hemma hos mig, jag och Lydia och Marek och ...

Jussi avbryts av att personen som svarade i telefonen plötsligt skriker gutturalt. Det dånar och sprakar, någon hostar, en kvinna gråter kvidande och sedan blir det tyst. Samtalet är brutet. Jussi tittar på telefonen, tänker att han ska försöka med någon annan och börjar bläddra bland numren när batteriet plötsligt tar slut. Telefonen slocknar i samma stund som dörren till vedboden öppnas och Lydia kikar in.

– Jag såg din aura genom springorna i dörren, den var alldeles blå, säger hon.

Jussi döljer telefonen bakom ryggen, stoppar ner den i fickan och börjar samla ihop ved i korgen.

– Gå in du, säger Lydia. Jag gör det här.

– Tack, svarar han och lämnar boden.

På väg upp mot huset i snögången ser han hur iskristallerna på snön gnistrar i ljuset från fönstren. Det knarrar torrt under hans stövlar. Ett ryckigt hasande närmar sig bakifrån, ihop med ett flåsande, suckande ljud. Jussi hinner tänka på sin hund, Castro. Han minns när Castro var valp. Hur han jagade möss under den lätta nysnön. Jussi ler för sig själv när stöten i bakhuvudet får honom att snubbla framåt. Han skulle falla på mage om det inte vore för att yxan sitter fast i hans bakhuvud och drar honom tillbaka. Han står stilla med hängande armar. Lydia vickar på yxan och får loss den. Jussi känner hur blodet rinner längs nacken och nedför ryggen. Han går ner på knä, faller framåt, känner snön mot ansiktet, sparkar med benen och rullar över på rygg för att komma upp igen. Jussis synfält krymper hastigt, men under de sista medvetna sekunderna hinner han se Lydia höja yxan över honom.

# 52

*Söndag morgon den tjugonde december, fjärde advent*

BENJAMIN SITTER HOPKURAD mot väggen bakom teven. Han känner sig skrämmande yr i huvudet, det är svårt att fixera blicken på någonting. Men det värsta är törsten. Han är törstigare än han någonsin varit i hela sitt liv. Hungern har dämpats, den är inte försvunnen, den finns som en molande, vag smärta som kommer från tarmarna, men den är helt överskuggad av törsten, törsten och värken i lederna. Törsten är som att kvävas, som om halsen är full av sår. Han kan knappt svälja nu, det finns ingen saliv i munnen. Han tänker på dagarna på golvet i detta hus, på hur Lydia, Marek, Annbritt och han själv bara sitter i det enda möblerade rummet, utan att göra någonting.

Benjamin lyssnar på snön som tickar på taket. Han tänker på hur Lydia tog sig in i hans liv, hur hon kom springande efter honom en dag när han gick hem från skolan.

– Du glömde den här, ropade hon och gav honom hans mössa.

Han stannade och tackade henne. Då såg hon underligt på honom och sa sedan:

– Du är Benjamin, eller hur?

Han hade frågat henne hur hon kunde veta hans namn. Då hade hon strukit honom över håret och sagt att det var hon som hade fött honom.

– Men jag döpte dig till Kasper, hade hon sagt. Jag vill kalla dig för Kasper.

Så hade hon gett honom en liten ljusblå, virkad dräkt.

– Den gjorde jag till dig när du låg i min mage, viskade hon.

Han hade förklarat att han hette Benjamin Peter Bark och att han inte kunde vara hennes barn. Det hela hade varit rätt sorgligt och han försökte tala lugnt och snällt med henne. Hon hade lyssnat leende och sedan bara skakat melankoliskt på huvudet.

– Fråga dina föräldrar, hade hon sagt, fråga dem om du är deras riktiga barn. Du kan fråga, men de kommer inte att säga sanningen. De kunde inte få barn. Du kommer att märka att de ljuger. Det gör de för att de är rädda att mista dig. Du är inte deras riktiga barn. Jag kan berätta för dig om din rätta bakgrund. Du är min. Det är sanningen. Ser du inte att vi är lika? Folk tvingade mig att adoptera bort dig.

– Men jag är inte adopterad, sa han.

– Jag visste det ... jag visste att de inte skulle berätta det för dig, sa hon.

Han tänkte efter och insåg plötsligt att det hon sa faktiskt skulle kunna vara sant, han hade länge känt sig annorlunda.

Lydia såg leende på honom.

– Jag kan inte bevisa det för dig, sa hon igen. Du måste lita på dina egna känslor, du måste själv känna efter. Då kommer du att märka att det är sant.

De skildes åt, men han träffade henne igen nästa dag. De gick tillsammans till ett konditori och där satt de och pratade länge. Hon hade berättat om hur hon tvingats adoptera bort honom men att hon aldrig hade glömt honom. Hon hade tänkt på honom varje dag sedan han fötts och lyfts bort från henne. Hon hade längtat efter honom varje minut i sitt liv.

Benjamin hade berättat allt för Aida och de hade enats om att Erik och Simone absolut inte skulle få veta någonting om detta förrän han hade funderat på alltihop. Han ville först lära känna Lydia, ville tänka över om det kunde vara sant. Lydia kontaktade honom via Aidas e-post. Hon hade fått hennes mejladress och skickade honom bilden på familjegraven.

– Jag vill att du ska veta vem du är, hade hon sagt. Här vilar din släkt, Kasper. En dag ska vi åka dit tillsammans, bara du och jag.

Benjamin hade nästan börjat tro på henne. Han ville tro henne, hon var spännande. Det var underligt för honom att vara så efterlängtad, älskad. Hon hade gett honom saker, små minnen från sin egen barndom, pengar, hon hade gett honom böcker och en kamera och han hade gett henne teckningar, saker han sparat på som barn. Hon hade till och med sett till att den där Wailord slutade trakassera honom. En dag hade hon bara räckt fram ett papper som Wailord skrivit där han gav sitt ord på att aldrig mer komma i närheten av Benjamin och hans vänner. Något sådant skulle aldrig hans föräldrar kunnat lyckas med. Han hade mer och mer tyckt att hans föräldrar – dessa personer som han trott på i hela sitt liv – betedde sig som lögnare. Han hade irriterat sig på att de aldrig pratade med honom, aldrig riktigt visade vad han betydde för dem.

Han hade varit så otroligt dum.

Så hade Lydia börjat prata om att få komma hem till honom, vara hos honom. Hon ville ha hans nycklar. Han förstod inte riktigt varför hon skulle ha dem. Han sa att han kunde släppa in henne om hon ringde på. Då blev hon arg på honom. Hon sa att hon skulle bli tvungen att tukta honom om han inte lydde. Han blev helt paff, minns han. Hon förklarade att hon redan när han var ett litet barn hade gett hans adoptivföräldrar en färla som ett tecken på att hon väntade sig att de skulle ge honom en riktig uppfostran. Sedan plockade hon bara upp hans nycklar ur hans ryggsäck och sa att hon själv bestämde när hon skulle hälsa på sitt barn.

Då hade han förstått att hon inte kunde vara riktigt frisk.

Nästa dag när hon stod och väntade på honom gick han bara fram till henne och sa så lugnt han kunde att han ville ha tillbaka sina nycklar och att han inte ville träffa henne igen.

– Men Kasper, hade hon sagt. Det är klart att du ska få dina nycklar.

Hon gav honom dem. Han började gå och då följde hon efter honom. Han stannade och frågade om hon inte hade förstått att han inte ville träffa henne igen.

Benjamin kikar ned på sin kropp. Han ser att ett stort blåmärke har slagit upp på knäet. Hade mamma sett det, så hade hon blivit hysterisk, tänker han.

Marek står som vanligt och stirrar ut genom fönstret. Han drar in snor genom näsan och spottar på rutan mot Jussis kropp därute i snön. Annbritt sitter hopsjunken vid bordet. Hon försöker låta bli att gråta, hon sväljer, harklar sig och hickar. När hon kom ut och såg Lydia döda Jussi skrek hon ända tills Marek lyfte geväret mot henne och förklarade att han skulle döda henne om hon gav ifrån sig en enda snyftning till.

Lydia syns inte till någonstans. Benjamin hasar upp till sittande ställning och säger med sin hesa röst:

– Marek, det är en sak som du borde veta …

Marek tittar till på Benjamin med ögon svarta som pepparkorn, lägger sig sedan på golvet och börjar göra armhävningar.

– Vad vill du, din skit? frågar han stönande.

Benjamin sväljer med sin såriga strupe.

– Jussi berättade för mig att Lydia kommer att döda dig, ljuger han. Först skulle hon ta honom, sedan Annbritt och så dig.

Marek fortsätter med armhävningarna och reser sig sedan suckande från golvet.

– Du är en rolig liten skit.

– Han sa det här, säger Benjamin. Hon vill bara ha mig. Hon vill vara ensam med mig. Det är sant.

– Det är det va? säger han.

– Ja, Jussi sa att hon berättat vad hon skulle göra, att hon skulle börja med att döda honom och nu är han …

– Håll käften med dig, avbryter han.

– Ska du bara sitta och vänta på din tur? frågar Benjamin. Hon bryr sig inte om dig, hon tycker att vi är en bättre familj bara hon och jag.

– Har Jussi verkligen sagt att hon ska döda mig? frågar Marek.

– Jag lovar, hon kommer att …

Marek skrattar högt och Benjamin tystnar.

– Jag har redan hört allt man kan säga för att slippa smärta, säger han småleende. Alla löften och alla finter, alla avtal och knep.

Marek vänder sig likgiltigt mot fönsterrutan. Benjamin suckar och försöker komma på något annat att säga när Lydia kommer in. Hennes mun är stram och smal, hon är mycket blek i ansiktet och håller någonting bakom ryggen.

– Så har en vecka gått och det är söndag igen, förklarar hon högtidligt och sluter ögonen.

– Fjärde advent, viskar Annbritt.

– Jag vill att vi slappnar av och begrundar veckan som har gått, säger hon långsamt. För tre dagar sedan lämnade Jussi oss, han är inte längre bland de levande, hans själ färdas i ett av de sju himmelshjulen. Han kommer att slitas i stycken för sitt förräderi genom tusentals inkarnationer som slaktdjur och insekt.

Hon tystnar.

– Har ni begrundat? frågar hon efter ett tag.

De nickar och Lydia ler nöjt.

– Kasper, kom hit, säger hon dämpat.

Benjamin försöker resa sig, han anstränger sig för att inte grimasera av smärta, men ändå frågar Lydia:

– Gör du miner åt mig?

– Nej, viskar han.

– Vi är en familj och vi respekterar varandra.

– Ja, svarar han med gråten i halsen.

Lydia ler och tar fram föremålet som hon hållit gömt bakom ryggen. Det är en sax, en grov skräddarsax med breda skär.

– Då är det inget problem för dig att ta emot din bestraffning, säger hon lugnt och med fullständigt oberört ansikte lägger hon saxen på bordet.

– Jag är bara ett barn, säger Benjamin och svajar till.

– Stå stilla, ryter hon åt honom. Att det aldrig räcker, att du aldrig, aldrig förstår. Jag kämpar och anstränger mig, jag arbetar och sliter för att familjen ska fungera. Vara hel och ren. Jag vill bara att det ska fungera.

Benjamin gråter med sänkt ansikte, tunga, hesa hulkningar.

– Är vi inte en familj, är vi inte det?

– Jo, säger han. Jo, det är vi.

– Men varför beter du dig så här då? Smyger bakom våra ryggar, förråder oss och lurar oss, stjäl från oss, baktalar oss och förstör ... varför gör du så här mot mig? Lägger näsan i blöt, skvallrar och slickar alla skålar.

– Jag vet inte, viskar Benjamin. Förlåt.

Lydia tar upp saxen. Hon andas tungt nu och hennes ansikte har blivit svettigt. Röda flammor har slagit upp på kinderna och halsen.

– Du ska få ett straff så att vi kan lämna det här bakom oss, säger hon i en lätt och saklig ton.

Hon låter blicken gå mellan Annbritt och Marek.

– Annbritt, säger hon. Kom hit.

Annbritt som har suttit och stirrat in i väggen kommer tvekande fram. Hennes blick är stressad, går i alla riktningar, den lilla hakspetsen darrar.

– Klipp av honom näsan, säger Lydia.

Annbritts ansikte blir illrött. Hon ser på Lydia, sedan på Benjamin. Därefter skakar hon på huvudet.

Lydia slår henne hårt på kinden. Hon tar tag om Annbritts kraftiga överarm och föser henne närmare Benjamin.

– Kasper har lagt näsan i blöt och nu blir han av med den.

Annbritt gnider nästan frånvarande sin kind och sedan lyfter hon upp saxen. Marek kommer fram och tar ett hårt grepp om Benjamins huvud, vinklar fram hans ansikte mot Annbritt. Saxens skänklar glimmar metalliskt framför honom och han ser kvinnans nervösa ansikte, ser ticsen kring hennes ögon och mun, händerna som börjar skaka.

– Klipp någon gång, ryter Lydia.

Annbritt står med saxen höjd mot Benjamin, hon gråter högt nu.

– Jag är blödarsjuk, kvider Benjamin, jag dör om du gör det. Jag är blödarsjuk!

Annbritts händer darrar när hon slår ihop skären i luften framför honom och tappar saxen i golvet.

– Jag kan inte, snyftar hon. Det går inte ... Jag får ont i händerna av saxen, jag kan inte hålla den.

– Det här är en familj, säger Lydia med sträng trötthet medan hon mödosamt böjer sig ned och tar saxen.

– Du lyder och respekterar mig – hör du det!

– Det gör ont i mina händer, sa jag ju! Saxen är för stor för ...

– Tyst med dig, avbryter Lydia och slår henne hårt över munnen med baksidan av saxen, med skänklarnas öglor. Annbritt kvider, tar ett steg åt sidan, lutar sig osäkert mot väggen och håller en hand om de blodiga läpparna.

– Söndagar är till för tuktan, säger Lydia flämtande.

– Jag vill inte, vädjar hon. Snälla ... jag vill inte.

– Kom nu, säger Lydia otåligt.

Annbritt skakar bara på huvudet och viskar något.

– Vad sa du? Sa du fitta till mig?

– Nej, nej, gråter hon och räcker ut handen. Jag ska göra det, snyftar hon. Jag ska klippa av honom näsan. Jag hjälper er. Det gör inte ont, det går snart över.

Lydia ger henne nöjt saxen. Annbritt går fram till Benjamin, klappar honom över huvudet och viskar snabbt:

– Var inte rädd. Skynda dig bara, skynda dig iväg allt vad du kan.

Benjamin ser frågande på henne, försöka avläsa hennes rädda blick och darrande mun. Annbritt höjer saxen, men vänder sig mot Lydia och hugger utan verklig kraft. Benjamin ser Lydia värja sig mot Annbritts attack, ser Marek fånga hennes kraftiga handled, sträcka ut armen och bryta den ur led vid axeln. Annbritt skriker av smärta. Benjamin är redan ute ur rummet när Lydia tar saxen från golvet och går fram och sätter sig gränsle över hennes bröst. Annbritt skakar huvudet fram och tillbaka för att undkomma.

När Benjamin passerar den kalla farstun och kommer ut i den brännande kylan på förstutrappan hör han Annbritts skrik och hostningar.

Lydia torkar blod från kinden och ser sig omkring efter pojken.

Benjamin går snabbt i den skottade gången.

Marek tar älgstudsaren från väggen, men Lydia hejdar honom.

– Det är bra uppfostran, säger hon. Kasper har inga skor och bara pyjamas. Han kommer tillbaka till mamma när han fryser.

– Annars dör han, säger Marek.

Benjamin äter snö och bryr sig inte om smärtan när han springer mellan raderna av fordon. Han halkar omkull, men tar sig upp igen, springer en bit och känner inte längre sina fötter. Marek skriker något efter honom inne i huset. Benjamin vet att han inte kan springa ifrån honom, han är för liten och för svag. Det bästa är att gömma sig i mörkret och sedan leta sig ner till badsjön när det lugnat ner sig. Kanske är någon sportfiskare där med sin borr och skrylla. Jussi pratade om att isen hade lagt sig på Djuptjärnen för bara en vecka sedan, det hade varit en mild början på vintern.

Benjamin måste stanna, han lyssnar efter steg, vilar handen

på en rostig pickup, blickar upp mot det svarta skogsbrynet och fortsätter sedan framåt. Han kommer inte att orka mycket längre, det brinner i hela kroppen av smärta och köld. Han snubblar omkull och kryper in under den stela presenningen som skyddar en traktor, kravlar sig vidare i det froststungna ängsgräset därunder, in under nästa bil och reser sig sedan upp. Han förstår att han står mellan två bussar. Han trevar sig fram och hittar ett öppet fönster på den ena bussen, lyckas klättra upp på det stora bussdäcket och åla sig in genom öppningen. I mörkret söker han sig fram och på ett säte hittar han flera gamla mattor som han virar in sig i.

# 53

*Söndag morgon den tjugonde december, fjärde advent*

VILHELMINAS RÖDMÅLADE flygplats ligger ödslig i det vita, vidsträckta landskapet. Klockan är bara tio på morgonen, men skymningsdunklet är tätt denna söndag, den fjärde advent. Strålkastare belyser den betonglagda landningsbanan. Efter att ha flugit i en och en halv timme rullar de nu långsamt in mot terminalbyggnaden.

Inne i vänthallen är det varmt och förvånande ombonat. Det spelas julmusik i högtalarna och doften av kaffe strömmar ut från en affär som ser ut att vara en kombination av pressbyrå, informationsdisk och kafeteria. Breda rader av så kallat samiskt hantverk, smörknivar, kåsor och näverkontar, hänger utanför butiken. Simone stirrar tomt på några samemössor på ett ställ. Hon känner en kort sorg över denna uråldriga jägarkultur som tvingas återuppstå i form av färggranna mössor med röda tofsar till skämtlystna turister. Tiden har tvingat bort samernas schamanism, folk hänger ringtrumman, meavrresgárri, på väggen över soffan och rennäringen är på väg att förvandlas till en uppvisning för turister.

Joona tar upp telefonen och slår ett nummer samtidigt som Erik pekar på en taxibuss som väntar vid den tomma utgången. Joona skakar på huvudet och talar med stigande irritation med någon. Erik och Simone hör en burkig röst brumma tillbaka i luren. När Joona slår ihop telefonen har han ett slutet uttryck i ansiktet. De isigt ljusglimmande ögonen är spända av allvar.

– Vad är det? frågar Erik.

Joona sträcker på halsen för att se ut genom fönstret.

– Poliserna som åkte ut till huset har inte hört av sig ännu, säger han med distraktion i rösten.

– Det var inte bra, säger Erik lågt.

– Jag ska prata med stationen.

Simone försöker dra med sig Erik.

– Vi kan väl inte bara sitta och vänta på dem.

– Det ska vi inte, svarar Joona. Vi ska få en bil – den borde redan vara här.

– Gud, suckar Simone. Allting tar så otroligt lång tid.

– Avstånden är annorlunda här uppe, säger Joona med en vass glimt i ögonen.

Simone rycker på axlarna. De går mot utgången och när de har passerat dörrarna slår den annorlunda, torra kylan emot dem.

Två mörkblåa bilar stannar plötsligt till framför dem och ett par män klädda i brandgula fjällräddaruniformer kliver ut.

– Joona Linna? frågar den ena av männen.

Joona nickar kort.

– Vi skulle komma med en bil till dig.

– Fjällräddare, frågar Erik stressat. Var är polisen?

Den ene mannen sträcker på sig och förklarar sammanbitet:

– Det är inte alltid så stor skillnad här uppe. Polisen, tullen, fjällräddningen – vi brukar samarbeta som det faller sig.

Den andre mannen bryter in:

– Det är ont om folk just nu, med julen för dörren och allt …

De blir stående tysta. Erik ser desperat ut nu. Han öppnar munnen för att säga något, men Joona hinner före:

– Har ni hört någonting från patrullen som åkte ut till stugan? frågar han.

– Inte sedan sju i morse, svarar den ene mannen.

– Hur lång tid tar det att komma ut dit?

– Jo, en, två timmar får man nog ändå räkna med om ni ska ut till Sutme.

– Två och en halv, lägger den andre till. Med tanke på årstiden.

– Vilken bil tar vi? frågar Joona otåligt och börjar röra sig mot den ena bilen.

– Ja, inte vet jag, svarar den ene mannen.

– Ge oss den med mest bensin i, säger Joona.

– Ska jag kolla bensinmätaren? frågar Erik.

– Jag har fyrtiosju liter i min, säger den ena mannen snabbt.

– Då har du tio mer än jag.

– Bra, säger Joona medan han öppnar dörren.

De sätter sig i den uppvärmda kupén. Joona tar emot nycklarna från mannen och ber sedan Erik knappa in riktningen på den helt nya GPS-mottagaren.

– Vänta, ropar Joona efter männen som är på väg in i den andra bilen.

De hejdar sig.

– Patrullen som körde ut till stugan i morse, var de också fjällräddare?

– Jo, det var de allt.

De kör nordväst utmed Volgsjön för att hitta Brännbäcksområdet och därefter, bara någon kilometer längre fram, ska de komma ut på riksväg 45, en raksträcka västerut på enbart en mil, innan de befinner sig på den krokiga väg som innebär drygt åtta mil i en slingrande sträcka söder om Klimpfjäll och bortåt Daimadalen.

De färdas under tystnad. När de lämnat Vilhelmina långt bakom sig och kommit ut på vägen mot Sutme märker de att himlen tycks ljusna omkring dem. Ett märkvärdigt och mjukt ljus som tycks öppna sikten. De anar konturerna av bergen och sjöarna omkring sig.

– Ser du, säger Erik. Det ljusnar.

– Det ljusnar inte på flera veckor, svarar Simone.

– Snön fångar upp skenet genom molnen, säger Joona.

Simone lutar pannan mot bilfönstret. De kör genom snötäckta skogar som avlöses av gigantiska vita kalhyggen, mörka myrmarker och sjöar som ligger likt stora slätter. De passerar skyltar med namn som Jetneme, Trollklinten och den utsträckta Långseleån. I mörkret anar de en vidunderligt vacker sjö som enligt skylten heter Mevattnet, med branta stränder, kalla och stelfrusna, dunkelt gnistrande i snöljuset.

Efter nästan en och en halv timmes körning ömsom rakt norrut, ömsom västerut börjar så vägen smalna, nästan luta ned i den gigantiska Borgasjön. De befinner sig nu i Dorotea kommun, de närmar sig den norska gränsen och landskapet tornar upp sig i höga, vassa fjäll. Plötsligt signalerar en mötande bil mot dem med strålkastarljuset och bländar av. De kör in mot vägrenen, stannar och ser den andra bilen stanna och backa tillbaka till dem.

– Fjällräddningen, säger Joona torrt när de ser att det är en likadan bil som deras.

Joona vevar ned bilrutan och iskall, frasande luft suger ut värmen ur kupén.

– Är det ni som är stockholmarna? ropar en av männen i bilen åt dem med stark, finsk brytning.

– Ja, det är vi, svarar Joona på finska. Nollåttorna.

De skrattar kort och sedan övergår Joona till svenska:

– Var det ni som åkte till huset? De kunde inte få tag i er.

– Radioskugga, säger mannen. Men det var slöseri på bensin. Det finns ingenting däruppe.

– Ingenting? Inga spår kring huset?

Mannen skakar på huvudet.

– Vi gick igenom snölagren.

– Vad då? frågar Erik.

– Det har snöat fem gånger sedan den tolfte – så vi har letat efter spår i fem snölager.

– Bra jobbat, säger Joona.

– Det var därför det tog lite tid.

– Men ingen har varit där, frågar Simone.

Mannen skakar på huvudet.

– Inte sedan den tolfte, som sagt.

– Fan också, säger Joona lågt.

– Följer ni med tillbaka då? frågar mannen.

Joona skakar på huvudet.

– Har vi åkt från Stockholm så vänder vi inte nu.

Mannen rycker på axlarna.

– Ja, ni gör som ni vill.

De vinkar och försvinner österut.

– Radioskugga, viskar Simone. Men Jussi ringde ju från huset.

De fortsätter under tystnad. Simone tänker samma tanke som de andra: att denna resa kan vara ett ödesdigert misstag, att de kanske har blivit lurade åt fel håll, upp i en kristallvärld av snö och is, upp i myrmark och mörker medan Benjamin ligger någon helt annanstans, utan skydd, utan faktorpreparatet, kanske inte ens levande längre.

Det är mitt på dagen, men så här långt norrut, djupt inne i Västerbottens skogar, liknar dagen natt vid den här tiden på året. Det är en massiv natt som inte spricker i ljus. En natt som är så mäktig och sträng att den lyckas överskugga gryningen från december till januari.

De kommer fram till Jussis hus i ett tätt och tungt mörker. Luften är isande, stillastående och spröd. De går den sista biten över skaren. Joona drar sitt vapen, tänker att det var länge sedan han såg riktig snö och upplevde den torra känslan i näsan från sträng kyla.

Tre små hus ligger i U-formation mot varandra. Snön har lagt ett väldigt kurvigt hölje över taken och har blåst upp i dyner mot väggarna, ända upp till de små fönstren. Erik kliver ut och ser sig omkring. De parallella hjulspåren efter fjällräddarnas bil syns tydligt och sedan männens många fotspår kring byggnaderna.

– Å gud, viskar Simone och skyndar sig fram.
– Vänta, säger Joona.
– Ingen är här, det är tomt, vi har ...
– Det verkar tomt, avbryter Joona. Det är det enda vi vet.
Simone väntar huttrande medan Joona går fram över den knirrande snön mot husen. Han stannar vid ett av de små liggande fönstren, lutar sig fram och skymtar en träkista och några trasmattor på golvet. Stolarna är uppställda på matbordet och kylskåpet står utrensat och släckt med öppen dörr.
Simone ser på Erik som plötsligt börjar bete sig underligt. Han går runt med hackiga rörelser i snön, stryker sig över munnen och ställer sig mitt på gårdsplanen och ser sig om flera gånger. Hon ska just fråga honom vad det är, när han med hög och tydlig röst förklarar:
– Det är inte här.
– Ingen är här, svarar Joona trött.
– Jag menar, säger Erik med en konstig, nästan gäll ton i rösten. Jag menar, det är inte det här som är kråkslottet.
– Vad säger du?
– Det är fel stuga. Jussis kråkslott, det är ljusgrönt, jag har hört honom beskriva det, det finns ett skafferi i tamburen, plåttak med rostiga spikar, parabol nära nocken, och gårdsplanen är full av gamla bilar, bussar, traktorer ...
Joona sveper ut med handen:
– Det här är hans adress, han är skriven här.
– Men det är fel ställe.
Erik tar några steg utmed huset igen, sedan ser han allvarligt på Simone och Joona och säger envist:
– Det här är inte kråkslottet.
Joona svär till och tar upp mobilen, men svär ännu mer när han kommer ihåg att de befinner sig i radioskugga.
– Vi lär väl knappast hitta någon att fråga här ute, så vi får köra ända tills vi får signal igen, säger han och sätter sig i bilen.
De backar tillbaka på infarten och ska just svänga ut på lands-

vägen när Simone ser en mörk gestalt mellan träden. Han står helt stilla med armarna hängande och tittar på dem.

– Där! ropar hon. Det var någon där borta.

Skogsbrynet på andra sidan vägen är tätt och mörkt, snön ligger packad mellan stammarna, träden är tyngda, överlastade. Hon lämnar bilen, hör Joona ropa åt henne att vänta. Helljuset blänker i husets fönster. Simone försöker se något mellan träden. Erik hinner ifatt henne.

– Jag såg en människa, viskar hon.

Joona stannar bilen och drar hastigt fram vapnet och följer efter dem. Simone går fort mot skogsbrynet. Hon ser mannen igen mellan träden, lite längre in.

– Hallå, vänta, ropar hon.

Hon springer några steg, men stannar när hon möter hans blick. Det är en gammal man med fårat och alldeles lugnt ansikte. Han är mycket kort, når henne knappt till bröstet och han är klädd i en tjock, stel anorak och ett par byxor som ser ut att vara gjorda av renskinn. Över axeln bär han några döda ripor i ett snöre.

– Ursäkta om jag stör, säger Simone.

Han svarar något som hon inte förstår, slår sedan ner blicken och mumlar något. Erik och Joona närmar sig försiktigt. Joona har redan gömt sitt vapen i jackan igen.

– Det låter som om han talar finska, säger Simone.

– Vänta, säger Joona och vänder sig till mannen.

Erik hör Joona presentera sig, peka på bilen och sedan uttala Jussis namn. Han talar finska, på ett lugnt och dämpat sätt. Den gamle mannen nickar sakta och tänder sin smala pipa. Sedan står han med ansiktet uppvänt, som om han spanar efter något samtidigt som han lyssnar. Han drar ytterligare ett par bloss med pipan, frågar något med mjuk och melodiskt kluckande röst, får några svarsmeningar av Joona och skakar därefter beklagande på huvudet. Han ser på Erik och Simone med ett ansikte som uttrycker medkänsla. När han sedan erbjuder Erik pipan har Erik sinnesnärvaro nog att ta emot den, röka och lämna tillbaka den. Tobaken är skarp och besk och han tvingar sig själv att inte hosta eller harkla sig.

Samen öppnar munnen igen, Simone ser guldblänk mellan svarta gluggar, och hon hör honom omständigt förklara något för Joona. Han bryter av en pinne från ett träd och ritar några streck i snön. Joona står lutad över snökartan, pekar och frågar. Han tar fram ett block ur sin innerficka och ritar av. Simone viskar ”tack” när de återvänder till bilen. Den lille mannen vänder sig om, pekar in i skogen och försvinner iväg på en stig mellan träden.

De går snabbt tillbaka till bilen, vars dörrar har stått öppna och sätena har hunnit blivit så kalla att de bränner i ryggarna och på låren.

Joona ger Erik lappen där han ritat av gubbens anvisningar.

– Han talade en konstig umesamiska, så jag förstod inte riktigt allt. Han pratade om släkten Kroiks områden.

– Men han kände till Jussi?

– Ja, om jag fattade saken rätt så har Jussi ett annat hus också, en jaktstuga som ligger ännu längre in i skogen. Det ska komma en sjö till vänster. Vi kan köra ända fram till ett ställe med tre stora stenar resta till minne av samernas gamla sommarviste. Sedan är det inte plogat längre, därifrån får vi gå norrut på skaren ända tills vi ser en gammal husvagn.

Joona ger Simone och Erik en ironisk blick och tillägger:

– Gubben sa att om vi trampar igenom isen på Djuptjärnen så har vi gått lite för långt.

Efter fyrtio minuter saktar de in och stannar framför de tre syskonstenarna som Dorotea kommun låtit hugga och resa. Strålkastarna gör allting grått och beskuggat. Stenarna skiner i några sekunder och försvinner sedan i mörkret igen.

Joona ställer bilen i skogsbrynet, säger att han antagligen borde kamouflera den, skära några ruskor, men det hinns inte med. Han kastar en kort blick uppåt mot stjärnhimlen och sedan börjar han gå så fort han kan. De andra följer efter. Skaren ligger som en tung, stel skiva över den höga, porösa snön. De rör sig framåt så tyst de förmår. Gubbens anvisningar stämmer: efter en halv kilometer ser de en sönderrostad husvagn under snö. De viker av från stigen och inser att vägen är upptrampad. Därnere ligger ett hus omslutet av snö. Rök stiger ur skorstenen. I ljuset från fönsterrutorna ser ytterväggarna ut att vara mintgröna.

Det här är Jussis hus, tänker Erik. Det här är kråkslottet.

På den stora gårdsplanen skymtar stora, mörka konturer. Den snötäckta fordonsparken formar en underlig labyrint.

Knarrande rör de sig långsamt mot huset. De går i de trånga gångarna mellan uppallade och översnöade skrotbilar, linjebussar, skördetröskor, plogar och skotrar.

De ser en skepnad som rör sig häftigt förbi fönstret i stugan, någonting händer där borta, rörelserna är snabba. Erik kan inte längre vänta, han börjar springa mot huset, han struntar i konsekvenserna, han måste hitta Benjamin, sedan kan allt rämna. Simone följer flämtande med honom. De närmar sig över skaren och stannar framför kanten till en skottad gång. Mot huset står skovel och snöpulka av aluminium. Ett kvävt skrik hörs. Snabba, sprattlande dunsar. Någon blickar ut genom fönstret. En gren bryts av i skogsbrynet. Dörren till vedboden slår. Simone andas snabbt. De närmar sig huset. Personen i fönstret är borta. Vinden går genom trädkronorna. Tunn snö yr över skaren. Plötsligt slås dörren upp och de bländas av ett ljussken. Någon lyser på dem med en stark ficklampa. De kisar och skuggar sina ögon med händerna för att kunna se.

– Benjamin? ropar Erik frågande.

När ljuskäglan sjunker till marken ser han att det är Lydia som står framför dem. Hon håller en stor sax i handen. Ljuset från ficklampan vilar på en gestalt i snön. Det är Jussi som sitter där. Hans ansikte är isigt blågrått, ögonen slutna, en yxa sitter i bröstet, han är täckt av fruset blod. Simone står tyst bredvid

Erik och han hör på hennes korta, skrämda andetag att hon också har sett liket. I samma ögonblick inser han att Joona inte är med dem. Han måste ha tagit en annan väg, tänker Erik. Han kommer att smyga sig på Lydia bakifrån om jag kan uppehålla henne tillräckligt länge.

– Lydia, säger Erik. Roligt att se dig igen.

Hon står stilla och ser på dem utan att säga något. Saxen glimmar i hennes hand, gungar löst. Skenet från lampan blänker på gångens grå botten.

– Vi har kommit för att hämta Benjamin, förklarar Erik lugnt.

– Benjamin, svarar Lydia. Vem är det?

– Det är mitt barn, säger Simone halvkvävt.

Erik försöker göra en gest åt henne att vara tyst, hon kanske ser det, för hon tar ett kort steg bakåt och försöker lugna sin andning.

– Någon annans barn än mitt eget har jag inte sett, säger Lydia sakta.

– Lydia, lyssna på mig, säger Erik. Om vi får Benjamin så går vi härifrån och glömmer det här. Jag lovar att aldrig någonsin mer hypnotisera någon enda ...

– Men jag har inte sett honom, upprepar Lydia och tittar till på saxen. Det är bara jag och min Kasper här.

– Låt oss, låt oss bara få ge honom medicin, ber Erik och märker att hans röst har börjat darra.

Lydia befinner sig i ett perfekt läge nu, tänker han febrilt, hon står med ryggen mot huset, det är bara för Joona att smyga in på baksidan, ta sig runt huset och övermanna henne bakifrån.

– Jag vill att ni går nu, säger hon kort.

Erik tycker att han ser någon röra sig utmed raden av fordon snett bakom huset. Ett språng av lättnad skjuter genom hans hjärta. Plötsligt får Lydia något vaksamt i blicken, hon höjer ficklampan och lyser mot vedboden och upp över snön.

– Kasper behöver medicin, säger Erik.

Lydias sänker lampan igen. Hennes röst är stram och kylig.

– Jag är hans mamma, jag vet vad han behöver, säger hon.

– Du har rätt, det har du, svarar Erik snabbt. Men om du låter oss ge Kasper lite medicin ... så kan du uppfostra honom, tillrättavisa honom, det är ju söndag och ...

Erik tystnar ofrivilligt när han ser hur skepnaden bakom huset närmar sig.

– På söndagarna, fortsätter han. Då brukar du ...

Två personer kommer runt huset. Joona rör sig stelt och motvilligt mot dem. Bakom honom går Marek med en älgstudsare mot hans rygg.

Lydia drar på munnen och går upp på skaren från den framskottade gången.

– Skjut dem, säger hon kort och nickar mot Simone. Ta henne först.

– Det är bara två patroner i geväret, svarar Marek.

– Gör det som du vill, bara du gör det, säger hon.

– Marek, säger Erik. Jag blev avstängd, jag hade velat hjälpa dig att ...

– Håll käften, avbryter han.

– Du hade börjat prata om det som hände i det stora huset på landsbygden i Zenica-Doboj.

– Jag kan visa vad som hände, säger Marek och ser på Simone med blanka lugna ögon.

– Gör det bara, suckar Lydia och ser otålig ut.

– Lägg dig, säger Marek till Simone. Och ta av dig jeansen.

Hon rör sig inte. Marek vänder geväret mot henne och hon backar. Erik närmar sig och Marek siktar snabbt på honom.

– Jag skjuter honom i magen, säger Marek. Så får han titta på när vi roar oss.

– Gör det bara, säger Lydia.

– Vänta, säger Simone och börjar öppna jeansen.

Marek spottar i snön och tar ett steg mot henne. Han verkar inte riktigt veta vad han ska göra. Han tittar till på Erik, sveper med geväret mot honom. Simone möter inte hans blick. Han siktar på henne med geväret, riktar mynningen mot hennes huvud och sedan magen.

– Gör inte så här, säger Erik.

Marek sänker älgstudsaren igen och närmar sig Simone. Lydia flyttar sig bakåt. Simone börjar dra ner jeansen och understället.

– Håll i geväret, säger Marek lågt till Lydia.

Hon närmar sig långsamt när det börjar knarra bland de snötäckta fordonen. Det knackar metalliskt upprepade gånger. Joona hostar. Knackningarna fortsätter och plötsligt dundrar det till. Det är en motor som går igång, det skarpa ljudet från arbetande kolvar. Starkt ljus tänds under skaren. Hela marken blir lysande vit under dem. Motorn varvar vrålande, växellådan skriker och snö vräks upp. En gammal linjebuss med en stor presenning över taket störtar fram ur snövallen, river upp skaren och kör rakt emot dem.

När Marek vänder blicken mot bussen rör sig Joona framåt med märklig snabbhet. Han rycker tag i gevärspipan, Marek håller fast men är tvungen att ta ett steg framåt. Joona slår honom hårt över bröstet och försöker sparka undan hans ben, men Marek faller inte. Han försöker istället vända geväret runt. Kolven träffar Joona högt upp på huvudet och glider över hjässan. Marek är så kall om fingrarna att han tappar greppet om vapnet. Det flyger spinnande genom luften och landar framför Lydia. Simone rusar mot det, men Marek får tag i hennes hår och rycker henne tillbaka.

Bussen har fastnat mot en smal gran, motorn dånar. Avgaser och upprörd snö ångar kring fordonet. Framdörren till bussen öppnas och stängs gång på gång med ett pysande läte.

Varvtalet ökas igen, trädet vajar och snö faller från de mörka grenarna. Bussen stöter envist mot stammen och skaver bort bark, dovt och metalliskt. Hjulen vrider sig och spinner med klirrande snökedjor.

– Benjamin, skriker Simone. Benjamin!

Benjamins förvirrade ansikte syns bakom vindrutan till den rykande bussen. Det blöder ur hans näsa. Lydia springer mot bussen med Mareks gevär. Erik följer efter. Lydia tar sig in genom dörren och skriker något åt Benjamin, slår med kolven och knuffar bort honom från förarplatsen. Erik hinner inte fram. Bussen rullar bakåt, svänger brant åt sidan och börjar skramlande köra nedför backen mot sjön. Erik skriker åt Lydia att stanna och rusar efter dem i hjulspåren och rännan av uppbruten skare.

Marek släpper inte taget om Simones hår. Hon skriker och försöker bända upp hans hand. Joona glider snabbt åt sidan, hans axel sjunker, kroppen vrids och han slår med sin knutna hand underifrån och träffar Marek med stor kraft i armhålan. Armen fladdrar som om den hade lossnat. Greppet om Simones hår försvinner och hon rycker sig fri samtidigt som hon får syn på den stora saxen som ligger i snön. Marek slår med andra handen, men Joona styr undan och vräker med all sin kroppsvikt den högra armbågen snett ner mot sidan av Mareks hals så att nyckelbenet bryts av med ett dovt knäckande ljud. Marek faller skrikande till marken. Simone kastar sig efter saxen men Marek sparkar henne i magen. Han får tag i saxen och sveper den bakåt i en vid båge med sin fungerande arm. Simone skriker och ser Joonas ansikte stelna till när saxen borrar sig in i hans högra lår. Blod skvätter ner i snön. Joona håller sig kvar i stående ställning, han har redan handbojorna i handen som han slår Marek med över vänster öra. Det är ett hårt slag. Marek blir alldeles stilla, han stirrar bara undrande framför sig och försöker säga något. Det rinner blod ur hans öra och näsa. Flämtande böjer sig Joona över honom och sätter handfängsel kring hans slappa armar.

Med rivande andhämtning rusar Erik efter bussen i mörkret. De röda baklyktorna lyser framför honom och längre fram fladdrar strålkastarnas bleka sken över träden. Det smäller till när ena backspegeln slås av mot ett träd.

Erik tänker att kylan skyddar sonen, att minusgraderna sänker kroppstemperaturen någon tiondel, tillräckligt för att Benjamins blod ska flyta tjockare, kanske nog för att han ska klara sig trots att han har blivit skadad.

Marken sluttar brant bakom huset. Erik snavar och kommer upp igen. Träddungar och kullar är gömda under snö. Bussen är en skugga långt därframme, en silhuett med ett suddigt sken omkring sig.

Han undrar om Lydia ska försöka köra efter stranden och ta sig runt tjärnen till den gamla timmervägen. Bussen bromsar in och han ser den istället svänga ut på isen. Han skriker åt henne att stanna.

En eftersläpande tamp snor in sig i bryggan och sliter presenningen från bussens tak.

Erik närmar sig badplatsen, det luktar diesel. Bussen är redan tjugo meter ut på sjön.

Han halkar nedför slänten, är mycket andfådd, men fortsätter springa.

Plötsligt stannar bussen. Med panik i strupen ser Erik hur de röda baklyktorna riktas uppåt, som om någon långsamt höjde blicken.

Det mullrar och knakar mäktigt från isen. Han stannar upp vid strandbrynet, försöker se någonting. Erik förstår att isen har gett vika, att bussen har gått igenom. Hjulen snurrar bakåt, men river bara upp vaken ytterligare.

Erik rycker åt sig livbojen på ställningen vid badbryggan och börjar springa på isen med hårt dunkande hjärta. Belysningen inne i den fortfarande flytande bussen får den att skina som en frostig glaskupa. Det plaskar och tunga isflak bryts upp och vänder sig runt i det svarta vattnet.

Erik tycker sig se ett vitt ansikte i det rullande vattnet bakom bussen.

– Benjamin, skriker han.

Svallvågor sköljer upp och gör isen hal under hans fötter. Snabbt tar han linan som är fäst i livbojen, slår den om sin midja och knyter hårt för att inte tappa taget. Han kastar ut livbojen men kan inte längre se någon i det mörka vattnet. Den frontmonterade motorn arbetar dånande. Rött sken från baklyktorna sprider sig över issörja och snö.

Bussens främre del sjunker djupare så att bara taket syns. Strålkastarna försvinner ner i vattnet. Motorn hörs inte längre. Det blir nästan tyst. Det knastrar och frasar av is och vattnet bubblar slappt. Plötsligt ser Erik att både Benjamin och Lydia befinner sig inne i bussen. Golvet lutar. De flyttar sig bakåt. Benjamin klamrar sig fast i en stång. Taket vid förarplatsen är nästan i nivå med isen. Erik skyndar sig mot vaken och hoppar över på bussen. Hela det stora fordonet gungar under honom. Avlägset hör han Simone ropa något, hon har hunnit ner till strandkanten. Erik kryper fram till takfönstret, reser sig upp och stampar ut det. Glassplitter rasslar ned över säten och golv. Allt han kan tänka på är att få bort Benjamin från den sjunkande bussen. Han klättrar ner, hänger i armarna och lyckas stödja fötterna mot ryggstödet till ett säte och tar sig ner. Benjamin ser skräckslagen ut, han har bara en pyjamas på sig, blod rinner ur hans näsa och från ett litet sår på kinden.

– Pappa, viskar han.

Erik följer hans blick till Lydia. Hon står längst bak i bussens gång med ett slutet drag över ansiktet. Hon håller i geväret och är blodig om munnen. Hela förarplatsen ligger under vatten. Bussen sjunker ytterligare och golvet lutar brantare. Det rinner hela tiden in vatten mellan mittdörrarnas gummilister.

– Vi måste ut ur bussen, ropar Erik.

Lydia skakar bara långsamt på huvudet.

– Benjamin, säger han utan att släppa Lydias blick med sin. Klättra upp på mig och ut genom takluckan.

Benjamin svarar inte, men gör som Erik säger. Han närmar sig ostadigt, tar sig upp på ett säte och över på Eriks rygg och axlar. När han når den öppna luckan med händerna höjer Lydia geväret och skjuter. Erik känner ingen smärta, bara en stöt mot axeln som är så kraftig att han slås omkull. Först när han reser sig igen känner han smärtan och det varma blodet som rinner. Benjamin hänger från takluckan. Erik går bara fram och hjälper honom upp med sin fungerande arm trots att han ser att Lydia höjer geväret mot honom igen. Benjamin befinner sig redan på taket när nästa skott brinner av. Lydia missar. Kulan går förbi Eriks höft och en stor fönsterruta bredvid honom slås ut och isande vatten stänker och väller in. Det går mycket fort nu. Erik försöker nå takluckan men bussen rullar åt sidan och han hamnar under vatten.

Chocken från den häftiga kylan får honom att tappa medvetandet i några sekunder. Han sparkar med benen i panik, bryter ytan och fyller lungorna med luft. Bussen börjar sjunka i det svarta vattnet, långsamt och metalliskt knakande. Den kantrar, han får ett slag i huvudet och befinner sig under vatten igen. Det dånar i öronen och en obegriplig kyla omsluter honom. Genom fönstret ser han strålkastarna lysa djupt ner i tjärnen. Hjärtat dunkar i bröstet. Ansiktet och huvudet kramar. Vattnet är så bedövande kallt att han inte kan röra sig. Han ser Lydia under vattnet, hur hon håller sig fast i en stång med ryggen mot bussens bakre säten. Han ser den öppna takluckan och fönstret som skjutits bort, vet att bussen sjunker, vet att han måste simma ut, att det är bråttom, att han måste kämpa, men armarna fungerar inte. Han är nästan viktlös, men har ingen känsel i benen. Han försöker förflytta sig, men har svårt att synkronisera sina rörelser.

Erik ser nu att han är omgiven av ett moln av blod från såret i axeln.

Plötsligt möter han Lydias blick, hon ser honom lugnt i ögonen. De hänger stilla i det kalla vattnet och betraktar varandra.

Lydias hår böljar med vattenrörelserna och små luftbubblor

rinner i ett pärlband ur hennes näsa.

Erik behöver andas, det spänner i halsen, men han gör motstånd mot lungornas kamp för att få dra i sig syre. Tinningarna dunkar och det blinkar till av ett vitt ljus i hans huvud.

Hans kroppstemperatur är så låg att han håller på att förlora medvetandet. En ringande ton stiger i hans öron, högt och svajande.

Erik tänker på Simone, på att Benjamin kommer att klara sig. Det känns som en dröm, att flyta fritt i det isande vattnet. Med en märklig klarhet inser han att detta är stunden för hans död och det sjunger till av ångest i hans mage.

Han har förlorat uppfattningen av riktningar, av sin egen kropp, av ljus och mörker. Vattnet känns med ens varmt, nästan hett. Han tänker att han alldeles snart måste öppna munnen och bara ge efter, bara låta slutet komma och lungorna fyllas av vatten. Nya, konstiga tankar jagar genom hans huvud när det plötsligt händer någonting. Han känner att repet om midjan dras åt. Han hade glömt bort att han knöt den långa linan som var kopplad till livbojen runt sin kropp. Nu har den fastnat i något. Tungt dras han åt sidan. Det går inte att stoppa, han har inga krafter kvar. Obönhörligt halas hans slappa kropp runt en stolpe och sedan snett upp genom takfönstret. Bakhuvudet dunsar emot något, skon lossnar från ena foten och så är han ute i det svarta vattnet. Han lyfts uppåt och ser hur bussen fortsätter utan honom mot djupet och han anar Lydia i den lysande buren som ljudlöst faller ner mot tjärnens botten.

# 54

*Torsdag den tjugofjärde december*

SIMONE, ERIK OCH BENJAMIN åker in i ett grått Stockholm under en himmel som redan mörknat. Luften är regntung och ett nästan purpurfärgat dis omger staden. Färgglada ljusslingor lyser överallt i julgranar och på balkongräcken. I fönstren hänger julstjärnor och i skyltfönstren står tomtar bland glittrigt pynt.

Taxichauffören som släpper av dem vid Hotel Birger Jarl bär tomteluva. Han vinkar dystert åt dem i backspegeln och de ser att han har monterat en jultomte av plast på taxiskylten på taket.

Simone blickar mot lobbyn och fönstren till hotellets nersläckta restaurang och säger att det kanske är konstigt att bo på hotell när man befinner sig bara två hundra meter hemifrån.

– Men jag vill verkligen inte gå in i vår lägenhet igen, säger hon.

– Det är självklart, säger Erik.

– Aldrig mer.

– Inte jag heller, säger Benjamin.

– Vad ska vi göra? frågar Erik. Gå på bio?

– Jag är hungrig, säger Benjamin lågt.

Erik hade varit kraftigt nedkyld när helikoptern kom till Umeå lasarett, skottskadan var inte allvarlig, den halvmantlade kulan hade gått rakt igenom vänster axelmuskel och bara ytligt skadat överarmbenets yttre del. Efter operationen delade han rum med Benjamin som hade lagts in för medicinering, vård och vätskeersättning. Benjamin hade inte haft några allvarliga blödningar och hämtade sig snabbt. Redan efter en dag på sjukhuset hade han börjat tjata om att få åka hem. Först ville inte Erik och Simone gå med på det. De ville att han skulle stanna för observation på grund av sin sjukdom och för att få träffa någon som kunde hjälpa honom bearbeta det han varit med om.

Psykologen Kerstin Bengtsson verkade stressad och tycktes inte riktigt förstå graden av fara som Benjamin varit utsatt för. När hon träffade Erik och Simone efter att ha samtalat med Benjamin under fyrtiofem minuter, hävdade hon kort att pojken mådde bra efter omständigheterna, att de skulle avvakta, ge honom tid.

Erik och Simone undrade om psykologen bara hade velat lugna dem, för de förstod ju att Benjamin skulle behöva hjälp, de såg att han letade runt bland sina minnen som om han redan bestämt sig för att bortse från vissa av dem, anade att han skulle sluta sig kring det som hänt som berggrunden kring ett fossil om han lämnades ensam.

– Jag känner två riktigt bra psykologer, sa Erik. Jag pratar med dem så fort vi kommer hem.

– Bra.

– Hur mår du själv? fortsatte Erik.

– Jag har hört talas om en hypnotisör som ...

– Akta dig för honom.

– Det vet jag, log Simone.

– Men på riktigt, sa han sedan. Vi kommer att behöva bearbeta det här allihop.

Hon nickade och hennes blick blev mycket tankfull.

– Lilla Benjamin, sa hon mjukt.

Erik gick och lade sig i sängen bredvid Benjamin igen och Simone satte sig på stolen mitt emellan bäddarna. De såg på sin son som låg i sängen, blek och mager. Tittade på hans ansikte outtröttligt som när han var nyfödd.

– Hur är det med dig? hade Erik frågat försiktigt.

Benjamin hade vänt bort ansiktet och blickat ut genom fönstret. Mörkret utanför gjorde glaset till en vibrerande spegelbild då vinden tryckte och knäppte i rutan.

När Benjamin hade fått hjälp av Erik och kravlat sig upp på taket till bussen hörde han det andra skottet. Han halkade till och var nära att falla ned i vattnet. I samma ögonblick hade han sett Simone i mörkret vid kanten till den stora vaken. Hon hade skrikit åt honom att bussen höll på att sjunka, att han måste ta sig över till isen. Benjamin såg livbojen i det svarta gungande vattnet bakom bussen och hoppade. Han hade fått tag i den, lagt den över sig och simmat mot kanten. Simone låg på isen och ålade sig fram till kanten. Hon nådde honom, drog upp honom i livbojen, fick honom en bit bort från vaken. Hon tog av sig jackan och svepte den runt honom, kramade honom och berättade att en helikopter var på väg.

– Pappa är kvar, grät Benjamin.

Bussen sjönk hastigt, försvann knakande ner i vattnet och det blev mörkt. Det plaskade av upprörda vågor och stora kluckande luftbubblor. Simone hade rest sig upp och sett när isflaken lade sig tillrätta i det gungande vattnet.

Hon sjönk ihop och höll Benjamin hårt intill sig när det plötsligt ryckte till i hans kropp. Han slets ur hennes armar, försökte komma upp men halkade omkull. Linan till livbojen löpte i en hård linje över isen och ner i vattnet. Benjamin drogs mot vaken. Han kämpade emot, gled med sina bara fötter och skrek. Simone fick tag i honom och tillsammans halkade de närmare kanten.

– Det är pappa, ropade Benjamin till Simone. Han hade repet om magen!

Hennes ansikte hade blivit alldeles hårt och sammanbitet. Hon hade gripit tag i bojen, krokat båda armarna kring den och pressat hälarna mot isen. Benjamin grimaserade av smärta när de kasade allt närmare vaken. Linan var så spänd att en dov ton hördes när den gled över kanten till isen. Så hade dragkampen plötsligt vänt: det var fortfarande tungt, men de kunde flytta sig bakåt, bort från vaken. Sedan var det nästan inget motstånd alls. De hade dragit ut Erik genom bussens takfönster och nu flöt han snabbt mot ytan. Några sekunder senare hade Simone kunnat hala upp honom på isen. Där låg han framstupa och hostade och andades medan en röd fläck bredde ut sig under honom.

När polis och ambulans hade anlänt till Jussis stuga hade de hittat Joona liggande i snön med ett provisoriskt tryckförband om låret, bredvid en skrikande, rytande Marek. Jussis blåfrusna lik satt med en yxa i bröstet utanför förstutrappen. Polisen och fjällräddningen hade funnit en överlevande i huset. Det var Jussis sambo Annbritt som gömde sig i garderoben i sovrummet. Hon var blodig och kröp ihop bakom de hängande kläderna som ett barn. Ambulanspersonal hade burit ut henne på bår till den väntade helikoptern för akutbehandling under transporten.

Två dagar senare gick räddningstjänstens dykare ner i vaken för att bärga Lydias kropp. På sextiofyra meters djup stod bussen på sina sex hjul som om den bara hade stannat till på en hållplats för att ta upp passagerare. En dykare gick in genom den främre dörren och lyste runt med sin lampa på de tomma passagerarplatserna. Geväret låg på golvet långt bak i gången. Det var först när dykaren riktade ljuset uppåt som han såg Lydia. Hon hade flutit upp och låg med ryggen tryckt mot bussens innertak, armarna hängde ned och nacken var böjd. Huden i ansiktet hade redan börjat luckras upp och lossna. Det röda håret böljade mjukt i vattenrörelserna, hennes mun var lugn och ögonen slutna som i sömn.

Benjamin hade inget begrepp om var han befunnit sig de första dygnen efter kidnappningen. Det var möjligt att Lydia hade haft honom i sitt hus eller hemma hos Marek, men han hade fortfarande varit så omtöcknad av bedövningsmedlet som han injicerats med, att han inte riktigt förstått vad som hände. Kanske hade han fått fler sprutor när han börjat vakna till. De första dygnen var bara mörka och försvunna.

Han hade kommit till medvetande i bilen på väg norrut, hittat sin mobiltelefon och lyckats ringa Erik innan han blev påkommen. De måste ha hört hans röst i bilens kupé.

Sedan följde de långa och onda dagarna. Det var egentligen bara brottstycken som Erik och Simone lyckades lirka ur honom. De förstod inte mer än att han hade tvingats ligga på golvet i Jussis stuga med ett koppel runt halsen. Av hans tillstånd att döma när de kom till sjukhuset hade han varken fått mat eller dryck på flera dygn. Ena foten hade blivit köldskadad, men skulle återhämta sig. Han hade lyckats fly med hjälp av Jussi och Annbritt, berättade han och blev sedan tyst en stund. Efter ett tag fortsatte Benjamin förklara hur Jussi räddat honom när han försökte ringa hem, och hur han sprungit ut i snön och hört Annbritt skrika när Lydia klippte av henne näsan. Benjamin kröp in mellan de gamla bilarna, tänkte att han skulle gömma sig och kravlade in genom ett öppet fönster till en av de översnöade bussarna. Där hittade han några mattor och en möglig filt som med all sannolikhet räddade honom från att frysa ihjäl. Han hade somnat där inne, hoprullad på förarsätet. Han vaknade några timmar senare av att han hörde sin mammas och pappas röster.

– Jag visste inte att jag levde, viskade Benjamin.

Sedan hade han hört Marek hota dem och insett att han satt och stirrade på nyckeln i tändningslåset till bussen. Utan att fundera på vad han gjorde provade han att starta, såg strålkastarna tändas och hörde motorn ryta hest och ursinnigt när han satte fart rakt mot den plats där han tyckte att Marek befann sig.

Benjamin hade tystnat och några stora tårar blev hängande i hans ögonfransar.

Efter två dygn på Umeå lasarett blev Benjamin tillräckligt

stark för att kunna gå igen. Han följde med Erik och Simone för att hälsa på Joona Linna som låg på den postoperativa avdelningen. Han hade blivit ganska illa tilltygad i låret av saxen som Marek huggit honom med, men tre veckors vila skulle förmodligen göra honom helt återställd. En vacker kvinna med en mjuk, blond fläta över axeln satt hos honom och läste högt ur en bok när de kom in. Hon presenterade sig som Disa, Joonas vän sedan många år tillbaka.

– Vi har en läsecirkel, jag måste ju se till att han hänger med, sa Disa på finlandssvenska och lade ned boken.

Simone såg att hon läste Virginia Woolfs *Mot fyren*.

– Jag har fått låna en liten lägenhet av fjällräddningen, sa Disa och log.

– Ni ska få poliseskort från Arlanda, sa Joona till Erik.

Både Simone och Erik hade försökt avböja. De kände att de behövde få vara ensamma med sin son och inte träffa fler poliser. När Benjamin blev utskriven vid ronden på det fjärde dygnet, ordnade Simone omedelbart flygbiljetter för hemresan och gick sedan för att hämta kaffe. Men för första gången var sjukhuskafeterian stängd. I patientrummet stod bara en tillbringare med äppeljuice och några skorpor. Hon gick ut för att försöka hitta ett kafé någonstans, men allting föreföll underligt öde och tillbommat. Ett vilsamt lugn låg över staden. Hon stannade framför ett järnvägsspår och blev sedan bara stående där, följde det blanka spåret med blicken, snön över sliprarna och banvallen. Långt borta i mörkret anade hon den breda Umeälven, strimmig av vit is och svart, glittrande vatten.

Först nu började någonting inom henne att slappna av. Hon tänkte att det var över. De hade fått tillbaka Benjamin.

Efter att ha anlänt till Arlanda flygplats hade de sett Joona Linnas poliseskort stå och vänta på dem medan ett tiotal tålmodiga journalister stod beredda med kameror och mikrofoner. Utan ett ord till varandra valde de en annan utgång, passerade bakom uppbådet och stoppade en taxi.

Nu står de och tvekar utanför Hotel Birger Jarl i Stockholm och börjar sedan bara gå längs Tulegatan, fortsätter på Odengatan, stannar till i hörnet vid Sveavägen och ser sig omkring. Benjamin har på sig en alldeles för stor träningsoverall som kommer från polisens hittegodsavdelning, en toppluva – samisk turistvariant – som Simone köpte åt honom på flygplatsen och ett par trånga lovikkavantar. Vasastan är ödslig och folktom. Allt tycks vara stängt, tunnelbanestationen, busshållsplatserna, de nedsläckta restaurangerna som vilar i sträng tystnad.

Erik tittar på klockan. Hon är fyra på eftermiddagen. En kvinna skyndar sig uppför Odengatan med en stor påse i händerna.

– Det är julafton, säger Simone plötsligt. Det är julafton idag.

Benjamin tittar förvånat på henne.

– Det förklarar varför alla säger god jul, säger Erik leende.

– Vad ska vi göra? frågar Benjamin.

– Där är det öppet, säger Erik.

– Ska vi äta julmiddag på McDonald's? frågar Simone.

Det börjar regna, ett tunt, isande regn faller över dem när de skyndar mot restaurangen som ligger alldeles nedanför Observatorielunden. Det är en ful, låg lokal som trycker sig mot marken under bibliotekets ockrafärgade rundel. En kvinna i sextioårsåldern står bakom disken och väntar. Inga andra gäster befinner sig i hamburgerrestaurangen.

– Jag skulle vilja ha ett glas vin, säger Simone. Men det får man inte, antar jag.

– En milkshake, säger Erik.

– Vanilj, jordgubb eller choklad? frågar kvinnan surt.

Simone ser ut som om hon håller på att brista ut i ett hysteriskt skrattanfall, men hon tvingar tillbaka skrattet och säger med tillkämpat allvar:

– Jordgubb, jag tar naturligtvis jordgubb.

– Jag med, faller Benjamin in.

Kvinnan knappar in beställningen med små, vresiga rörelser.

– Var det allt? frågar hon.

– Ta lite av varje, säger Simone till Erik. Vi går och sätter oss så länge.

Hon och Benjamin går tillsammans mellan de tomma borden.

– Fönsterbord, viskar hon och ler mot Benjamin.

Hon sätter sig bredvid sin son, håller honom intill sig och känner tårarna rinna efter kinderna. Därute ser hon den långa, felplacerade bassängen. Som vanligt står den tömd och nedskräpad. En ensam skateboardåkare kryssar mellan isfläckarna med hårda skrapande och slamrande ljud. På en bänk intill linbanan i utkanten av lekplatsen bakom Handelshögskolan sitter en ensam kvinna. Bredvid henne står en tom varuvagn. Däcket på linbanan gungar i blåsten.

– Fryser du? frågar hon.

Benjamin svarar inte, han vilar bara ansiktet mot henne, ligger kvar och låter henne pussa honom på huvudet gång på gång.

Erik placerar en bricka tyst på bordet, går och hämtar en till innan han sätter sig och börjar duka upp kartonger, papperspaket och pappmuggar på bordet.

– Vad fint, säger Benjamin och sätter sig upp.

Erik räcker fram en Happy Meal-leksak.

– God jul, säger han.

– Tack, pappa, ler Benjamin och tittar på plastförpackningen.

Simone betraktar sitt barn. Han har blivit så fruktansvärt smal. Men det är något annat med, tänker hon. Det är som om en tyngd fortfarande hänger i honom, något som drar i hans tankar, ansätter och belastar. Han är inte riktigt närvarande. Det är som att han blickar inåt, tänker hon, som mot en spegelbild i ett mörkt fönster.

När hon ser Erik sträcka ut handen och klappa sin son på kinden börjar hon gråta igen. Hon vänder sig bort, viskar förlåt och ser hur en plastpåse blåser upp från en soptunna och trycker sig mot glasrutan.

– Ska vi försöka äta lite? frågar Erik.

Benjamin viker papperet från en stor hamburgare när Eriks mobiltelefon ringer. Han ser på nummerpresentatören att det är Joona.

– God jul, Joona, svarar han.

– Erik, säger Joona i andra linjen. Är ni tillbaka i Stockholm nu?

– Vi äter faktiskt julmiddag.

– Minns du att jag sa att vi skulle hitta din son?

– Ja, det minns jag.

– Du har tvivlat ibland när vi . . .

– Ja, säger Erik.

– Men jag visste att det här skulle gå bra, fortsätter Joona på sin allvarliga finlandssvenska.

– Det gjorde inte jag.

– Jag vet, jag märkte det, säger Joona. Det är därför jag har en sak som jag måste säga till dig.

– Ja?

– Vad var det jag sa, säger han.

– Vad då?

– Jag hade rätt – eller hur?

– Ja, svarar Erik.

– God jul, säger Joona och avslutar samtalet.

Erik stirrar förvånat framför sig och vänder sedan blicken mot Simone. Han tittar på hennes genomskinliga hy och breda mun. Otaliga bekymmersrynkor har hunnit djupna kring ögonen den sista tiden. Hon ler mot honom och han följer sedan hennes blick när den vänder sig mot Benjamin.

En lång stund betraktar Erik sin son. Det gör ont i halsen av tillbakahållen gråt. Benjamin sitter med allvarligt ansikte och äter pommes frites. Han har försvunnit in i någon tanke. Hans ögon är tomt stirrande, han är insugen i sina minnen och tomrummen mellan dem. Erik sträcker ut den friska armen, kramar sin sons fingrar och ser honom titta upp.

– God jul, pappa, säger Benjamin leende. Här, du får lite pommes frites av mig.

– Ska vi inte ta med oss maten och åka till morfar? säger Erik.

– Menar du det? frågar Simone.

– Hur kul är det att ligga på sjukhus?

Simone ler mot honom och ringer efter en taxi. Benjamin går till kvinnan i kassan och ber om en påse att packa maten i.

När deras taxi långsamt passerar Odenplan ser Erik sin familj avspeglas i fönstret och samtidigt den väldiga klädda granen på torget. Som i ringlek glider de förbi granen. Hög och bred står den med hundratals små tända lampor som slingrar sig upp till den glänsande stjärnan.